Evangelio

Ciclo C

2019

Diario biblico 2019 3ª ed. Ediciones Paulinas, 2018
432 p. 10 x 14.5 cm. – (Agendas)

ISBN: 978-072-7648-71-6 (México)
978-075-7648-71-7 (Estados Unidos)

Preparación textos bíblicos
Antonio Hernández Taboada
Jesús Rosario Fuentes

Corrección
Adriana Sánchez Escalante
Blanca Berenice Rosales Baeza

Portada y diseño gráfico
Alejandro García Gómez

Calzada Taxqueña 1792, Delegación Coyoacán, C.P. 04250, Ciudad de México
Email: subdirectoreditorial@sanpablo.com.mx

Director editorial: Pbro. Dr. Rafael González Beltrán, ssp

Este libro se terminó de imprimir en Junio de 2018
en **Ediciones Paulinas, S.A. de C.V.**
Sociedad de San Pablo, Provincia de México-Cuba
Impreso y hecho en México
Printed and made in Mexico

Afiliados a la Cámara Nacional de la Industria Editorial Mexicana: 471

Presentación

Queridos amigos:

Queremos invitarlos a conocer a Jesús de Nazaret a través de la lectura del *Evangelio Diario* que podrá animarnos y fortalecernos cada día del año. Leer el Evangelio todos los días es un buen sistema para conocer y reconocer a Jesús. Llevar con nosotros este pequeño libro con el Evangelio y pequeñas reflexiones nos ayudará a amar más y mejor.

El centro de la vida cristiana es Jesucristo, Hijo del Padre, Salvador del mundo, no hay otro, es el único. Y esto es el núcle de nuestra vida: Jesucristo que se manifiesta, se hace ver, y nosotros estamos invitados a conocerle, a reconocerle en la vida, en las muchas circunstancias de la vida. Así puedo preguntarme: ¿El centro de mi vida es Jesucristo? ¿Cuál es mi relación con Jesucristo? Y descubriremos que debemos seguirlo conociendo mejor.

Nos aconseja el Papa Francisco: "Leer todos los días un pasaje del Evangelio, pequeñito, tres minutos, cuatro, cinco". "Y esto trabaja por dentro: es el Espíritu Santo quien hace el trabajo después. Esto es la semilla. Quien hace germinar y crecer la semilla es el Espíritu Santo".

Sociedad de San Pablo
Provincia de México-Cuba

2018

ENERO

D	L	M	M	J	V	S
	1	2	3	4	5	6
7	8	9	10	11	12	13
14	15	16	17	18	19	20
21	22	23	24	25	26	27
28	29	30	31			

FEBRERO

D	L	M	M	J	V	S
				1	2	3
4	5	6	7	8	9	10
11	12	13	14	15	16	17
18	19	20	21	22	23	24
25	26	27	28			

MARZO

D	L	M	M	J	V	S
				1	2	3
4	5	6	7	8	9	10
11	12	13	14	15	16	17
18	19	20	21	22	23	24
25	26	27	28	29	30	31

ABRIL

D	L	M	M	J	V	S
1	2	3	4	5	6	7
8	9	10	11	12	13	14
15	16	17	18	19	20	21
22	23	24	25	26	27	28
29	30					

MAYO

D	L	M	M	J	V	S
		1	2	3	4	5
6	7	8	9	10	11	12
13	14	15	16	17	18	19
20	21	22	23	24	25	26
27	28	29	30	31		

JUNIO

D	L	M	M	J	V	S
					1	2
3	4	5	6	7	8	9
10	11	12	13	14	15	16
17	18	19	20	21	22	23
24	25	26	27	28	29	30

JULIO

D	L	M	M	J	V	S
1	2	3	4	5	6	7
8	9	10	11	12	13	14
15	16	17	18	19	20	21
22	23	24	25	26	27	28
29	30	31				

AGOSTO

D	L	M	M	J	V	S
			1	2	3	4
5	6	7	8	9	10	11
12	13	14	15	16	17	18
19	20	21	22	23	24	25
26	27	28	29	30	31	

SEPTIEMBRE

D	L	M	M	J	V	S
						1
2	3	4	5	6	7	8
9	10	11	12	13	14	15
16	17	18	19	20	21	22
23	24	25	26	27	28	29
30						

OCTUBRE

D	L	M	M	J	V	S
	1	2	3	4	5	6
7	8	9	10	11	12	13
14	15	16	17	18	19	20
21	22	23	24	25	26	27
28	29	30	31			

NOVIEMBRE

D	L	M	M	J	V	S
				1	2	3
4	5	6	7	8	9	10
11	12	13	14	15	16	17
18	19	20	21	22	23	24
25	26	27	28	29	30	

DICIEMBRE

D	L	M	M	J	V	S
						1
2	3	4	5	6	7	8
9	10	11	12	13	14	15
16	17	18	19	20	21	22
23	24	25	26	27	28	29
30	31					

2020

ENERO

D	L	M	M	J	V	S
			1	2	3	4
5	6	7	8	9	10	11
12	13	14	15	16	17	18
19	20	21	22	23	24	25
26	27	28	29	30	31	

FEBRERO

D	L	M	M	J	V	S
						1
2	3	4	5	6	7	8
9	10	11	12	13	14	15
16	17	18	19	20	21	22
23	24	25	26	27	28	

MARZO

D	L	M	M	J	V	S
						1
2	3	4	5	6	7	8
9	10	11	12	13	14	15
16	17	18	19	20	21	22
23	24	25	26	27	28	29
30	31					

ABRIL

D	L	M	M	J	V	S
		1	2	3	4	5
6	7	8	9	10	11	12
13	14	15	16	17	18	19
20	21	22	23	24	25	26
27	28	29	30			

MAYO

D	L	M	M	J	V	S
				1	2	3
4	5	6	7	8	9	10
11	12	13	14	15	16	17
18	19	20	21	22	23	24
25	26	27	28	29	30	31

JUNIO

D	L	M	M	J	V	S
1	2	3	4	5	6	7
8	9	10	11	12	13	14
15	16	17	18	19	20	21
22	23	24	25	26	27	28
29	30					

JULIO

D	L	M	M	J	V	S
		1	2	3	4	5
6	7	8	9	10	11	12
13	14	15	16	17	18	19
20	21	22	23	24	25	26
27	28	29	30	31		

AGOSTO

D	L	M	M	J	V	S
					1	2
3	4	5	6	7	8	9
10	11	12	13	14	15	16
17	18	19	20	21	22	23
24	25	26	27	28	29	30
31						

SEPTIEMBRE

D	L	M	M	J	V	S
	1	2	3	4	5	6
7	8	9	10	11	12	13
14	15	16	17	18	19	20
21	22	23	24	25	26	27
28	29	30				

OCTUBRE

D	L	M	M	J	V	S
			1	2	3	4
5	6	7	8	9	10	11
12	13	14	15	16	17	18
19	20	21	22	23	24	25
26	27	28	29	30	31	

NOVIEMBRE

D	L	M	M	J	V	S
						1
2	3	4	5	6	7	8
9	10	11	12	13	14	15
16	17	18	19	20	21	22
23	24	25	26	27	28	29
30						

DICIEMBRE

D	L	M	M	J	V	S
	1	2	3	4	5	6
7	8	9	10	11	12	13
14	15	16	17	18	19	20
21	22	23	24	25	26	27
28	29	30	31			

ENERO

D	L	M	M	J	V	S
		1	2	3	4	5
6	7	8	9	10	11	12
13	14	15	16	17	18	19
20	21	22	23	24	25	26
27	28	29	30	31		

FEBRERO

D	L	M	M	J	V	S
					1	2
3	4	5	6	7	8	9
10	11	12	13	14	15	16
17	18	19	20	21	22	23
24	25	26	27	28		

MARZO

D	L	M	M	J	V	S
					1	2
3	4	5	6	7	8	9
10	11	12	13	14	15	16
17	18	19	20	21	22	23
24	25	26	27	28	29	30
31						

ABRIL

D	L	M	M	J	V	S
	1	2	3	4	5	6
7	8	9	10	11	12	13
14	15	16	17	18	19	20
21	22	23	24	25	26	27
28	29	30				

MAYO

D	L	M	M	J	V	S
			1	2	3	4
5	6	7	8	9	10	11
12	13	14	15	16	17	18
19	20	21	22	23	24	25
26	27	28	29	30	31	

JUNIO

D	L	M	M	J	V	S
						1
2	3	4	5	6	7	8
9	10	11	12	13	14	15
16	17	18	19	20	21	22
23	24	25	26	27	28	29
30						

JULIO

D	L	M	M	J	V	S
	1	2	3	4	5	6
7	8	9	10	11	12	13
14	15	16	17	18	19	20
21	22	23	24	25	26	27
28	29	30	31			

AGOSTO

D	L	M	M	J	V	S
				1	2	3
4	5	6	7	8	9	10
11	12	13	14	15	16	17
18	19	20	21	22	23	24
25	26	27	28	29	30	31

SEPTIEMBRE

D	L	M	M	J	V	S
1	2	3	4	5	6	7
8	9	10	11	12	13	14
15	16	17	18	19	20	21
22	23	24	25	26	27	28
29	30					

OCTUBRE

D	L	M	M	J	V	S
		1	2	3	4	5
6	7	8	9	10	11	12
13	14	15	16	17	18	19
20	21	22	23	24	25	26
27	28	29	30	31		

NOVIEMBRE

D	L	M	M	J	V	S
					1	2
3	4	5	6	7	8	9
10	11	12	13	14	15	16
17	18	19	20	21	22	23
24	25	26	27	28	29	30

DICIEMBRE

D	L	M	M	J	V	S
1	2	3	4	5	6	7
8	9	10	11	12	13	14
15	16	17	18	19	20	21
22	23	24	25	26	27	28
29	30	31				

CELEBRACIONES LITÚRGICAS DE ACUERDO AL MISAL ROMANO DE CADA CONFERENCIA EPISCOPAL[1]

ENERO	
1 martes	Sta. María, Madre de Dios
2 miércoles	Stos. Basilio Magno y Gregorio Nacianceno
3 jueves	Santísimo Nombre de Jesús
4 viernes	(En EUA) Isabel Ana Seton
5 sábado	(En EUA) Juan Newmann
6 domingo	Epifanía del Señor
13 domingo	Bautismo del Señor
17 jueves	San Antonio, abad
18-25 v-v	Semana de Oración por la unidad de los cristianos
20 domingo	2o. ORDINARIO / Jornada del Migrante y del Refugiado
21 lunes	(en EUA y México) Santa Inés
22 martes	(En EUA) Día de la Protección legal de la Creatura en el vientre materno
24 jueves	San Francisco de Sales
25 viernes	Conversión de san Pablo / Concluye la Semana de Oración por la unidad de los cristianos
26 sábado	Stos. Timoteo y Tito
27 domingo	3o. ORDINARIO
28 lunes	Sto. Tomás de Aquino
31 jueves	San Juan Bosco

FEBRERO	
2 sábado	Presentación del Señor / 23a. Jornada Mundial de la Vida Consagrada
3 domingo	4o. ORDINARIO
4 lunes	Sta. Águeda
5 martes	San Felipe de Jesús
6 miércoles	San Pablo Miki y compañeros
10 domingo	5o. ORDINARIO
11 lunes	Nuestra Sra. de Lourdes / 27a. Jornada Mundial del Enfermo
14 jueves	Stos. Cirilo y Metodio
17 domingo	6o. ORDINARIO
22 viernes	Cátedra de san Pedro
23 sábado	San Policarpo
24 domingo	7o. ORDINARIO

MARZO	
3 domingo	8o. ORDINARIO
6 miércoles	DE CENIZA: comienza el tiempo de Cuaresma
7 jueves	Stas. Perpetua y Felícitas
8 viernes	San Juan de Dios (En Cuba) Nuestra Sra. de la Caridad del Cobre
10 domingo	1ro. de CUARESMA
17 domingo	2o. de CUARESMA
19 martes	San José, esposo de la Virgen María
24 domingo	3o. de CUARESMA

[1] El calendario litúrgico de los EUA se refiere a la parte de habla hispana, aprobado por la Conferencia Episcopal de ese país. Sólo se indican las celebraciones obligatorias y cuando NO se especifica el país quiere decir que es universal. Las memorias opcionales y otras celebraciones están indicadas en el día correspondiente.

25 lunes	Anunciación del Señor
31 domingo	4o. de CUARESMA

ABRIL	
7 domingo	5o. de CUARESMA
11 jueves	(En EUA) San Estanislao
14 domingo	DE RAMOS De la Pasión del Señor / 34a. Jornada Mundial de la Juventud
18 Jueves	SANTO De la Cena del Señor
19 Viernes	SANTO De la Pasión del Señor
21 domingo	DE RESURRECCIÓN: comienza el tiempo pascual
25 jueves	San Marcos Evangelista
28 domingo	2o. DE PASCUA: De la Misericordia
29 lunes	Sta. Catalina de Siena

MAYO	
1 miércoles	San José Obrero
2 jueves	San Atanasio
3 viernes	(En México) Exaltación de la Santa Cruz / (En Cuba y EUA) Felipe y Santiago, apóstoles
4 Sábado	Stos. Santiago y Felipe
5 domingo	3o. DE PASCUA
10 viernes	(En México) Día de las Madres
12 domingo	4o. DE PASCUA: Jesús Buen Pastor / 56a. Jornada Mundial de Oración por las vocaciones
14 martes	San Matías
19 domingo	5o. DE PASCUA
21 martes	(en México) San Cristóbal Magallanes y compañeros
26 domingo	6o. DE PASCUA
31 viernes	Visitación de la Virgen María

JUNIO	
1 sábado	San Justino
2 domingo	Ascensión del Señor / 53a. Jornada Mundial de las Comunicaciones Sociales
3 lunes	San Carlos Lwanga y compañeros
5 miércoles	San Bonifacio
9 domingo	PENTECOSTÉS
10 lunes	10a. semana del T. Ordinario
11 martes	San Bernabé
13 jueves	Ntro. Señor Jesucristo, Sumo y Eterno Sacerdote
16 domingo	SANTÍSIMA TRINIDAD
17 lunes	11a. semana del T. Ordinario
20 jueves	(En México) El Cuerpo y la Sangre de Cristo
21 viernes	San Luis Gonzaga
23 domingo	(En Cuba y EUA) El Cuerpo y la Sangre de Cristo / (En México) 12o. ORDINARIO
24 lunes	Natividad de san Juan Bautista
28 viernes	Sagrado Corazón de Jesús
29 sábado	Stos. Pedro y Pablo
30 domingo	13o. ORDINARIO

JULIO	
3 miércoles	Sto. Tomás apóstol
4 jueves	(En EUA) Día de la Independencia
7 domingo	14o. ORDINARIO
9 martes	(En EUA) San Pedro Claver
11 jueves	San Benito, abad
14 domingo	15o. ORDINARIO
15 lunes	San Buenaventura

16 martes	Nuestra Sra. del Carmen
21 domingo	16o. ORDINARIO
22 lunes	Santa María Magdalena
25 jueves	Santiago, apóstol
26 viernes	Joaquín y Ana, padres de la V. María
28 domingo	17o. ORDINARIO
29 lunes	Santa Marta
31 miércoles	San Ignacio de Loyola

AGOSTO	
1 jueves	San Alfonso Ma. de Ligorio
4 domingo	18o. ORDINARIO
6 martes	Transfiguración del Señor
8 jueves	Sto. Domingo de Guzmán
10 sábado	San Lorenzo
11 domingo	19o. ORDINARIO
14 miércoles	San Maximiliano Ma. Kolbe
15 jueves	Asunción de la Sma. Virgen María
18 domingo	20o. ORDINARIO
20 martes	San Bernardo, abad
21 miércoles	San Pío X, Papa
22 jueves	Nuestra Sra. María Reina
24 sábado	San Bartolomé, apóstol
25 domingo	21o. ORDINARIO
27 martes	Santa Mónica
28 miércoles	San Agustín
29 jueves	Martirio de san Juan Bautista
30 viernes	(En México) Santa Rosa de Lima
31 sábado	(En México) San Ramón Nonato

SEPTIEMBRE	
1 domingo	22o. ORDINARIO
3 martes	San Gregorio Magno
8 domingo	23o. ORDINARIO
9 lunes	San Pedro Claver
13 viernes	San Juan Crisóstomo
15 domingo	24o. ORDINARIO
16 lunes	Stos. Cornelio y Cipriano
20 viernes	Stos. Andrés Kim Taegon, Pablo Chong Hasang y compañeros
21 sábado	San Mateo, apóstol y evangelista
22 domingo	25o. ORDINARIO
23 lunes	San Pío de Pietrelcina
27 viernes	San Vicente de Paúl
29 domingo	26o. ORDINARIO
30 lunes	San Jerónimo

OCTUBRE	
1 martes	Santa Teresita del Niño Jesús
2 miércoles	Santos Ángeles custodios
4 viernes	San Francisco de Asís
6 domingo	27o. ORDINARIO / (Cuba) Día del Seminario
7 lunes	Nuestra Sra. del Rosario
15 martes	Santa Teresa de Jesús
17 jueves	San Ignacio de Antioquía
18 viernes	San Lucas, evangelista
19 sábado	Santos Juan de Brebeuf, Isaac Jogues y compañeros
20 Domingo	MUNDIAL DE LAS MISIONES
21 lunes	29a. semana del T. Ordinario
24 lunes	San Rafael Guízar y Valencia / San Antonio María Claret

27 domingo	30o. ORDINARIO
28 lunes	Stos. Simón y Judas, apóstoles

NOVIEMBRE	
1 viernes	Todos los Santos
2 sábado	Conmemoración de Todos los Fieles Difuntos
3 domingo	31o. ORDINARIO
4 lunes	San Carlos Borromeo
6 miércoles	(En Cuba) B. José López Piteira y compañeros
9 sábado	Dedicación de la Basílica de Letrán
10 domingo	32o. ORDINARIO
11 lunes	San Martín de Tours
12 martes	San Josafat
13 miércoles	(En EUA) Sta. Francisca Javiera Cabrini
15 viernes	San Alberto Magno
16 sábado	Santas Margarita y Gertrudis
17 domingo	33o. ORDINARIO / 3a. Jornada Mundial de los Pobres
18 lunes	Dedicación de la Basílica de los santos Pedro y Pablo
20 miércoles	(En México) Btos. Anacleto Gonzáles Flores y compañeros
21 jueves	Presentación de la Sma. Virgen María
22 viernes	Santa Cecilia
23 sábado	Beato Miguel Agustín Pro / San Clemente, Papa / San Columbano, Abad
24 domingo	NUESTRO SEÑOR JESUCRISTO REY DEL UNIVERSO
28 jueves	(En EUA) Día de Acción de Gracias
30 sábado	San Andrés, apóstol

DICIEMBRE	
1 domingo	1o. DE ADVIENTO: comienza el Ciclo "A", con el Ferial II (año par)
3 martes	San Francisco Javier
4 miércoles	San Juan Damasceno, presbítero y doctor
6 viernes	San Nicolás, obispo
7 sábado	San Ambrosio
8 domingo	2º. DE ADVIENTO
9 lunes	Inmaculada Concepción de la Virgen María / San Juan Diego
11 miércoles	San Dámaso I, papa
12 jueves	Nuestra Sra. de Guadalupe
13 viernes	Santa Lucía
14 sábado	San Juan de la Cruz
15 domingo	3o. DE ADVIENTO
21 sábado	San Pedro Canisio, presbítero y doctor
22 domingo	4o. DE ADVIENTO
23 lunes	San Juan Kety, presbítero / (En Cuba) Nuestra Sra. De Regla
24 martes	Santos Antepasados de Nuestro Sr. Jesucristo
25 miércoles	NATIVIDAD DEL SEÑOR
26 jueves	San Esteban, protomártir
27 viernes	San Juan, apóstol y evangelista
28 sábado	Los Santos Inocentes
29 domingo	LA SAGRADA FAMILIA
31 martes	San Silvestre, Papa

CICLO C: EVANGELIO SEGÚN SAN LUCAS

San Lucas nos dejó una obra en dos volúmenes: un Evangelio con su nombre y los Hechos de los Apóstoles. No es repetidor, sino pastor, conocedor de las realidades de su tiempo y ambiente citadino del imperio romano. Podemos encontrar detrás a cristianos que quieren vivir en comunidades fraternas, a pesar de las divisiones sociales, políticas y culturales de pobres y ricos, educados y analfabetos, ciudadanos libres y esclavos, mujeres y hombres con distintas perspectivas y expectativas, nacionales y extranjeros en el imperio romano de los años 80-90 de la era cristiana.

El evangelista dice que la vida cristiana no nace de cero como si brotara en tierra árida, sino de la tierra fértil que fue cultivando el Israel del Antiguo Testamento. Al inicio del Evangelio (1-2) presenta personajes de su pueblo, movidos por el Espíritu y profetizando el tiempo nuevo. Seguramente que a él, como a cuantos siguieron a Jesús, les emocionó y conmocionó el descubrimiento de un tiempo nuevo que surgía en el desierto, lugar de la muerte biológica y cultural, pero lugar apto para iniciar el acontecimiento de la Palabra de Dios ante el poderoso ruido del imperio (Lucas 3,1-6). De ahora en adelante, ni poder no tener y valer son motivos que definen su existencia; toda la vida quedará enmarcada y definida por el Reino de Dios, decidido a instaurar la justicia y la paz en la historia de los seres humanos (Lucas 4,1-30). Tal propuesta se explicará en el Evangelio.

Algunas ideas recorren el Evangelio de Lucas como claves de lectura: el Espíritu es el motor de la vida nueva. Él se manifiesta como fuerza liberadora de todos, sean pobres, mujeres, extranjeros, pecadores, niños, proscritos u olvidados. Su oferta llega como alegría, celebración de la vida y anticipación de la vida plena, y como compasión de Dios que acoge el sufrimiento ajeno; como realidad que toca el hoy del hombre y no como simple esperanza para mañana. A cada lector le toca personalizar el drama del Reino de Dios en su propia experiencia.

Como ayuda para leer el proyecto de Lucas, se puede seguir esta estructura:

- **Prólogo**: 1,1-4
- **Nuevo tiempo**: anuncios 1,5-56; nacimientos 1,57-2,52; actividades 3,1-4,13.
- **En Galilea**: proyecto 4,14-6,11; palabras y señales 6,12-8,56; discípulos 9,1-50.
- **De viaje**: conflicto 9,51-13,21; consecuencia 13,22-17,10; novedad 17,11-19,27.
- **En Jerusalén**: entrada 19,28-46; polémicas 19,47-21,4; discurso 21,5-38.
- **Pasión, resurrección y manifestaciones de Jesús Mesías**: 22,1-23,56 y 24,1-49.
- **Epílogo**: Despedida de Jesús 24,50-53.

Si el Reino de Dios, tal como lo había vivido y proclamado Jesús, es lo primero y lo último, entonces el mal, el pecado, la muerte y el sufrimiento no tienen la última palabra en la historia de los seres humanos. La vida de los justos está en las manos de Dios. Jesús, el crucificado, es resucitado por Dios de entre los muertos y es constituido Señor de la historia y Primero de los vivientes... señal de que podemos estar entre esos.

El Evangelio de Lucas asume plenamente esta nueva vida y nos la propone a nosotros, nuevos actores, testigos y cooperadores de ese acontecimiento. Al final del Evangelio queda abierta la puerta a quien ha descubierto que si la vida tiene sentido, entonces habrá que vivirla siguiendo lo que Jesús inició y marcó de formar definitiva.

Tomado de: *Sagrada Biblia Pastoral*, trad. P. Agustín Magaña Méndez, Ediciones Paulinas (San Pablo), México.

PARA RECORDAR:

✓ **Solemnidad:** siempre se celebra, incluso en domingo, a menos que se indique lo contrario. Se canta o se dice "Gloria" y "Credo". Tiene oraciones, lecturas, secuencia (a veces) y prefacios propios, algunas veces hasta bendición propia.

- ✓ **Fiesta:** obligatoria. Algunas veces se dice "Gloria" pero rara vez "Credo". Por lo general sólo incluye 1a. lectura, salmo y Evangelio propio (casi siempre). Algunas fiestas se trasladan al lunes cuando caen en domingo.
- ✓ **Memoria: obligatoria.** No se dice "Gloria" ni "Credo". Sólo incluye 1a. lectura, salmo y Evangelio propio opcional (casi siempre se lee el propio de feria). Si cae en domingo, se omite.
- ✓ **Memoria Libre (u opcional):** Porque su celebración queda al criterio del presidente de la liturgia.
- ✓ **Feria:** de lunes a sábado, liturgia del tiempo correspondiente, sea Adviento, Navidad, Cuaresma, Pascua, tiempo ordinario.

Para los sábados del tiempo ordinario que no tienen solemnidad, fiesta o memoria, se recomienda utilizar las oraciones de las misas de la Santisima. Virgen María, y en ese caso, el color litúrgico siempre será "blanco".

Las fiestas y memorias se celebran como solemnidades en los lugares donde son patronos de la diócesis, del templo o de alguna congregación, siempre y cuando se cuente con la debida autorización diocesana, para las celebraciones locales; o pontificia, para las celebraciones universales.

Días feriados obligatorios en México

1 Ene - Martes	Año nuevo
4 Feb - Lunes	Constitución Mexicana
18 Mar - Lunes	Natalicio de Benito Juárez
1 May - Miércoles	Día del Trabajo
16 Sep - Lunes	Independencia de México
18 Nov - Lunes	Revolución Mexicana
25 Dic- Miércoles	Navidad

Días opcionales de descanso en México

18 Abr	Jueves Santo
19 Abr	Viernes Santo
2 Nov – Sábado	Fieles difuntos
12 Dic – Jueves	Ntra. Sra. de Guadalupe
24 Dic – Martes	Noche Buena
31 Dic – Martes	Último día del año

Celebraciones nacionales mexicanas

Enero	
6 Domingo	Reyes Magos / Día del/la / Enfermero/a
21 Lunes	Día del Mariachi
Febrero	
14 Jueves	San Valentín / D. del Amor y la Amistad
19 Martes	Día del Soldado
24 Domingo	Día de la Bandera Mexicana
Marzo	
18 Lunes	Expropiación Petrolera
19 Martes	Día del Carpintero y del Artesano
Abril	
2 Martes	Día Internacional del libro infantil y juvenil
21 Domingo	Heroica Defensa de Veracruz
30 Martes	Día de los Niños y la Niñas
Mayo	
3 Viernes	La Santa Cruz / Día del Albañil
5 Domingo	Batalla de Puebla
8 Miércoles	Natalicio del P. Miguel Hidalgo y Costilla
10 Viernes	Día de la Madre
15 Miércoles	Día del/la Maestro/a
17 Viernes	Día de la Internet
23 Jueves	Día del Estudiante
25 Sábado	Día del/la Contador/a
Junio	
1 Sábado	Día de la Marina
7 Viernes	Día de la Libertad de Expresión
15 Sábado	Día del Padre
Julio	
12 Viernes	Día del/la Abogado/a
20 Sábado	Día de la Secretaria
Agosto	
28 Miércoles	Día del/la Abuelo/a
Septiembre	
13 Viernes	Día de los Cadetes de Chapultepec
15 Domingo	Independencia de México
27 Viernes	Consumación de la Independencia de México
Octubre	
12 Sábado	Día de la Raza
Noviembre	
12 Martes	Natalicio de Sor Juana / Día Nal. del Libro
22 Viernes	Día del Músico

DÍAS FESTIVOS EN CUBA

Enero	
1 martes	Año Nuevo / Día de la Liberación Nacional
28 lunes	Aniversario del Natalicio de José Martí
Febrero	
2 sábado	Fiesta de Nuestra Señora de la Candelaria
14 jueves	Día de los enamorados / amistad
Marzo	
	Festival del son en Santiago
Abril	
19 viernes	Victoria en la Bahía de Cochinos
Mayo	
	Torneo Hemingway en la Habana
	Convención de Turismo
1 miércoles	Día del Trabajo
10 viernes	Día de las Madres
Junio	
	Fiesta de la Cultura Caribeña en Santiago
	Festival de Bolero de Oro en Guantánamo, La Habana y Santiago
23-24 d-l	Fiesta Patronal de San Juan Bautista
Julio	
	Fiesta del Fuego por la llegada del verano
26 viernes	Día de la Rebelión Nacional / Carnaval de Santiago de Cuba

Agosto	
	Festival de Música Popular Benny Moré en Cienfuegos
Septiembre	
	Festival Internacional Bienal de Teatro
8 domingo	Nuestra Señora de la Caridad del Cobre, Patrona de Cuba
Octubre	
	Festival Internacional de Ballet en La Habana
	Festival de Arte Lírico en La Habana
8 martes	Aniversario del fallecimiento del Che Guevara
10 jueves	Declaración de Independencia
28 lunes	Aniversario del fallecimiento de Camilo Cienfuegos
Noviembre	
	Bienal de Artes Plásticas en La Habana
	Festival Latinoamericano de Danza en La Habana
Diciembre	
	Festival Internacional de Nuevo Cine Latinoamericano en La Habana
7 sábado	Aniversario del fallecimiento de Antonio Maceo
22 domingo	Día del Educador
25 miércoles	Navidad
31 martes	Nochevieja

CELEBRACIONES NACIONALES, CALIFORNIA Y FLORIDA

Enero	
1-2 m-m	Año nuevo y Después de Año nuevo – Feriados
19 sábado	En Florida: Natalicio de Robert E. Lee
21 lunes	Natalicio de Martin Luther King Jr. – Feriado
Febrero	
15 viernes	En Florida: Natalicio de Susan B. Anthony
20 miércoles	Día del Presidente (en la mayoría de los Estados)
Marzo	
7 jueves	Día de la Reunión del Pueblo (Meet Town Day)
31 domingo	En California: Día de César Chávez, Defensor de los derechos de los migrantes
Abril	
17 miércoles	Día de los Patriotas (Patriots day)
21 domingo	Día de Pascua – Feriado
22 lunes	Día del Estado de Florida
26 viernes	Día de los Estados
28 domingo	Día de la Ecología (Arbor day)

Mayo	
5 domingo	En Los Angeles, CA: Batalla de Puebla
14 martes	Día de las Madres (no feriado)
27 lunes	Día de las Víctimas (de guerra – Memorial Day)
Junio	
23 domingo	Día del Padre (no feriado)
Julio	
4 jueves	Día de la Independencia – Feriado
Septiembre	
2 lunes	Día del Trabajo – Feriado
Noviembre	
10 domingo	Día de los Veteranos (de guerra – Veterans Day) – Feriado
28 jueves	Acción de Gracias – Feriado / Thanksgiving
27 viernes	Después de Acción de Gracias (en varios Estados – Day after Thanksgiving) – Feriado
Diciembre	
25 Miércoles	Navidad – Feriado (Christmas day)

Siglas bíblicas

Abd	Abdías	**Is**	Isaías
Ag	Ageo	**Job**	Job
Am	Amós	**Jds**	Judas
Ap	Apocalipsis	**Jdt**	Judit
Bar	Baruc	**Jr**	Jeremías
Cant	Cantar de los Cantares	**Jl**	Joel
Col	Colosenses	**Jn**	Juan
1Cor	Primero Corintios	**1Jn**	Primera Juan
2Cor	Segundo Corintios	**2Jn**	Segunda Juan
1Crón	Primera Crónicas	**3Jn**	Tercera Juan
2Crón	Segunda Crónicas	**Jon**	Jonás
Dan	Daniel	**Jos**	Josué
Dt	Deuteronomio	**Jue**	Jueces
Ef	Efesios	**Lam**	Lamentaciones
Esd	Esdras	**Lc**	Lucas
Est	Ester	**Lv**	Levítico
Éx	Éxodo	**1Mac**	Primero Macabeos
Ez	Ezequiel	**2Mac**	Segundo Macabeos
Flm	Filemón	**Mal**	Malaquías
Flp	Filipenses	**Mc**	Marcos
Gál	Gálatas	**Miq**	Miqueas
Gén	Génesis	**Mt**	Mateo
Hab	Habacuc	**Nah**	Nahúm
Hch	Hechos de los Apóstoles	**Neh**	Nehemías
Heb	Hebreos	**Núm**	Números

Siglas bíblicas

Os	Oseas
1Pe	Primera Pedro
2Pe	Segunda Pedro
Prov	Proverbios
Qoh	Qohélet (Eclesiastés)
1Re	Primero Reyes
2Re	Segundo Reyes
Rm	Romanos
Rut	Rut
Sab	Sabiduría
Sal	Salmos
1Sam	Primero Samuel
2Sam	Segundo Samuel
Sant	Santiago
Sir	Sirácide (Eclesiástico)
Sof	Sofonías
1Tes	Primera Tesalonicenses
2Tes	Segunda Tesalonicenses
1Tim	Primera Timoteo
2Tim	Segunda Timoteo
Tit	Tito
Tob	Tobías
Zac	Zacarías

Abreviaturas

Bta. / Btas.	beata / beatas
Bto. / Btos.	beato / beatos
c.	conmemoración
comp.	compañeros mártires
Ded.	Dedicación
f.	fiesta
m.l.	memoria libre
m.o.	memoria obligatoria
memoria obligatoria	memoria obligatoria
S.	san
s.	solemnidad
Sta. / Stas.	santa / santas
Stmo.	santísimo
santísimo	santísimo

Evangelio
Ciclo C

*Octava de Navidad,
Solemnidad:
Blanco.*

Números 6,22-27 / Salmo 66 / Gálatas 4,4-7 / Lucas 2,16-21.

EVANGELIO

En aquel tiempo, los pastores fueron corriendo a Belén y encontraron a María y a José, y al niño acostado en el pesebre. Al verlo, contaron lo que les habían dicho de aquel niño. Todos los que lo oían se admiraban de lo que les decían los pastores. Y María conservaba todas estas cosas, meditándolas en su corazón. Los pastores se volvieron dando gloria y alabanza a Dios por lo que habían visto y oído; todo como les habían dicho. Al cumplirse los ocho días, tocaba circuncidar al niño, y le pusieron por nombre Jesús, como lo había llamado el ángel antes de su concepción.

Hacer tuyo a Dios

Una vez que los pastores recibieron el anuncio gozoso del ángel, se olvidaron de todo, de sus rebaños, pertenencias y hasta de sí mismos. Corrieron hacia Belén apresuradamentebuscando el encuentro con Dios que, aun entre sombras y penumbras, todo hombre sueña. Al llegar, vieron a José y a María. De ella, Lucas menciona que conservaba y meditaba todas estas cosas –la Encarnación de Dios– en su corazón. Meditar, en la espiritualidad bíblica, significa hacer nuestros los acontecimientos de los que somos testigo; y esto es lo que hace la Madre de Jesús, hacer suyo a Dios que se puso a su altura. Correr, desatarse, romper nudos, meditar..., todo ello es hacer nuestro a Dios. Por ello Él se hizo uno de nosotros.

*Señor Jesús, danos sabiduría para caminar según tu voluntad,
con la fuerza que nos dan tus palabras.
Enséñanos a guardarlas amorosamente en nuestro corazón, así como María.*

Miércoles

Obispos y doctores de la Iglesia.

Feria de Navidad, Memoria: Blanco.

1Juan 2,22-28 / Salmo 97 / Juan 1,19-28.

EVANGELIO

Este es el testimonio de Juan, cuando los judíos enviaron desde Jerusalén sacerdotes y levitas a Juan a que le preguntaran: «Tú, ¿quién eres?». Él confesó sin reservas: «Yo no soy el Mesías». Le preguntaron: «¿Entonces, qué? ¿Eres tú Elías?». Él dijo: «No lo soy». «¿Eres tú el Profeta?». Respondió: «No». Y le dijeron: «¿Quién eres? Para que podamos dar una respuesta a los que nos han enviado, ¿qué dices de ti mismo?». Él contestó: «Yo soy la voz que grita en el desierto: "Allanad el camino del Señor", como dijo el profeta Isaías». Entre los enviados había fariseos y le preguntaron: «Entonces, ¿por qué bautizas si tú no eres el Mesías, ni Elías, ni el Profeta?». Juan les respondió: «Yo bautizo con agua; en medio de vosotros hay uno que no conocéis, el que viene detrás de mí, y al que no soy digno de desatar la correa de la sandalia». Esto pasaba en Betania, en la otra orilla del Jordán, donde estaba Juan bautizando.

Testimonio de Juan

No me miren a mí, dice Juan Bautista a los judíos, cada vez en mayor número a quien le preguntaban si él era el Mesías. No pongan sus ojos en mí; yo soy el pórtico de la luz, pero no soy más que una lámpara que arde (*Jn* 5,35). El que viene detrás de mí, ese es a quien tienen que buscar, a Él es a quien tienen que acogerse. Ha sido enviado por el Padre para conducirlos hacia Él, tomando sobre sus espaldas nuestros cansancios y frustraciones. Ahora entenderán que ese no puedo ser yo, pues, al igual que ustedes, también yo necesito de Él. Él es la vida y nos la da. Cuando mi voz le señale, lo reconocerán y podrán seguir sus pasos.

Señor Jesús, que nuestra voz sea un eco de tu voz, así llenaremos de gracia y de verdad el mundo entero; este mundo que tú tanto amas y por el que tu Hijo dio la vida.

Memoria libre: Blanco.

1Juan 2,29-3,6 / Salmo 97 / Juan 1,29-34.

EVANGELIO

Al día siguiente, al ver Juan a Jesús que venía hacia él, exclamó: «Este es el Cordero de Dios que quita el pecado del mundo. Este es aquel de quien yo dije: "Tras de mí viene un hombre que está por delante de mí, porque existía antes que yo". Yo no lo conocía, pero he salido a bautizar con agua, para que sea manifestado a Israel». Y Juan dio testimonio diciendo: «He contemplado al Espíritu que bajaba del cielo como una paloma y se posó sobre él. Yo no lo conocía, pero el que me envió a bautizar con agua me dijo: "Aquel sobre quien veas bajar el Espíritu y posarse sobre él, ese es el que ha de bautizar con Espíritu Santo". Y yo lo he visto, y he dado testimonio de que este es el Hijo de Dios».

Yo lo he visto

Yo no sabía quién era el Mesías, dice Juan a sus oyentes. Sin embargo, el que me envió, el que me hizo su precursor, me dio a conocer una señal inconfundible para reconocerle. Sería aquel sobre quien, durante su Bautismo, descendiera visiblemente el Espíritu Santo y permaneciera en Él. Con este signo todos podrán entender, continúa diciendo el precursor, que su Padre está con Él, y Él con su Padre (*Jn* 14,11). Solo así es posible llevar adelante su misión, salvar al mundo entero. Ahí lo tienen: Él es el Cordero anunciado por los profetas, el Inocente que nos hace inocentes, el Santo que nos santifica, el Amor que nos hace amables. Él es nuestra fiesta y nuestra paz. Yo doy testimonio de que Él es el Hijo de Dios, vayan a su encuentro.

Señor Dios nuestro, concédenos entrar en la riqueza insondable de tu palabra para poder descubrir en ella el rostro misericordioso de tu Hijo y salvador nuestro.

Viernes

Rigoberto.

Blanco.

1Juan 3,7-10/
Salmo 97/
Juan 1,35-42.

En E.U.A: Sta. Isabel Ana Seton, *religiosa.*
Memoria: Blanco.
Sirácide 26,1-4.16-21/
Salmo 127/
Lucas 10,38-42.

EVANGELIO

En aquel tiempo, estaba Juan con dos de sus discípulos y, fijándose en Jesús que pasaba, dice: «Este es el Cordero de Dios». Los dos discípulos oyeron sus palabras y siguieron a Jesús, se volvió y, al ver que lo seguían, les pregunta: «¿Qué buscáis?». Ellos le contestaron: «Rabí (que significa Maestro), ¿dónde vives?». Él les dijo: «Venid y lo veréis». Entonces fueron, vieron dónde vivía y se quedaron con él aquel día; serían las cuatro de la tarde. Andrés, hermano de Simón Pedro, era uno de los dos que oyeron a Juan y siguieron a Jesús; encuentra primero a su hermano Simón y le dice: «Hemos encontrado al Mesías (que significa Cristo)». Y lo llevó a Jesús. Jesús se le quedó mirando y le dijo: «Tú eres Simón, el hijo de Juan; tú te llamarás Cefas (que se traduce Pedro)».

¿Dónde vives?

Señor, ¿dónde vives?, le preguntan Andrés y Juan a Jesús. ¿Dónde vives que tanta luz irradias, mientras que nosotros "habitamos en tinieblas y sombras de muerte"? (*Lc* 1,79). ¿Dónde vives? Queremos conocerte, saber sobre tu secreto, el porqué de tu libertad y transparencia. Déjanos ir contigo para ver con nuestros propios ojos si tú eres realmente el Cordero enviado por Dios en quien podemos descargar nuestro peso. Jesús no se inmuta ante tanta adulación, no tiene ninguna intención de promocionarse, por lo que se limita a hacerles una invitación: Vengan y lo verán. Con esta propuesta, está delineando los trazos fundamentales de la fe. Vengan conmigo, busquenme, y así podrán comprobar, ser testigos, de si es verdad lo que han oído de mí, si se cumple en ustedes para su salvación. Discípulo de Jesús es aquel que alcanza a abrazarse al Evangelio no tanto en cuanto está escrito, sino si se cumple en él; por eso se llama el "Evangelio de la gracia".

Dios Padre santo, danos amor a la vida, la que tú nos das, la que viene de ti; y danos un corazón para buscarte sabiendo que vives en tu Palabra y en nuestros hermanos.

Eduardo.
Blanca.
1Juan 3,11-21 / Salmo 99 / Juan 1,43-51.

En E.U.A: San Juan Neumann, *obispo.*
Memoria: Blanca.
1Corintios 9,16-19.22-23 / Salmo 95 / Juan 10,11-16.

EVANGELIO

En aquel tiempo, determinó Jesús salir para Galilea; encuentra a Felipe y le dice: «Sígueme». Felipe era de Betsaida, ciudad de Andrés y de Pedro. Felipe encuentra a Natanael y le dice: «Aquel de quien escribieron Moisés en la Ley y los profetas, lo hemos encontrado: Jesús, hijo de José, de Nazaret». Natanael le replicó: «¿De Nazaret puede salir algo bueno?». Felipe le contestó: «Ven y verás». Vio Jesús que se acercaba Natanael y dijo de él: «Ahí tenéis a un israelita de verdad, en quien no hay engaño». Natanael le contesta: «¿De qué me conoces?». Jesús le responde: «Antes de que Felipe te llamara, cuando estabas debajo de la higuera, te vi». Natanael respondió: «Rabí, tú eres el Hijo de Dios, tú eres el Rey de Israel». Jesús le contestó: «¿Por haberte dicho que te vi debajo de la higuera, crees? Has de ver cosas mayores». Y le añadió: «Yo os aseguro: veréis el cielo abierto y a los ángeles de Dios subir y bajar sobre el Hijo del Hombre».

Debajo de la higuera

Ahí tienen a un israelita de verdad en quien no hay engaño, dice Jesús acerca de Natanael cuando éste llega a su presencia conducido por el apóstol Felipe. Natanael se queda boquiabierto ante las palabras de Jesús. En realidad, nunca lo ha visto; sin embargo, parece que sabe bastante de él. De ahí su pregunta llena de extrañeza: "¿De dónde me conoces?" Cuando estabas debajo de la higuera, le respondió Jesús. Debajo de la higuera, expresión típica y popular en Israel para indicar que la persona aludida está en contacto con Dios por medio de la Palabra. Es por ello que Jesús afirma que Natanael es un hombre que no conoce el engaño, es un buscador de la verdad. No se conforma con cumplir sus compromisos religiosos, sino que siente la necesidad de buscar a Dios más allá de lo que estipula la ley o la sinagoga. En realidad, Natanael buscaba la razón de su fe y de su vivir; y Jesús lo conoció en su búsqueda. Así es siempre. Cuando buscamos a Dios, Él ya está con nosotros, a nuestro lado y manifestándose.

Señor Jesús, quizá nuestro corazón no sea muy recto, pero nuestra necesidad tuya es tan imperiosa que te pedimos que lo endereces en búsqueda de la verdad.

Domingo

Solemnidad: Blanco.

Julián y Basilisa.

Isaías 60,1-6 / Salmo 71 / Efesios 3,2-3; 5-6 / Mateo 2,1-12.

EVANGELIO

Jesús nació en Belén de Judea en tiempos del rey Herodes. Entonces, unos magos de Oriente se presentaron en Jerusalén preguntando: «¿Dónde está el Rey de los judíos que ha nacido? Porque hemos visto salir su estrella y venimos a adorarlo». Al enterarse el rey Herodes, se sobresaltó, y todo Jerusalén con él; convocó a los sumos sacerdotes y a los escribas del país, y les preguntó dónde tenía que nacer el Mesías. Ellos le contestaron: «En Belén de Judea, porque así lo ha escrito el profeta: "Y tú, Belén, tierra de Judea, no eres ni mucho menos la última de las ciudades de Judea, pues de ti saldrá un jefe que será el pastor de mi pueblo Israel"». Entonces Herodes llamó en secreto a los magos para que le precisaran el tiempo en que había aparecido la estrella, y los mandó a Belén, diciéndoles: «Id y averiguad cuidadosamente qué hay del niño y, cuando lo encontréis, avisadme, para ir yo también a adorarlo». Ellos, después de oír al rey, se pusieron en camino, y de pronto la estrella que habían visto salir comenzó a guiarlos hasta que vino a pararse encima de donde estaba el niño. Al ver la estrella, se llenaron de inmensa alegría. Entraron en la casa, vieron al niño con María, su madre, y cayendo de rodillas lo adoraron; después, abriendo sus cofres, le ofrecieron regalos: oro, incienso y mirra. Y habiendo recibido en sueños un oráculo, para que no volvieran a Herodes, se marcharon a su tierra por otro camino.

Llegaron y lo adoraron

Todo se puso en contra de estos tres hombres sabios de un país lejano que, al igual que Abrahán, salieron de sus tierras, de sus pertenencias y hasta de sí mismos, para ir al encuentro no de una tierra prometida, sino del mismo Hijo de Dios. Al llegar a Jerusalén, paradójicamente, es cuando se encontraron con los mayores problemas. Hasta los escribas y sacerdotes los ignoraron; se limitaron simplemente a indicarles el lugar del nacimiento del Mesías tal y como constaba a los profetas y nada más. Siguieron a lo suyo. Todo se les volvió en contra a estos buscadores, hasta llegar a alcanzar lo máximo a lo que puede aspirar una persona: adorar a Dios. Así lo narra Mateo "...y postrándose lo adoraron...".

EVANGELIO

Lunes

Raimundo Peñafort, presbítero.

Memoria libre: Blanco.

1Juan 3,22-4,6 / Salmo 2 / Mateo 4,12-17.23-25.

En aquel tiempo, al enterarse Jesús de que habían arrestado a Juan, se retiró a Galilea. Dejando Nazaret se estableció en Cafarnaún, junto al lago, en el territorio de Zabulón y Neftalí. Así se cumplió lo que había dicho el Profeta Isaías: «País de Zabulón y país de Neftalí, camino del mar, al otro lado del Jordán, Galilea de los gentiles. El pueblo que habitaba en tinieblas vio una luz grande; a los que habitaban en tierra y sombras de muerte una luz les brilló». Entonces comenzó Jesús a predicar diciendo: «Convertíos, porque está cerca el Reino de los cielos». Recorría toda Galilea, enseñando en las sinagogas y proclamando el Evangelio del Reino, curando las enfermedades y dolencias del pueblo. Su fama se extendió por toda Siria y le traían todos los enfermos aquejados de toda clase de enfermedades y dolores, endemoniados, lunáticos y paralíticos. Y él los curaba. Y le seguían multitudes venidas de Galilea, Decápolis, Jerusalén, Judea y Transjordania.

Dios está cerca

"Conviértanse porque el Reino de los cielos está cerca". Aquí esta el mensaje que, de una forma u otra, ponen los evangelistas en boca de Jesús en los comienzos de su vida pública. Es un anuncio de conversión desde la gracia, desde el don. Es la conversión como buena noticia, es una exhortación que aligera el alma. Es un llamado a la conversión fundamentado en el hecho de que Enmanuel, el Dios con nosotros anunciado por los profetas, se ha hecho presente en Jesús de Nazaret. No tienen que buscar a Dios en el vacío ni en el caos, profetizado Isaías (*Is* 45,19). No soy vacío ni caos, ni tampoco un fantasma o una idea. ¡Soy la visita de Dios!, la Palabra hecha carne que habita entre ustedes. En el Evangelio sigo siendo su Enmanuel; búsquenme en él. "Apliquen el oído y acudan a mí, oigan y vivirá su alma" (*Is* 55,3).

Concédenos, Señor, alegrarnos ante tus palabras de vida, considerándolas como nuestra mayor riqueza.

Martes

Apolinar de Hierápolis.

Blanco.

1Juan 4,7-10 / Salmo 71 / Marcos 6,34-44.

EVANGELIO

En aquel tiempo, Jesús vio una multitud y le dio lástima de ellos porque andaban como ovejas sin pastor, y empezó a enseñarles muchas cosas. Cuando se hizo tarde se acercaron sus discípulos a decirle: «Estamos en despoblado y ya es muy tarde. Despídelos, que vayan a los cortijos y aldeas de alrededor y se compren de comer». Él les replicó: «Dadles vosotros de comer». Ellos le preguntaron: «¿Vamos a ir a comprar doscientos denarios de pan para darles de comer?». Él les dijo: «¿Cuántos panes tenéis? Id a ver». Cuando lo averiguaron le dijeron: «Cinco, y dos peces». Él les mandó que hicieran recostarse a la gente sobre la hierba en grupos. Ellos se acomodaron por grupos de ciento y de cincuenta. Y tomando los cinco panes y los dos peces alzó la mirada al cielo, pronunció la bendición, partió los panes y se los dio a los discípulos para que se los sirvieran. Y repartió entre todos los dos peces. Comieron todos y se saciaron, y recogieron las sobras: doce cestos de pan y de peces. Los que comieron eran cinco mil hombres.

Dales de comer

Una muchedumbre fue al encuentro del Hijo de Dios. Está hambrienta de su Palabra. No hay duda de que algo se movía dentro de sus almas, algo tan fuerte e inusual que se olvidaron de todo, del tiempo y de sus cosas. Atardeció. Despídeles, dicen los Apóstoles a Jesús, necesitan alimentarse. ¡Denles ustedes de comer!, les responde. No entienden nada y, sin embargo, Jesús les hace saber qué es la esencia de la Iglesia: dar al hombre el pan verdadero, el pan vivo bajado de lo alto (*Jn* 6,51...). Solo cuando el Señor Jesús toma el pan entre sus manos, lo parte y se lo da a sus discípulos para que, a su vez, lo distribuyan a la muchedumbre, al mundo, comprenden su elección y misión: dar a las almas hambrientas y vacías al Dios vivo que da consistencia al hombre.

Señor, toma el pan de tu Palabra entre tus manos y alimenta nuestra alma que está hambrienta de alegrías, de vida, de verdad..., de ti.

Miércoles

Eulogio.

Blanco.

1Juan 4,11-18 / Salmo 71 / Marcos 6,45-52.

EVANGELIO

Después que se saciaron los cinco mil hombres, Jesús en seguida apremió a los discípulos a que subieran a la barca y se le adelantaran hacia la orilla de Betsaida mientras él despedía a la gente. Y después de despedirse se retiró al monte a orar. Llegada la noche, la barca estaba en mitad del lago y Jesús, solo, en tierra. Viendo el trabajo con que remaban, porque tenían viento contrario, a eso de la madrugada, va hacia ellos andando sobre el lago, e hizo ademán de pasar de largo. Ellos, viéndolo andar sobre el lago, pensaron que era un fantasma y dieron un grito, porque al verlo se habían sobresaltado. Pero él les dirige en seguida la palabra y les dice: «Ánimo, soy yo, no tengáis miedo». Entró en la barca con ellos, y amainó el viento. Ellos estaban en el colmo del estupor, pues no habían comprendido lo de los panes, porque eran torpes para entender.

La voz sobre las aguas

¡Cuántas veces habrían proclamaron los discípulos de Jesús en la sinagoga y el templo los signos y salmos que cantan el poder y la majestad de Dios sobre las aguas! ¡Cuántas veces sus gargantas alborozadas entonaron: La voz de Yavé sobre las aguas, la voz de Yavé con fuerza y majestad...! (*Sal* 29,3-4). Qué lejos les suenan estos cantos y aclamaciones a los discípulos, ahora que su barca está a merced de la furia del mar. Es tal su desesperación que, cuando Jesús se acerca hacia ellos "con dominio y poder sobre las aguas", les da por creer que es un fantasma. Sin embargo, un fantasma no tiene voz. Jesús sí; y proclama en medio de la tempestad: ¡Ánimo, no teman! ¡La voz del Hijo de Dios sobre las aguas!, proclaman los salmos... Y estas se amansaron, se sujetaron a su autoridad. Marcos dice que los Apóstoles estaban en el colmo del estupor. No era para menos. Por un instante, como una ráfaga de luz, fueron conscientes de que estaban ante Dios, cuya voz se impone sobre el mar.

Tu voz y nuestras mil voces. ¡Mándalas callar, Señor!
Pues cada una de ellas me abre un camino que no va a ninguna parte.

Jueves

Melquiades.

Blanco.

1Juan 4,19-5,4 / Salmo 71 / Lucas 4,14-22.

EVANGELIO

En aquel tiempo, Jesús, con la fuerza del Espíritu, volvió a Galilea y su fama se extendió por toda la comarca. Enseñaba en las sinagogas y todos lo alababan. Fue a Nazaret, donde se había criado, entró en la sinagoga, como era su costumbre los sábados, y se puso en pie para hacer la lectura. Le entregaron el libro del profeta Isaías y, desenrollándolo, encontró el pasaje donde estaba escrito: «El Espíritu del Señor está sobre mí, porque él me ha ungido. Me ha enviado para dar la buena noticia a los pobres, para anunciar a los cautivos la libertad y dar a los ciegos la vista. Para dar libertad a los oprimidos, para anunciar el año de gracia del Señor». Y enrollando el libro, lo devolvió al que le servía y se sentó. Toda la sinagoga tenía los ojos fijos en él. Y él se puso a decirles: «Hoy se cumple esta Escritura que acabáis de oír». Y todos expresaban su aprobación y se admiraban de las palabras de gracia que salían de sus labios.

El hoy de Dios

¡Inclina tu cielo y desciende!, gritarán una y otra vez los profetas a Dios ante la penuria y desolación que, como una gigantesca espada, atravesaba al Pueblo santo en todas sus dimensiones. Dios les había dado la promesa del Mesías, aquel que habría de desatar, uno tras otro, los lazos que impiden al hombre respirar la vida en la plenitud que Dios quiere. Vendrá el Mesías, dice Isaías, y se alegrarán los ciegos, los cautivos, los pobres, los oprimidos, los sordos..., todos los que no saben vivir. Dios vino, tomó un cuerpo, se hizo presente en la sinagoga de Nazaret y proclamó: ¡Se acabó la espera! Todas las promesas de liberación y salvación que oyeron a los profetas hoy se cumplen. Yo soy el hoy de la salvación de Dios para ustedes y para toda la humanidad: "Si hoy escuchan mi voz, no endurezcan su corazón" (*Sal* 95,7-8).

Dame, Señor Dios nuestro, sabiduría de mente y de corazón para poder reconocerte cuando salgas a mi encuentro. Hazme ver que también hay un hoy para mí.

Viernes

Higinio.

Blanco.

1Juan 5,5-13 / Salmo 147 / Lucas 5,12-16.

EVANGELIO

Una vez, estando Jesús en un pueblo, se presentó un hombre lleno de lepra; al ver a Jesús cayó rostro a tierra y le suplicó: «Señor, si quieres puedes limpiarme». Y Jesús extendió la mano y lo tocó diciendo: «Quiero, queda limpio». Y en seguida le dejó la lepra. Jesús le recomendó que no lo dijera a nadie, y añadió: «Ve a presentarte al sacerdote y ofrece por tu purificación lo que mandó Moisés para que les conste». Se hablaba de él cada vez más, y acudía mucha gente a oírle y a que los curara de sus enfermedades. Pero él solía retirarse a despoblado para orar.

Extendió su mano

Jesús acaba de definir la misión de los Apóstoles en la persona de Pedro: "¡Serás pescador de hombres!". No sabemos si estos discípulos, avezados a la mar, entendieron bien estas palabras del Hijo de Dios. Jesús no se detiene a explicárselas, si no haciendo, actuando. Por eso, a continuación permite que un leproso se le acerque, lo cual estaba prohibido según los ritualismos de impureza de Israel. Con su gesto, nos está diciendo que si dependiese de estos ritualismos, más razón tendría para no haberse encarnado. Si fuese por la contaminación de la impureza, no se hubiera encontrado con toda la humanidad tomando un cuerpo. Así pues, poniendo de manifiesto que está de parte del hombre, de todo hombre, extendió su mano sobre el leproso y lo limpió de sus impurezas, lo purificó en lo más profundo de su ser. Los Apóstoles empezaron a entender que Jesús iba a hacer de ellos pescadores de hombres, tal y como son; sin distinción de razas, lengua, Pueblo o nación. Vino a nuestro encuentro asumiendo que somos pecadores, impuros, como el leproso.

Señor, sé bien que no hay impureza que se te resista. ¡Acércate a mí!

Sábado

Arcadio.

Blanco.

1Juan 5,14-21 / Salmo 149 / Juan 3,22-30.

EVANGELIO

En aquel tiempo, fue Jesús con sus discípulos a Judea, se quedó allí con ellos y bautizaba. También Juan estaba bautizando en Enón, cerca de Salín, porque había allí agua abundante; la gente acudía y se bautizaba. A Juan todavía no le habían metido en la cárcel. Se originó entonces una discusión entre un judío y los discípulos de Juan acerca de la purificación; ellos fueron a Juan y le dijeron: «Oye, Rabí, el que estaba contigo en la otra orilla del Jordán, de quien tú has dado testimonio, ese está bautizando y todo el mundo acude a él». Contestó Juan: «Nadie puede tomarse algo para sí, si no se lo dan desde el cielo. Vosotros mismos sois testigos de que yo dije: "Yo no soy el Mesías, sino que me han enviado delante de él". El que lleva a la esposa es el esposo; en cambio, el amigo del esposo, que asiste y lo oye, se alegra con la voz del esposo; pues esta alegría mía está colmada. Él tiene que crecer, y yo tengo que menguar».

Mi alma rebosa

Este Evangelio nos ofrece una confesión de fe y amor del Bautista que nos parece difícilmente superable en ternura y belleza. No, no soy el Cristo que esperan, proclama insistentemente a los que le preguntan. Pero digo una cosa, he sido enviado por Dios para que conozcan al Novio, al Esposo. Al hablar así puso de manifiesto que las profecías que, con una maestría espiritual más que sublime, anunciaron los esponsales de Yavé con su pueblo, se han hecho realidad. Él, Jesús, es el Esposo proclamado y anunciado por los profetas. En cuanto al precursor –Juan está hablando de sí mismo– ya tiene suficiente con ser amigo del Esposo y oír su voz. Con esto ya tiene colmada su alegría, su corazón es testigo, al tiempo que irradia el resplandor de la gloria de Dios. Justamente porque su vida entera está ya colmada, tiene la sabiduría para comprender que el Hijo de Dios debe crecer en el hombre, en el mundo; y él, el precursor, debe menguar, es decir, despojarse como si fuera estorbo o basura, de toda vanidad y pretensión. Con esta decisión, Juan Bautista no es un ejemplo de ascesis sino de sabiduría. Encontó su alegría y no la va a perder por vanidades necias.

Señor, ahora ya sé que a mi alma no le falta nada.
Viniste del Padre para hacerte con ella. ¡Aquí estoy!

Domingo

Hilario.

Fiesta: Blanco.

Isaías 42,1-4.6-7 / Salmo 28 / Hechos 10,34-38 / Lucas 3,15-16.21-22.

EVANGELIO

En aquel tiempo, el pueblo estaba en expectación, y todos se preguntaban si no sería Juan el Mesías; él tomó la palabra y dijo a todos: «Yo os bautizo con agua; pero viene el que puede más que yo, y no merezco desatarle la correa de sus sandalias. Él os bautizará con Espíritu Santo y fuego». En un bautismo general, Jesús también se bautizó. Y, mientras oraba, se abrió el cielo, bajó el Espíritu Santo sobre él en forma de paloma, y vino una voz del cielo: «Tú eres mi Hijo, el amado, el predilecto».

Eres amado por mí

Toda una muchedumbre iba a bautizarse a las aguas del Jordán. Juan Bautista los mira, uno por uno, conforme se iban acercando, como temiendo lo inevitable, que el Santo de Dios se presentara también. Aconteció. La verdad es que era previsible. Nos imaginamos a nuestro buen Juan atónito y desconcertado ante el Hijo de Dios que se puso en sus manos para ser bautizado como un pecador más. Quizá hubiera quedado paralizado de no haber sido por la voz que descendió del cielo: "¡Tú eres, mi Hijo, el amado, el predilecto!". Juan pasó de la duda y el desconcierto al estremecimiento. Sabía que estas palabras del Padre iban dirigidas a su Hijo; mas, y ahí es donde le invadió el estupor, no solamente a Él, sino también a todo aquel que llegara a ser discípulo suyo. En efecto, todo aquel que sigue al Hijo en espíritu y verdad, tiene potestad para apropiarse de lo que dijo la voz en el Jordán. También este puede oír las mismas palabras: Tú también eres mi hijo amado, en quien me complazco. No hay duda, el Bautista fue el primero en tomar posesión de este título.

¡Gracias, Padre mío! No sé por qué, pero también yo soy tu hijo amado.

Lunes

Félix de Nola.

Feria: Verde.

Hebreos 1,1-6 / Salmo 115 / Marcos 1,14-20.

EVANGELIO

Cuando arrestaron a Juan, Jesús se marchó a Galilea a proclamar el Evangelio de Dios. Decía: «Se ha cumplido el plazo, está cerca el Reino de Dios: convertíos y creed en el Evangelio». Pasando junto al lago de Galilea, vio a Simón y a su hermano Andrés, que eran pescadores y estaban echando el copo en el lago. Jesús les dijo: «Venid conmigo y os haré pescadores de hombres». Inmediatamente dejaron las redes y lo siguieron. Un poco más adelante vio a Santiago, hijo de Zebedeo, y a su hermano Juan, que estaban en la barca repasando las redes. Los llamó, dejaron a su padre Zebedeo en la barca con los jornaleros y se marcharon con él.

Los haré llegar a ser

// ¡Conviértanse y crean en el Evangelio!". He aquí ante nuestros ojos el primer anuncio que Marcos pone en los labios de Jesús. Conviéntanse al Evangelio. No hagan como sus padres, que asentían con la cabeza al tiempo que se ponían de espaldas ante el Dios que les hablaba con su Palabra (*Jr* 7,24). Nada han de temer, he sido enviado a ustedes no para condenarlos, sino para salvarlos (*Jn* 3,17). Después de hablar así, Jesús dio fe de sus intenciones, de su misión salvífica. Vio a unos que estaban recogiendo unas redes, eran pescadores. No le importó si estaban preparados o no para la misión que les iba a confiar; y digo que no le importó porque, como Hijo de Dios, los iba a hacer aptos para asta. Por eso, junto al "vengan conmigo", añadió: "Yo los haré pescadores de hombres". Yo, el que les confío esta misión, la escribiré en sus entrañas. No tengan miedo a causa de incompetencia y debilidad, la conozco mejor que ustedes. Yo los haré llegar a ser...

Solo dejándonos hacer por ti, podemos llegar a ser tus discípulos.
Señor, haznos humildes y dóciles a tu Palabra creadora.

EVANGELIO

Martes

Probo.

Feria: Verde.

Hebreos 2,5-12 / Salmo 8 / Marcos 1,21-28.

En aquel tiempo, Jesús y sus discípulos entraron en Cafarnaúm, y cuando el sábado siguiente fue a la sinagoga a enseñar, se quedaron asombrados de su doctrina, porque no enseñaba como los escribas, sino con autoridad. Estaba precisamente en la sinagoga un hombre que tenía un espíritu inmundo, y se puso a gritar: «¿Qué quieres de nosotros, Jesús Nazareno? ¿Has venido a acabar con nosotros? Sé quién eres: el Santo de Dios». Jesús lo increpó: «Cállate y sal de él». El espíritu inmundo lo retorció y, dando un grito muy fuerte, salió. Todos se preguntaron estupefactos: «¿Qué es esto? Este enseñar con autoridad es nuevo. Hasta a los espíritus inmundos les manda y le obedecen». Su fama se extendió en seguida por todas partes, alcanzando la comarca entera de Galilea.

Poder sobre el mal

Jesús enseña con autoridad. No estamos hablando de la autoridad de quien detenta un cargo eminente o una función de altura. Es la autoridad de quien derroca a los demonios de sus dominios y los desestabiliza. Esto mismo es lo que aconteció aquel día en la sinagoga de Cafarnaúm. Parece que los demonios campeaban a su gusto por la sinagoga, a pesar de tantos rezos y cánticos, hasta que Jesús, la palabra del Padre, se puso a predicar. Uno de los demonios, hablando en nombre de todos, reconoce el lenguaje de Jesús: ¡Es el de la Palabra tal y como es, tal y como sale de la boca de Dios! Eleva su protesta, mas Jesús le hace callar y lo expulsa. Todos quedaron asombrados, quizá también esperanzados. Saben que están delante de alguien a quien se someten los poderes del mal. Un cúmulo de interrogantes se acumulan en el interior de todos los presentes, preguntas que podríamos resumir en esta: ¿No será a quien todos estamos esperando en Israel para nuestro bien?

Señor Dios nuestro, aquí nos tienes ante tu rostro esperando tu misericordia creadora, la que nos devuelve la relación filial contigo.

Miércoles

Marcelo I, Papa..

Feria: Verde.

Hebreos 2,14-18 / Salmo 104 / Marcos 1,29-39.

EVANGELIO

En aquel tiempo, al salir Jesús de la sinagoga, fue con Santiago y Juan a casa de Simón y Andrés. La suegra de Simón estaba en cama con fiebre, y se lo dijeron. Jesús se acercó, la cogió de la mano y la levantó. Se le pasó la fiebre y se puso a servirles. Al anochecer, cuando se puso el sol, le llevaron todos los enfermos y endemoniados. La población entera se agolpaba a la puerta. Curó a muchos enfermos de diversos males y expulsó muchos demonios; y como los demonios lo conocían, no les permitía hablar. Se levantó de madrugada, se marchó al descampado y allí se puso a orar. Simón y sus compañeros fueron y, al encontrarlo, le dijeron: «Todo el mundo te busca». Él les respondió: «Vámonos a otra parte, a las aldeas cercanas, para predicar también allí; que para eso he salido». Así recorrió toda Galilea, predicando en las sinagogas y expulsando los demonios.

Unas manos para el dolor

Jesús se acerca a una mujer, la suegra de Pedro que está postrada en cama acometida por la enfermedad. Los sucesivos gestos que hace el Hijo de Dios para sanarla de su mal, expresa, por una parte, su inmensa delicadeza y riqueza humana; por otra, están impregnados de un gran significado catequético. Como ya hemos dicho, se acercó a ella; a continuación la tomó de la mano y se puso en pie ya curada. El hecho de tomar de la mano a esta mujer doliente nos traslada a las figuras mesiánicas que recorren de una y mil maneras el Antiguo Testamento. El Mesías es presentado como alguien a quien Dios llevará de su mano, incluso cuando su misión se lleve a cabo por valles de tinieblas (*Sal* 23,4). Bien conoció Jesús las manos de su Padre en las suyas a fin de no desmayar ante tanto rechazo. Tanto las conoció que se le hicieron familiares incluso en el momento de morir: "¡Padre, en tus manos encomiendo mi espíritu!". Las manos de Jesús sobre esta mujer, librándola del mal, siguen extendidas hacia la humanidad entera, doliente.

Dios Padre santo, al enviar a tu Hijo al mundo nos tendiste tus manos.

Memoria: Blanco.

Hebreos 3,7-14 / Salmo 94 / Marcos 1,40-45.

EVANGELIO

En aquel tiempo, se acercó a Jesús un leproso, suplicándole de rodillas: «Si quieres, puedes limpiarme». Sintiendo lástima, extendió la mano y lo tocó, diciendo: «Quiero: queda limpio». La lepra se le quitó inmediatamente, y quedó limpio. Él lo despidió, encargándole severamente: «No se lo digas a nadie; pero, para que conste, ve a presentarte al sacerdote y ofrece por tu purificación lo que mandó Moisés». Pero, cuando se fue, empezó a divulgar el hecho con grandes ponderaciones, de modo que Jesús ya no podía entrar abiertamente en ningún pueblo; se quedaba fuera, en descampado; y aun así acudían a él de todas partes.

Se compadeció

Nuevo encuentro del Hijo de Dios con un leproso, relatado por Marcos esta vez. El evangelista incide en la súplica confiada del enfermo. ¡Si quieres...! Es como si le dijera: ¡Sé quién eres, el enviado de Dios para cargar con nuestras dolencias y llagas, como dijeron nuestros profetas (*Is* 53,4). Te reconozco como el Mesías, aquel en quien puedo descargar el mal que atraviesa todo mi ser. Nos dice Marcos que Jesús se compadeció de él. Es este padecer con el hombre el que marca la excelencia de calidad de la compasión. Al extender su mano sobre el leproso y curarlo, el Hijo de Dios está adelantando la dimensión que llega a alcanzar la fuerza del amor, del suyo. Llega hasta el punto de revestirse de la condición humana, y no precisamente con lo mejor de lo que somos, sino con nuestros defectos. Se los cargó a las espaldas y murió con ellos a fin de que a nosotros pudieran crecernos las alas que nos llevan hacia Dios, su Padre y el nuestro. Jesús no nos cura de lejos, a distancia, como quien teme contaminarse. Nos curó asumiéndonos tal y como somos.

Porque eres compasivo y misericordioso, aquí nos tienes a tu lado;
al calor de tu amor se curan todas nuestras heridas.

Viernes

Prisca.

Feria: Verde.

Hebreos 4,1-5,11 / Salmo 77 / Marcos 2,1-12.

EVANGELIO

Cuando a los pocos días volvió Jesús a Cafarnaúm, se supo que estaba en casa. Acudieron tantos que no quedaba sitio ni a la puerta. Él les proponía la palabra. Llegaron cuatro llevando a un paralítico y, como no podían meterlo, por el gentío, levantaron unas tejas encima de donde estaba Jesús, abrieron un boquete y descolgaron la camilla con el paralítico. Viendo Jesús la fe que tenían, le dijo al paralítico: «Hijo, tus pecados quedan perdonados». Unos escribas, que estaban allí sentados, pensaban para sus adentros: «¿Por qué habla este así? Blasfema. ¿Quién puede perdonar pecados, fuera de Dios?». Jesús se dio cuenta de lo que pensaban y les dijo: «¿Por qué pensáis eso? ¿Qué es más fácil: decirle al paralítico "tus pecados quedan perdonados" o decirle "levántate, coge la camilla y echa a andar"? Pues, para que veáis que el Hijo del hombre tiene potestad en la tierra para perdonar pecados...». Entonces le dijo al paralítico: «Contigo hablo: Levántate, coge tu camilla y vete a tu casa». Se levantó inmediatamente, cogió la camilla y salió a la vista de todos. Se quedaron atónitos y daban gloria a Dios, diciendo: «Nunca hemos visto una cosa igual».

Ve hacia el Padre

Un paralítico es una persona que no tiene autonomía, está a expensas de otros. En el Evangelio de hoy aparecen estos otros que lo llevan a los pies de Jesús. Estos ayudantes no pretenden marcar su vida; le están haciendo un servicio a fin de que pueda caminar con plena independencia. Jesús le cura al tiempo que le dice algo que aparentemente no tiene mayor importancia: "Toma tu camilla y anda". Parece algo ridículo. Si ya puede caminar por sí mismo, ¿por qué debe seguir aferrado a su camilla? Hay una explicación. Debe de llevarla para que nunca olvide lo que Dios hizo por él, para que tenga siempre presente que no hay mayor autonomía que la de dirigir sus pasos hacia el manantial inagotable de vida que es Dios. En realidad le está diciendo: Vete a tu origen, a tu Dios, pues tus pecados, que hasta ahora te lo impedían, están perdonados por mí. El antes paralítico "salió a la vista de todos".

Señor Jesús, aquí nos tienes con el alma y el cuerpo pegados al polvo; míranos y levántanos hacia ti.

EVANGELIO

Sábado

Germánico.

Feria o de la Virgen María: Verde o Blanco.

Hebreos 4,12-16 / Salmo 18 / Marcos 2,13-17.

En aquel tiempo, Jesús salió de nuevo a la orilla del lago; la gente acudía a él, y les enseñaba. Al pasar, vio a Leví, el de Alfeo, sentado al mostrador de los impuestos, y le dijo: «Sígueme». Se levantó y lo siguió. Estando Jesús a la mesa en su casa, de entre los muchos que lo seguían, un grupo de publicanos y pecadores se sentaron con Jesús y sus discípulos. Algunos escribas fariseos, al ver que comía con publicanos y pecadores, les dijeron a los discípulos: «¡De modo que come con publicanos y pecadores!». Jesús lo oyó y les dijo: «No necesitan médico los sanos, sino los enfermos. No he venido a llamar a los justos, sino a los pecadores».

Discípulo y fiesta

Al pasar a su lado, cerca de él, los ojos de Jesús vieron a un hombre sentado en la mesa de los impuestos haciendo su trabajo: Mateo. Este publicano tenía su vida hecha y establecida; como se dice, bien resuelta; he aquí a un hombre ya satisfecho, tanto que se ha quedado sin horizontes. Jesús lo vio, lo miró, lo amó, lo llamó. Mateo se levantó al instante y siguió sus pasos. Parece como si estuviera esperando un momento así, tan decisivo en su existencia; es como si deseara que alguien le enseñara a vivir. De ahí su respuesta inmediata, como si una necesidad imperiosa lo obligara a ponerse en pie. Así lo hizo, al tiempo que, enderezando sus pasos, fue detrás de quien lo llamó, el Señor Jesús. Al tomar cuerpo el seguimiento, Mateo pasa de la abulia a la fiesta. Acaba de liberarse del sistema establecido: dinero igual a confort, y ambos igual a vida y felicidad. Es tal la dimensión creativa que Mateo siente crecer en su interior que necesita celebrarlo. Prepara un banquete. Por supuesto que todos aquellos que han tomado posición en contra de la fiesta ininterrumpida que Dios quiere crear en sus vidas sólo acertaron a decir: ¡Jesús come con publicanos y pecadores!

Ni tú quieres verme sentado ni yo quiero estarlo,
Señor y Dios mío. ¡Levántame!

Domingo

Verde.

Fabián, Papa. Sebastián, patrono de Puebla, Pue.

Isaías 62,1-5 / Salmo 95 / 1Corintios 12,4-11 / Juan 2,1-11.

EVANGELIO

En aquel tiempo, había una boda en Caná de Galilea, y la madre de Jesús estaba allí. Jesús y sus discípulos estaban también invitados a la boda. Faltó el vino, y la madre de Jesús le dijo: «No les queda vino». Jesús le contestó: «Mujer, déjame, todavía no ha llegado mi hora». Su madre dijo a los sirvientes: «Haced lo que él diga». Había allí colocadas seis tinajas de piedra, para las purificaciones de los judíos, de unos cien litros cada una. Jesús les dijo: «Llenad las tinajas de agua». Y las llenaron hasta arriba. Entonces les mandó: «Sacad ahora y llevádselo al mayordomo». Ellos se lo llevaron. El mayordomo probó el agua convertida en vino sin saber de dónde venía (los sirvientes sí lo sabían, pues habían sacado el agua), y entonces llamó al novio y le dijo: «Todo el mundo pone primero el vino bueno y cuando ya están bebidos, el peor; tú, en cambio, has guardado el vino bueno hasta ahora». Así, en Caná de Galilea Jesús comenzó sus signos, manifestó su gloria, y creció la fe de sus discípulos en él.

Vino guardado

No tienen vino, se acabó el alma y la chispa de la fiesta. He ahí la cruda realidad con la que se enfrentan novios e invitados en las bodas de Caná. Todos los presentes son sacudidos por este acontecimiento imprevisto. María se hace eco de la situación y susurra al oído a Jesús: No tienen vino. Más allá de la respuesta que da el Hijo a la Madre, y adentrándonos en una vertiente catequética de una riqueza incalculable, sondeamos lo que se oculta tras el milagro que hace Jesús al transformar el agua de las tinajas en un vino excelente y único. Adivinamos la inmensa riqueza de este milagro a la luz de las palabras que dice el mayordomo al Hijo de Dios: "Guardaste el vino nuevo hasta ahora". Así es. Jeremías nos lo dio a entender Dios ha reservado gracia para ti, Israel, porque su amor es eterno, dice el profeta dando así a conocer al pueblo que su liberación está próxima. Dios ha reservó, guardo para el hombre, para su salvación, a su propio Hijo. Él es el vino nuevo que alegra el corazón, el alma, las entrañas, la vida entera del hombre. Él, el Hijo de Dios, se dejó abrir en la Cruz. De su costado brota sin cesar el vino nuevo que nos da la vida.

EVANGELIO

Lunes

Inés, virgen y mártir.

Memoria: Rojo.

Hebreos 5,1-10 / Salmo 109 / Marcos 2,18-22.

En aquel tiempo, los discípulos de Juan y los fariseos estaban de ayuno. Vinieron unos y le preguntaron a Jesús: «Los discípulos de Juan y los discípulos de los fariseos ayunan. ¿Por qué los tuyos no?». Jesús les contestó: «¿Es que pueden ayunar los amigos del novio, mientras el novio está con ellos? Mientras tienen al novio con ellos, no pueden ayunar. Llegará un día en que se lleven al novio; aquel día sí que ayunarán. Nadie le echa un remiendo de paño sin remojar a un manto pasado; porque la pieza tira del manto, lo nuevo de lo viejo, y deja un roto peor. Nadie echa vino nuevo en odres viejos; porque revienta los odres, y se pierden el vino y los odres; a vino nuevo, odres nuevos».

Sacrificio y gracia

¿Por qué tus discípulos no ayunan?, le dicen a Jesús. He aquí un tema, el de la ley por la ley, que se evidenciará con frecuencia a lo largo de la vida pública de Jesús. Pensar que el ayuno, así como cualquier sacrificio o privación, tenga valor por sí mismo, sería considerar a Dios poca cosa, todo menos lo que es: Vida en abundancia (*Jn* 10,10). Jesús no excluye el ayuno como tampoco las privaciones voluntarias; sin embargo, las encuadra en su justo lugar y momento. Empieza por afirmar que a ningún amigo se le ocurre darse a la tristeza mientras el novio está con él; ya habrá momentos y razones para ello. Además, continúa, para qué ayunar si esto no parece que les sirva de mucho al momento de discernir entre el vino viejo, el de la ley en cuanto norma y regla sin más, y el vino nuevo, el del don y la gracia. Él, Jesús, es el don y la gracia de Dios para todo hombre sin exclusión alguna.

Señor Jesús, sé la alegría de nuestro corazón,
que nuestros ayunos y sacrificios dibujen la sonrisa de nuestro rostro.

Martes

Vicente, diácono y mártir.

Memoria libre: Rojo.

Hebreos 6,10-20 / Salmo 110 / Marcos 2,23-28.

EVANGELIO

Un sábado, atravesaba el Señor un sembrado; mientras andaban, los discípulos iban arrancando espigas. Los fariseos le dijeron: «Oye, ¿por qué hacen en sábado lo que no está permitido?». Él les respondió: «¿No habéis leído nunca lo que hizo David, cuando él y sus hombres se vieron faltos y con hambre? Entró en la casa de Dios, en tiempo del sumo sacerdote Abiatar, comió de los panes presentados, que solo pueden comer los sacerdotes, y les dio también a sus compañeros». Y añadió: «El sábado se hizo para el hombre y no el hombre para el sábado; así que el Hijo del Hombre es señor también del sábado».

Señor de toda ley

Arrecia la oposición de los fariseos, los bienpensantes contra Jesús. Va de camino con sus discípulos y estos arrancan unas espigas para satisfacer el hambre que tienen. El hecho en sí no es censurable, el problema es que sucedió en sábado. La cuestión es la misma: la disyuntiva entre la justicia de la ley y el Evangelio de la gracia. El Señor resuelve el dilema proclamando que el sábado ha sido instituido para el hombre y no a la inversa, el hombre para el sábado. Para una mayor comprensión de la respuesta de Jesús, podemos observar el testimonio de Pablo con respecto a la justicia-perfección que nace de la ley. Hubo una época en su vida en que se consideró "intachable en cuanto a la justicia de la ley" (*Flp* 3,6), lo cual no le impidió odiar y perseguir a muerte a aquellos que no eran puramente religiosos como él. Después de su encuentro con el Señor, vivirá sólo para proclamar el Evangelio de la gracia de Dios (*Hch* 20,24). Nadie como él nos ha legado una denominación tan bella, tan profunda y tan real del Evangelio del Señor Jesús.

Señor Dios nuestro, concédenos presentarnos ante ti no con nuestra justicia, sino con la tuya, la que no tiene en cuenta nuestros pecados.

EVANGELIO

Miércoles

Idelfonso.

Feria: Verde.

En E.U.A: San Vicente, diácono y mártir. *Memoria libre: Rojo o Verde.*

Hebreos 7,1-3. 15-17 / Salmo 109 / Marcos 3,1-6.

En aquel tiempo, entró Jesús otra vez en la sinagoga, y había allí un hombre con parálisis en un brazo. Estaban al acecho, para ver si curaba en sábado y acusarlo. Jesús le dijo al que tenía la parálisis: «Levántate y ponte ahí en medio». Y a ellos les preguntó: «¿Qué está permitido en sábado?, ¿hacer lo bueno o lo malo?, ¿salvarle la vida a un hombre o dejarlo morir?». Se quedaron callados. Echando en torno una mirada de ira, y dolido de su obstinación, le dijo al hombre: «Extiende el brazo». Lo extendió y quedó restablecido. En cuanto salieron de la sinagoga, los fariseos se pusieron a planear con los herodianos el modo de acabar con él.

Yo soy tu fuerza

Jesús entra en la sinagoga, por supuesto en sábado. Encuentra a un hombre con la mano paralizada. La mano, la diestra, el brazo, son términos que en la espiritualidad bíblica se identifican con la fuerza y el poder. Recordemos cuando Dios ordenó a Moisés extender su mano sobre el mar a fin de abrir en su seno un camino a través del cual pudiese Israel caminar hacia la libertad (*Éx* 4,16ss). Jesús, el nuevo y definitivo Moisés, hace notar que es el enviado por el Padre para que el hombre alcance su madurez espiritual, de forma que pueda hacer frente con éxito a las insidias y piedras de tropiezo que el adversario pone en su caminar en la fe (*1Pe* 5,8). Jesús se hizo Enmanuel, y de forma permanente, para que donde no llegan nuestros esfuerzos, ni siquiera los que están alentados por la ley –representada por la sinagoga–, llegue Él. Llega, se acerca y, viendo nuestra impotencia, nos dice uno a uno: "Extiende tu mano".

Concédenos, Dios nuestro, anhelar nuestra madurez espiritual, sabiendo que no hay crecimiento que no venga de ti, de tu amor.

Jueves

Obispo y doctor de la Iglesia.

Memoria: Blanco.

Hebreos 7,23-8,6 / Salmo 39 / Marcos 3,7-12.

EVANGELIO

En aquel tiempo, Jesús se retiró con sus discípulos a la orilla del lago, y lo siguió una muchedumbre de Galilea. Al enterarse de las cosas que hacía, acudía mucha gente de Judea, de Jerusalén y de Idumea, de la Transjordania, de las cercanías de Tiro y Sidón. Encargó a sus discípulos que le tuviesen preparada una lancha, no lo fuera a estrujar el gentío. Como había curado a muchos, todos los que sufrían de algo se le echaban encima para tocarlo. Cuando lo veían, hasta los espíritus inmundos se postraban ante él, gritando: «Tú eres el Hijo de Dios». Pero él les prohibía severamente que lo diesen a conocer.

Los demonios confiesan

Jesús tiene la necesidad de retirarse con sus discípulos. Sienten el agobio de la muchedumbre que va detrás de ellos sin darles respiro. Marcos nos dice que de nada le sirvió esta especie de alejamiento estratégico. Gente venida no sólo de Galilea, sino también de Judea, Jerusalén, Tiro, Sidón, etc., les siguieron hasta que les dieron alcance. Cambió de planes. Jesús tiene que olvidarse de su legítima necesidad de descansar, de sus deseos de soledad y silencio, pues aquellos a quienes ha sido enviado le buscan dolientes, incluso se le echan encima para tocarlo. Jesús, el Señor, se deja palpar por estos hombres enfermos; en realidad todos lo somos y estamos. Sin embargo, hay una nota que Marcos añade en este acto de curar de Jesús. Nota que marca la diferencia entre Él y tantos milagreros que encontramos a lo largo y ancho del planeta en sus más diversas culturas y religiones. Jesús no es un milagrero, es el Hijo de Dios. Esto es lo que muy a su pesar se ven obligados a confesar los espíritus inmundos que ejercían su dominio sobre estos pobres hombres.

Confesamos tu nombre, Señor Dios nuestro, con la boca y con el corazón; solo así no caeremos en el engaño de las apariencias que tanto detestas.

Viernes

Fiesta: Blanco.

Hechos 22,3-16 ó 9,1-22 / Salmo 116 / Marcos 16,15-18.

EVANGELIO

En aquel tiempo, se apareció Jesús a los Once y les dijo: «Id al mundo entero y proclamad el Evangelio a toda la creación. El que crea y se bautice se salvará; el que se resista a creer será condenado. A los que crean, les acompañarán estos signos: echarán demonios en mi nombre, hablarán lenguas nuevas, cogerán serpientes en sus manos y, si beben un veneno mortal, no les hará daño. Impondrán las manos a los enfermos, y quedarán sanos».

La voluntad de Dios

Este día de hoy la Iglesia celebra la fiesta de la conversión de San Pablo. Aquel de quien San Juan Crisóstomo dice que sus palabras eran más bien truenos, por la fuerza y la pasión con la que hablaba de Jesucristo. ¿Cómo resumir en pocas líneas la trayectoria de este discípulo tan excepcional como profundamente actual? Recogemos de su experiencia las palabras que dirigió al Señor Jesús cuando este le dio a conocer quién era en su camino hacia Damasco. Pablo le dijo: ¿Qué debo hacer Señor? Si nos damos cuenta, no le promete nada, no planifica un particular cambio de vida con sus consiguientes compromisos. Pablo entra en lo que llamamos la obediencia a la fe. El Señor habla, indica, muestra; y el hombre se deja llevar confiadamente por Él dejándole la iniciativa. El "qué debo hacer, Señor", de Pablo, indica la aceptación confiada de la voluntad de Dios, un dejarle decidir sobre su propia vida. Con esta disposición, Pablo se manifiesta como auténtico hijo de la Sabiduría (*Sab* 6,12). Su decisión de hacer lo que Dios quiere no nace de una disposición servil, sino de la experiencia de que en su relación con Dios y, por consiguiente, también con los hombres, ya se ha equivocado bastante al decidir según la dureza de su corazón.

¡Cuándo entenderemos, Señor, que lo importante no es hacer cosas por ti, sino dejarnos hacer por ti!

Sábado

Timoteo y Tito, Obispos.

Memoria: Blanco.

2Timoteo 1,1-8/ Tito 1,1-15/ Salmo 95/ Mateo 3,20-21.

EVANGELIO

En aquel tiempo, Jesús fue a casa con sus discípulos y se juntó de nuevo tanta gente que no los dejaban ni comer. Al enterarse su familia, vinieron a llevárselo, porque decían que no estaba en sus cabales.

No eres del mundo

Ayer celebrábamos la fiesta de la conversión de san Pablo. Hoy la Iglesia nos invita a fijar nuestra mirada en dos de sus más estrechos colaboradores en su misión evangelizadora: Timoteo y Tito. Con no poca audacia nos atrevemos a entrar en el alma de estos dos grandes hombres, a la luz del Evangelio que nos ofrece la liturgia eucarística. Un Evangelio que nos habla del desconcierto que Jesucristo provoca en los suyos, su clan familiar. Seguramente, no pocos de sus parientes se habrían frotado las manos al seguir los primeros pasos de Jesús a lo largo de su misión mesiánica. Es lógico pensar que por sus cabezas desfilaron toda clase de honores, puestos, cargos sociales, incluso prebendas económicas; no hay duda, estaban orgullosos de Él. El entusiasmo va poco a poco dando paso primero a la duda, seguida del más profundo desaliento y posiblemente también a la frustración. Por fin, ya que no sacan nada de lo que esperaban de Él y cansados de ser el centro de los comentarios y habladurías de la gente, piensan que lo mejor es intentar disuadirlo de sus pretensiones mesiánicas, arguyendo que no está en sus cabales. Por supuesto que todo esta relacionado con Timoteo, Tito y todos aquellos que emprenden el camino del discipulado. Recordemos lo que Juan dice a los discípulos de la primera generación en su primera Carta: "No les extrañes hermanos, si el mundo los aborrece" (*1Jn* 3,13).

Señor, danos un corazón agradecido, pues nunca viviremos lo suficiente para poder agradecerte haber sido llamados por ti al discipulado.

Ángela Merid.

Verde.

Nehemías 8,2-4.5-6.8-10/ Salmo 18/ 1Corintios 12,12-30/ Lucas 1,1-4; 4,14-21.

EVANGELIO

Excelentísimo Teófilo: Muchos han emprendido la tarea de componer un relato de los hechos que se han verificado entre nosotros, siguiendo las tradiciones transmitidas por los que primero fueron testigos oculares y luego predicadores de la palabra. Yo también, después de comprobarlo todo exactamente desde el principio, he resuelto escribírtelos por su orden, para que conozcas la solidez de las enseñanzas que has recibido. En aquel tiempo, Jesús volvió a Galilea con la fuerza del Espíritu; y su fama se extendió por toda la comarca. Enseñaba en las sinagogas, y todos lo alababan. Fue a Nazaret, donde se había criado, entró en la sinagoga, como era su costumbre los sábados, y se puso en pie para hacer la lectura. Le entregaron el libro del profeta Isaías y, desenrollándolo, encontró el pasaje donde estaba escrito: «El Espíritu del Señor está sobre mí, porque él me ha ungido. Me ha enviado para anunciar el Evangelio a los pobres, para anunciar a los cautivos la libertad, y a los ciegos, la vista. Para dar libertad a los oprimidos; para anunciar el año de gracia del Señor». Y, enrollando el libro, lo devolvió al que le ayudaba y se sentó. Toda la sinagoga tenía los ojos fijos en él. Y él se puso a decirles: «Hoy se cumple esta Escritura que acabáis de oír».

Dios salva hoy

"Le pondrás por nombre Jesús porque Él salvará a su pueblo de sus pecados", dijo el ángel a José, al tiempo que le anunció el nacimiento, por obra y gracia del Espíritu Santo, de la criatura que María, su mujer, llevaba en su seno. En su primera manifestación en la sinagoga Jesús da razón de su nombre –Salvador–, proclamando que Él es el hoy de Dios y el hoy de la salvación del hombre.

Señor Jesús, concédenos fijar los ojos en ti, en todo lo que tú eres para mí; ya que fuera de ti nada de lo que yo haga se sostiene. ¡Solo tú eres para siempre!

Lunes

Presbítero y doctor de la Iglesia.

Memoria: Blanco.

Hebreos 9,15. 24-28 / Salmo 97 / Marcos 3,22-30.

EVANGELIO

En aquel tiempo, los escribas que habían bajado de Jerusalén decían: «Tiene dentro a Belzebú y expulsa a los demonios con el poder del jefe de los demonios». Él los invitó a acercarse y les puso estas parábolas: «¿Cómo va a echar Satanás a Satanás? Un reino en guerra civil no puede subsistir; una familia dividida no puede subsistir. Si Satanás se rebela contra sí mismo, para hacerse la guerra, no puede subsistir, está perdido. Nadie puede meterse en casa de un hombre forzudo para arramblar con su ajuar, si primero no lo ata; entonces podrá arramblar con la casa. Creedme, todo se les podrá perdonar a los hombres: los pecados y cualquier blasfemia que digan; pero el que blasfeme contra el Espíritu Santo no tendrá perdón jamás, cargará con su pecado para siempre». Se refería a los que decían que tenía dentro un espíritu inmundo.

Culto a la mentira

La oposición de los que disienten de Jesús se va acentuando en una degeneración tal que nos hace dudar razonablemente de su capacidad objetiva. Ante el poder manifestado por el Hijo de Dios al expulsar demonios, no se les ocurre otra salida que afirmar que tiene un poder diabólico. No es fácil la calma, y menos aún la objetividad, cuando tomamos posiciones de cara al Evangelio, que consideramos intocables, irreductibles. Ante la luz que irradian las palabras de Jesús, a veces se nos ocurren excusas tan peregrinas e infantiles como las expresadas por estos escribas; tan ridículas como aquellas que dieron nuestros primeros padres a Dios al echar la culpa de su desobediencia a la serpiente que les puso la tentación en bandeja. Ante tal deformación de la verdad, que a cualquiera nos puede alcanzar, nuestra única salida es la del publicano que apenas se atrevía a susurrar: ¡Ten compasión de mí, que soy pecador!

Señor Padre de misericordia y Dios de todo consuelo, sé tú la brisa fresca que mueve mi corazón en la búsqueda de la verdad.

EVANGELIO

Martes

Sulpicio Severo.

Feria: Verde.

Hebreos 10,1-10 / Salmo 39 / Marcos 3,31-35.

En aquel tiempo, llegaron la madre y los hermanos de Jesús y desde fuera lo mandaron llamar. La gente que tenía sentada alrededor le dijo: «Mira, tu madre y tus hermanos están fuera y te buscan». Les contestó: «¿Quiénes son mi madre y mis hermanos?». Y, paseando la mirada por el corro, dijo: «Estos son mi madre y mis hermanos. El que cumple la voluntad de Dios, ese es mi hermano y mi hermana y mi madre».

Mi madre y mis hermanos

Tu madre y tus hermanos están fuera y te buscan, dicen a Jesús en esta ocasión en la que está predicando el Evangelio. Marcos nos dice que el Señor no respondió inmediatamente a este requerimiento. Antes hizo un gesto significativo. Fijó sus ojos sobre todos aquellos que estaban a su alrededor escuchando hambrientos sus palabras. Los miró con esos mismos ojos que anteriormente ya se habían posado en sus discípulos cuando les llamó, como por ejemplo, a Pedro (*Jn* 1,42). Solo después de pasear su mirada sobre los que le escuchaban, respondió al requerimiento. Se expresa de esta manera: María es mi madre porque, una vez recibida la Palabra, aceptó concebirla. Mis discípulos, igual. Yo me encarno en ellos desde el momento en que acogen en su corazón y en sus entrañas mi Evangelio. En este sentido, ellos son mi madre y mis hermanos por el hecho de llevar en sus entrañas las palabras que mi Padre ha puesto en mi boca, palabras por medio de las cuales Él se les manifiesta y le hace hijos suyos (*Jn* 1,9-12).

Dios Padre santo, solo un amor como el tuyo podía hacer que se establecieran lazos de sangre entre nosotros y tu Hijo.

Miércoles

Jacinta Mariscotti.

Feria: Verde.

Hebreos 10,11-18 / Salmo 109 / Marcos 4,1-20.

EVANGELIO

En aquel tiempo, Jesús se puso a enseñar otra vez junto al lago. Acudió un gentío tan enorme que tuvo que subirse a una barca; se sentó, y el gentío se quedó en la orilla. Les enseñó mucho rato con parábolas, como él solía enseñar: «Escuchad: Salió el sembrador a sembrar; al sembrar, algo cayó al borde del camino, vinieron los pájaros y se lo comieron. Otro poco cayó en terreno pedregoso, donde apenas tenía tierra; como la tierra no era profunda, brotó en seguida; pero, en cuanto salió el sol, se abrasó y, por falta de raíz, se secó. Otro poco cayó entre zarzas; las zarzas crecieron, lo ahogaron, y no dio grano. El resto cayó en tierra buena: nació, creció y dio grano; y la cosecha fue del treinta o del sesenta o del ciento por uno». Y añadió: «El que tenga oídos para oír, que oiga». Cuando se quedó solo, los que estaban alrededor y los Doce le preguntaban el sentido de las parábolas. Él les dijo: «A vosotros se os han comunicado los secretos del reino de Dios; en cambio, a los de fuera todo se les presenta en parábolas, para que "por más que miren, no vean, por más que oigan, no entiendan, no sea que se conviertan y los perdonen"». Y añadió: «¿No entendéis esta parábola? ¿Pues, cómo vais a entender las demás? El sembrador siembra la palabra. Hay unos que están al borde del camino donde se siembra la palabra; pero, en cuanto la escuchan, viene Satanás y se lleva la palabra sembrada en ellos. Hay otros que reciben la simiente como terreno pedregoso; al escucharla, la acogen con alegría, pero no tienen raíces, son inconstantes y, cuando viene una dificultad o persecución por la palabra, en seguida sucumben. Hay otros que reciben la simiente entre zarzas; estos son los que escuchan la palabra, pero los afanes de la vida, la seducción de las riquezas y el deseo de todo lo demás los invaden, ahogan la palabra, y se queda estéril. Los otros son los que reciben la simiente en tierra buena; escuchan la palabra, la aceptan y dan una cosecha del treinta o del sesenta o del ciento por uno».

Ni piedras, ni cardos, ni espinas. ¡Siémbrate en mí, Señor!

EVANGELIO

Jueves

Presbítero.

Memoria: Blanco.

Hebreos 10,19-25 / Salmo 23 / Marcos 4,21-25.

En aquel tiempo, dijo Jesús a la muchedumbre: «¿Se trae el candil para meterlo debajo del celemín o debajo de la cama, o para ponerlo en el candelero? Si se esconde algo, es para que se descubra; si algo se hace a ocultas, es para que salga a la luz. El que tenga oídos para oír, que oiga». Les dijo también: «Atención a lo que estáis oyendo: la medida que uséis la usarán con vosotros, y con creces. Porque al que tiene se le dará, y al que no tiene se le quitará hasta lo que tiene».

La luz y el candelero

Mateo encabeza este pasaje evangélico con un enunciado significativo: "Ustedes son la luz del mundo" (*Mt* 5,14). En este mismo contexto, según Marcos, nos dice el Evangelio que el celemín, el espacio oculto escondido, no es el lugar natural de la luz del discípulo. Es cierto que a causa de las persecuciones, envidias e incomprensiones, los discípulos en general pasarán largos tiempos de su existencia arrojados al olvido y anonimato; mas sólo el tiempo previsto por Dios. Tiempo de maduración, de fortalecimiento y, sobre todo, tiempo en el que Dios ejercita a los suyos en el arte de su sabiduría. Tiempo necesario para que tome conciencia de que la luz que ha recibido de Dios no será nunca un privilegio en orden a su pedestal, sino un servicio al mundo. El discípulo es adiestrado en saber esperar el momento de Dios, consciente de que "el discípulo no está por encima del Maestro". Una vez que ha asimilado en su alma la enseñanza evangélica, entonces sí, al igual que su Maestro y Señor, su luz irradiará por el mundo entero, pues para esta misión fue llamado (*Flp* 2,15).

Danos, Señor, un corazón sencillo y comprensivo ante el mal que nos rodea; todos los que viven en tinieblas lo agradecerán.

Viernes

Severo.

Feria: verde.

Hebreos 10,32-39 / Salmo 36 / Marcos 4,26-34.

EVANGELIO

En aquel tiempo, dijo Jesús a la gente: «El Reino de Dios se parece a un hombre que echa simiente en la tierra. Él duerme de noche y se levanta de mañana; la semilla germina y va creciendo, sin que él sepa cómo. La tierra va produciendo la cosecha ella sola: primero los tallos, luego la espiga, después el grano. Cuando el grano está a punto, se mete la hoz, porque ha llegado la siega». Dijo también: «¿Con qué podemos comparar el Reino de Dios? ¿Qué parábola usaremos? Con un grano de mostaza: al sembrarlo en la tierra es la semilla más pequeña, pero después brota, se hace más alta que las demás hortalizas y echa ramas tan grandes que los pájaros pueden cobijarse y anidar en ellas». Con muchas parábolas parecidas les exponía la palabra, acomodándose a su entender. Todo se lo exponía con parábolas, pero a sus discípulos se lo explicaba todo en privado.

Un coctel explosivo

Cuando se prepara bien la tierra no importa si la semilla sembrada es insignificante, ya que es Dios quien la hace fructificar. Él trabaja en ella ininterrumpidamente, como afirma Jesús (*Jn* 5,17). Por su parte, el Apóstol Pablo, quien asocia la fe a la escucha de la Palabra (*Rm* 10,17), escribe a los tesalonicenses manifestándoles su gozo inmenso porque recibieron su predicación –el Evangelio– no como palabra humana, por muy sabia que pudiera ser, sino como Palabra de lo alto, de Dios, que, como tal, es operante (*1Tes* 2,13), trabaja en quien la acoge hasta dar el fruto apetecido: el discipulado. Porque esta es la gloria de Dios, dice Jesús a los suyos, "que den mucho fruto y sean mis discípulos" (*Jn* 15,8). Buena tierra y la Palabra: he ahí el coctel explosivo que nos sitúa cara a cara con Dios.

Señor, enséñanos a descansar en tu fuerza y en tu sabiduría, para que los alejados puedan ver lo que tú haces por todos aquellos que se fían de ti.

EVANGELIO

Sábado

Fiesta: Blanco.

Malaquías 3,1-4 o Hebreos 2,14-18 / Salmo 23 / Lucas 2,22-40.

Cuando llegó el tiempo de la purificación, según la ley de Moisés, los padres de Jesús lo llevaron a Jerusalén, para presentarlo al Señor, de acuerdo con lo escrito en la ley del Señor: «Todo primogénito varón será consagrado al Señor», y para entregar la oblación, como dice la ley del Señor: «un par de tórtolas o dos pichones». Vivía entonces en Jerusalén un hombre llamado Simeón, hombre justo y piadoso, que aguardaba el consuelo de Israel; y el Espíritu Santo moraba en él. Había recibido un oráculo del Espíritu Santo: que no vería la muerte antes de ver al Mesías del Señor. Impulsado por el Espíritu, fue al templo. Cuando entraban con el niño Jesús sus padres para cumplir con él lo previsto por la ley, Simeón lo tomó en brazos y ben-dijo a Dios diciendo: «Ahora, Señor, según tu promesa, puedes dejar a tu siervo irse en paz. Porque mis ojos han visto a tu Salvador, a quien has presentado ante todos los pueblos: luz para alumbrar a las naciones y gloria de tu pueblo Israel». Su padre y su madre estaban admirados por lo que se decía del niño. Simeón los bendijo, diciendo a María, su madre: «Mira, éste está puesto para que muchos en Israel caigan y se levanten; será como una bandera discutida: así quedará clara la actitud de muchos corazones. Y a ti, una espada te traspasará el alma». Había también una profetisa, Ana, hija de Fanuel, de la tribu de Aser. Era una mujer muy anciana; de jovencita había vivido siete años casada, y luego viuda hasta los ochenta y cuatro; no se apartaba del templo día y noche, sirviendo a Dios con ayunos y oraciones. Acercándose en aquel momento, daba gracias a Dios y hablaba del niño a todos los que aguardaban la liberación de Jerusalén. Y cuando cumplieron todo lo que prescribía la ley del Señor, se volvieron a Galilea, a su ciudad de Nazaret. El niño iba creciendo y robusteciéndose, y se llenaba de sabiduría; y la gracia de Dios lo acompañaba.

Ahora, mi Dios

El Evangelio nos presenta a Simeón. Un fiel israelita que espera la consolación de Israel, es decir, al Mesías. El Espíritu Santo ha prendido una luz en sus entrañas que le hace saber que sus ojos tendrán la alegría de ver y reconocer a Jesucristo antes de dejar este mundo. Hasta ahí la promesa de Dios. Ahora le toca a Él hacerla realidad. Para ello va un día y otro al templo en las fechas en las que son presentados los recién nacidos. Haga frío o calor, lluvia o ventisca, ahí está nuestro buen hombre esperando el cumplimiento de la promesa recibida. Una mañana, por fin, se fija en un niño llevado por sus padres que, no se distinguía en nada de los demás. Sin embargo, la promesa que este anciano guardaba celosamente en su corazón, saltó de gozo ante la Palabra hecha carne. Simeón cogió al niño en brazos y cantó públicamente la fidelidad y lealtad que Dios había tenido con él: Ahora, mi Dios, ya puedo morir en paz.

Domingo

Verde.

Blas. Óscar.

Jeremías 1,4-5.17-19 / Salmo 70 / 1Corintios 12,31-13,13 / Lucas 4,21-30.

EVANGELIO

En aquel tiempo, comenzó Jesús a decir en la sinagoga: «Hoy se cumple esta Escritura que acabáis de oír». Y todos le expresaban su aprobación y se admiraban de las palabras de gracia que salían de sus labios. Y decían: «¿No es este el hijo de José?». Y Jesús les dijo: «Sin duda me recitaréis aquel refrán: «Médico, cúrate a ti mismo»; haz también aquí en tu tierra lo que hemos oído que has hecho en Cafarnaúm». Y añadió: «Os aseguro que ningún profeta es bien mirado en su tierra. Os garantizo que en Israel había muchas viudas en tiempos de Elías, cuando estuvo cerrado el cielo tres años y seis meses, y hubo una gran hambre en todo el país; sin embargo, a ninguna de ellas fue enviado Elías, más que a una viuda de Sarepta, en el territorio de Sidón. Y muchos leprosos había en Israel en tiempos del profeta Eliseo; sin embargo, ninguno de ellos fue curado, más que Naamán, el sirio». Al oír esto, todos en la sinagoga se pusieron furiosos y, levantándose, lo empujaron fuera del pueblo hasta un barranco del monte en donde se alzaba su pueblo, con intención de despeñarlo. Pero Jesús se abrió paso entre ellos y se alejaba.

Se abrió paso

Jesús predica en la sinagoga de Nazaret. La primera reacción de los asistentes fue de entusiasta aprobación. Las palabras llenas de gracia que habían salido de su boca les habían causado admiración. Manifestaban un signo identificador del Mesías, tal y como fue profetizado: "La gracia está derramada en tus labios" (*Sal* 45,3b). Parece, sin embargo, que no fue suficiente. Se sobrepone el escepticismo, en este caso alimentado por la perversidad. ¡No puede ser el enviado del Padre, pues no es más que el hijo del carpintero! Jesús se abrió paso en medio de la masa de estos hombres necios e incrédulos. Se marchó marcando así el camino para todo aquel que le quiera seguir..., también los escépticos, los que viven de apariencias. Perversidad y escepticismo, he ahí los pilares sobre los que se asienta el mausoleo donde el ríncipe de este mundo pretende aprisionar la verdad.

Señor Jesús, cuando me veas abatido por mi poca fe, ayúdame a levantarme.

Lunes

En México: Sta. Águeda, virgen y mártir.

Memoria: Rojo.

En E.U.A: *feria: Verde.*

Hebreos 11,32-40 / Salmo 30 / Marcos 5,1-20.

EVANGELIO

En aquel tiempo, Jesús y sus discípulos llegaron a la orilla del lago, en la región de los gerasenos. Apenas desembarcó, le salió al encuentro, desde el cementerio, donde vivía en los sepulcros, un hombre poseído de espíritu inmundo; ni con cadenas podía ya nadie sujetarlo; muchas veces lo habían sujetado con cepos y cadenas, pero él rompía las cadenas y destrozaba los cepos, y nadie tenía fuerza para domarlo. Se pasaba el día y la noche en los sepulcros y en los montes, gritando e hiriéndose con piedras. Viendo de lejos a Jesús, echó a correr, se postró ante él y gritó a voz en cuello: «¿Qué tienes que ver conmigo, Jesús, hijo de Dios Altísimo? Por Dios te lo pido, no me atormentes». Porque Jesús le estaba diciendo: «¡Espíritu inmundo, sal de este hombre!». Jesús le preguntó: «¿Cómo te llamas?». Él contestó: «Me llamo Legión, porque somos muchos». Y le rogaba con insistencia que no los expulsara de aquella comarca. Había cerca una gran piara de cerdos hozando en la falda del monte. Los espíritus le rogaron: «Déjanos ir y meternos en los cerdos». Él se lo permitió. Los espíritus inmundos salieron del hombre y se metieron en los cerdos; y la piara, unos dos mil, se abalanzó acantilado abajo y se ahogó en el lago. Los porquerizos echaron a correr y dieron la noticia en el pueblo y en los cortijos. Y la gente fue a ver qué había pasado. Se acercaron a Jesús y vieron al endemoniado que había tenido la legión, sentado, vestido y en su juicio. Se quedaron espantados. Los que lo habían visto les contaron lo que había pasado al endemoniado y a los cerdos. Ellos le rogaban que se marchase de su país. Mientras se embarcaba, el endemoniado le pidió que lo admitiese en su compañía. Pero no se lo permitió, sino que le dijo: «Vete a casa con los tuyos y anúnciales lo que el Señor ha hecho contigo por su misericordia». El hombre se marchó y empezó a proclamar por la Decápolis lo que Jesús había hecho con él; todos se admiraban.

Dios misericordioso, dame confianza en mí mismo. Dudo a veces de mí, me angustia lo que los demás puedan pensar de mí, quiero dedicar mi vida a ti.

Martes

Solemnidad en la Arqd. de México; *fiesta en el resto del país: Rojo. Patrono de Colima, Col.*

Sabiduría 3,1-9 / Salmo 123 / en la Arq. de Méx. 2Corintios 4,7-15 / Lucas 9,23-26.

EVANGELIO

En aquel tiempo, dijo Jesús a sus discípulos: «El Hijo del hombre tiene que padecer mucho, ser desechado por los ancianos, sumos sacerdotes y escribas, ser ejecutado y resucitar al tercer día». Y, dirigiéndose a todos, dijo: «El que quiera seguirme, que se niegue a sí mismo, cargue con su cruz cada día y se venga conmigo. Pues el que quiera salvar su vida, la perderá; pero el que pierda su vida por mi causa, la salvará. ¿De qué le sirve a uno ganar el mundo entero si se pierde o se perjudica a sí mismo?».

El que pierda su vida por mi causa, la salvará

Cuatro verbos marcan el Evangelio de hoy, dirigidos por el Señor al cristiano que quiere acompañarlo en este camino cuaresmal: El que "quiera seguirme", que "se niegue a sí mismo", "cargue con su Cruz" y "se venga conmigo". Éste podría ser un buen programa de vida cristiana: tener la voluntad de querer seguir al Señor, renunciar a uno mismo, cargar con las cruces diarias de la vida e irse tras los pasos de Jesús. Gastando la vida por los demás, perdiéndola, es como se gana y se salva. Los evangelios de esta cuaresma invitan siempre a la radicalidad en el seguimiento del Señor: "¿De qué le sirve a uno ganar el mundo entero si se pierde o se perjudica a sí mismo?".

Que no nos asusten, Señor, el sufrimiento y el dolor. Que, como tú, sepamos convertirlos en ocasión para amar más profundamente. Pero que no los busquemos como tabla de salvación. Sólo salva el amor. Sólo salvas tú. Invítanos en esta Cuaresma a seguirte de cerca, con radicalidad, valentía y coherencia.

Pablo Miki y compañeros mártires.

Memoria: Rojo.

Hebreos 12,4-7.11-15 / Salmo 102 / Marcos 6,1-6.

EVANGELIO

En aquel tiempo, fue Jesús a su pueblo en compañía de sus discípulos. Cuando llegó el sábado, empezó a enseñar en la sinagoga; la multitud que lo oía se preguntaba asombrada: «¿De dónde saca todo eso? ¿Qué sabiduría es esa que le han enseñado? ¿Y esos milagros de sus manos? ¿No es este el carpintero, el hijo de María, hermano de Santiago y José y Judas y Simón? Y sus hermanas, ¿no viven con nosotros aquí?». Y esto les resultaba escandaloso. Jesús les decía: «No desprecian a un profeta más que en su tierra, entre sus parientes y en su casa». No pudo hacer allí ningún milagro, solo curó algunos enfermos imponiéndoles las manos. Y se extrañó de su falta de fe. Y recorría los pueblos de alrededor enseñando.

Culto a las apariencias

Jesús llega a su tierra con sus discípulos y enseña la Palabra en la sinagoga. Todos quedan asombrados. Parece que se abren las puertas de la fe. Éste es el primero de los signos que preceden a la fe. Los asistentes están maravillados, constatan que las palabras que escuchan no proceden de la sabiduría humana, sino del manantial del misterio de Dios. Esa es la razón por la que se impactan y asombran; están, como quien dice, hechas a la medida de lo que somos y deseamos en nuestros anhelos más profundos. Poco dura lo que podríamos llamar el sobresalto amoroso; les vence la insensatez de las apariencias. ¡No es más que el carpintero, además conocemos bien a todos sus familiares! He aquí la dimensión gigantesca que puede alcanzar nuestra necedad. Estos hombres acaban de tocar el misterio de Dios ante la sabiduría que fluye de los labios de su Hijo, y se decantan por las apariencias. El problema es que esta necedad no deja de repetirse. No hay duda de que el culto a las apariencias, léase vanidades, desplaza al mismísimo Dios.

Señor Dios nuestro, trabaja en nosotros con la espada de tu Palabra hasta hacer saltar el caparazón de nuestra alma, que nos ahoga en el mar de la vanidad y las apariencias.

Jueves

Ricardo de Toscana.

Feria: Verde.

Hebreos 12,18-19.21-24 / Salmo 47 / Marcos 6,7-13.

EVANGELIO

En aquel tiempo, llamó Jesús a los Doce y los fue enviando de dos en dos, dándoles autoridad sobre los espíritus inmundos. Les encargó que llevaran para el camino un bastón y nada más, pero ni pan ni alforja, ni dinero suelto en la faja; que llevasen sandalias, pero no una túnica de repuesto. Y añadió: «Quedaos en la casa donde entréis, hasta que os vayáis de aquel sitio. Y si un lugar no os recibe ni os escucha, al marcharos sacudíos el polvo de los pies, para probar su culpa». Ellos salieron a predicar la conversión, echaban muchos demonios, ungían con aceite a muchos enfermos y los curaban.

¡Bendita precariedad!

Jesús envió a los Apóstoles de dos en dos. Las condiciones de la misión parecen poco atrayentes. No han de proveerse de dinero, alimentos, ni siquiera dos túnicas; como ya he dicho, van en condiciones sugestivas, mas sólo en apariencia. No se trata de que los discípulos de Jesús sean indigentes de solemnidad. El discurso de quien les envía es otro. No busquen los bienes materiales, que ya los busco yo, "porque el obrero merece su sustento" (*Mt* 10,10). Yo les proporcionaré, pues soy el responsable de su envío. La historia nos enseña, una y otra vez, que cuando son los enviados los que se buscan a su manera los medios económicos en orden a su misión, se abren al abismo del peligro de llegar a ser, más empleados de una institución humana que discípulos del Señor Jesús. A la luz de este Evangelio, el Hijo de Dios quiere instruirnos en algo que es fundamental para el discipulado: la precariedad. Ésta no tiene ninguna relación con la pobreza; más bien es la precariedad la que nos educa en la escuela de la confianza. En realidad, lo que Jesús está diciendo en su envío es: "Vayan y anuncien el Evangelio, yo cuidaré de ustedes".

Danos sabiduría, Señor, para saber que no nos envías al mundo para hacer nuestra obra, sino la tuya. Solo así tendremos la garantía de que vienes y estás con nosotros.

EVANGELIO

En aquel tiempo, como la fama de Jesús se había extendido, el rey Herodes oyó hablar de él. Unos decían: «Juan Bautista ha resucitado, y por eso los poderes actúan en él». Otros decían: «Es Elías». Otros: «Es un profeta como los antiguos». Herodes, al oírlo, decía: «Es Juan, a quien yo decapité, que ha resucitado». Es que Herodes había mandado prender a Juan y lo había metido en la cárcel, encadenado. El motivo era que Herodes se había casado con Herodías, mujer de su hermano Filipo, y Juan le decía que no le era lícito tener la mujer de su hermano. Herodías aborrecía a Juan y quería quitarlo de en medio; no acababa de conseguirlo, porque Herodes respetaba a Juan, sabiendo que era un hombre honrado y santo, y lo defendía. Cuando lo escuchaba, quedaba desconcertado, y lo escuchaba con gusto. La ocasión llegó cuando Herodes, por su cumpleaños, dio un banquete a sus magnates, a sus oficiales y a la gente principal de Galilea. La hija de Herodías entró y danzó, gustando mucho a Herodes y a los convidados. El rey le dijo a la joven: «Pídeme lo que quieras, que te lo doy». Y le juró: «Te daré lo que me pidas, aunque sea la mitad de mi reino». Ella salió a preguntarle a su madre: «¿Qué le pido?». La madre le contestó: «La cabeza de Juan, el Bautista». Entró ella enseguida, a toda prisa, se acercó al rey y le pidió: «Quiero que ahora mismo me des en una bandeja la cabeza de Juan, el Bautista». El rey se puso muy triste; pero, por el juramento y los convidados, no quiso desairarla. Enseguida le mandó a un verdugo que trajese la cabeza de Juan. Fue, lo decapitó en la cárcel, trajo la cabeza en una bandeja y se la entregó a la joven; la joven se la entregó a su madre. Al enterarse sus discípulos, fueron a recoger el cadáver y lo enterraron.

Viernes

Jerónimo Emiliano
Josefina Bakhita, virgen.

Memoria
Libre: Blanco

Hebreos 13,1-8 / Salmo 26 / Marcos 6,14-29.

Líbrame, Señor Jesús, de tantas ambiciones inconfesas que crean tanto malestar entre tú y yo.

Sábado

Marón.

Feria o de la **Virgen María:** *Verde o Blanco.*

Hebreos 13,15-17.20-21 / Salmo 22 / Marcos 6,30-34.

EVANGELIO

En aquel tiempo, los apóstoles volvieron a reunirse con Jesús, y le contaron todo lo que habían hecho y enseñado. Él les dijo: «Venid vosotros solos a un sitio tranquilo a descansar un poco». Porque eran tantos los que iban y venían, que no encontraban tiempo ni para comer. Se fueron en barca a un sitio tranquilo y apartado. Muchos los vieron marcharse y los reconocieron; entonces de todas las aldeas fueron corriendo por tierra a aquel sitio y se les adelantaron. Al desembarcar, Jesús vio una multitud y le dio lástima de ellos, porque andaban como ovejas sin pastor; y se puso a enseñarles con calma.

Alma hambrienta

Jesús y los suyos necesitan descansar, deciden retirarse de la multitud. Estas personas también acusan el cansancio; sin embargo, les puede más el hambre de sus almas, de forma que no se detienen hasta dar con ellos. Al verlos, Jesús se olvidó de su fatiga y dio paso a sus entrañas compasivas al constatar que toda esta multitud que lo buscaba estaba desnutrida, no pastoreada. ¿Dónde están los pastos prometidos a las ovejas? (*Sal* 23,1-2). Entonces se puso a enseñarles con esas palabras de las que se había hecho eco Isaías: "Coman cosa buena, apliquen el oído, oigan y vivirá su alma" (*Is* 55,2b-3). A Él habían acudido hambrientas, con el oído abierto, para recibir un poco de aliento en el alma. Jesús les dio el pan, que es "toda Palabra que sale de la boca de Dios" (*Mt* 4,4). Se olvidó de su cansancio; bien sabía que, como enviado del Padre, "nunca tendría donde reposar su cabeza" (*Mt* 8,20). Con este gesto nos mostró su tarjeta de identificación: Él es nuestro buen pastor, nuestro alimento y nuestro descanso.

Que si tú no nos amaras, Señor Dios nuestro, como nos amas, no sabríamos lo que es tener hambre y sed de ti.

EVANGELIO

Domingo

Verde.

Escolástica.

Isaías 6,1-2.3-8 / Salmo 137 / 1Corintios 15,1-11 / Lucas 5,1-11.

En aquel tiempo, la gente se agolpaba alrededor de Jesús para oír la palabra de Dios, estando él a orillas del lago de Genesaret. Vio dos barcas que estaban junto a la orilla; los pescadores habían desembarcado y estaban lavando las redes. Subió a una de las barcas, la de Simón, y le pidió que la apartara un poco de tierra. Desde la barca, sentado, enseñaba a la gente. Cuando acabó de hablar, dijo a Simón: «Rema mar adentro, y echad las redes para pescar». Simón contestó: «Maestro, nos hemos pasado la noche bregando y no hemos cogido nada; pero, por tu palabra, echaré las redes». Y, puestos a la obra, hicieron una redada de peces tan grande que reventaba la red. Hicieron señas a los socios de la otra barca, para que vinieran a echarles una mano. Se acercaron ellos y llenaron las dos barcas, que casi se hundían. Al ver esto, Simón Pedro se arrojó a los pies de Jesús diciendo: «Apártate de mí, Señor, que soy un pecador». Y es que el asombro se había apoderado de él y de los que estaban con él, al ver la redada de peces que habían cogido; y lo mismo les pasaba a Santiago y Juan, hijos de Zebedeo, que eran compañeros de Simón. Jesús dijo a Simón: «No temas; desde ahora serás pescador de hombres». Ellos sacaron las barcas a tierra y, dejándolo todo, lo siguieron.

¡Aléjate de mí!

• Remen mar adentro y echen sus redes para pescar! Los Apóstoles no dan crédito a lo que les dice Jesús. ¿Qué sabe él de pesca, mares y redes? Más aún cuando acaban de volver de una noche completamente infructuosa. Sin embargo, lo obedecen. Es tan abundante la pesca que se rompen las redes. Pedro comprende que está delante del Hijo de Dios y, al más puro estilo de los personajes del Antiguo Testamento, teme por su vida (*Is* 6,5). Le suplica: ¡Aléjate, Señor, que soy un pecador! Qué poco conocía Pedro a Dios. Como si Él no supiera que el pecado es parte de la vida y la historia de cada persona (*Sal* 143,2). Nos podemos imaginar una más que posible respuesta de Jesús: ¿Que me aleje de ti?, ¿y a quién me voy a acercar entonces? del Padre para asumir el pecado del mundo entero y, por supuesto, también el tuyo.

Lunes

Memoria libre: Blanco o Verde.

Génesis 1,1-19 / Salmo 103 / Marcos 6,53-56.

EVANGELIO

En aquel tiempo, Jesús y sus discípulos, terminada la travesía, tocaron tierra en Genesaret y atracaron. Apenas desembarcaron, algunos lo reconocieron, y se pusieron a recorrer toda la comarca; cuando se enteraba la gente dónde estaba Jesús, le llevaban los enfermos en camillas. En la aldea o pueblo o caserío donde llegaba, colocaban a los enfermos en la plaza, y le rogaban que les dejase tocar al menos el borde de su manto; y los que lo tocaban se ponían sanos.

Manto y Evangelio

Jesús llega a Genesaret. La región entera queda como sacudida por su presencia. Una interminable procesión de enfermos acude, o bien es conducida en camillas, a su encuentro. Le suplican que les permita tocar el borde de su manto. Jesús accede y acontecen realmente las curaciones. ¿Acaso el manto de Jesús tenía poderes milagrosos? Por supuesto que no se trata de eso; la realidad es muchísimo más bella y significativa. En la espiritualidad bíblica, el manto se identifica con la persona que lo viste. Hablamos de una identificación tan profunda que podemos decir que refleja la identidad de la persona en todas sus dimensiones. Recordemos, por ejemplo, cómo Eliseo, sucesor de Elías en su misión profética, es reconocido como tal por la comunidad de los profetas de Israel al revestirse del manto de Elías. Manto que este le ofreció al ascender al cielo en el carro de fuego (*2Re* 2,11-16). Los enfermos de Genesaret tocaron el manto y se curaron. Allegarse hasta el Evangelio y palparlo con el alma, de eso se trata.

Señor Dios nuestro, ¡cuánta vida perdemos dejándonos engañar por tantos placebos! Endereza nuestros pasos hacia ti. Solo así terminarán nuestras hemorragias de vida.

EVANGELIO

Martes

Melesio de Antioquía.

Feria: Verde.

Génesis 1,20-2,4 / Salmo 8 / Marcos 7,1-13.

En aquel tiempo, se acercó a Jesús un grupo de fariseos con algunos escribas de Jerusalén y vieron que algunos discípulos comían con manos impuras, es decir, sin lavarse las manos. (Los fariseos, como los demás judíos, no comen sin lavarse antes las manos, restregando bien, aferrándose a la tradición de sus mayores, y al volver de la plaza no comen sin lavarse antes, y se aferran a otras muchas tradiciones, de lavar vasos, jarras y ollas). Según eso, los fariseos y los escribas preguntaron a Jesús: «¿Por qué comen tus discípulos con manos impuras y no siguen la tradición de los mayores?». Él les contestó: «Bien profetizó Isaías de vosotros, hipócritas, como está escrito: "Este pueblo me honra con los labios, pero su corazón está lejos de mí. El culto que me dan está vacío, porque la doctrina que enseñan son preceptos humanos". Dejáis a un lado el mandamiento de Dios para aferraros a la tradición de los hombres». Y añadió: «Anuláis el mandamiento de Dios por mantener vuestra tradición. Moisés dijo: "Honra a tu padre y a tu madre" y "el que maldiga a su padre o a su madre tiene pena de muerte". En cambio vosotros decís: Si uno le dice a su padre o a su madre: "Los bienes con que podría ayudarte los ofrezco al templo", ya no le permitís hacer nada por su padre o por su madre; invalidando la palabra de Dios con esa tradición que os transmitís; y como estas hacéis muchas».

El culto vacío

Lavarse las manos hasta el codo, limpiar a fondo copas, jarras, bandejas..., he ahí todo un ritual que va mucho más allá de la higiene: ¡hay que purificarse! Al lado de esto, la Palabra del Hijo de Dios ni les va ni les viene. Jesús, viendo tanto fanatismo por la purificación exterior y, al mismo tiempo, tanta desidia por la limpieza interior, les hace ver a quiénes va dirigida la denuncia del profeta Isaías: "Este pueblo me honra con los labios, pero su corazón está lejos de mí" (*Is* 29,13). En vano me rinden culto...

Señor, llena nuestro corazón, pues si está vacío de ti, ¡hasta dónde podrá llegar la vaciedad de nuestras oraciones y de nuestro culto!

Miércoles

Cástor.

Feria: Verde.

Génesis 2,4-9.15-17 / Salmo 103 / Marcos 7,14-23.

EVANGELIO

En aquel tiempo, llamó Jesús de nuevo a la gente y les dijo: «Escuchad y entended todos: Nada que entre de fuera puede hacer al hombre impuro; lo que sale de dentro es lo que hace impuro al hombre. El que tenga oídos para oír que oiga». Cuando dejó a la gente y entró en casa, le pidieron sus discípulos que les explicara la parábola. Él les dijo: «¿Tan torpes sois también vosotros? ¿No comprendéis? Nada que entre de fuera puede hacer impuro al hombre, porque no entra en el corazón, sino en el vientre, y se echa en la letrina». (Con esto declaraba puros todos los alimentos). Y siguió: «Lo que sale de dentro, eso sí mancha al hombre. Porque de dentro, del corazón del hombre, salen los malos propósitos, las fornicaciones, robos, homicidios, adulterios, codicias, injusticias, fraudes, desenfreno, envidia, difamación, orgullo, frivolidad. Todas esas maldades salen de dentro y hacen al hombre impuro».

Pregúntale a tu corazón

Lo decisivo en la postura humana ante la vida es la actitud del corazón, puesto que es ahí donde se forjan todas las maldades o toda la capacidad de bondad que nos constituye. Hoy somos muy dados a hipervalorar la imagen, la apariencia, los aspectos externos y superficiales de la vida hasta convertirla en un auténtico espectaculo. Francisco de Asís decía a sus Hermanas Clarisas que la vida que verdaderamente merece la pena ser vivida es la de dentro. Otro titán de la fe, Agustín de Hipona, dejó escrito que la verdad reside en el ser interior. El alma necesita derramarse para expandir su fragancia espiritual. En la vida humana lo puro y lo impuro van de la mano, pero lo que nos colma de belleza es el corazón bondadoso que se entrega a los demás, que es lo mismo que afirmar el propio bien, porque hacer el bien nos enriquece.

He acumulado tantos prejuicios a lo largo de mi vida, he dado tanto valor a lo externo y aparente, que casi siento vergüenza, porque sé que he dilapidado muchas energías. Pero nunca es tarde para volver al nido del corazón, en donde sigue latiendo tu voz.

EVANGELIO

Jueves

Patrona de Zamora.

Solemnidad en Jacona, Mich.
Cirilo, monje; Metodio, obisp., *Memoria: Blanco.*

Génesis 2,18-25 / Salmo 127 / Marcos 7,24-30.

En aquel tiempo, Jesús fue a la región de Tiro. Se alojó en una casa procurando pasar desapercibido, pero no lo consiguió; una mujer que tenía una hija poseída por un espíritu impuro se enteró enseguida, fue a buscarlo y se le echó a los pies. La mujer era griega, una fenicia de Siria, y le rogaba que echase el demonio de su hija. Él le dijo: «Deja que coman primero los hijos. No está bien echarles a los perros el pan de los hijos». Pero ella replicó: «Tienes razón, Señor; pero también los perros, debajo de la mesa, comen las migajas que tiran los niños». Él le contestó: «Anda, vete, que, por eso que has dicho, el demonio ha salido de tu hija». Al llegar a su casa, se encontró a la niña echada en la cama; el demonio se había marchado.

La fe no tiene fronteras

Pueden sonar excesivamente duras las palabras de Jesús dirigidas a la mujer fenicia. Estaban en tierra "pagana". Todo hace pensar que Jesús quería extender la buena noticia de Dios al orbe entero, más allá de los límites del judaísmo. Una vez más la fe de la mujer es alabada por el Maestro. Se obra el milagro porque la fe había preparado el terreno. El demonio, opositor o adversario, contrario a nuestro bien, huyó. Fue, una vez más, la victoria de la fe que es capaz de desafiar a la adversidad.

Aleja de mí todo atisbo de maldad, la que pueda brotar en mi corazón o pensamiento, y la que me asedia desde fuera. Me alío contigo, Señor, en la causa del bien. ¡Fortalece mi pobre fe!

Viernes

Claudio de la Colombière.

Feria: Verde.

Génesis 3,1-8 / Salmo 31 / Marcos 7,31-37.

EVANGELIO

En aquel tiempo, dejó Jesús el territorio de Tiro, pasó por Sidón, camino del lago de Galilea, atravesando la Decápolis. Y le presentaron un sordo, que, además, apenas podía hablar; y le piden que le imponga las manos. Él, apartándolo de la gente a un lado, le metió los dedos en los oídos y con la saliva le tocó la lengua. Y mirando al cielo, suspiró y le dijo: «Effetá» (esto es, «ábrete»). Y al momento se le abrieron los oídos, se le soltó la traba de la lengua y hablaba sin dificultad. Él les mandó que no lo dijeran a nadie; pero, cuanto más se lo mandaba, con más insistencia lo proclamaban ellos. Y en el colmo del asombro decían: «Todo lo ha hecho bien: hace oír a los sordos y hablar a los mudos».

Tendiendo puentes de comunicación

Toda ocasión es oportuna para hacer el bien. Incluso de camino el Maestro no cesaba de hacer el bien a quien pudiese necesitarlo, como es el caso de esta persona sordomuda. El contacto con la persona limitada habla claramente de que Jesús no era un puro que evitaba el contacto humano, antes bien, lo practicaba y fomentaba el amor al prójimo. La bondad de Dios se manifiesta por medios humanos y tangibles. El rito de la imposición de manos forma parte de nuestra tradición, incorporada también a la liturgia.

Te pido, Maestro, por todas las personas limitadas en sus capacidades, para que nunca se dejen llevar por el desaliento, para que nunca se sientan abandonadas. Te pido por quienes viven en la incomunicación del abandono.

Sábado

Juliana.

Feria o de la **Virgen María:** *Verde o Blanco.*

Génesis 3,9-24 / Salmo 89 / Marcos 8,1-10.

EVANGELIO

Uno de aquellos días, como había mucha gente y no tenían qué comer, Jesús llamó a sus discípulos y les dijo: «Me da lástima de esta gente; llevan ya tres días conmigo y no tienen qué comer, y, si los despido a sus casas en ayunas, se van a desmayar por el camino. Además, algunos han venido desde lejos». Le replicaron sus discípulos: «¿Y de dónde se puede sacar pan, aquí, en despoblado, para que se queden satisfechos?». Él les preguntó: «¿Cuántos panes tenéis?». Ellos contestaron: «Siete». Mandó que la gente se sentara en el suelo, tomó los siete panes, pronunció la acción de gracias, los partió y los fue dando a sus discípulos para que los sirvieran. Ellos los sirvieron a la gente. Tenían también unos cuantos peces; Jesús los bendijo, y mandó que los sirvieran también. La gente comió hasta quedar satisfecha, y de los trozos que sobraron llenaron siete canastas; eran unos cuatro mil. Jesús los despidió, luego se embarcó con sus discípulos y se fue a la región de Dalmanuta.

No hay Dios sin pan

El milagro de la multiplicación de los peces y los panes se conmemora en Tagba, a la vera del lago de Galilea, en una iglesia moderna custodiada por una comunidad de benedictinos alemanes. Lugar que era conocido en los primeros siglos, si atendemos a la crónica de su viaje a Tierra Santa de la peregrina hispánica Egeria, heptapegon, en griego, lugar de las "siete fuentes". Jesús, sensible al sufrimiento, parte y reparte el alimento. La vida cristiana consiste en compartir lo que somos y tenemos.

Hoy soy yo, mi vida, la que quiere ser pan que alimente la esperanza de los demás. Ayúdame a multiplicar mi vida para poder compartirla. Tú eres mi guía y maestro.

Domingo

Verde.

Jeremías 17,5-8 / Salmo 1 / 1Corintios 15,12.16-20/ Lucas 6,17.20-26.

EVANGELIO

En aquel tiempo, bajó Jesús del monte con los Doce y se paró en un llano, con un grupo grande de discípulos y de pueblo, procedente de toda Judea, de Jerusalén y de la costa de Tiro y de Sidón. Él, levantando los ojos hacia sus discípulos, les dijo: «Dichosos los pobres, porque vuestro es el reino de Dios. Dichosos los que ahora tenéis hambre, porque quedaréis saciados. Dichosos los que ahora lloráis, porque reiréis. Dichosos vosotros, cuando os odien los hombres, y os excluyan, y os insulten, y proscriban vuestro nombre como infame, por causa del Hijo del hombre. Alegraos ese día y saltad de gozo, porque vuestra recompensa será grande en el cielo. Eso es lo que hacían vuestros padres con los profetas. Pero, ¡ay de vosotros, los ricos!, porque ya tenéis vuestro consuelo. ¡Ay de vosotros, los que ahora estáis saciados!, porque tendréis hambre. ¡Ay de los que ahora reís!, porque haréis duelo y lloraréis. ¡Ay si todo el mundo habla bien de vosotros! Eso es lo que hacían vuestros padres con los falsos profetas».

El sermón del llano

El Evangelio según san Lucas, a diferencia del de Mateo, sitúa el famoso sermón de las bienaventuranzas en un "llano", y abrevia el contenido de las mismas incorporando lo que se ha llamado como los "ayes". Sin duda, se trata del corazón del mensaje evangélico, aun cuando pueda resultar desconcertante (seguro que lo fue también para quienes tuvieron el privilegio de escucharlo en persona): resulta que son dichosos precisamente quienes a los ojos del mundo son desgraciados, pero esta es la lógica de Dios. Actualmente, se hace evocación de las bienaventuranzas en una montaña cercana al lago, en una zona ajardinada en la que se yergue una iglesia pensada como mirador hacia el lago que fue testigo silente de este sermón.

¡Cuántas veces, Dios, no te comprendo! Me resulta casi todo tan misterioso que tengo la tentación de sucumbir bajo el yugo de la apatía o la negación. Pero en mi fragilidad te siento presente, compañero de fatigas, aliento y consuelo.

Lunes

Heladio.

Génesis 4,1-15.25 / Salmo 49 / Marcos 8,11-13.

EVANGELIO

En aquel tiempo, se presentaron los fariseos y se pusieron a discutir con Jesús; para ponerlo a prueba, le pidieron un signo del cielo. Jesús dio un profundo suspiro y dijo: «¿Por qué esta generación reclama un signo? Os aseguro que no se le dará un signo a esta generación». Los dejó, se embarcó de nuevo y se fue a la otra orilla.

¿Por qué esta gente busca una señal?

En varias ocasiones en que personajes sin fe y sin un corazón humilde y sincero exigen un signo o milagro de parte de Jesús, Él se niega, se aparta o directamente dice que no lo hará, como en el Evangelio que se nos presenta este día. Aquellos personajes que se negaron a creer en Jesús lo vieron y lo oyeron, pero no permitieron que las palabras de Jesús entraran en su corazón y lo comenzaran a curar. Nosotros también podemos escuchar y leer muchas veces la Palabra de Dios, pero es necesario hacerlo con un corazón sincero para que Jesús nos cure.

Que no dude, Señor, de tu Palabra, que mi corazón no se haga insensible ante la realidad del mundo que sufre, que mi voz sea voz de esperanza, y mi vida,un signo de tu amor.

Martes

Mansueto de Milán.

Feria: Verde.

Génesis 6,5-8; 7,1-5.10 / Salmo 28 / Marcos 8,14-21.

EVANGELIO

En aquel tiempo, a los discípulos se les olvidó llevar pan, y no tenían más que un pan en la barca. Jesús les recomendó: «Tened cuidado con la levadura de los fariseos y con la de Herodes». Ellos comentaban: «Lo dice porque no tenemos pan». Dándose cuenta, les dijo Jesús: «¿Por qué comentáis que no tenéis pan? ¿No acabáis de entender? ¿Tan torpes sois? ¿Para qué os sirven los ojos si no veis, y los oídos si no oís? A ver, ¿cuántos cestos de sobras recogisteis cuando repartí cinco panes entre cinco mil? ¿Os acordáis?». Ellos contestaron: «Doce». «¿Y cuántas canastas de sobras recogisteis cuando repartí siete entre cuatro mil?». Le respondieron: «Siete». Él les dijo: «¿Y no acabáis de entender?».

La evidencia del pan

Cualquier imagen conocida servía a Jesús para hacer más comprensible su mensaje, aunque no siempre los oyentes fueran lo suficientemente comprensivos para ir más allá de las apariencias. El pan es un signo de la vida misma, necesario para la vida material, pero es también símbolo del alimento que necesita nuestra alma para alcanzar altas cotas de felicidad. Lo esencial no es tener, sino ser. En todo caso, el pan ha de ser esencialmente signo de fraternidad, y lo es en la medida en que se comparte.

Que a nadie le falte nunca el pan que el organismo necesita.
Que se acabe ya esa terrible epidemia del hambre en el mundo.
Que no pasemos al lado del hambriento sin sentir su hambre
como grito desesperado. Que seamos voz de
los sin voz, pero, sobre todo, pan para el hambriento.

EVANGELIO

Miércoles

Eleuterio.

Feria: Verde.

Génesis 8,6-13.20-22 / Salmo 115 / Marcos 8,22-26.

En aquel tiempo, Jesús y los discípulos llegaron a Betsaida. Le trajeron un ciego pidiéndole que lo tocase. Él lo sacó de la aldea, llevándolo de la mano, le untó saliva en los ojos, le impuso las manos y le preguntó: «¿Ves algo?». Empezó a distinguir y dijo: «Veo hombres; me parecen árboles, pero andan». Le puso otra vez las manos en los ojos; el hombre miró: estaba curado, y veía todo con claridad. Jesús lo mandó a casa diciéndole: «No entres siquiera en la aldea».

La luz, Jesucristo

Mientras dure la tierra, el Señor no castigará más así a los hombres. Muestra de ternura y misericordia es la que nos muestra hoy el Señor en la primera lectura. El Señor dará la luz para que la Humanidad no caiga en el error y en el pecado. La luz, Jesucristo, servirá para que no tropiece el pie. Hay una humanidad ciega que aspira a la luz y es a esos hombres y mujeres a los que tenemos que acercarnos para ofrecerles lo que tenemos, lo mejor de nosotros mismos, la luz que irradia nuestros corazones. El milagro de la luz en muchos momentos de nuestra vida sólo llegará si tenemos esa luz. Sólo así seremos capaces de darla. Jesús se acerca al ciego, como ha hecho con otros menesterosos, algo muy propio en el texto de Marcos que vamos leyendo. El ciego sale con luz y lo ve todo con claridad. Se trata de ver las cosas tras un sano discernimiento que tenemos que hacer cada día en nuestras vidas, para poder acertar a ver todo con claridad evangélica. Necesitamos la luz de Dios en la vida y en los acontecimientos.

Querido Dios, bendícenos a las parejas. Permite que estemos siempre agradecidos por nuestro amor, y danos la necesaria atención para que nunca olvidemos lo que hacemos el uno por el otro

Jueves

Pedro Damián.

Feria: Verde

Génesis 9,1-13 / Salmo 101 / Marcos 8,27-33.

EVANGELIO

En aquel tiempo, Jesús y sus discípulos se dirigieron a las aldeas de Cesarea de Filipo; por el camino preguntó a sus discípulos: «¿Quién dice la gente que soy yo?». Ellos le contestaron: «Unos, Juan Bautista; otros, Elías, y otros, uno de los profetas». Él les preguntó: «Y vosotros, ¿quién decís que soy?». Pedro le contestó: «Tú eres el Mesías». Él les prohibió terminantemente decírselo a nadie. Y empezó a instruirlos: «El Hijo del Hombre tiene que padecer mucho, tiene que ser condenado por los ancianos, sumos sacerdotes y escribas, ser ejecutado y resucitar a los tres días». Se lo explicaba con toda claridad. Entonces Pedro se lo llevó aparte y se puso a increparlo. Jesús se volvió y, de cara a los discípulos increpó a Pedro: «¡Quítate de mi vista, Satanás! ¡Tú piensas como los hombres, no como Dios!».

¿Quién es realmente Jesús para nosotros?

En el momento fuerte de lo que algunos llaman "La crisis de Galilea", Jesús pone a los suyos contra las cuerdas. Quiere que se definan y se planteen con seriedad por qué le siguen. Les hace la pregunta en un momento clave, cuando van subiendo a Jerusalén y cuando se va dibujando el destino del Mesías, el mismo destino de los antiguos profetas. Jesús no quiere engañarlos y quiere serles franco. Es la misma pregunta que de vez en cuando nos lanza a nosotros: ¿Quién es realmente Jesús para nosotros? Podríamos dar mil respuestas, las mismas que da la gente. Se podría confeccionar un tratado de respuestas y todas ellas formar parte de un libro. Lo importante aquí no es lo que diga la gente sino lo que cada uno de nosotros respondamos, porque en la respuesta se nos irá la vida entera. Nuestra respuesta es la misma de Pedro: Tú eres el Mesías, el esperado, que nos trae la salvación anunciada.

¡Renueva en nosotros, Señor, el amor a tu Iglesia desde donde te hemos conocido y en donde trabajamos!

EVANGELIO

Viernes

Fiesta: Blanco.

1Pedro 5,1-4 / Salmo 22 / Mateo 16,13-19.

En aquel tiempo, al llegar a la región de Cesarea de Filipo, Jesús preguntó a sus discípulos: «¿Quién dice la gente que es el Hijo del hombre?». Ellos contestaron: «Unos que Juan Bautista, otros que Elías, otros que Jeremías o uno de los profetas». Él les preguntó: «Y vosotros, ¿quién decís que soy yo?». Simón Pedro tomó la palabra y dijo: «Tú eres el Mesías, el Hijo de Dios vivo». Jesús le respondió: «¡Dichoso tú, Simón, hijo de Jonás!, porque eso no te lo ha revelado nadie de carne y hueso, sino mi Padre que está en el cielo. Ahora te digo yo: Tú eres Pedro, y sobre esta piedra edificaré mi Iglesia, y el poder del infierno no la derrotará. Te daré las llaves del Reino de los cielos; lo que ates en la tierra quedará atado en el cielo, y lo que desates en la tierra quedará desatado en el cielo».

Confesión de fe

¿Quién dice la gente que soy yo?, inquiere Jesús a los suyos. La pregunta es siempre actual. ¿Quién es Jesús? ¿Un gran hombre, un bienhechor de la humanidad, un profeta, un libertador? Por supuesto que es todo eso, pero, ¿y nada más? Si solo es un gran hombre en todas sus dimensiones y facetas posibles, ¿quién nos enseñará hoy a vivir, a quién haremos llegar estos gritos interiores que revelan nuestras carencias insultantes? Pedro nos saca de estas zozobras no con sus palabras, sino más bien con las que el Dios de los cielos y la tierra puso en su corazón y en sus labios: ¡Tú eres el Cristo, el Hijo de Dios vivo! Bienaventurado eres, Pedro, por tu confesión de fe; y bendito seas, Señor y Dios nuestro, por provocársela. En el rudo pescador que confesó, comprendemos mejor la comunión de los santos.

Danos, Señor, un corazón noble como el de Pedro, siempre expuesto a la equivocación; más expuesto aún a dejarse amar por ti.

Sábado

Policarpo.

Memoria: Rojo.

Hebreos 11,1-7 / Salmo 144 / Marcos 9,2-13.

EVANGELIO

En aquel tiempo, Jesús se llevó a Pedro, a Santiago y a Juan, subió con ellos solos a una montaña alta, y se transfiguró delante de ellos. Sus vestidos se volvieron de un blanco deslumbrador, como no puede dejarlos ningún batanero del mundo. Se les aparecieron Elías y Moisés, conversando con Jesús. Entonces Pedro tomó la palabra y le dijo a Jesús: «Maestro, ¡qué bien se está aquí! Vamos a hacer tres tiendas, una para ti, otra para Moisés y otra para Elías». Estaban asustados y no sabía lo que decía. Se formó una nube que los cubrió y salió una voz de la nube: «Éste es mi Hijo amado; escuchadlo». De pronto, al mirar alrededor, no vieron a nadie más que a Jesús, solo con ellos. Cuando bajaban de la montaña, Jesús les mandó: «No contéis a nadie lo que habéis visto hasta que el Hijo del Hombre resucite de entre los muertos». Esto se les quedó grabado y discutían qué querría decir aquello de resucitar de entre los muertos. Le preguntaron: «¿Por qué dicen los escribas que primero tiene que venir Elías?». Les contestó él: «Elías vendrá primero y lo restablecerá todo. Ahora, ¿por qué está escrito que el Hijo del Hombre tiene que padecer mucho y ser despreciado? Os digo que Elías ya ha venido y han hecho con él lo que han querido, como estaba escrito».

Transfigurados por Jesús

El encuentro con Jesús, una vez que hemos decidido seguirlo, es un encuentro transformador. No podremos nunca transformar el mundo si antes no hemos sido transformados, transfigurados por Jesús. Encontrarnos con Él tiene esa magnífica experiencia como es sentirse abrazados e iluminados por su presencia siempre viva y siempre luminosa. Aquí se aprecia un cristianismo de admiración. "¡Qué bien se está aquí!", dicen los discípulos. Pero lo importante no es quedar absortos y embelesados por el encuentro, sino que este encuentro mueva nuestra voluntad y nuestra vida.

¡Qué bueno es contemplarte siempre, escuchándote y cumpliendo con tu voluntad, Señor!

Evecio.

Verde.

1Samuel 26,2.7-9.12-13.22-23 / Salmo 102 / 1Corintios 15,45-49 / Lucas 6,27-38.

EVANGELIO

En aquel tiempo, Jesús dijo a sus discípulos: "Amen a sus enemigos, hagan el bien a los que los aborrecen, bendigan a quienes los maldicen y oren por quienes los difaman. Al que te golpee en una mejilla, preséntale la otra; al que te quite el manto, déjalo llevarse también la túnica. Al que te pida, dale; y al que se lleve lo tuyo, no se lo reclames.

Traten a los demás como quieran que los traten a ustedes; porque si aman sólo a los que los aman, ¿qué hacen de extraordinario? También los pecadores aman a quienes los aman. Si hacen el bien sólo a los que les hacen el bien, ¿qué tiene de extraordinario? Lo mismo hacen los pecadores. Si prestan solamente cuando esperan cobrar, ¿qué hacen de extraordinario? También los pecadores prestan a otros pecadores, con la intención de cobrárselo después.

Ustedes, en cambio, amen a sus enemigos, hagan el bien y presten sin esperar recompensa. Así tendrán un gran premio y serán hijos del Altísimo, porque él es bueno hasta con los malos y los ingratos. Sean misericordiosos, como su Padre es misericordioso.

No juzguen y no serán juzgados; no condenen y no serán condenados; perdonen y serán perdonados. Den y se les dará: recibirán una medida buena, bien sacudida, apretada y rebosante en los pliegues de su túnica. Porque con la misma medida con que midan, serán medidos".

La revolución del amor

Jesús propone la revolución del amor a sus discípulos. Es decir, les ofrece prepararse para poder vivir bajo los nuevos valores del Reino de Dios que Cristo vino a anunciar. Aprender a amar es nuestra gran tarea en esta vida: amarnos y cuidarnos a nosotros mismos, amar a nuestros familiares y amigos, amar a toda persona, aunque parezca diferente, pero en realidad sabiendo que todos somos hijos de Dios y podemos construir su Reino si aprendemos a amar. Amar significa: perdonar, servir, prestar, ayudar, acompañar, etc. ¿Has aprendido a amar?

Señor Jesús: enséñame a desprenderme de todo aquello que me impide amarme, amarte a ti sobre todas las cosas y amar a mi prójimo como tú me enseñaste. Amén.

Lunes

Patrona de la Arq. de Puebla.
México y E.U.A.

Beato Sebastián de Aparicio,

Memoria libre: Blanco o Verde.

Sirácide 1,1-10 / Salmo 92 / Marcos 9,14-29.

EVANGELIO

En aquel tiempo, cuando Jesús hubo bajado del monte, al llegar adonde estaban los demás discípulos, vieron mucha gente alrededor, y a unos escribas discutiendo con ellos. Al ver a Jesús, la gente se sorprendió, y corrió a saludarlo. Él les preguntó: «¿De qué discutís?». Uno le contestó: «Maestro, te he traído a mi hijo; tiene un espíritu que no le deja hablar; y cuando lo agarra, lo tira al suelo, echa espumarajos, rechina los dientes y se queda tieso. He pedido a tus discípulos que lo echen, y no han sido capaces». Él les contestó: «¡Gente sin fe! ¿Hasta cuándo estaré con vosotros? ¿Hasta cuándo os tendré que soportar? Traédmelo». Se lo llevaron. El espíritu, en cuanto vio a Jesús, retorció al niño; cayó por tierra y se revolcaba echando espumarajos. Jesús preguntó al padre: «¿Cuánto tiempo hace que le pasa esto?». Contestó él: «Desde pequeño. Y muchas veces hasta lo ha echado al fuego y el agua para acabar con él. Si algo puedes, ten lástima de nosotros y ayúdanos». Jesús replicó: «¿Si puedo? Todo es posible al que tiene fe». Entonces el padre del muchacho gritó: «Tengo fe, pero dudo, ayúdame». Jesús, al ver que acudía gente, increpó al espíritu inmundo, diciendo: «Espíritu mudo y sordo, yo te lo mando: Vete y no vuelvas a entrar en él». Gritando y sacudiéndolo violentamente, salió. El niño se quedó como un cadáver, de modo que la multitud decía que estaba muerto. Pero Jesús lo levantó cogiéndolo de la mano, y el niño se puso en pie. Al entrar en casa, sus discípulos le preguntaron a solas: «¿Por qué no pudimos echarlo nosotros?». Él les respondió: «Esta especie sólo puede salir con oración y ayuno».

¡Querido Dios, no te presento en mi anhelo ningún sentimiento de envidia, para que le traigas tú paz a mi corazón. Y te pido me otorgues el don del agradecimiento, para que pueda yo mostrarme agradecido con lo que me has obsequiado.

Martes

Alejandro.

Feria: Verde.

Sirácide 2,1-13 / Salmo 36 / Marcos 9,30-37.

EVANGELIO

En aquel tiempo, Jesús y sus discípulos se marcharon del monte y atravesaron Galilea; no quería que nadie se enterase, porque iba instruyendo a sus discípulos. Les decía: «El Hijo del Hombre va a ser entregado en manos de los hombres, y lo matarán; y después de muerto, a los tres días resucitará». Pero no entendían aquello, y les daba miedo preguntarle. Llegaron a Cafarnaúm, y una vez en casa, les preguntó: «¿De qué discutíais por el camino?». Ellos no contestaron, pues por el camino habían discutido quién era el más importante. Jesús se sentó, llamó a los Doce y les dijo: «Quien quiera ser el primero, que sea el último de todos y el servidor de todos». Y, acercando a un niño, lo puso en medio de ellos, lo abrazó y les dijo: «El que acoge a un niño como éste en mi nombre, me acoge a mí; y el que me acoge a mí, no me acoge a mí, sino al que me ha enviado».

¿Te has encontrado con Dios?

Jesús explica a los discípulos que la vida sólo se entiende desde el servicio. Pero ellos se empeñan en discutir quién es el mayor. ¿Diálogo de sordos? Humanamente buscamos lo llamativo y deseamos ser bien considerados. Jesús nos propone un camino distinto, poco transitado, pero con carga de vida: el servicio desde los últimos. El que acoge al pequeño y débil lo hace tambien con Jesús. Aún da un paso más: "El que acoge a Jesús acoge al que lo envió". La fe cristiana nos enseña a ver en la persona de los demás, especialmente de los más necesitados, a Dios mismo.

De pequeño te buscaba en los acontecimientos espectaculares. Cuando decía "Dios", pensaba en algo que fuera llamativo, en que algo imposible se hiciera real y palpable. Nunca me enseñaron a fijarme en lo pequeño, sencillo y débil. Como los discípulos del Evangelio, con frecuencia pienso en los primeros puestos. Tú, Señor, con mucho cariño, me pones delante un niño pequeño y me explicas de nuevo qué significa acogerte.

Miércoles

Gabriel de la Virgen de los Dolores.

Feria: Verde.

Sirácide 4,12-22 / Salmo 118 / Marcos 9,38-40.

EVANGELIO

En aquel tiempo, dijo Juan a Jesús: «Maestro, hemos visto a uno que echaba demonios en tu nombre, y se lo hemos querido impedir, porque no es de los nuestros». Jesús respondió: «No se lo impidáis, porque uno que hace milagros en mi nombre no puede luego hablar mal de mí. El que no está contra nosotros está a favor nuestro».

Su sabiduría no tiene medida

Hoy reconocemos y valoramos la sabiduría de Dios. Necesitamos de ella en nuestro quehacer diario, cuando nos obcecamos con nuestros propios criterios. Hoy puede ser una ocasión propicia para pedir al Señor un poco de su gran sabiduría, la que no se pesa, ni se mide, ni se cuenta, sino que se advierte en sus obras. Su sabiduría no tiene medida. Necesitamos de ella para que ilumine nuestros criterios. Si muchas de nuestras acciones, propósitos y deseos estuvieran iluminados por ella, tendríamos un inmenso bien y las cosas nos irían mucho mejor. Como Salomón, hay que pedirla y tener valor para aceptar sus orientaciones, tan distintas a veces de la sabiduría humana. El Señor la creó, la conoció y la midió, la derramó sobre todas sus obras; la repartió entre los vivientes, según su generosidad se la regaló a los que lo temen. Hay que abrir bien los ojos para descubrirla, pues se oculta; para pedirla, pues se ausenta ante el pecado.

¡Que no pierda, Señor, la capacidad de asombrarme ante tu infinita misericordia!

Jueves

Román.

Feria: Verde.

Sirácide 5,1-10 / Salmo 1 / Marcos 9,41-50.

EVANGELIO

En aquel tiempo, dijo Jesús a sus discípulos: «El que os dé a beber un vaso de agua, porque seguís al Mesías, os aseguro que no se quedará sin recompensa. El que escandalice a uno de estos pequeñuelos que creen, más le valdría que le encajasen en el cuello una piedra de molino y lo echasen al mar. Si tu mano te hace caer, córtatela: más te vale entrar manco en la vida, que ir con las dos manos al infierno, al fuego que no se apaga. Y, si tu pie te hace caer, córtatelo: más te vale entrar cojo en la vida, que ser echado con los dos pies al infierno. Y, si tu ojo te hace caer, sácatelo: más te vale entrar tuerto en el reino de Dios, que ser echado con los dos ojos al infierno, donde el gusano no muere y el fuego no se apaga. Todos serán salados a fuego. Buena es la sal; pero si la sal se vuelve sosa, ¿con qué la sazonaréis? Que no falte entre vosotros la sal, y vivid en paz unos con otros».

Sazonar el mundo

El escándalo es la acción por la que la sal se vuelve sosa. El cristiano tiene que sazonar el mundo con su testimonio claro, valiente y alegre. No puede adulterar con su actitud escandalosa al mundo en el que vive. El escándalo del cristiano en particular y de la Iglesia en general es una de las acciones que a toda costa debemos evitar, sobre el que tenemos que pedir humildemente perdón y cuyo daño hay que reparar de alguna forma. El escándalo ante los pequeños, fundamentalmente, va endureciendo el campo en el que hay que sembrar. Se hace difícil predicar el Evangelio en los lugares que han sido lacerados por el escándalo de la Iglesia. Es el momento de esperar con humildad y paciencia. Cuando hemos escandalizado con nuestras riquezas a los pobres, con nuestras seguridades a los pusilánimes y con nuestro engreimiento a los sencillos, tardarán mucho en confiar en nosotros. Dejemos que Dios actúe en nuestra pobre sencillez y humildad. Sólo la sencillez nos sacará de los efectos devastadores del escándalo.

¡Arranca de nosotros cualquier gesto que pudiera escandalizar a los débiles!

Viernes
David de Cambria.

Feria: Verde.

Sirácide 6,5-17 / Salmo 118 / Marcos 10,1-12.

EVANGELIO

En aquel tiempo, Jesús se marchó a Judea y a Transjordania; otra vez se le fue reuniendo gente por el camino, y según costumbre les enseñaba. Se acercaron unos fariseos y le preguntaron, para ponerlo a prueba: «¿Le es lícito a un hombre divorciarse de su mujer?». Él les replicó: «¿Qué os ha mandado Moisés?». Contestaron: «Moisés permitió divorciarse, dándole a la mujer un acta de repudio». Jesús les dijo: «Por vuestra terquedad dejó escrito Moisés este precepto. Al principio de la creación Dios "los creó hombre y mujer. Por eso abandonará el hombre a su padre y a su madre, se unirá a su mujer, y serán los dos una sola carne". De modo que ya no son dos, sino una sola carne. Lo que Dios ha unido, que no lo separe el hombre». En casa, los discípulos volvieron a preguntarle sobre lo mismo. Él les dijo: «Si uno se divorcia de su mujer y se casa con otra, comete adulterio contra la primera. Y si ella se divorcia de su marido y se casa con otro, comete adulterio».

La familia, santuario de la vida y del amor

La familia es escuela excelsa para ensayar los grandes valores del Evangelio. La familia es un paradigma de la vida cristiana misma. Cuando Jesús habla de la fidelidad matrimonial nos expone que el amor fiel es el que genera alegría y compromiso. Muchas familias viven con gozo su entrega fiel y parten y reparten cada día el pan, el trabajo, el amor. En la familia podemos vivir el misterio de la filiación y de la fraternidad. Aprendemos a vivir en cristiano en medio de la familia, como en el hogar de Nazaret. Pero no podemos quedar insensibles ante el sufrimiento de tantas familias desajustadas, rotas, destrozadas por los efectos de las crisis personales o económicas. En la familia se aprende la solidaridad para con los más débiles: los enfermos, los niños, los pobres, los que sufren cualquier tipo de perdida afectiva o física, los que atraviesan por dificultades.

¡Ayúdanos a mantener el fuego del hogar en medio de las dificultades del mundo!

Sábado

Inés de Bohemia.

Feria o de la Virgen María: Verde o Blanco.

Sirácide 17,1-13 / Salmo 102 / Marcos 10,13-16.

EVANGELIO

En aquel tiempo, le acercaban a Jesús niños para que los tocara, pero los discípulos les regañaban. Al verlo, Jesús se enfadó y les dijo: «Dejad que los niños se acerquen a mí: no se lo impidáis; de los que son como ellos es el reino de Dios. Os aseguro que el que no acepte el reino de Dios como un niño, no entrará en él». Y los abrazaba y los bendecía imponiéndoles las manos.

Como un niño

Recibir el reino de Dios como un niño recibe las cosas, con admiración y sorpresa; con agradecimiento y alegría. Jesús ha puesto a los niños como ejemplo de acogida del misterio. Los niños no pierden su capacidad de admiración. Reconocen la grandeza de lo que reciben, lo ven con ojos grandes, abiertos, hasta con sorpresa. Dios nos sorprende a cada momento, inundando con su vida la nuestra, desajustando nuestra rutina, desafiando nuestro mismo futuro. Cuando nos predica el Reino no podemos dejar de tomar postura. Además es una inmensa sorpresa, nos sentimos incapaces de responder, nos quedamos absortos. El Reino llega y nos abruma al principio pero nos acaba admirando. Y produce en nosotros, como un regalo a los niños, una inmensa alegría, un gozo a raudales. Nuestra primera respuesta es de agradecimiento por tanta bondad, tanto amor. Si perdemos la capacidad de asombro y agradecimiento es que se nos ha embotado el corazón y la mente y nos hemos revestido de una coraza insensible que dificulta que Dios actúe en nuestro corazón.

¡Dios misericordioso, la noche se extiende sobre mí, sobre mi casa y sobre mi día. Bendice esta noche, y que sea para mí y para los demás con los que me siento unido, una noche bendita que expulsa todo ruido y trae quietud, para que así lo inquieto de mi corazón llegue a la paz.

Domingo

Verde.

Sirácide 27,5-8 / Salmo 91 / 1Corintios 15,54-58 / Lucas 6,39-45.

EVANGELIO

En aquel tiempo, Jesús propuso a sus discípulos este ejemplo: "¿Puede acaso un ciego guiar a otro ciego? ¿No caerán los dos en un hoyo? El discípulo no es superior a su maestro; pero cuando termine su aprendizaje, será como su maestro.

¿Por qué ves la paja en el ojo de tu hermano y no la viga que llevas en el tuyo? ¿Cómo te atreves a decirle a tu hermano: 'Déjame quitarte la paja que llevas en el ojo', si no adviertes la viga que llevas en el tuyo? ¡Hipócrita! Saca primero la viga que llevas en tu ojo y entonces podrás ver para sacar la paja del ojo de tu hermano.

No hay árbol bueno que produzca frutos malos, ni árbol malo que produzca frutos buenos. Cada árbol se conoce por sus frutos. No se recogen higos de las zarzas, ni se cortan uvas de los espinos.

El hombre bueno dice cosas buenas, porque el bien está en su corazón; y el hombre malo dice cosas malas, porque el mal está en su corazón, pues la boca habla de lo que está lleno el corazón".

Alcanzar la sabiduría

Jesús siempre misericordioso no soportaba la hipocresía. Colocarnos como jueces implacables de los demás, sin esforzarnos por ajustar nuestra propia vida a la luz de la Palabra de Dios conduce a la muerte espiritual, tarde o temprano. Cada persona debe a lo largo de su vida pedir y procurar alcanzar la sabiduría, que, es más que conocer. La sabiduría nos acerca al actuar de Dios: con paciencia, amor, cariño. En cambio, la soberbia, el egoísmo, la pereza y la indiferencia nos hacen ciegos necios. El bien se presenta con frutos verdaderos que generan vida, reconciliación, justicia y amor. Y yo ¿qué frutos de buena educación, de justicia, de amor estoy produciendo?

Líbrame Señor de la hipocresía, aparta mi vida del egoísmo y de la soberbia que no me permiten producir frutos de justicia y de amor, por Cristo Nuestro Señor. Amén.

EVANGELIO

Lunes

Casimiro.

Memoria libre: Blanco o Verde.

Sirácide 17,20-28 / Salmo 31 / Marcos 10,17-27.

En aquel tiempo, cuando salía Jesús al camino, se le acercó uno corriendo, se arrodilló y le preguntó: «Maestro bueno, ¿qué haré para heredar la vida eterna?». Jesús le contestó: «¿Por qué me llamas bueno? No hay nadie bueno más que Dios. Ya sabes los mandamientos: no matarás, no cometerás adulterio, no robarás, no darás falso testimonio, no estafarás, honra a tu padre y a tu madre». Él replicó: «Maestro, todo eso lo he cumplido desde pequeño». Jesús se le quedó mirando con cariño y le dijo: «Una cosa te falta: anda, vende lo que tienes, dale el dinero a los pobres, así tendrás un tesoro en el cielo, y luego sígueme». A estas palabras, él frunció el ceño y se marchó pesaroso, porque era muy rico. Jesús, mirando alrededor, dijo a sus discípulos: «¡Qué difícil les va a ser a los ricos entrar en el reino de Dios!». Los discípulos se extrañaron de estas palabras. Jesús añadió: «Hijos, ¡qué difícil les es entrar en el reino de Dios a los que ponen su confianza en el dinero! Más fácil le es a un camello pasar por el ojo de una aguja, que a un rico entrar en el reino de Dios». Ellos se espantaron y comentaban: «Entonces, ¿quién puede salvarse?». Jesús se les quedó mirando y les dijo: «Es imposible para los hombres, no para Dios. Dios lo puede todo».

Entre Dios y el dinero

La riqueza, la acumulación injusta de bienes, el poder que sólo tiene como criterio el dinero, son obstáculos para seguir a Jesús. Hay un horizonte de egoísmo en la riqueza y un horizonte de vacío en quienes ponen en ellas todo su corazón. Hay un momento en el que al cristiano se le pone en la encrucijada de tener que elegir entre Dios y el dinero; entre Dios y la riqueza, entre Dios y el poder. Hay que elegir atendiendo a la opción radical de seguimiento del Maestro porque no se puede servir a dos amos, a Dios y al dinero.

¡Danos valentía para que las riquezas no impidan que te sigamos con fidelidad!

Martes

Teófilo de Cesarea.

Feria: Verde.

Sirácide 35,1-15 / Salmo 49 / Marcos 10,28-31.

EVANGELIO

En aquel tiempo, Pedro se puso a decir a Jesús: «Ya ves que nosotros lo hemos dejado todo y te hemos seguido». Jesús dijo: «Os aseguro que quien deje casa, o hermanos o hermanas, o madre o padre, o hijos o tierras, por mí y por el Evangelio, recibirá ahora, en este tiempo, cien veces más –casas y hermanos y hermanas y madres e hijos y tierras, con persecuciones–, y en la edad futura, vida eterna. Muchos primeros serán últimos, y muchos últimos primeros».

Ciento por uno

Se ha producido y sigue produciéndose con frecuencia una deformación del cristianismo que lo convierte en una forma de vida desdichada en este mundo que tendría su compensación en la felicidad la otra vida, ganada o merecida con los sacrificios padecidos en ésta. Encontrarse con Dios revelado en Jesucristo es encontrarse con aquel que responde, el único que responde del todo, a nuestro anhelo más profundo, a las preguntas últimas que nos plantea nuestra existencia, a la necesidad de sentido de lo que somos y hacemos. "Nos hiciste, Señor, para ti, y nuestro corazón está inquieto hasta que descanse en ti", escribió san Agustín después de haber recorrido todas las doctrinas que ofrecía la sabiduría antigua. "Que estando la voluntad de Divinidad tocada, no puede quedar pagada sino con Divinidad" (san Juan de la Cruz). El Evangelio lo dice más sencillamente: encontrarse con Dios es hallar la perla preciosa, encontrar el tesoro escondido en el campo que llevan a quien lo halla a vender todo lo que tiene, "con alegría", con tal de adquirirlo. Por eso hablamos con toda razón de la alegría del Evangelio. Jesús lo dijo de otra manera: "Quien cree en mí", quien se ha encontrado conmigo, "tiene vida eterna", es decir, vida plena y plenamente feliz.

Haznos, Señor, conscientes, de la hondura insondable de nuestro anhelo, para que te busquemos a ti, que lo has puesto en nosotros y eres el único que puede responder a él.

EVANGELIO

Miércoles

Morado.

Victoriano.

Joel 2,12-18 / Salmo 50 / 2Corintios 5,20-6,2 / Mateo 6,1-6.16-18.

En aquel tiempo, dijo Jesús a sus discípulos: «Cuidad de no practicar vuestra justicia delante de los hombres para ser vistos por ellos; de lo contrario, no tendréis recompensa de vuestro Padre celestial. Por tanto, cuando hagas limosna, no vayas tocando la trompeta por delante, como hacen los hipócritas en las sinagogas y por las calles, con el fin de ser honrados por los hombres; os aseguro que ya han recibido su paga. Tú, en cambio, cuando hagas limosna, que no sepa tu mano izquierda lo que hace tu derecha; así tu limosna quedará en secreto, y tu Padre, que ve en lo secreto, te lo pagará. Cuando recéis, no seáis como los hipócritas, a quienes les gusta rezar de pie en las sinagogas y en las esquinas de las plazas, para que los vea la gente. Os aseguro que ya han recibido su paga. Tú, cuando vayas a rezar, entra en tu aposento, cierra la puerta y reza a tu Padre, que está en lo escondido, y tu Padre, que ve en lo escondido, te lo pagará. Cuando ayunéis, no andéis cabizbajos, como los hipócritas que desfiguran su cara para hacer ver a la gente que ayunan. Os aseguro que ya han recibido su paga. Tú, en cambio, cuando ayunes, perfúmate la cabeza y lávate la cara, para que tu ayuno lo note, no la gente, sino tu Padre, que está en lo escondido; y tu Padre, que ve en lo escondido, te recompensará».

Conviertanse y crean

La conversión marca el inicio de ser creyente. Gracias a ella ponemos toda nuestra vida ante Dios, único capaz de dar sentido y valor a lo que hacemos. La ceniza nos recuerda: "Somos polvo". Pero Dios ha dejado su huella que siembra en nosotros semillas de vida eterna.

Al comienzo de la Cuaresma, oremos con la oración de Jesús: "Aquí estoy, Señor, para hacer tu voluntad".

Jueves

Stas. Perpetua y Felícitas, mártires.

Memoria: Rojo.

Deuteronomio 30,15-20 / Salmo 1 / Lucas 9,22-25.

EVANGELIO

En aquel tiempo, dijo Jesús a sus discípulos: «El Hijo del hombre tiene que padecer mucho, ser desechado por los ancianos, sumos sacerdotes y escribas, ser ejecutado y resucitar al tercer día». Y, dirigiéndose a todos, dijo: «El que quiera seguirme, que se niegue a sí mismo, cargue con su cruz cada día y se venga conmigo. Pues el que quiera salvar su vida, la perderá; pero el que pierda su vida por mi causa, la salvará. ¿De qué le sirve a uno ganar el mundo entero si se pierde o se perjudica a sí mismo?».

"La gravedad y la gracia"

Seguimos a Jesús, camino de Jerusalén. El camino conduce a ser reprobado, padecer mucho y morir, para resucitar al tercer día. Ser su discípulo consiste en seguirle. No todos pasaremos literalmente por los mismos acontecimientos, pero todos deberemos adoptar sus mismas actitudes. Lo fundamental es no tener como proyecto vital aferrarse a la propia vida, ponerse a sí mismo en el centro de todo y pretender hacer girar todo en torno a sí. Eso sería edificar la casa de nuestra vida sobre la arena movediza de nuestra finitud. Creados por Dios, "Misterio de autocomunicación", revelado en Jesús, "hombre para los demás", solo seremos lo que estamos llamados a ser saliendo de nosotros mismos, entregando la vida: a los otros, cuyo rostro nos impone un reconocimiento incondicional; y a Dios, meta de nuestra vida.

¡Dios mío que tu fuerza de atracción, que tu gracia, rompa la ley de la gravedad, la ley del pecado que me inclina a poner todo a mi servicio, a convertirme en el centro de todo!

EVANGELIO

Viernes

Morado

San Juan de Dios, religioso.

Memoria libre: Blanco.

Isaías 58,1-9 / Salmo 50 / Mateo 9,14-15.

En aquel tiempo, se acercaron los discípulos de Juan a Jesús, preguntándole: «¿Por qué nosotros y los fariseos ayunamos a menudo y, en cambio, tus discípulos no ayunan?». Jesús les dijo: «¿Es que pueden guardar luto los invitados a la boda, mientras el novio está con ellos? Llegará un día en que se lleven al novio, y entonces ayunarán».

"Ya, pero todavía no"

El breve texto de hoy no parece contener una condena por Jesús del ayuno como tal. En el sermón del monte dijo a sus discípulos cómo deben ayunar. El mensaje se orienta en otra dirección: el ayuno comporta una situación de aflicción y tristeza; y la presencia de Jesús, el Esposo, trae a los discípulos una radical novedad y una gran alegría. El momento en que Jesús les será arrebatado, su doloroso final, sumirá a los discípulos en la decepción y la tristeza; el encuentro con el Resucitado disipará su miedo y los llenará de alegría, pero en el interior de la fe. La situación de los discípulos, que no "hemos visto al Señor" como los doce y Pablo, no es otra. Vivimos ya el tiempo de su resurrección; sabemos de su presencia: "Yo estoy con ustedes hasta el final de los tiempos". Pero lo sabemos en la fe. Alegres, en la esperanza.

"¡Que bien sé yo la fonte que mana y corre, / aunque es de noche!: / Aquella eterna fonte está escondida, / que bien sé yo do tiene su manida, / aunque es de noche" (san Juan de la Cruz).

Sábado

Morado o Sta. Francisca Romana, religiosa.

Memoria libre: Blanco.

Isaías 58,9-14 / Salmo 85 / Lucas 5,27-32.

EVANGELIO

En aquel tiempo, Jesús vio a un publicano llamado Leví, sentado al mostrador de los impuestos, y le dijo: «Sígueme». Él, dejándolo todo, se levantó y lo siguió. Leví ofreció en su honor un gran banquete en su casa, y estaban a la mesa con ellos un gran número de publicanos y otros. Los fariseos y los escribas dijeron a sus discípulos, criticándolo: «¿Cómo es que coméis y bebéis con publicanos y pecadores?». Jesús les replicó: «No necesitan médico los sanos, sino los enfermos. No he venido a llamar a los justos, sino a los pecadores a que se conviertan».

La vocación de Mateo

Una nueva llamada de Jesús a seguirle, dirigida ahora a Leví, un publicano: un pecador público, colaborador con los romanos y sospechoso de aprovecharse de su cargo. La respuesta de Leví es inmediata. ¡Tan poderosa es la llamada de Jesús! ¡También en los publicanos hay oídos para escucharla! El banquete ofrecido por Leví muestra su aprecio de la llamada y la alegría que le ha produjo. La presencia de Jesús muestra su voluntad de compartirla, haciendo presente la alegría del Padre. El escándalo de los fariseos es señal de la estrechez de su religiosidad: su Dios lo es solo del pequeño círculo de los que ellos consideran justos. La respuesta de Jesús manifiesta su comprensión de la misión y del Padre que envió. Escenifica la enseñanza de sus parábolas: el padre del hijo pródigo celebra su vuelta con un banquete. Jesús hace honor a su nombre: "Dios salva" curando, liberando del mal y perdonando. Otra vez, Cristo médico; esta vez, de los pecadores.

Tú, Señor, no haces acepción de personas. Hasta a nosotros nos has llamado. Que tu Iglesia esté abierta a todos, salga a la búsqueda de los extraviados y celebre su retorno.

Domingo

Morado.

Macario de Jerusalén.

Puebla: Día del seminario.

Deuteronomio 26,4-10 / Salmo 90 / Lucas 4,1-13.

EVANGELIO

En aquel tiempo, Jesús, lleno del Espíritu Santo, volvió del Jordán y, durante cuarenta días el Espíritu lo fue llevando por el desierto, mientras era tentado por el diablo. Todo aquel tiempo estuvo sin comer, y al final sintió hambre. Entonces el diablo le dijo: «Si eres Hijo de Dios, dile a esta piedra que se convierta en pan». Jesús le contestó: «Está escrito: "No solo de pan vive el hombre"». Después, llevándole a lo alto, el diablo le mostró en un instante todos los reinos del mundo y le dijo: «Te daré el poder y la gloria de todo eso, porque a mí me lo han dado, y yo lo doy a quien quiero. Si tú te arrodillas delante de mí, todo será tuyo». Jesús le contestó: «Está escrito: "Al Señor, tu Dios, adorarás y a él solo darás culto"». Entonces lo llevó a Jerusalén y lo puso en el alero del templo y le dijo: «Si eres Hijo de Dios, tírate de aquí abajo, porque está escrito: "Encargará a los ángeles que cuiden de ti", y también: "Te sostendrán en sus manos, para que tu pie no tropiece con las piedras"». Jesús le contestó: «Está mandado: "No tentarás al Señor, tu Dios"». Completadas las tentaciones, el demonio se marchó hasta otra ocasión.

Tentaciones de Jesús y de su Iglesia

Tras la experiencia fundante del bautismo, aparece Jesús, conducido por el Espíritu al desierto, "para ser tentado por el diablo". Las tentaciones pretenden llevarlo a pervertir su condición de Hijo, y apartarle de la misión que el Padre le encomendó. Jesús las supera manifestando la concepción de su misión, que la presencia del Espíritu, la oración y el recurso permanente a la palabra de Dios le han hecho madurar: El Hijo de Dios vivirá de la palabra de Dios y de "hacer la voluntad del Padre"; hará de Dios y del servicio a su reinado la dedicación exclusiva de su vida; no tentará a Dios; vivirá en la más perfecta confianza en Él. Las tentaciones de Jesús son también las de la Iglesia que continúa su misión, y las de sus discípulos. La victoria de Jesús hace posible nuestra victoria y muestra el camino para conseguirla.

Ayuda, Señor, a tu Iglesia, a vivir la experiencia del desierto, donde Dios pueda "hablarle al corazón". No nos dejes caer en la tentación, para que colaboremos en la venida de tu Reino.

Lunes

Pionio.

Morado.

Levítico 19,1-2.11-18
Salmo 18 /
Mateo 25,31-46.

EVANGELIO

En aquel tiempo, dijo Jesús a sus discípulos: «Cuando venga en su gloria el Hijo del hombre, y todos los ángeles con él, se sentará en el trono de su gloria, y serán reunidas ante él todas las naciones. él separará a unos de otros, como un pastor separa las ovejas de las cabras. Y pondrá las ovejas a su derecha y las cabras a su izquierda. Entonces dirá el rey a los de su derecha: "Venid vosotros, benditos de mi Padre; heredad el reino preparado para vosotros desde la creación del mundo. Porque tuve hambre y me disteis de comer, tuve sed y me disteis de beber, fui forastero y me hospedasteis, estuve desnudo y me vestisteis, enfermo y me visitasteis, en la cárcel y vinisteis a verme". Entonces los justos le contestarán: "Señor, ¿cuándo te vimos con hambre y te alimentamos, o con sed y te dimos de beber?; ¿cuándo te vimos forastero y te hospedamos, o desnudo y te vestimos?; ¿cuándo te vimos enfermo o en la cárcel y fuimos a verte?". Y el rey les dirá: "Os aseguro que cada vez que lo hicisteis con uno de estos, mis humildes hermanos, conmigo lo hicisteis". Y entonces dirá a los de su izquierda: "Apartaos de mí, malditos, id al fuego eterno preparado para el diablo y sus ángeles. Porque tuve hambre y no me disteis de comer, tuve sed y no me disteis de beber, fui forastero y no me hospedasteis, estuve desnudo y no me vestisteis, enfermo y en la cárcel y no me visitasteis". Entonces también estos contestarán: "Señor, ¿cuándo te vimos con hambre o con sed, o forastero o desnudo, o enfermo o en la cárcel, y no te asistimos?". Y él replicará: "Os aseguro que cada vez que no lo hicisteis con uno de estos, los humildes, tampoco lo hicisteis conmigo". Y estos irán al castigo eterno, y los justos a la vida eterna».

Al atardecer te examinarán del amor

Al Señor, se ha escrito con razón, le importa menos lo que pensemos de Él, que las palabras que le hayamos dirigido: "Señor, Señor", lo que hayamos hecho a los demás: "Tuve hambre y me diste de comer".

Martes

Aureliano.

Feria: Morado.

Isaías 55,10-11 / Salmo 33 / Mateo 6,7-15.

EVANGELIO

En aquel tiempo, dijo Jesús a sus discípulos: «Cuando recéis, no uséis muchas palabras, como los gentiles, que se imaginan que por hablar mucho les harán caso. No seáis como ellos, pues vuestro Padre sabe lo que os hace falta antes de que lo pidáis. Vosotros rezad así: "Padre nuestro del cielo, santificado sea tu nombre, venga tu reino, hágase tu voluntad en la tierra como en el cielo, danos hoy el pan nuestro de cada día, perdónanos nuestras ofensas, pues nosotros hemos perdonado a los que nos han ofendido, no nos dejes caer en la tentación, sino líbranos del Maligno". Porque si perdonáis a los demás sus culpas, también vuestro Padre del cielo os perdonará a vosotros. Pero si no perdonáis a los demás, tampoco vuestro Padre perdonará vuestras culpas».

Cómo orar

Orar no consiste, nos dice el Señor, en perderse en palabras sin cuento. Orar es dar voz al amor de Dios: de Dios hacia nosotros, para reconocerlo y alabarlo; y del pequeño amor con que respondemos a Él. En verdad, "no sabemos orar como conviene", pero Jesús nos enseña las palabras mejores para hacerlo. La primera: "Padre", la palabra con la que Él, el Hijo, se dirigía a Dios, la que solo Él y su Espíritu pueden autorizarnos a poner en nuestros labios, ella da al Padrenuestro su condición de oración única. No podemos pronunciarla sin el deseo de la llegada de su Reinado, nuestro reconocimiento de su santo nombre, nuestra conformidad con su voluntad. Jesús nos enseña, además, a poner en la presencia del Padre nuestra necesidad del pan de cada día, nuestra proclividad al mal, y hasta nuestros pecados. Con una condición, que para que podamos invocarle como "nuestro", nos perdonemos como hermanos. ¿Cómo orar? Adoptando la actitud ante Dios que nos permita decir con verdad la oración que Jesús nos enseñó.

Señor, que nos dejaste las palabras para dirigirnos al Padre, danos tu Espíritu para que podamos pronunciarlas como verdaderos hijos suyos: "Padre nuestro..."

Miércoles

Rodrigo y Salomón.

Feria: Morado.

Jonás 3,1-10 / Salmo 50 / Lucas 11,29-32.

EVANGELIO

En aquel tiempo, la gente se apiñaba alrededor de Jesús, y él se puso a decirles: «Esta generación es una generación perversa. Pide un signo, pero no se le dará más signo que el signo de Jonás. Como Jonás fue un signo para los habitantes de Nínive, lo mismo será el Hijo del hombre para esta generación. Cuando sean juzgados los hombres de esta generación, la reina del Sur se levantará y hará que los condenen; porque ella vino desde los confines de la tierra para escuchar la sabiduría de Salomón, y aquí hay uno que es más que Salomón. Cuando sea juzgada esta generación, los hombres de Nínive se alzarán y harán que los condenen; porque ellos se convirtieron con la predicación de Jonás, y aquí hay uno que es más que Jonás».

Creer para ver

Las palabras de Jesús provocaban la admiración de los oyentes; sus sanaciones atraían a los enfermos; los testigos de sus milagros "quedan atónitos", o se sienten sobrecogidos, como Pedro después de la pesca milagrosa. Pero Jesús pone en estrecha relación los signos que realiza con la fe en él de los que se los han pedido: "tu fe te ha salvado"; "viendo la fe. . .". En Nazaret no pudo hacer milagros por la falta de fe de sus vecinos. Es que pedir señales, exigirlas para creer, es la manifestación más clara de la falta de fe en quien las pide. Es tentar a Dios. La señal de la llegada del Reino es Jesús mismo. Después de haber remitido a los discípulos de Juan a las señales que está haciendo, Jesús les dice: "Bienaventurado el que no se escandaliza de mí". Encontrarse por la fe con el Crucificado, Resucitado por Dios, como sugiere el signo de Jonás, es el paso decisivo para ser salvado.

Señor, esta generación que es la nuestra, somos muy dados a exigir ver para creer. Haznos comprender como a Marta: "Si crees, verás la gloria de Dios".

EVANGELIO

Jueves

Matilde.

Feria: Morado.

Ester 4,17/ Salmo 137 / Mateo 7,7-12.

En aquel tiempo, dijo Jesús a sus discípulos: «Pedid y se os dará, buscad y encontraréis, llamad y se os abrirá; porque quien pide recibe, quien busca encuentra y al que llama se le abre. Si a alguno de vosotros le pide su hijo pan, ¿le va a dar una piedra?; y si le pide pescado, ¿le dará una serpiente? Pues si vosotros, que sois malos, sabéis dar cosas buenas a vuestros hijos, ¡cuánto más vuestro Padre del cielo dará cosas buenas a los que le piden! En resumen: Tratad a los demás como queréis que ellos os traten; en esto consiste la Ley y los profetas».

Pide y recibirás

Se ha dicho con razón que la oración es la puesta en ejercicio de la fe. La de petición es, además, su piedra de toque. Las críticas que suscita tienen en común partir de una definición de "pedir": informar a alguien sobre lo que necesitamos, moverle con nuestro ruego a concedernos algo que el otro no estaría de suyo dispuesto a darnos, para concluir que un acto así es incompatible con una idea depurada de Dios. Pero lo que llamamos oración de petición no es una petición convertida en oración, es una oración, con todas las condiciones que la oración lleva consigo, que surge de una situación de necesidad y la pone confiadamente en la presencia de Dios. Su recomendación por Jesús, y su recurso personal a ella en momentos decisivos de su vida, muestran el atrevimiento de negar legitimidad a la oración de petición. El Evangelio de hoy la justifica, invita a ella y da razones para practicarla. De parte de Dios, porque un padre no puede negarse a la petición de su hijo; de parte nuestra, podemos añadir, porque un hijo no deja de recurrir a su padre en caso de necesidad.

Ayúdanos, Señor, a seguir tu invitación, a poner en tu presencia nuestras necesidades; a hacerlo en nombre de Jesús y con toda confianza.

Viernes
Luisa de Marillac.

Feria: Morado.

Ezequiel 18,21-28 / Salmo 129 / Mateo 5,20-26.

EVANGELIO

En aquel tiempo, dijo Jesús a sus discípulos: «Si no sois mejores que los escribas y fariseos, no entraréis en el reino de los cielos. Habéis oído que se dijo a los antiguos: "No matarás", y el que mate será procesado. Pero yo os digo: Todo el que esté peleado con su hermano será procesado. Y si uno llama a su hermano "imbécil", tendrá que comparecer ante el Sanedrín, y si lo llama "renegado", merece la condena del fuego. Por tanto, si cuando vas a poner tu ofrenda sobre el altar, te acuerdas allí mismo de que tu hermano tiene quejas contra ti, deja allí tu ofrenda ante el altar y vete primero a reconciliarte con tu hermano, y entonces vuelve a presentar tu ofrenda. Con el que te pone pleito, procura arreglarte en seguida, mientras vais todavía de camino, no sea que te entregue al juez, y el juez al alguacil, y te metan en la cárcel. Te aseguro que no saldrás de allí hasta que hayas pagado el último cuarto».

La ley, renovada

Jesús "no vino a abolir la ley, sino a darle cumplimiento", radicalizándola e interiorizándola, por la apelación a la intención con que se cumplen sus preceptos. Esa radicalización se refiere sobre todo a la relación con Dios, a la relación con los otros y a la estrecha relación que une a las dos. El insulto al prójimo y el enfado con él son considerados por Jesús ofensas que merecen ser llevadas a juicio; llamarlo "impío" merece el castigo divino. El sacrificio, acto central del culto en el templo, había sido relativizado por los profetas frente a la misericordia. Aquí la presentación misma de la ofrenda requiere como condición previa la reconciliación con el hermano. ¿Deberíamos los cristianos hacer efectivo el "nosotros" de las oraciones para poder utilizarlo con verdad en la liturgia? ¿Deberíamos darnos la paz los unos a los otros de forma expresa y efectiva, antes de presentar las ofrendas en la Eucaristía?

Señor Jesús, que nos has invitado a invocar a Dios como Padre, ayúdanos a tomar conciencia de nuestra condición de hermanos y a hacerla efectiva en nuestra vida.

EVANGELIO

Sábado

Heriberto.

Feria: Morado.

Deuteronomio 26,16-19 / Salmo 118 / Mateo 5,43-48.

En aquel tiempo, dijo Jesús a sus discípulos: «Habéis oído que se dijo: "Amarás a tu prójimo" y aborrecerás a tu enemigo. Yo, en cambio, os digo: Amad a vuestros enemigos, y rezad por los que os persiguen. Así seréis hijos de vuestro Padre que está en el cielo, que hace salir su sol sobre malos y buenos, y manda la lluvia a justos e injustos. Porque, si amáis a los que os aman, ¿qué premio tendréis? ¿No hacen lo mismo también los publicanos? Y si saludáis solo a vuestros hermanos, ¿qué hacéis de extraordinario? ¿No hacen lo mismo también los gentiles? Por tanto, sed perfectos, como vuestro Padre celestial es perfecto».

"Amen a sus enemigos"

El amor a los enemigos es una de esas palabras de Jesús que, mirando únicamente a nuestras posibilidades, parece imposible de cumplir. Ya el perdón parece en muchas ocasiones superior a nuestras pobres fuerzas. Pero el precepto de Jesús no tiene solo en cuenta nuestras fuerzas. Su imperativo tajante se deriva de un indicativo: "Así serán hijos denuestro Padre del cielo", que nos declara inscritos en una nueva vida, en la nueva "genealogía" que tiene su origen en Dios, el Padre bueno y dador de bienes, como la lluvia y el sol, a los justos y los pecadores, a los buenos y los malos. Si Jesús puede proponernos como ideal la perfección, en el Evangelio de Mateo y la misericordia del Padre celestial, en el de Lucas, es porque primero nos ha declarado hijos de Dios. Si Jesús nos puede pedir esos frutos, es porque nos ha injertado, gracias a la fe, en su propia vida de Hijo.

Ayúdanos, Señor, a asumir y convertir en principio de vida: "Mira qué amor nos tiene el Padre, que nos podemos llamar sus hijos, pues lo somos".

Domingo

Morado.

Patricio.

Génesis 15,5-12.17-18 / Salmo 26 / Filipenses 3,17-4,1 Lucas 9,28-36.

EVANGELIO

En aquel tiempo, Jesús cogió a Pedro, a Juan y a Santiago y subió a lo alto de la montaña, para orar. Y, mientras oraba, el aspecto de su rostro cambió, sus vestidos brillaban de blancos. De repente, dos hombres conversaban con él: eran Moisés y Elías, que, apareciendo con gloria, hablaban de su muerte, que iba a consumar en Jerusalén. Pedro y sus compañeros se caían de sueño; y, espabilándose, vieron su gloria y a los dos hombres que estaban con él. Mientras estos se alejaban, dijo Pedro a Jesús: «Maestro, qué bien se está aquí. Haremos tres tiendas: una para ti, otra para Moisés y otra para Elías». No sabía lo que decía. Todavía estaba hablando, cuando llegó una nube que los cubrió. Se asustaron al entrar en la nube. Una voz desde la nube decía: «Este es mi Hijo, el escogido, escuchadle». Cuando sonó la voz, se encontró Jesús solo. Ellos guardaron silencio y, por el momento, no contaron a nadie nada de lo que habían visto.

Por la Cruz, a la luz

El relato de la transfiguración está lleno de alusiones a los hechos y personas que la han precedido y preparado: el monte, Moisés y Elías, la luz y la nube de las teofanías, las tiendas, ayudan a comprenderla. La transfiguración, la manifestación resplandeciente de la condición divina de Jesús, sucede en Lucas, como la experiencia del bautismo, mientras ora. La oración, reconocimiento confiado del Padre, como al comienzo de su vida y en Getsemaní, y pregunta angustiada cuando la presencia del Padre se oscurece, como en la Cruz, es el "espacio" privilegiado para que el Dios a quien se sabe unido se haga visiblemente presente en Él. Pedro quiere perpetuar el momento y traer el cielo a la tierra. No ha entendido la palabra de Jesús: el Hijo del hombre será llevado a la muerte y al tercer día resucitará. El "indicativo" de la manifestación de la gloria de Jesús va seguido del imperativo: "escuchenlo" que nos muestra el camino a recorrer para resucitar con Él.

EVANGELIO

Lunes

San Cirilo de Jerusalén, obispo y doctor de la Iglesia.

Memoria libre o feria: Blanco o Morado.

Daniel 9,4-10 / Salmo 78 / Lucas 6,36-38.

En aquel tiempo, dijo Jesús a sus discípulos: «Sed compasivos como vuestro Padre es compasivo; no juzguéis, y no seréis juzgados; no condenéis, y no seréis condenados; perdonad, y seréis perdonados; dad, y se os dará: os verterán una medida generosa, colmada, remecida, rebosante. La medida que uséis, la usarán con vosotros».

Sean compasivos como nuestro Padre es compasivo

"Sean compasivos": la verdadera regla del actuar cristiano no es ni la ley, ni el éxito, ni el beneficio, sino esta compasión-misericordia sin límites, divina, que es la imitación de Dios que se revela Padre de todos, buenos y malos, en Jesús. Compasión, misericordia y capacidad de perdonar siempre son las cualidades necesarias para entrar en el reino de Dios y por ende también de la perfección de cualquier discípulo de Jesús. En efecto, si Dios para nosotros es amor, ¿cómo vamos a adorarle sin intentar hacer del amor el centro de nuestra vida? Si Dios para nosotros es misericordia, ¿cómo vamos a creer en Él sin creer en la misericordia como realidad suprema de nuestra propia vida? La fe en Dios nos hace ser réplicas, imágenes suyas, hijos de Dios. En esta capacidad trasformadora, purificadora, santificadora que tiene la fe, está su verdadera fecundidad para la reconstrucción de la vida humana.

Señor, ayúdame a ser compasivo como tú lo eres; que la medida con que trate a los demás sea una medida generosa y rebosante como tu amor.

Martes

Solemnidad: Blanco.

2Samuel 7,4-5.12-14.16 / Salmo 88 / Romanos 4,13.16-18.22 / Mateo 1,16.18-21.24.

EVANGELIO

Jacob engendró a José, el esposo de María, de la cual nació Jesús, llamado Cristo. El nacimiento de Jesucristo fue de esta manera: María, su madre, estaba desposada con José y, antes de vivir juntos, resultó que ella esperaba un hijo por obra del Espíritu Santo. José, su esposo, que era justo y no quería denunciarla, decidió repudiarla en secreto. Pero, apenas había tomado esta resolución, se le apareció en sueños un ángel del Señor que le dijo: «José, hijo de David, no tengas reparo en llevarte a María, tu mujer, porque la criatura que hay en ella viene del Espíritu Santo. Dará a luz un hijo, y tú le pondrás por nombre Jesús, porque él salvará a su pueblo de los pecados». Cuando José se despertó, hizo lo que le había mandado el ángel del Señor.

José, su esposo, que era justo

Por las festividades de Semana Santa y la octava de Pascua, la Iglesia traslada al día de hoy la festividad de san José, y mañana celebraremos la solemnidad de la Encarnación del Señor. José es el hombre bueno, el justo, escogido para ser esposo de María Virgen. Le tocó un difícil papel, siempre en segundo plano, elogiado por su prudencia es el servidor fiel que hizo las veces de padre de Jesucristo, como reza el prefacio de la misa de hoy. Pero por ello, por su docilidad a la Palabra de Dios, se convierte en patriarca, como los del Antiguo Testamento, por creer, como Abrahán, contra toda esperanza. Por eso, él también es modelo de los creyentes y patrono de la Iglesia universal.

Dios Padre, tú confiaste los primeros cuidados de tu único Hijo a tu fiel siervo José, a quien hoy recordamos. Te pedimos que, como él, seamos prudentes y justos en nuestras decisiones, dóciles a la Palabra de tu Hijo y creamos contra toda esperanza en tu plan de salvación para nosotros y para todos los hombres y mujeres del mundo.

EVANGELIO

Miércoles

Cutberto.

Feria: Morado.

Jeremías 18,18-20 / Salmo 30 / Mateo 20,17-28.

En aquel tiempo, mientras iba subiendo Jesús a Jerusalén, tomando aparte a los Doce, les dijo por el camino: «Mirad, estamos subiendo a Jerusalén, y el Hijo del hombre va a ser entregado a los sumos sacerdotes y a los escribas, y lo condenarán a muerte y lo entregarán a los gentiles, para que se burlen de él, lo azoten y lo crucifiquen; y al tercer día resucitará». Entonces se le acercó la madre de los Zebedeos con sus hijos y se postró para hacerle una petición. Él le preguntó: «¿Qué deseas?». Ella contestó: «Ordena que estos dos hijos míos se sienten en tu reino, uno a tu derecha y el otro a tu izquierda». Pero Jesús replicó: «No sabéis lo que pedís. ¿Sois capaces de beber el cáliz que yo he de beber?». Contestaron: «Lo somos». Él les dijo: «Mi cáliz lo beberéis; pero el puesto a mi derecha o a mi izquierda no me toca a mí concederlo, es para aquellos para quienes lo tiene reservado mi Padre». Los otros diez, que lo habían oído, se indignaron contra los dos hermanos. Pero Jesús, reuniéndolos, les dijo: «Sabéis que los jefes de los pueblos los tiranizan y que los grandes los oprimen. No será así entre vosotros: el que quiera ser grande entre vosotros, que sea vuestro servidor, y el que quiera ser primero entre vosotros, que sea vuestro esclavo. Igual que el Hijo del hombre no ha venido para que le sirvan, sino para servir y dar su vida en rescate por muchos».

Vida entregada

Los "hijos de Zebedeo" pertenecen al círculo de los íntimos de Jesús. Pero todavía no lo conocen. Han escuchado tres veces el anuncio de su pasión, pero no lo han entendido. No saben que Jesús no es un rey terreno que pueda repartir primeros puestos. En la misma situación se encuentran los otros diez, y a los doce Jesús dirige esta enseñanza fundamental sobre el discipulado. Se basa en la misión de Jesús: "Dar la vida como rescate". Y en la forma de vida que se sigue de ella: "Yo estoy en medio de ustedes como el que sirve".

Jueves

Serapión.

Feria: Morado.

Jeremías 17,5-10 / Salmo 1 / Lucas 16,19-31.

EVANGELIO

En aquel tiempo, dijo Jesús a los fariseos: «Había un hombre rico que se vestía de púrpura y de lino y banqueteaba espléndidamente cada día. Y un mendigo llamado Lázaro estaba echado en su portal, cubierto de llagas, y con ganas de saciarse de lo que tiraban de la mesa del rico. Y hasta los perros se le acercaban a lamerle las llagas. Sucedió que se murió el mendigo, y los ángeles lo llevaron al seno de Abrahán. Se murió también el rico, y lo enterraron. Y, estando en el infierno, en medio de los tormentos, levantando los ojos, vio de lejos a Abrahán, y a Lázaro en su seno, y gritó: "Padre Abrahán, ten piedad de mí y manda a Lázaro que moje en agua la punta del dedo y me refresque la lengua, porque me torturan estas llamas". Pero Abrahán le contestó: "Hijo, recuerda que recibiste tus bienes en vida, y Lázaro, a su vez, males: por eso encuentra aquí consuelo, mientras que tú padeces. Y además, entre nosotros y vosotros se abre un abismo inmenso, para que no puedan cruzar, aunque quieran, desde aquí hacia vosotros, ni puedan pasar de ahí hasta nosotros". El rico insistió: "Te ruego, entonces, padre, que mandes a Lázaro a casa de mi padre, porque tengo cinco hermanos, para que, con su testimonio, evite que vengan también ellos a este lugar de tormento". Abrahán le dice: "Tienen a Moisés y a los profetas; que los escuchen". El rico contestó: "No, padre Abrahán. Pero si un muerto va a verlos, se arrepentirán". Abrahán le dijo: "Si no escuchan a Moisés y a los profetas, no harán caso ni aunque resucite un muerto"».

¿Ricos o pobres?

La parábola presenta una situación real. El rico lo tiene todono extraña a Dios, ni ve al pobre. Pero no tiene nombre. El pobre acumula todas las desgracias, pero tiene su nombre propio, Lázaro, "Dios ayuda", alude a que tiene en Él su único amparo. Tras la muerte, el pobre encuentra en Dios la ayuda que ha esperado. El rico, desposeído de las riquezas y los placeres, se ve sumido en la soledad más terrible, en la que vivió. La parábola denuncia también la situación de nuestro mundo.

EVANGELIO

Viernes

Epafrodito.

Feria: Morado.

Génesis 37,3-4.12-13.17-28 / Salmo 104 / Mateo 21,33-43.45-46.

En aquel tiempo, dijo Jesús a los sumos sacerdotes y a los ancianos del pueblo: «Escuchad otra parábola: Había un propietario que plantó una viña, la rodeó con una cerca, cavó en ella un lagar, construyó la casa del guarda, la arrendó a unos labradores y se marchó de viaje. Llegado el tiempo de la vendimia, envió sus criados a los labradores, para percibir los frutos que le correspondían. Pero los labradores, agarrando a los criados, apalearon a uno, mataron a otro, y a otro lo apedrearon. Envió de nuevo otros criados, más que la primera vez, e hicieron con ellos lo mismo. Por último les mandó a su hijo, diciéndose: "Tendrán respeto a mi hijo". Pero los labradores, al ver al hijo, se dijeron: "Este es el heredero: venid, lo matamos y nos quedamos con su herencia". Y, agarrándolo, lo empujaron fuera de la viña y lo mataron. Y ahora, cuando vuelva el dueño de la viña, ¿qué hará con aquellos labradores?». Le contestaron: «Hará morir de mala muerte a esos malvados y arrendará la viña a otros labradores, que le entreguen los frutos a sus tiempos». Y Jesús les dice: «¿No habéis leído nunca en la Escritura: "La piedra que desecharon los arquitectos es ahora la piedra angular. Es el Señor quien lo ha hecho, ha sido un milagro patente?". Por eso os digo que se os quitará a vosotros el reino de Dios y se dará a un pueblo que produzca sus frutos». Los sumos sacerdotes y los fariseos, al oír sus parábolas, comprendieron que hablaba de ellos. Y, aunque buscaban echarle mano, temieron a la gente, que lo tenía por profeta.

La vida al servicio de Dios

Todos hemos escuchado la invitación a trabajar en la viña del Señor, nuestra propia vida, y a todos el Señor nos pide cuenta de lo que hayamos hecho o dejado de hacer con ella. Señor, que aceptemos tu invitación y produzcamos frutos de vida eterna.

Sábado

Sto. Toribio de Mogrovejo, obispo.

Conmemoración: Blanco.

Miqueas 7,14-15.18-20 / Salmo 102 / Lucas 15,1-3.11-32.

EVANGELIO

En aquel tiempo, solían acercarse a Jesús todos los publicanos y los pecadores a escucharle. Y los fariseos y los escribas murmuraban entre ellos: «Ese acoge a los pecadores y come con ellos». Jesús les dijo esta parábola: «Un hombre tenía dos hijos; el menor de ellos dijo a su padre: "Padre, dame la parte que me toca de la fortuna". El padre les repartió los bienes. No muchos días después, el hijo menor, juntando todo lo suyo, emigró a un país lejano, y allí derrochó su fortuna viviendo perdidamente. Cuando lo había gastado todo, vino por aquella tierra un hambre terrible, y empezó él a pasar necesidad. Fue entonces y tanto le insistió a un habitante de aquel país que lo mandó a sus campos a guardar cerdos. Le entraban ganas de saciarse de las algarrobas que comían los cerdos; y nadie le daba de comer. Recapacitando entonces, se dijo: "Cuántos jornaleros de mi padre tienen abundancia de pan, mientras yo aquí me muero de hambre. Me pondré en camino adonde está mi padre, y le diré: Padre, he pecado contra el cielo y contra ti; ya no merezco llamarme hijo tuyo: trátame como a uno de tus jornaleros". Se puso en camino adonde estaba su padre; cuando todavía estaba lejos, su padre lo vio y se conmovió; y, echando a correr, se le echó al cuello y se puso a besarlo. Su hijo le dijo: "Padre, he pecado contra el cielo y contra ti; ya no merezco llamarme hijo tuyo". Pero el padre dijo a sus criados: "Sacad en seguida el mejor traje y vestidlo; ponedle un anillo en la mano y sandalias en los pies; traed el ternero cebado y matadlo; celebremos un banquete, porque este hijo mío estaba muerto y ha revivido; estaba perdido, y lo hemos encontrado"».

Parábola del padre rico en misericordia

¿Nos reconocemos en el hijo que rompió con el Padre y disipó su vida? ¿O con el mayor que se quedo en casa, pero sin vivir como hijo? Lo seguro es que contamos con el Padre que perdona a los dos.

Morado.

Catalina de Suecia.

Éxodo 3,1-8.13-15 / Salmo 102 / 1Corintios 10,1-6.10-12 / Lucas 13,1-9.

EVANGELIO

En una ocasión, se presentaron algunos a contar a Jesús lo de los galileos cuya sangre vertió Pilato con la de los sacrificios que ofrecían. Jesús les contestó: «¿Pensáis que esos galileos eran más pecadores que los demás galileos, porque acabaron así? Os digo que no; y, si no os convertís, todos pereceréis lo mismo. Y aquellos dieciocho que murieron aplastados por la torre de Siloé, ¿pensáis que eran más culpables que los demás habitantes de Jerusalén? Os digo que no; y, si no os convertís, todos pereceréis de la misma manera». Y les dijo esta parábola: «Uno tenía una higuera plantada en su viña, y fue a buscar fruto en ella, y no lo encontró. Dijo entonces al viñador: "Ya ves: tres años llevo viniendo a buscar fruto en esta higuera, y no lo encuentro. Córtala. ¿Para qué va a ocupar terreno en balde?". Pero el viñador contestó: "Señor, déjala todavía este año; yo cavaré alrededor y le echaré estiércol, a ver si da fruto. Si no, la cortas"».

Buen árbol, buen fruto

La conversión no es una especie de peaje que hay que pagar para que Dios nos perdone y lleve a su Reino. La conversión es, por encima de todo, inclinarnos hacia nuestras raíces, animarlas, acariciarlas, a fin de que no se retraigan a la hora de dar fruto. Este no es, en absoluto, una moneda de cambio por la que nos salvamos. El fruto, y ahí está la novedad deslumbrante de lo que es la conversión, es el mismo Dios en nuestras manos.

Querido Dios, quisiera tomar ahora tiempo para la oración. Quisiera quedarme quieto ante ti. Saca de mí toda inquietud interior, para que yo me deje caer silenciosamente en tu amor.

Lunes

Solemnidad: Blanco.

Isaías 7,10-14 / Salmo 39 / Hebreos 10,4-10 / Lucas 1,26-38.

EVANGELIO

En aquel tiempo, el ángel Gabriel fue enviado por Dios a una ciudad de Galilea llamada Nazaret, a una virgen desposada con un hombre llamado José, de la estirpe de David; la virgen se llamaba María. El ángel, entrando en su presencia, dijo: «Alégrate, llena de gracia, el Señor está contigo; bendita tú entre las mujeres». Ella se turbó ante estas palabras y se preguntaba qué saludo era aquél. El ángel le dijo: «No temas, María, porque has encontrado gracia ante Dios. Concebirás en tu vientre y darás a luz un hijo, y le pondrás por nombre Jesús. Será grande, se llamará Hijo del Altísimo, el Señor Dios le dará el trono de David, su padre, reinará sobre la casa de Jacob para siempre y su reino no tendrá fin». Y María dijo al ángel: «¿Cómo será eso, pues no conozco varón?». El ángel le contestó: «El Espíritu Santo vendrá sobre ti, y la fuerza del Altísimo te cubrirá con su sombra; por eso el santo que va a nacer se llamará Hijo de Dios. Ahí tienes a tu pariente Isabel, que, a pesar de su vejez, ha concebido un hijo, y ya está de seis meses la que llamaban estéril, porque para Dios nada hay imposible». María contestó: «Aquí está la esclava del Señor, hágase en mí según tu palabra». Y la dejó el ángel.

Más que la escena de un cuadro

Aunque ha sido representada por los artistas, la Anunciación del Señor es algo muy distinto a una escena pictórica. El relato evangélico da testimonio de un misterio inefable: el de una llamada absolutamente especial a una joven, una virgen de Nazaret; y el consentimiento incondicional y sin reticencias de María.

Fiat, *una sencilla palabra que es en sí un programa de vida. "Hágase, Señor, en mí según tu palabra". También yo, Señor, como María, quiero estar abierto a tus designios y a tu Palabra. Querría encarnar, como Ella, tu amor y darlo, como Ella, a los demás.*

EVANGELIO

Martes

Cástulo.

Feria: Morado.

Daniel 3,25.34-43 / Salmo 24 / Mateo 18,21-35.

En aquel tiempo, se adelantó Pedro y preguntó a Jesús: «Señor, si mi hermano me ofende, ¿cuántas veces le tengo que perdonar? ¿Hasta siete veces?». Jesús le contesta: «No te digo hasta siete veces, sino hasta setenta veces siete. Y a propósito de esto, el reino de los cielos se parece a un rey que quiso ajustar las cuentas con sus empleados. Al empezar a ajustarlas, le presentaron uno que debía diez mil talentos. Como no tenía con qué pagar, el señor mandó que lo vendieran a él con su mujer y sus hijos y todas sus posesiones, y que pagara así. El empleado, arrojándose a sus pies, le suplicaba diciendo: "Ten paciencia conmigo, y te lo pagaré todo". El señor tuvo lástima de aquel empleado y lo dejó marchar, perdonándole la deuda. Pero, al salir, el empleado aquel encontró a uno de sus compañeros que le debía cien denarios y, agarrándolo, lo estrangulaba, diciendo: "Págame lo que me debes". El compañero, arrojándose a sus pies, le rogaba, diciendo: "Ten paciencia conmigo, y te lo pagaré". Pero él se negó y fue y lo metió en la cárcel hasta que pagara lo que debía. Sus compañeros, al ver lo ocurrido, quedaron consternados y fueron a contarle a su señor todo lo sucedido. Entonces el señor lo llamó y le dijo: "¡Siervo malvado! Toda aquella deuda te la perdoné porque me lo pediste. ¿No debías tú también tener compasión de tu compañero, como yo tuve compasión de ti?". Y el señor, indignado, lo entregó a los verdugos hasta que pagara toda la deuda. Lo mismo hará con vosotros mi Padre del cielo, si cada cual no perdona de corazón a su hermano».

Perdonar setenta veces siete es perdonar siempre, y la lógica que conduce a esta exigencia de Jesús, aparentemente irrealizable, es la misma que lo llevó a pedirnos el amor al enemigo.

Miércoles

Ruperto.

Feria: Morado.

Deuteronomio 4,1.5-9 / Salmo 147 / Mateo 5,17-19.

EVANGELIO

En aquel tiempo, dijo Jesús a sus discípulos: «No creáis que he venido a abolir la Ley y los profetas: no he venido a abolir, sino a dar plenitud. Os aseguro que antes pasarán el cielo y la tierra que deje de cumplirse hasta la última letra o tilde de la Ley. El que se salte uno solo de los preceptos menos importantes, y se lo enseñe así a los hombres, será el menos importante en el reino de los cielos. Pero quien los cumpla y enseñe será grande en el reino de los cielos».

"El amor, plenitud de la ley"

Jesús afirma, a la vez, la validez de la ley y su misión de llevarla a su pleno cumplimiento. Para Jesús ese "pleno cumplimiento" consiste en interpretar la ley "a la luz del mandamiento del amor". Porque el precepto más importante es: "Amarás al Señor, tu Dios, con todo tu corazón. . ., y al prójimo como a ti mismo"; de ahí "pende toda la ley y los profetas". Ahora bien, el amor de Dios es el contenido mismo de la revelación de Dios en Jesús. A esa revelación el hombre solo puede responder con la entrega confiada de sí mismo al Dios que nos ama incondicionalmente, en la actitud creyente, que comporta la fe, la esperanza y el amor. Pablo afirmará después: "El hombre no se justifica por el cumplimiento de la ley, sino por creer en Jesucristo" (*Gál* 2). Con una fe que solo es efectiva si transforma la existencia del sujeto, su vida: "vivo de la fe en el Hijo de Dios que me amó. . .", y toda su conducta, organizada desde la realización del amor efectivo a los otros.

Escuchemos y acojamos: "Miren qué amor tan grande nos tiene el Padre". "Hemos creído en el amor que Dios nos tiene". "Sabemos que hemos pasado de la muerte a la vida, porque amamos a los hermanos".

Jueves

Gountrán.

Feria: Morado.

Jeremías 7,23-28 / Salmo 94 / Lucas 11,14-23.

EVANGELIO

En aquel tiempo, Jesús estaba echando un demonio que era mudo y, apenas salió el demonio, habló el mudo. La multitud se quedó admirada, pero algunos de ellos dijeron: «Si echa los demonios es por arte de Belzebú, el príncipe de los demonios». Otros, para ponerlo a prueba, le pedían un signo en el cielo. Él, leyendo sus pensamientos, les dijo: «Todo reino en guerra civil va a la ruina y se derrumba casa tras casa. Si también Satanás está en guerra civil, ¿cómo mantendrá su reino? Vosotros decís que yo echo los demonios con el poder de Belzebú; y, si yo echo los demonios con el poder de Belzebú, vuestros hijos, ¿por arte de quién los echan? Por eso, ellos mismos serán vuestros jueces. Pero, si yo echo los demonios con el dedo de Dios, entonces es que el reino de Dios ha llegado a vosotros. Cuando un hombre fuerte y bien armado guarda su palacio, sus bienes están seguros. Pero, si otro más fuerte lo asalta y lo vence, le quita las armas de que se fiaba y reparte el botín. El que no está conmigo, está contra mí; el que no recoge conmigo, desparrama».

Jesucristo Salvador

El milagro de Jesús maravilla a la gente, pero algunos, contra toda lógica, lo atribuyen al príncipe de los demonios. Jesús pone sin dificultad en evidencia la incongruencia de esa atribución. Y proclama inmediatamente que actuó con el poder de Dios, que en su persona y en su vida irrumpió en el mundo para liberar a los hombres de lo que solo Él puede liberarlos. Porque el progreso científico y técnico, la mejor organización de la sociedad, el acrecentamiento de la riqueza pueden procurar a los hombres una mejor instalación en el mundo, alargar la duración de su vida y hacerla más placentera. Pero, ¿quién lo liberará de la tendencia a "no hacer lo que quiere, sino el mal que aborrece?" (*Rm* 7); ¿quién podrá liberarlo del búnker de hormigón del egoísmo, de la estrechez asfixiante de su finitud? (K. Rahner); ¿o de la barrera infranqueable de la muerte? Solo el poder de Dios presente en Jesús puede hacerlo. Solo Jesucristo puede ser el Salvador. Porque en Él ha llegado a los hombres el reino de Dios. Para pertenecer al Reino nos basta "estar con él", creer en él.

Viernes

Eustasio.

Feria: Morado.

Oseas 14,2-10 / Salmo 80 / Marcos 12,28-34.

EVANGELIO

En aquel tiempo, un escriba se acercó a Jesús y le preguntó: «¿Qué mandamiento es el primero de todos?». Respondió Jesús: «El primero es: "Escucha, Israel, el Señor, nuestro Dios, es el único Señor: amarás al Señor, tu Dios, con todo tu corazón, con toda tu alma, con toda tu mente, con todo tu ser". El segundo es este: "Amarás a tu prójimo como a ti mismo". No hay mandamiento mayor que estos». El escriba replicó: «Muy bien, Maestro, tienes razón cuando dices que el Señor es uno solo y no hay otro fuera de él; y que amarlo con todo el corazón, con todo el entendimiento y con todo el ser, y amar al prójimo como a uno mismo vale más que todos los holocaustos y sacrificios». Jesús, viendo que había respondido sensatamente, le dijo: «No estás lejos del reino de Dios». Y nadie se atrevió a hacerle más preguntas.

Creyentes anónimos

Jesús se enfrentó frecuentemente con los escribas o maestros de la ley. Contra ellos lanzó duras invectivas. Aquí, en cambio, su acuerdo con el letrado que le pregunta es perfecto. Jesús responde subrayando que el mandamiento principal es doble: el amor al Dios único con todo el corazón y el amor al prójimo como a sí mismo. Solo el amor a Dios hace posible amar al prójimo como a sí mismo; solo quien ama al prójimo da muestras de amar verdaderamente a Dios. El maestro añade, con los profetas, que el amor al prójimo vale más que todos los holocaustos y sacrificios. Jesús alaba su respuesta y declara: «No estás lejos del reino de Dios». El criterio de la presencia del reino no es la rectitud de las doctrinas, ni el culto, ni la pertenencia visible a la institución, ni vivir de acuerdo con todas sus normas. También entre los «letrados» puede haber personas justas, de corazón recto y adoradores de Dios.

Danos, Señor, tu amor y tu gracia para que podamos amar a los hermanos. Ayúdanos a amar a los hermanos para que nuestro amor a ti sea verdadero.

EVANGELIO

Sábado

Leonardo Murialdo.

Feria: Morado.

Oseas 6,1-6 / Salmo 50 / Lucas 18,9-14.

En aquel tiempo, a algunos que, teniéndose por justos, se sentían seguros de sí mismos y despreciaban a los demás, dijo Jesús esta parábola: «Dos hombres subieron al templo a orar. Uno era fariseo; el otro, un publicano. El fariseo, erguido, oraba así en su interior: "¡Oh Dios!, te doy gracias, porque no soy como los demás: ladrones, injustos, adúlteros; ni como ese publicano. Ayuno dos veces por semana y pago el diezmo de todo lo que tengo". El publicano, en cambio, se quedó atrás y no se atrevía ni a levantar los ojos al cielo; solo se golpeaba el pecho, diciendo: "¡Oh Dios!, ten compasión de este pecador". Os digo que éste bajó a su casa justificado, y aquel no. Porque todo el que se enaltece será humillado, y el que se humilla será enaltecido».

La oración verdadera

La parábola de hoy nos presenta la actitud fundamental de la que debe surgir la oración para ser verdadera. El fariseo es el modelo de aquellos que se "creen justos y menosprecian a los demás". Su relación con Dios es la contraria a la actitud creyente. Porque creer es reconocer a Dios como centro de la propia vida; el fariseo, en cambio, ocupa el centro de la escena; se dirige a Dios, pero para llamar su atención sobre él mismo, exponerle sus méritos y reclamarle su reconocimiento. Se pone delante de Dios, pero su yo ocupa todo el lugar: "Aquí estoy yo". Pervertida su relación con Dios, se pervierte también la relación con los otros: "No soy como los demás". El publicano se pone ante Dios tal cual es: "Aquí me tienes", reconoce su necesidad de salvación y la pide confiadamente. Y Jesús, que vino a salvar no a los justos sino a los pecadores, que quienes le han pedido auxilio con confianza: "Tu fe te ha salvado", le declara justificado.

Aquí nos tienes, tal cual somos, Señor. No tengas en cuenta nuestros pecados. ¡Vuelve hacia nosotros tu mirada compasiva y danos tu perdón!

Domingo

Morado.

Benjamín.

Josué 5,9.10-12 / Salmo 33 / 2Corintios 5,17-21 / Lucas 15,1-3.11-32.

EVANGELIO

En aquel tiempo, solían acercarse a Jesús los publicanos y los pecadores a escucharle. Y los fariseos y los escribas murmuraban entre ellos: «Ese acoge a los pecadores y come con ellos». Jesús les dijo esta parábola: «Un hombre tenía dos hijos; el menor de ellos dijo a su padre: "Padre, dame la parte que me toca de la fortuna". El padre les repartió los bienes. No muchos días después, el hijo menor, juntando todo lo suyo, emigró a un país lejano, y allí derrochó su fortuna viviendo perdidamente. Cuando lo había gastado todo, vino por aquella tierra un hambre terrible, y empezó él a pasar necesidad. Fue entonces y tanto le insistió a un habitante de aquel país que lo mandó a sus campos a guardar cerdos. Le entraban ganas de llenarse el estómago de las algarrobas que comían los cerdos; y nadie le daba de comer. Recapacitando entonces, se dijo: "Cuántos jornaleros de mi padre tienen abundancia de pan, mientras yo aquí me muero de hambre. Me pondré en camino adonde está mi padre, y le diré: Padre, he pecado contra el cielo y contra ti; ya no merezco llamarme hijo tuyo: trátame como a uno de tus jornaleros". Se puso en camino adonde estaba su padre; cuando todavía estaba lejos, su padre lo vio y se conmovió; y, echando a correr, se le echó al cuello y se puso a besarlo. Su hijo le dijo: "Padre, he pecado contra el cielo y contra ti; ya no merezco llamarme hijo tuyo". Pero el padre dijo a sus criados: "Sacad enseguida el mejor traje y vestidlo; ponedle un anillo en la mano y sandalias en los pies; traed el ternero cebado y matadlo; celebremos un banquete, porque este hijo mío estaba muerto y ha revivido; estaba perdido, y lo hemos encontrado". Y empezaron el banquete. Su hijo mayor estaba en el campo. Cuando al volver se acercaba a la casa, oyó la música y el baile, y llamando a uno de los mozos, le preguntó qué pasaba. Este le contestó: «Ha vuelto tu hermano; y tu padre ha matado el ternero cebado, porque lo ha recobrado con salud". Él se indignó y se negaba a entrar; pero su padre salió e intentaba persuadirlo. Y él replicó a su padre: "Mira: en tantos años como te sirvo, sin desobedecer nunca una orden tuya, a mí nunca me has dado un cabrito para tener un banquete con mis amigos; y cuando ha venido ese hijo tuyo que se ha comido tus bienes con malas mujeres, le matas el ternero cebado". El padre le dijo: "Hijo, tú siempre estás conmigo, y todo lo mío es tuyo: deberías alegrarte, porque este hermano tuyo estaba muerto y ha revivido; estaba perdido, y lo hemos encontrado"».

EVANGELIO

Lunes

Venancio, Anastasio y compañeros mártires.

Feria: Morado.

Isaías 65,17-21 / Salmo 29 / Juan 4,43-45.

En aquel tiempo, salió Jesús de Samaria para Galilea. Jesús mismo había hecho esta afirmación: «Un profeta no es estimado en su propia patria». Cuando llegó a Galilea, los galileos lo recibieron bien, porque habían visto todo lo que había hecho en Jerusalén durante la fiesta, pues también ellos habían ido a la fiesta. Fue Jesús otra vez a Caná de Galilea, donde había convertido el agua en vino. Había un funcionario real que tenía un hijo enfermo en Cafarnaúm. Oyendo que Jesús había llegado de Judea a Galilea, fue a verle, y le pedía que bajase a curar a su hijo que estaba muriéndose. Jesús le dijo: «Como no veáis signos y prodigios, no creéis». El funcionario insiste: «Señor, baja antes de que se muera mi niño». Jesús le contesta: «Anda, tu hijo está curado». El hombre creyó en la palabra de Jesús y se puso en camino. Iba ya bajando, cuando sus criados vinieron a su encuentro diciéndole que su hijo estaba curado. Él les preguntó a qué hora había empezado la mejoría. Y le contestaron: «Hoy a la una lo dejó la fiebre». El padre cayó en la cuenta de que esa era la hora cuando Jesús le había dicho: «Tu hijo está curado». Y creyó él con toda su familia. Este segundo signo lo hizo Jesús al llegar de Judea a Galilea.

El necio no se entera

Un funcionario de Cafarnaúm va al encuentro de Jesús. Su hijo está a punto de morir. Lleno de angustia le pide que se apiade de él y lo cure. Jesús accede. No obstante, deja caer unas palabras que nos ayudan a todos a sopesar nuestra relación con Dios en lo que respecta a la verdad: "Si no ven señales y prodigios, no creen". El Señor Jesús nos alerta acerca del peligro de la milagrería como pésima compañera de camino en nuestra búsqueda de Dios. En realidad nos está invitando a activar lo que san Pablo llama los ojos interiores del corazón (*Ef* 1,18), a fin de poder reconocer sin necesidad de signos milagrosos las obras de Dios en nuestra vida. Obras que se convierten en Memoriales permanentes de su presencia a lo largo de nuestra existencia. Huellas de Dios que alegran y llenan de gozo a los sabios, mientras que los necios e insensatos son incapaces de ver y entender (*Sal* 92,5-7).

Martes

San Francisco de Paula, ermitaño.

Memoria libre o feria: Blanco o Morado.

Ezequiel 47,1-9.12 / Salmo 45 / Juan 5,1-16.

EVANGELIO

En aquel tiempo, se celebraba una fiesta de los judíos y Jesús subió a Jerusalén. Hay en Jerusalén, junto a la puerta de las ovejas, una piscina que llaman en hebreo Betesda. Esta tiene cinco soportales, y allí estaban echados muchos enfermos, ciegos, cojos, paralíticos, que aguardaban el movimiento del agua. Estaba también allí un hombre que llevaba treinta y ocho años enfermo. Jesús, al verlo echado, y sabiendo que ya llevaba mucho tiempo, le dice: «¿Quieres quedar sano?». El enfermo le contestó: «Señor, no tengo a nadie que me meta en la piscina cuando se remueve el agua; para cuando llego yo, otro se me ha adelantado». Jesús le dice: «Levántate, toma tu camilla y echa a andar». Y al momento el hombre quedó sano, tomó su camilla y echó a andar. Aquel día era sábado y los judíos dijeron al hombre que había quedado sano: «Hoy es sábado y no se puede llevar la camilla». Él les contestó: «El que me ha curado es quien me ha dicho: Toma tu camilla y echa a andar». Ellos le preguntaron: «¿Quién es el que te ha dicho que tomes la camilla y eches a andar?». Pero el que había quedado sano no sabía quién era, porque Jesús, aprovechando el barullo de aquel sitio, se había alejado. Más tarde lo encuentra Jesús en el templo y le dice: «Mira, has quedado sano, no peques más no sea que te ocurra algo peor». Se marchó aquel hombre y dijo a los judíos que era Jesús quien lo había sanado. Por eso los judíos acosaban a Jesús, porque hacía tales cosas en sábado.

Al límite de la vida

Treinta y ocho años llevaba este paralítico sujeto a su enfermedad. Toda una vida, teniendo en cuenta que Israel se sirve del número cuarenta simbólicamente para indicar la duración de una generación. Treinta y ocho años, la vida que se le va, y nadie que cargue con él para llevarlo a la piscina –posiblemente aguas termales con sus propiedades curativas–. Nadie repara en él. Quizá tampoco valga la pena, es un caso perdido. La verdad es que para Dios no hay hombre perdido, sin solución.

Mis cosas me sujetan, las tuyas me liberan. ¡Acércate a mí, Señor!

EVANGELIO

Miércoles

Ricardo.

Feria: Morado.

Isaías 49,8-15 / Salmo 144 / Juan 5,17-30.

En aquel tiempo, dijo Jesús a los judíos: «Mi Padre sigue actuando, y yo también actúo». Por eso los judíos tenían más ganas de matarlo: porque no solo abolía el sábado, sino también llamaba a Dios Padre suyo, haciéndose igual a Dios. Jesús tomó la palabra y les dijo: «Os lo aseguro: El Hijo no puede hacer por su cuenta nada que no vea hacer al Padre. Lo que hace este, eso mismo hace también el Hijo, pues el Padre ama al Hijo y le muestra todo lo que él hace, y le mostrará obras mayores que esta, para vuestro asombro. Lo mismo que el Padre resucita a los muertos y les da vida, así también el Hijo da vida a los que quiere. Porque el Padre no juzga a nadie, sino que ha confiado al Hijo el juicio de todos, para que todos honren al Hijo como honran al Padre. El que no honra al Hijo no honra al Padre que lo envió. Os lo aseguro: Quien escucha mi palabra y cree al que me envió posee la vida eterna y no se le llamará a juicio, porque ha pasado ya de la muerte a la vida. Os aseguro que llega la hora, y ya está aquí, en que los muertos oirán la voz del Hijo de Dios, y los que hayan oído vivirán. Porque, igual que el Padre dispone de la vida, así ha dado también al Hijo el disponer de la vida. Y le ha dado potestad de juzgar, porque es el Hijo del hombre. No os sorprenda, porque viene la hora en que los que están en el sepulcro oirán su voz: los que hayan hecho el bien saldrán a una resurrección de vida; los que hayan hecho el mal, a una resurrección de juicio. Yo no puedo hacer nada por mí mismo; según le oigo, juzgo, y mi juicio es justo, porque no busco mi voluntad, sino la voluntad del que me envió».

Mi Padre, su Palabra y yo

El enfrentamiento con los judíos se hace cada vez más intenso. Jesús no sólo quebranta la ley del sábado, sino que proclama su autoridad para hacerlo aduciendo que Dios es su Padre. El escándalo, con su consiguiente confrontación, está servido. No se trata si Jesús buscó y alentó el enfrentamiento, esto no nos parece importante. Lo que sí nos interesa es que a causa de él, Jesús clarifica su relación con quien lo envía.

Señor Dios mío, cuántas vanidades me enfrentan a ti. ¡Ten piedad de mí!

Jueves

Obispo y doctor de la Iglesia.

Memoria libre o feria: Blanco o Morado.

Éxodo 32,7-14 / Salmo 105 / Juan 5,31-47.

EVANGELIO

En aquel tiempo, dijo Jesús a los judíos: «Si yo doy testimonio de mí mismo, mi testimonio no es válido. Hay otro que da testimonio de mí, y sé que es válido el testimonio que da de mí. Vosotros enviasteis mensajeros a Juan, y él ha dado testimonio de la verdad. No es que yo dependa del testimonio de un hombre; si digo esto es para que vosotros os salvéis. Juan era la lámpara que ardía y brillaba, y vosotros quisisteis gozar un instante de su luz. Pero el testimonio que yo tengo es mayor que el de Juan: las obras que el Padre me ha concedido realizar; esas obras que hago dan testimonio de mí: que el Padre me ha enviado. Y el Padre que me envió, él mismo ha dado testimonio de mí. Nunca habéis escuchado su voz, ni visto su semblante, y su palabra no habita en vosotros, porque al que él envió no le creéis. Estudiáis las Escrituras pensando encontrar en ellas vida eterna; pues ellas están dando testimonio de mí, ¡y no queréis venir a mí para tener vida! No recibo gloria de los hombres; además, os conozco y sé que el amor de Dios no está en vosotros. Yo he venido en nombre de mi Padre, y no me recibisteis; si otro viene en nombre propio, a ese sí lo recibiréis. ¿Cómo podréis creer vosotros, que aceptáis gloria unos de otros y no buscáis la gloria que viene del único Dios? No penséis que yo os voy a acusar ante el Padre, hay uno que os acusa: Moisés, en quien tenéis vuestra esperanza. Si creyerais a Moisés, me creeríais a mí, porque de mí escribió él. Pero, si no dais fe a sus escritos, ¿cómo daréis fe a mis palabras?».

La propia gloria

Jesús da testimonio de Dios como su Padre. Nadie entiende lo que dice. Sobreponiéndose al malestar que se está creando y libre en lo que a la verdad que su misión comporta, dice a sus interlocutores que no son capaces de entender por qué su corazón no está con la Palabra, por mucho que la investiguen y estudien sin cesar. La espiritualidad de la Palabra tiene la finalidad de conducirnos a Dios. Sin embargo, a estos hombres les interesa más su propia gloria que la de Él. Ese es su problema, les dice.

Líbrame, Señor, de creer en ti y, al mismo tiempo, buscar mi propia gloria. Líbrame de tal contradicción.

EVANGELIO

Viernes

San Vicente Ferrer, presbítero.

Memoria libre o feria: Blanco o Morado.

Sabiduría 2,1.12-22 / Salmo 33 / Juan 7,1-2.10.25-30.

En aquel tiempo, recorría Jesús la Galilea, pues no quería andar por Judea porque los judíos trataban de matarlo. Se acercaba la fiesta judía de las tiendas. Después de que sus parientes se marcharon a la fiesta, entonces subió él también, no abiertamente, sino a escondidas. Entonces algunos que eran de Jerusalén dijeron: «¿No es este el que intentan matar? Pues mirad cómo habla abiertamente, y no le dicen nada. ¿Será que los jefes se han convencido de que este es el Mesías? Pero este sabemos de dónde viene, mientras que el Mesías, cuando llegue, nadie sabrá de dónde viene». Entonces Jesús, mientras enseñaba en el templo, gritó: «A mí me conocéis, y conocéis de dónde vengo. Sin embargo, yo no vengo por mi cuenta, sino enviado por el que es veraz; a ese vosotros no lo conocéis; yo lo conozco, porque procedo de él, y él me ha enviado». Entonces intentaban agarrarlo; pero nadie le pudo echar mano, porque todavía no había llegado su hora.

Por mis obras me reconocerán

Jesús sube a Jerusalén durante la fiesta de las tiendas; tal y como nos dice Juan, se puso a enseñar en el templo. Los oyentes están perplejos y dubitativos. Las dudas sobre si es o no el Mesías se recrudecen, sobre todo teniendo en cuenta que es uno más del Pueblo sin nada que le distinga. Jesús les advierte que lo que conocen de Él en lo que respecta al exterior, nunca les bastará para reconocerlo como el Mesías; que la verdad de su mesianismo se hace visible a través de sus obras (*Jn* 10,25). Dicho esto, afirma una vez más que no está haciendo su misión por su cuenta, sino de la mano de quien lo ha enviado. Se está refiriendo a Dios, a quien conocerán en la medida en que le vayan conociendo a Él (*Jn* 14,7).

Son tus obras, Señor, las que hablan de ti. Son tus obras, Señor, en mí, las que hacen crecer mi fe. ¡Gracias, Dios mío! ¡Qué fácil es amarte!

Sábado

Eutiquio.

Feria: Morado.

Jeremías 11,18-20 / Salmo 7 / Juan 7,40-53.

EVANGELIO

En aquel tiempo, algunos de entre la gente, que habían oído los discursos de Jesús, decían: «Este es de verdad el profeta». Otros decían: «Este es el Mesías». Pero otros decían: «¿Es que de Galilea va a venir el Mesías? ¿No dice la Escritura que el Mesías vendrá del linaje de David, y de Belén, el pueblo de David?». Y así surgió entre la gente una discordia por su causa. Algunos querían prenderlo, pero nadie le puso la mano encima. Los guardias del templo acudieron a los sumos sacerdotes y fariseos, y estos les dijeron: «¿Por qué no lo habéis traído?». Los guardias respondieron: «Jamás ha hablado nadie como ese hombre». Los fariseos les replicaron: «¿También vosotros os habéis dejado embaucar? ¿Hay algún jefe o fariseo que haya creído en él? Esa gente que no entiende de la Ley son unos malditos». Nicodemo, el que había ido en otro tiempo a visitarlo y que era fariseo, les dijo: «¿Acaso nuestra ley permite juzgar a alguien sin escucharlo primero y averiguar lo que ha hecho?». Ellos le replicaron: «¿También tú eres galileo? Estudia y verás que de Galilea no salen profetas». Y se volvieron cada uno a su casa.

¿De Galilea?

La predicación de Jesús y el darse a conocer como el Mesías han colmado la paciencia de los sumos sacerdotes y fariseos. Envían a los guardias por Él para que comparezca en su presencia. Los enviados vuelven con las manos vacías; ni siquiera saben bien por qué no lo han detenido. Apenas aciertan a decir que no han visto a nadie que hable como Jesús. El odio y la sinrazón, se apoderan de los fariseos con tal fuerza que confieren un nuevo insulto a Jesús, uno más a añadir al de loco, ignorante, endemoniado, etc. Ahora, en un ejercicio de extraordinaria lucidez, dicen que es un embaucador. De nada sirve la objeción, tímida defensa, de Nicodemo. Ellos insisten: es un farsante que engaña al Pueblo. Además, ¿cómo es posible que el Mesías venga de Galilea?, ¿no debería venir de un lugar más digno? Parece absurdo, pero a veces nos creemos capacitados hasta para corregir y enseñar a Dios sobre cómo tiene que hacer las cosas.

Danos, Señor, una mirada limpia para reconocerte más allá de los criterios de nuestra mente. Danos una mirada de fe para verte aunque el mundo grite que no existes.

EVANGELIO

Domingo

Morado.

Isaías 43,16-21 / Salmo 125 / Filipenses 3,7-14 / Juan 8,1-11.

En aquel tiempo, Jesús se retiró al monte de los Olivos. Al amanecer se presentó de nuevo en el templo, y todo el pueblo acudía a él, y, sentándose, les enseñaba. Los escribas y los fariseos le traen una mujer sorprendida en adulterio, y, colocándola en medio, le dijeron: «Maestro, esta mujer ha sido sorprendida en flagrante adulterio. La ley de Moisés nos manda apedrear a las adúlteras; tú, ¿qué dices?». Le preguntaban esto para comprometerlo y poder acusarlo. Pero Jesús, inclinándose, escribía con el dedo en el suelo. Como insistían en preguntarle, se incorporó y les dijo: «El que esté sin pecado, que le tire la primera piedra». E inclinándose otra vez, siguió escribiendo. Ellos, al oírlo, se fueron escabullendo uno a uno, empezando por los más viejos. Y quedó solo Jesús, con la mujer, en medio, que seguía allí delante. Jesús se incorporó y le preguntó: «Mujer, ¿dónde están tus acusadores?; ¿ninguno te ha condenado?». Ella contestó: «Ninguno, Señor». Jesús dijo: «Tampoco yo te condeno. Anda, y en adelante no peques más».

Corazones de barro

"El que esté sin pecado que tire la primera piedra", dice Jesús a estos escribas y fariseos que le acaban de traer a una adúltera. Quieren saber si estaba o no a favor de aplicar la ley con esta pobre mujer. Jesús les habló, como ya hemos visto, y volvió a inclinarse para continuar con lo que estaba haciendo: escribir con sus dedos en la tierra. Los acusadores, cuenta Juan, se fueron retirando lentamente ante las palabras y el gesto de Jesús. Posiblemente recordaron aquello de "misericordia quiero y no sacrificio" (*Os* 6,6). De todas formas, independientemente de lo que entendieran, el Hijo de Dios estaba haciendo visible con su gesto de escribir en la tierra, el cumplimiento de una profecía-promesa de Dios: que Él mismo escribiría su Palabra en las tablas de nuestro corazón de barro, salido de la tierra, para que así pudiésemos ser fieles a Él (*Jr* 31,33). A continuación, y como anunciando su levantarse de la muerte, se irguió y dijo a esta mujer, que somos todos: ¡Vete en paz! He grabado en tu corazón mi fuerza para que no peques más. ¡Bendito seas, Señor Jesús, por escribirte en nuestro barro!

Señor, concédenos la libertad de mirarnos por dentro para poder tener misericordia con todos los hombres.

Lunes

Agabo.

Feria: Morado.

Daniel 13,1-9.15-17.19-30.33-62 / Salmo 22 / Juan 8,12-20.

EVANGELIO

En aquel tiempo, Jesús volvió a hablar a los fariseos: «Yo soy la luz del mundo; el que me sigue no camina en tinieblas, sino que tendrá la luz de la vida». Le dijeron los fariseos: «Tú das testimonio de ti mismo; tu testimonio no es válido». Jesús les contestó: «Aunque yo doy testimonio de mí mismo, mi testimonio es válido, porque sé de dónde he venido y adónde voy; en cambio, vosotros no sabéis de dónde vengo ni adónde voy. Vosotros juzgáis según la carne; yo no juzgo a nadie; y, si juzgo yo, mi juicio es legítimo, porque no estoy yo solo, sino que estoy con el que me ha enviado, el Padre; y en vuestra ley está escrito que el testimonio de dos es válido. Yo doy testimonio de mí mismo, y además da testimonio de mí el que me envió, el Padre». Ellos le preguntaban: «¿Dónde está tu Padre?». Jesús contestó: «Ni me conocéis a mí ni a mi Padre; si me conocierais a mí, conoceríais también a mi Padre». Jesús tuvo esta conversación junto al arca de las ofrendas, cuando enseñaba en el templo. Y nadie le echó mano porque todavía no había llegado su hora.

Su luz nos precede

Una autoproclamación sorprendente del Hijo de Dios: "Yo soy la luz del mundo". Autoproclamación que podemos ampliar: Yo soy la luz que alumbra sus tinieblas, la que los ilumina. De esta forma, el Señor Jesús nos muestra una de las características más impactantes del camino de fe. Aun caminando entre tinieblas, como profetiza el salmista (*Sal* 23,4), el discípulo reafirma con confianza sus pasos con la certeza de que Él va delante encendiendo luces. Es lo que podríamos llamar ser educados por el mismo Dios en la escuela del seguimiento, del discipulado. Desde la experiencia real de que alguien ilumina nuestras tinieblas y sombras, aprendemos a confiar en Dios, el que hace honor a su Palabra iluminándonos con su luz que siempre nos precede. Jesús lo prometió: "Cuando ha sacado a todas sus ovejas, va delante de ellas" (*Jn* 10,4).

Nos pusiste en el mundo, Señor, no para condenarlo,
sino para iluminarlo, para llenarlo de tu perdón.

EVANGELIO

Martes

Hugo de Rouen.

Feria: Morado.

Números 21,4-9 / Salmo 101 / Juan 8,21-30.

En aquel tiempo, dijo Jesús a los fariseos: «Yo me voy y me buscaréis, y moriréis por vuestro pecado. Donde yo voy no podéis venir vosotros». Y los judíos comentaban: «¿Será que va a suicidarse, y por eso dice: "Donde yo voy no podéis venir vosotros"?». Y él continuaba: «Vosotros sois de aquí abajo, yo soy de allá arriba: vosotros sois de este mundo, yo no soy de este mundo. Con razón os he dicho que moriréis por vuestros pecados: pues, si no creéis que yo soy, moriréis por vuestros pecados». Ellos le decían: «¿Quién eres tú?». Jesús les contestó: «Ante todo, eso mismo que os estoy diciendo. Podría decir y condenar muchas cosas en vosotros; pero el que me envió es veraz, y yo comunico al mundo lo que he aprendido de él». Ellos no comprendieron que les hablaba del Padre. Y entonces dijo Jesús: «Cuando levantéis al Hijo del hombre, sabréis que yo soy, y que no hago nada por mi cuenta, sino que hablo como el Padre me ha enseñado. El que me envió está conmigo, no me ha dejado solo; porque yo hago siempre lo que le agrada». Cuando les exponía esto, muchos creyeron en él.

La Cruz, exaltación de Jesús

Los judíos, enredados en esos "equívocos" tan frecuentes en el Evangelio de Juan, no entienden nada: Jesús les habla de su muerte, de su partida al Padre, y ellos se preguntan si irá a suicidarse. Jesús les revela, a la vez que su falta de comprensión, su falta de fe que puede hacerlos morir en su pecado. Su identidad es presentada de nuevo por su pertenencia a "lo alto", por su relación con Dios, a quien tiene la misión de revelar al mundo. Con la alusión a "levantarle en alto", a su muerte en la Cruz, Jesús se refiere a ella como el momento culminante de su revelación: "El Hijo del hombre tiene que ser levantado en alto para que todo el que crea en Él tenga vida eterna", dijo a Nicodemo. En la Cruz se revela a la vez la obediencia de Jesús: "Hago siempre lo que es de su agrado" y su glorificación, porque, "el que me envió está con conmigo: no me ha dejado solo".

Miércoles

Macario de Gante.

Feria: Morado.

Daniel 3,14-20.49-50.91-92.95 / Salmo 3 / Juan 8,31-42.

EVANGELIO

En aquel tiempo, dijo Jesús a los judíos que habían creído en él: «Si os mantenéis en mi palabra, seréis de verdad discípulos míos; conoceréis la verdad, y la verdad os hará libres». Le replicaron: «Somos linaje de Abrahán y nunca hemos sido esclavos de nadie. ¿Cómo dices tú: "Seréis libres"?». Jesús les contestó: «Os aseguro que quien comete pecado es esclavo. El esclavo no se queda en la casa para siempre, el hijo se queda para siempre. Y si el Hijo os hace libres, seréis realmente libres. Ya sé que sois linaje de Abrahán; sin embargo, tratáis de matarme, porque no dais cabida a mis palabras. Yo hablo de lo que he visto junto a mi Padre, pero vosotros hacéis lo que le habéis oído a vuestro padre». Ellos replicaron: «Nuestro padre es Abrahán». Jesús les dijo: «Si fuerais hijos de Abrahán, haríais lo que hizo Abrahán. Sin embargo, tratáis de matarme a mí, que os he hablado de la verdad que le escuché a Dios, y eso no lo hizo Abrahán. Vosotros hacéis lo que hace vuestro padre». Le replicaron: «Nosotros no somos hijos de prostitutas; tenemos un solo padre: Dios». Jesús les contestó: «Si Dios fuera vuestro padre, me amaríais, porque yo salí de Dios, y aquí estoy. Pues no he venido por mi cuenta, sino que él me envió».

El discípulo y la Palabra

Si en mi Palabra, dice Jesús, serán mis discípulos. Mantenerse en la Palabra, permanecer en ella al igual que lo hace la barca en el mar azotada por las olas, con la única garantía de que Jesús, aun dormido, está en ella. Mantenerse en la Palabra con la certeza de que así permanecemos en el amor de Dios al igual que Jesús, que permanece en el amor del Padre porque guarda sus Palabras (*Jn* 15,10). Al definir su relación con los suyos, Jesús deja un poco de lado lo que no es esencial, apuntando lo que marca la razón de ser del discipulado. Nos está diciendo que, así como su relación con el Padre está fundada en el hecho de que guarda su Palabra (*Jn* 8,55), de la misma forma, guardar su Evangelio y permanecer en él es lo que nos confiere la condición de discípulos suyos, hijos de la luz, la verdad y la libertad..., como Él.

Señor Jesús, haznos hijos de la verdad y también de la misericordia; solo así podremos representarte al acercarnos a nuestros hermanos heridos.

EVANGELIO

Jueves

San Estanislao, obispo y mártir.

Memoria libre o feria: Rojo o Morado. En E.U.A: Memoria: rojo.

Génesis 17,3-9 / Salmo 104 / Juan 8,51-59.

En aquel tiempo, dijo Jesús a los judíos: «Os aseguro: quien guarda mi palabra no sabrá lo que es morir para siempre». Los judíos le dijeron: «Ahora vemos claro que estás endemoniado; Abrahán murió, los profetas también, ¿y tú dices: "Quien guarde mi palabra no conocerá lo que es morir para siempre"? ¿Eres tú más que nuestro padre Abrahán, que murió? También los profetas murieron, ¿por quién te tienes?». Jesús contestó: «Si yo me glorificara a mí mismo, mi gloria no valdría nada. El que me glorifica es mi Padre, de quien vosotros decís: "Es nuestro Dios", aunque no lo conocéis. Yo sí lo conozco, y si dijera: "No lo conozco" sería, como vosotros, un embustero; pero yo lo conozco y guardo su palabra. Abrahán, vuestro padre, saltaba de gozo pensando ver mi día; lo vio, y se llenó de alegría». Los judíos le dijeron: «No tienes todavía cincuenta años, ¿y has visto a Abrahán?». Jesús les dijo: «Os aseguro que antes que naciera Abrahán, existo yo». Entonces cogieron piedras para tirárselas, pero Jesús se escondió y salió del templo.

Mente y corazón

A la luz del Evangelio, nos preguntamos si en no pocas ocasiones dejamos de dar importancia a tantas palabras de la Escritura que tenemos retenidas en nuestra mente, por el hecho de haberlas oído con frecuencia e incluso estudiado. El Evangelio de hoy nos da pie para hablar así. No son pocos los textos del Antiguo Testamento, indudablemente conocidos por los fariseos, que anuncian proféticamente la vida eterna para todos aquellos que viven abrazados a la Palabra. Recordemos, por ejemplo, al autor del libro de los Proverbios que, lleno del Espíritu Santo, afirma que la Sabiduría, como sinónimo de la Palabra en la espiritualidad bíblica, se convierte en árbol de vida para todos aquellos que la abrazan (*Prov* 3,18). Palabra y vida es un binomio que aparece incesantemente a lo largo de la Escritura. Jesús es el árbol de vida cuyos frutos son nuestra vida eterna. Él mismo dice que el que escucha su Palabra y se adhiere a Él, ha pasado de la muerte a la vida (*Jn* 5,24). Nada que hacer, los fariseos no se enteran. Pensándolo bien, nos parece normal; tienen lo que han aprendido de la Palabra en la mente, solo en la mente.

Viernes

Julio.

Feria: Morado.

Jeremías 20,10-13 / Salmo 17 / Juan 10,31-42.

EVANGELIO

En aquel tiempo, los judíos agarraron piedras para apedrear a Jesús. Él les replicó: «Os he hecho ver muchas obras buenas por encargo de mi Padre: ¿por cuál de ellas me apedreáis?». Los judíos le contestaron: «No te apedreamos por una obra buena, sino por una blasfemia: porque tú, siendo un hombre, te haces Dios». Jesús les replicó: «¿No está escrito en vuestra ley: "Yo os digo: Sois dioses"? Si la Escritura llama dioses a aquellos a quienes vino la palabra de Dios (y no puede fallar la Escritura), a quien el Padre consagró y envió al mundo, ¿decís vosotros que blasfema porque dice que es hijo de Dios? Si no hago las obras de mi Padre, no me creáis, pero si las hago, aunque no me creáis a mí, creed a las obras, para que comprendáis y sepáis que el Padre está en mí, y yo en el Padre». Intentaron de nuevo detenerlo, pero se les escabulló de las manos. Se marchó de nuevo al otro lado del Jordán, al lugar donde antes había bautizado Juan, y se quedó allí. Muchos acudieron a él y decían: «Juan no hizo ningún signo; pero todo lo que Juan dijo de este era verdad». Y muchos creyeron en él allí.

Las obras de mi Padre

El escándalo que Jesús provoca en sus oyentes llega a cotas inimaginables. Deciden apedrearlo no tanto por sus pretensiones mesiánicas, sino por blasfemo. Acaba de proclamar que es uno con el Padre; comprensible, pues, la reacción. Jesús, con la autoridad que le confiere la inocencia y la rectitud, se limita a preguntarles cuál de sus obras realizadas en nombre de su Padre es la causa de su aversión hacia Él. Está intentando llevarles al razonamiento. No son obras suyas, sino de su Padre, y estas testifican a su favor. Va más allá: "Podrán no creer en mí, mas no podran ignorar las obras que mi Padre ha puesto en mis manos". Vano intento, es evidente que fanatismo y verdad nunca han hecho ni harán buen maridaje.

Señor Jesús, líbranos de la esclavitud de adorar nuestras obras y danos la libertad de vivir para las tuyas.

EVANGELIO

Sábado

San Martín I, Papa y mártir.

Memoria libre o feria: Rojo o Morado.

Ezequiel 37,21-28 / Salmo: Jeremías 31 / Juan 11,45-56.

En aquel tiempo, muchos judíos que habían venido a casa de María, al ver lo que había hecho Jesús, creyeron en él. Pero algunos acudieron a los fariseos y les contaron lo que había hecho Jesús. Los sumos sacerdotes y los fariseos convocaron el Sanedrín y dijeron: «¿Qué hacemos? Este hombre hace muchos signos. Si lo dejamos seguir, todos creerán en él, y vendrán los romanos y nos destruirán el lugar santo y la nación». Uno de ellos, Caifás, que era sumo sacerdote aquel año, les dijo: «Vosotros no entendéis ni palabra; no comprendéis que os conviene que uno muera por el pueblo, y que no perezca la nación entera». Esto no lo dijo por propio impulso, sino que, por ser sumo sacerdote aquel año, habló proféticamente, anunciando que Jesús iba a morir por la nación; y no solo por la nación, sino también para reunir a los hijos de Dios dispersos. Y aquel día decidieron darle muerte. Por eso Jesús ya no andaba públicamente con los judíos, sino que se retiró a la región vecina del desierto, a una ciudad llamada Efraín, y pasaba allí el tiempo con los discípulos. Se acercaba la Pascua de los judíos, y muchos de aquella región subían a Jerusalén, antes de la Pascua, para purificarse. Buscaban a Jesús y, estando en el templo, se preguntaban: «¿Qué os parece? ¿No vendrá a la fiesta?». Los sumos sacerdotes y fariseos habían mandado que el que se enterase de dónde estaba les avisara para prenderlo.

Una sola voz

Nos conviene que muera uno solo por el Pueblo a fin de que nuestra nación no sea aniquilada. He aquí la reflexión en voz alta que hace Caifás ante el revuelo provocado por Jesús al resucitar a Lázaro. Nos parece profundamente esclarecedor el comentario que nos ofrece Juan a estas palabras de Caifás. Ve en ellas el cumplimiento del designio salvífico de Dios en su dimensión universal. Jesús entrega libremente su vida no sólo por los hijos de Israel, sino por todos los hijos de Dios dispersos. Comentario joánico que nos lleva a recordar la gran dispersión, aquella que se dio en la construcción de la torre de Babel. Aquellos hombres pretendieron elevarse hasta el cielo.

Compadécete, Señor, de todas las dispersiones interiores que tanto nos zarandean, y haz converger todos nuestros impulsos hacia tu voluntad, hacia ti.

Domingo

Tiburcio, Valeriano y Máximo.

Bendición de las Palmas. *Lucas 19,28-40.*

Misa: *Isaías 50,4-7 / Salmo 21 / Filipenses 2,6-11 / Lucas 22,14-23,56.*

(breve: 23,1-49)
EVANGELIO

En aquel tiempo, se levantó toda la asamblea (o sea, sumos sacerdotes y escribas,) y llevaron a Jesús a presencia de Pilato. Y se pusieron a acusarlo, diciendo:

M. «Hemos comprobado que este anda amotinando a nuestra nación, y oponiéndose a que se paguen tributos al César, y diciendo que él es el Mesías rey».

C. Pilato preguntó a Jesús:

O. «¿Eres tú el rey de los judíos?».

C. Él le contestó:

✠ «Tú lo dices».

C. Pilato dijo a los sumos sacerdotes y a la gente:

O. «No encuentro ninguna culpa en este hombre».

C. Ellos insistían con más fuerza, diciendo:

M. «Solivianta al pueblo enseñando por toda Judea, desde Galilea hasta aquí».

C. Pilato, al oírlo, preguntó si era galileo; y, al enterarse que era de la jurisdicción de Herodes, se lo remitió. Herodes estaba precisamente en Jerusalén por aquellos días. Herodes, al ver a Jesús, se puso muy contento; pues hacía bastante tiempo que quería verlo, porque oía hablar de él y esperaba verle hacer algún milagro. Le hizo un interrogatorio bastante largo; pero él no le contestó ni palabra. Estaban allí los sumos sacerdotes y los escribas acusándolo con ahínco. Herodes, con su escolta, lo trató con desprecio y se burló de él; y, poniéndole una vestidura blanca, se lo remitió a Pilato. Aquel mismo día se hicieron amigos Herodes y Pilato, porque antes se llevaban muy mal. Pilato, convocando a los sumos sacerdotes, a las autoridades y al pueblo, les dijo:

O. «Me habéis traído a este hombre, alegando que alborota al pueblo; y resulta que yo lo he interrogado delante de vosotros, y no he encontrado en este hombre ninguna de las culpas que le imputáis; ni Herodes tampoco, porque nos lo ha remitido: ya veis que nada digno de muerte se le ha probado. Así que le daré un escarmiento y lo soltaré».

C. Por la fiesta tenía que soltarles a uno. Ellos vociferaron en masa, diciendo:

M. «¡Fuera ese! Suéltanos a Barrabás».

C. A este lo habían metido en la cárcel por una revuelta acaecida en la ciudad y un homicidio. Pilato volvió a dirigirles la palabra con intención de soltar a Jesús. Pero ellos seguían gritando:

M. «¡Crucifícalo, crucifícalo!».

C. Él les dijo por tercera vez:

O. «Pues, ¿qué mal ha hecho este? No he encontrado en él ningún delito que merezca la muerte. Así es que le daré un escarmiento y lo soltaré».

C. Ellos se le echaban encima, pidiendo a gritos que lo crucificara; e iba creciendo el griterío. Pilato decidió que se cumpliera su petición: soltó al que le pedían (al que había metido en la cárcel por revuelta y homicidio), y a Jesús se lo entregó a su arbitrio. Mientras lo conducían, echaron mano de un cierto Simón de Cirene, que volvía del campo, y le cargaron la cruz, para que la llevase detrás de Jesús. Lo seguía un gran gentío del pueblo, y de mujeres que se daban golpes y lanzaban lamentos por él. Jesús se volvió hacia ellas y les dijo:

✠ «Hijas de Jerusalén, no lloréis por mí, llorad por vosotras y por vuestros hijos, porque mirad que llegará el día en que dirán: "Dichosas las estériles y los vientres que no han dado a luz y los pechos que no han criado". Entonces empezarán a decirles a los montes: "Desplomaos sobre nosotros", y a las colinas: "Sepultadnos"; porque, si así tratan al leño verde, ¿qué pasará con el seco?».

C. Conducían también a otros dos malhechores para ajusticiarlos con él. Y, cuando llegaron al lugar llamado «La Calavera», lo crucificaron allí, a él y a los malhechores, uno a la derecha y otro a la izquierda. Jesús decía:

✠ «Padre, perdónalos, porque no saben lo que hacen».

C. Y se repartieron sus ropas, echándolas a suerte. El pueblo estaba mirando. Las autoridades le hacían muecas, diciendo:

M. «A otros ha salvado; que se salve a sí mismo, si él es el Mesías de Dios, el Elegido».

C. Se burlaban de él también los soldados, ofreciéndole vinagre y diciendo:

M. «Si eres tú el rey de los judíos, sálvate a ti mismo».

C. Había encima un letrero en escritura griega, latina y hebrea: «Este es el rey de los judíos». Uno de los malhechores crucificados lo insultaba, diciendo:

O. «¿No eres tú el Mesías? Sálvate a ti mismo y a nosotros».

C. Pero el otro le increpaba:

O. «¿Ni siquiera temes tú a Dios, estando en el mismo suplicio? Y lo nuestro es justo, porque recibimos el pago de lo que hicimos; en cambio, este no ha faltado en nada».

C. Y decía:

O. «Jesús, acuérdate de mí cuando llegues a tu reino».

C. Jesús le respondió:

✠ «Te lo aseguro: hoy estarás conmigo en el paraíso».

C. Era ya eso de mediodía, y vinieron las tinieblas sobre toda la región, hasta la media tarde; porque se oscureció el sol. El velo del templo se rasgó por medio. Y Jesús, clamando con voz potente, dijo:

✠ «Padre, a tus manos encomiendo mi espíritu».

C. Y, dicho esto, expiró.

C. El centurión, al ver lo que pasaba, daba gloria a Dios, diciendo:

O. «Realmente, este hombre era justo».

C. Toda la muchedumbre que había acudido a este espectáculo, habiendo visto lo que ocurría, se volvía dándose golpes de pecho. Todos sus conocidos se mantenían a distancia, y lo mismo las mujeres que lo habían seguido desde Galilea y que estaban mirando.

Dios misericordioso, te presento mis manos vacías. Renuncio así a juzgarme. Sé que tú llenarás el vacío de mi vida. Y sé que tú aceptas de mí todo lo que yo no he podido aceptarme.

Lunes

Morado.

Teodoro y Pausilipo.

Isaías 42,1-7 / Salmo 26 / Juan 12,1-11.

EVANGELIO

Seis días antes de la Pascua, fue Jesús a Betania, donde vivía Lázaro, a quien había resucitado de entre los muertos. Allí le ofrecieron una cena; Marta servía, y Lázaro era uno de los que estaban con él a la mesa. María tomó una libra de perfume de nardo, auténtico y costoso, le ungió a Jesús los pies y se los enjugó con su cabellera. Y la casa se llenó de la fragancia del perfume. Judas Iscariote, uno de sus discípulos, el que lo iba a entregar, dice: «¿Por qué no se ha vendido este perfume por trescientos denarios para dárselos a los pobres?». Esto lo dijo, no porque le importasen los pobres, sino porque era un ladrón; y como tenía la bolsa llevaba lo que iban echando. Jesús dijo: «Déjala; lo tenía guardado para el día de mi sepultura; porque a los pobres los tenéis siempre con vosotros, pero a mí no siempre me tenéis». Una muchedumbre de judíos se enteró de que estaba allí y fueron, no solo por Jesús, sino también para ver a Lázaro, al que había resucitado de entre los muertos. Los sumos sacerdotes decidieron matar también a Lázaro, porque muchos judíos, por su causa, se les iban y creían en Jesús.

Vida y perfume

María de Betania se acerca a Jesús con toda la ternura y el amor de que es capaz un alma levantada hasta el cielo; esto es lo que Jesús ha hecho en ella. Se abraza a sus pies, los baña con sus lágrimas y sus perfumes. Esta mujer actuó según la inequívoca intuición de los que aman desde el inagotable manantial de sus entrañas cuando estas han sido tocadas por Dios. Intuyó su muerte, no arrebatada sino ofrecida por amor a ella y, por supuesto, a todos. Con su perfume se diluyó toda entera en Él. Amó, y el perfume llenó toda la casa. Como siempre, y más en estos casos, hay quien no se entera. "Se podía haber utilizado mejor el dinero gastado en el perfume...". ¿Hay mejor forma de sacar partido a la vida que la de hacerse uno con Dios? "Para ti son mis frutos..." (*Cant* 7,14).

Señor Jesús, destapa el perfume de la fe y el amor que me has dado,
y que su aroma llene de esperanza a todos los que están cerca de mí.

Martes

Morado

Bernardita Ma. Soubirous.

Isaías 49,1-6 / Salmo 70 / Juan 13,21-33.36-38.

EVANGELIO

En aquel tiempo, Jesús, profundamente conmovido, dijo: «Os aseguro que uno de vosotros me va a entregar». Los discípulos se miraron unos a otros perplejos, por no saber de quién lo decía. Uno de ellos, el que Jesús tanto amaba, estaba reclinado a la mesa junto a su pecho. Simón Pedro le hizo señas para que averiguase por quién lo decía. Entonces él, apoyándose en el pecho de Jesús, le preguntó: «Señor, ¿quién es?». Le contestó Jesús: «Aquel a quien yo le dé este trozo de pan untado». Y, untando el pan, se lo dio a Judas, hijo de Simón el Iscariote. Detrás del pan, entró en él Satanás. Entonces Jesús le dijo: «Lo que tienes que hacer hazlo en seguida». Ninguno de los comensales entendió a qué se refería. Como Judas guardaba la bolsa, algunos suponían que Jesús le encargaba comprar lo necesario para la fiesta o dar algo a los pobres. Judas, después de tomar el pan, salió inmediatamente. Era de noche. Cuando salió, dijo Jesús: «Ahora es glorificado el Hijo del hombre, y Dios es glorificado en él. Si Dios es glorificado en él, también Dios lo glorificará en sí mismo: pronto lo glorificará. Hijos míos, me queda poco de estar con vosotros. Me buscaréis, pero lo que dije a los judíos os lo digo ahora a vosotros: "Donde yo voy, vosotros no podéis ir"». Simón Pedro le dijo: «Señor, ¿adónde vas?». Jesús le respondió: «Adonde yo voy no me puedes acompañar ahora, me acompañarás más tarde». Pedro replicó: «Señor, ¿por qué no puedo acompañarte ahora? Daré mi vida por ti». Jesús le contestó: «¿Con que darás tu vida por mí? Te aseguro que no cantará el gallo antes que me hayas negado tres veces».

Traición y vida

No hay duda a Jesús solamente lo podemos entender desde el misterio. Sentados a la mesa, Jesús hace un anuncio estremecedor, una confidencia: Uno de ustedes me traicionará esta noche. Conmoción y aturdimiento total entre los discípulos. Majestuosamente, Jesús se eleva por encima del drama para proclamar la gloria de Dios.

Líbranos, Señor, de la entrañas de Judas que todos albergamos en nuestro corazón. ¡Líbranos, Señor!

Miércoles

Morado.

Simón bar Sabas.

Isaías 50,4-9 / Salmo 68 / Mateo 26,14-25.

EVANGELIO

En aquel tiempo, uno de los Doce, llamado Judas Iscariote, fue a los sumos sacerdotes y les propuso: «¿Qué estáis dispuestos a darme, si os lo entrego?». Ellos se ajustaron con él en treinta monedas. Y desde entonces andaba buscando ocasión propicia para entregarlo. El primer día de los Ázimos se acercaron los discípulos a Jesús y le preguntaron: «¿Dónde quieres que te preparemos la cena de Pascua?». Él contestó: «Id a la ciudad, a casa de Fulano, y decidle: "El Maestro dice: Mi momento está cerca; deseo celebrar la Pascua en tu casa con mis discípulos"». Los discípulos cumplieron las instrucciones de Jesús y prepararon la Pascua. Al atardecer se puso a la mesa con los Doce. Mientras comían dijo: «Os aseguro que uno de vosotros me va a entregar». Ellos, consternados, se pusieron a preguntarle uno tras otro: «¿Soy yo acaso, Señor?». Él respondió: «El que ha mojado en la misma fuente que yo, ese me va a entregar. El Hijo del hombre se va, como está escrito de él; pero, ¡ay del que va a entregar al Hijo del hombre!; más le valdría no haber nacido». Entonces preguntó Judas, el que lo iba a entregar: «¿Soy yo acaso, Maestro?». Él respondió: «Tú lo has dicho».

¡Líbrame, Señor!

Judas, amigo íntimo de Jesús, el que comía de su pan, el que formó parte del grupo enviado por Él para anunciar la venida del Reino por todo Israel, termina traicionándoló. Su traición nos invita no tanto a mirarlo a él, sí a nosotros mismos capaces como somos de todo lo inimaginable. ¿Soy yo?, dijeron, uno tras otro, los discípulos a Jesús cuando les anuncia que uno de ellos lo va a entregar. Estaban sorprendidos y, por supuesto, escandalizados, de que alguien del grupo pudiese actuar así; sin embargo, a la hora de la verdad, "todos abandonaron a su Señor" (*Mt* 26,56). No es cuestión de preguntar ¿soy yo?, sino de suplicar humildemente ¡Señor, líbrame de ser yo!

Señor Jesús, que la pregunta sobre si soy yo o no el traidor, no te la haga a ti, sino a mí mismo. También esta verdad me hará libre.

Jueves

Blanco.

Perfecto.

Éxodo 12,1-8.11-14 / Salmo 115 / 1Corintios 11,23-26 / Juan 13,1-15.

EVANGELIO

Antes de la fiesta de la Pascua, sabiendo Jesús que había llegado la hora de pasar de este mundo al Padre, habiendo amado a los suyos que estaban en el mundo, los amó hasta el extremo. Estaban cenando, ya el diablo le había metido en la cabeza a Judas Iscariote, el de Simón, que lo entregara, y Jesús, sabiendo que el Padre había puesto todo en sus manos, que venía de Dios y a Dios volvía, se levanta de la cena, se quita el manto y, tomando una toalla, se la ciñe; luego echa agua en la jofaina y se pone a lavarles los pies a los discípulos, secándoselos con la toalla que se había ceñido. Llegó a Simón Pedro, y este le dijo: «Señor, ¿lavarme los pies tú a mí?». Jesús le replicó: «Lo que yo hago tú no lo entiendes ahora, pero lo comprenderás más tarde». Pedro le dijo: «No me lavarás los pies jamás». Jesús le contestó: «Si no te lavo, no tienes nada que ver conmigo». Simón Pedro le dijo: «Señor, no solo los pies, sino también las manos y la cabeza». Jesús le dijo: «Uno que se ha bañado no necesita lavarse más que los pies, porque todo él está limpio. También vosotros estáis limpios, aunque no todos». Porque sabía quién lo iba a entregar, por eso dijo: «No todos estáis limpios». Cuando acabó de lavarles los pies, tomó el manto, se lo puso otra vez y les dijo: «¿Comprendéis lo que he hecho con vosotros? Vosotros me llamáis "el Maestro" y "el Señor", y decís bien, porque lo soy. Pues si yo, el Maestro y el Señor, os he lavado los pies, también vosotros debéis lavaros los pies unos a otros; os he dado ejemplo para que lo que yo he hecho con vosotros, vosotros también lo hagáis».

Hasta el extremo

Habiendo amado a los suyos, los –nos– amó hasta el extremo, dice Juan. No es cuestión de dar vueltas y vueltas sobre porqué tanto amor, como hizo Pedro. Hemos sido creados para amar y para ser amados. Solo Dios podía hacernos comprender esto y lo hizo a partir de sí mismo, aun cuando tuviera que morir y murió.

Viernes

Rojo.

León IX.

Isaías 52,13-53,12 / Salmo 30 / Hebreos 4,14-16; 5,7-9 / Juan 18,1-19,42.

EVANGELIO

C. En aquel tiempo, salió Jesús con sus discípulos al otro lado del torrente Cedrón, donde había un huerto, y entraron allí él y sus discípulos. Judas, el traidor, conocía también el sitio, porque Jesús se reunía a menudo allí con sus discípulos. Judas entonces, tomando la patrulla y unos guardias de los sumos sacerdotes y de los fariseos, entró allá con faroles, antorchas y armas. Jesús, sabiendo todo lo que venía sobre él, se adelantó y les dijo:

✠ «¿A quién buscáis?».

C. Le contestaron:

M. «A Jesús, el Nazareno».

C. Les dijo Jesús:

✠ «Yo soy».

C. Estaba también con ellos Judas, el traidor. Al decirles: «Yo soy», retrocedieron y cayeron a tierra. Les preguntó otra vez: ✠ «¿A quién buscáis?».

C. Ellos dijeron:

M. «A Jesús, el Nazareno».

C. Jesús contestó: ✠ «Os he dicho que soy yo. Si me buscáis a mí, dejad marchar a estos».

C. Y así se cumplió lo que había dicho: «No he perdido a ninguno de los que me diste». Entonces Simón Pedro, que llevaba una espada, la sacó e hirió al criado del sumo sacerdote, cortándole la oreja derecha. Este criado se llamaba Malco. Dijo entonces Jesús a Pedro: ✠ «Mete la espada en la vaina. El cáliz que me ha dado mi Padre, ¿no lo voy a beber?».

C. La patrulla, el tribuno y los guardias de los judíos prendieron a Jesús, lo ataron y lo llevaron primero a Anás, porque era suegro de Caifás, sumo sacerdote aquel año; era Caifás el que había dado a los judíos este consejo: «Conviene que muera un solo hombre por el pueblo». Simón Pedro y otro discípulo seguían a Jesús. Este discípulo era conocido del sumo sacerdote y entró con Jesús en el palacio del sumo sacerdote, mientras Pedro se quedó fuera a la puerta. Salió el otro discípulo, el conocido del sumo sacerdote, habló a la portera e hizo entrar a Pedro. La criada que hacía de portera dijo entonces a Pedro:

O. «¿No eres tú también de los discípulos de ese hombre?».

C. Él dijo:

D. «No lo soy».

C. Los criados y los guardias habían encendido un brasero, porque hacía frío, y se calentaban. También Pedro estaba con ellos de pie, calentándose. El sumo sacerdote interrogó a Jesús acerca de sus discípulos y de la doctrina. Jesús le contestó:

✠ «Yo he hablado abiertamente al mundo; yo he enseñado continuamente en la sinagoga y en el templo, donde se reúnen todos los judíos, y no he dicho nada a escondidas. ¿Por qué me interrogas a mí? Interroga a los que me han oído, de qué les he hablado. Ellos saben lo que he dicho yo».

C. Apenas dijo esto, uno de los guardias que estaba allí le dio una bofetada a Jesús, diciendo:

O. «¿Así contestas al sumo sacerdote?».

C. Jesús respondió: «Si he faltado al hablar, muestra en qué he faltado; pero si he hablado como se debe, ¿por qué me pegas?».

C. Entonces Anás lo envió atado a Caifás, sumo sacerdote. Simón Pedro estaba en pie, calentándose, y le dijeron:

O. «¿No eres tú también de sus discípulos?».

C. Él lo negó, diciendo:

D. «No lo soy».

C. Uno de los criados del sumo sacerdote, pariente de aquel a quien Pedro le cortó la oreja, le dijo:

O. «¿No te he visto yo con él en el huerto?».

C. Pedro volvió a negar, y enseguida cantó un gallo. Llevaron a Jesús de casa de Caifás al pretorio. Era el amanecer, y ellos no entraron en el pretorio para no incurrir en impureza y poder así comer la Pascua. Salió Pilato afuera, adonde estaban ellos, y dijo:

O. «¿Qué acusación presentáis contra este hombre?».

C. Le contestaron:

M. «Si este no fuera un malhechor, no te lo entregaríamos».

C. Pilato les dijo:

O. «Lleváoslo vosotros y juzgadlo según vuestra ley».

C. Los judíos le dijeron:

M. «No estamos autorizados para dar muerte a nadie».

C. Y así se cumplió lo que había dicho Jesús, indicando de qué muerte iba a morir. Entró otra vez Pilato en el pretorio, llamó a Jesús y le dijo:

O. «¿Eres tú el rey de los judíos?».

C. Jesús le contestó:

✠ «¿Dices eso por tu cuenta o te lo han dicho otros de mí?».

C. Pilato replicó:

O. «¿Acaso soy yo judío? Tu gente y los sumos sacerdotes te han entregado a mí; ¿qué has hecho?».

C. Jesús le contestó:

✠ «Mi reino no es de este mundo. Si mi reino fuera de este mundo, mi guardia habría luchado para que no cayera en manos de los judíos. Pero mi reino no es de aquí».

C. Pilato le dijo:

O. «Conque, ¿tú eres rey?».

C. Jesús le contestó:

✠ «Tú lo dices: soy rey. Yo para esto he nacido y para esto he venido al mundo: para ser testigo de la verdad. Todo el que es de la verdad escucha mi voz».

C. Pilato le dijo:

O. «Y, ¿qué es la verdad?».

C. Dicho esto, salió otra vez adonde estaban los judíos y les dijo:

O. «Yo no encuentro en él ninguna culpa. Es costumbre entre vosotros que por Pascua ponga a uno en libertad. ¿Queréis que os suelte al rey de los judíos?».

C. Volvieron a gritar:

M. «A ese no, a Barrabás».

C. El tal Barrabás era un bandido. Entonces Pilato tomó a Jesús y lo mandó azotar. Y los soldados trenzaron una corona de espinas, se la pusieron en la cabeza y le echaron por encima un manto color púrpura; y, acercándose a él, le decían:

M. «¡Salve, rey de los judíos!».

C. Y le daban bofetadas. Pilato salió otra vez afuera y les dijo:

O. «Mirad, os lo saco afuera, para que sepáis que no encuentro en él ninguna culpa».

C. Y salió Jesús afuera, llevando la corona de espinas y el manto color púrpura. Pilato les dijo:

O. «Aquí lo tenéis».

C. Cuando lo vieron los sumos sacerdotes y los guardias, gritaron:

M. «¡Crucifícalo, crucifícalo!».

C. Pilato les dijo:

O. «Lleváoslo vosotros y crucificadlo, porque yo no encuentro culpa en él».

C. Los judíos le contestaron:

M. «Nosotros tenemos una ley, y según esa ley tiene que morir, porque se ha declarado Hijo de Dios».

C. Cuando Pilato oyó estas palabras, se asustó aún más y, entrando otra vez en el pretorio, dijo a Jesús:

O. «¿De dónde eres tú?».

C. Pero Jesús no le dio respuesta. Y Pilato le dijo:

O. «¿A mí no me hablas? ¿No sabes que tengo autoridad para soltarte y autoridad para crucificarte?».

C. Jesús le contestó:

✠ «No tendrías ninguna autoridad sobre mí, si no te la hubieran dado de lo alto. Por eso el que me ha entregado a ti tiene un pecado mayor».

C. Desde este momento Pilato trataba de soltarlo, pero los judíos gritaban:

M. «Si sueltas a ese, no eres amigo del César. Todo el que se declara rey está contra el César».

C. Pilato entonces, al oír estas palabras, sacó afuera a Jesús y lo sentó en el tribunal, en el sitio que llaman «el Enlosado» (en hebreo Gábbata). Era el día de la Preparación de la Pascua, hacia el mediodía. Y dijo Pilato a los judíos:

O. «Aquí tenéis a vuestro rey».

C. Ellos gritaron:

M. «¡Fuera, fuera; crucifícalo!».

C. Pilato les dijo:

O. «¿A vuestro rey voy a crucificar?».

C. Contestaron los sumos sacerdotes:

M. «No tenemos más rey que al César».

C. Entonces se lo entregó para que lo crucificaran. Tomaron a Jesús, y él, cargando con la cruz, salió al sitio llamado «de la Calavera» (que en hebreo se dice Gólgota), donde lo crucificaron; y con él a otros dos, uno a cada lado, y en medio, Jesús. Y Pilato escribió un letrero y lo puso encima de la cruz; en él estaba escrito: «Jesús, el Nazareno, el rey de los judíos». Leyeron el letrero muchos judíos, porque estaba cerca el lugar donde crucificaron a Jesús, y estaba escrito en hebreo, latín y griego. Entonces los sumos sacerdotes de los judíos dijeron a Pilato:

M. «No escribas: "El rey de los judíos", sino: "Este ha dicho: Soy el rey de los judíos"».

C. Pilato les contestó:

O. «Lo escrito, escrito está».

C. Los soldados, cuando crucificaron a Jesús, cogieron su ropa, haciendo cuatro partes, una para cada soldado, y apartaron la túnica. Era una túnica sin costura, tejida toda de una pieza de arriba abajo. Y se dijeron:

O. «No la rasguemos, sino echemos a suerte, a ver a quién le toca».

C. Así se cumplió la Escritura: «Se repartieron mis ropas y echaron a suerte mi túnica». Esto hicieron los soldados. Junto a la cruz de Jesús estaban su madre, la hermana de su madre, María, la de Cleofás, y María, la Magdalena. Jesús, al ver a su madre y cerca al discípulo que tanto quería, dijo a su madre:

✠ «Mujer, ahí tienes a tu hijo».

C. Luego, dijo al discípulo:

✠ «Ahí tienes a tu madre».

C. Y desde aquella hora, el discípulo la recibió en su casa.

C. Después de esto, sabiendo Jesús que todo había llegado a su término, para que se cumpliera la Escritura, dijo:

✠ «Tengo sed».

C. Había allí un jarro lleno de vinagre. Y, sujetando una esponja empapada en vinagre a una caña de hisopo, se la acercaron a la boca. Jesús, cuando tomó el vinagre, dijo:

✠ «Está cumplido».

C. E, inclinando la cabeza, entregó el espíritu. Los judíos entonces, como era el día de la Preparación, para que no se quedaran los cuerpos en la cruz el sábado, porque aquel sábado era un día solemne, pidieron a Pilato que les quebraran las piernas y que los quitaran. Fueron los soldados, le quebraron las piernas al primero y luego al otro que habían crucificado con él; pero al llegar a Jesús, viendo que ya había muerto, no le quebraron las piernas, sino que uno de los soldados, con la lanza, le traspasó el costado, y al punto salió sangre y agua. El que lo vio da testimonio, y su testimonio es verdadero, y él sabe que dice verdad, para que también vosotros creáis. Esto ocurrió para que se cumpliera la Escritura: «No le quebrarán un hueso»; y en otro lugar la Escritura dice: «Mirarán al que atravesaron». Después de esto, José de Arimatea, que era discípulo clandestino de Jesús por miedo a los judíos, pidió a Pilato que le dejara llevarse el cuerpo de Jesús. Y Pilato lo autorizó. Él fue entonces y se llevó el cuerpo. Llegó también Nicodemo, el que había ido a verlo de noche, y trajo unas cien libras de una mixtura de mirra y áloe. Tomaron el cuerpo de Jesús y lo vendaron todo, con los aromas, según se acostumbra a enterrar entre los judíos. Había un huerto en el sitio donde lo crucificaron, y en el huerto un sepulcro nuevo donde nadie había sido enterrado todavía. Y como para los judíos era el día de la Preparación, y el sepulcro estaba cerca, pusieron allí a Jesús.

Dios poderoso, en la oración nos obsequias tu Espíritu Santo, que nos transforma y nos transfigura. Permíteme orar hoy, para que me llenes tú por completo y me transformes, para que tu gloria alumbre en mí, y para que la imagen original y auténtica en mí, brille ya.

EVANGELIO

El primer día de la semana, de madrugada, las mujeres fueron al sepulcro llevando los aromas que habían preparado. Encontraron corrida la piedra del sepulcro. Y, entrando, no encontraron el cuerpo del Señor Jesús. Mientras estaban desconcertadas por esto, se les presentaron dos hombres con vestidos refulgentes. Ellas, despavoridas, miraban al suelo, y ellos les dijeron: «¿Por qué buscáis entre los muertos al que vive? No está aquí. Ha resucitado. Acordaos de lo que os dijo estando todavía en Galilea: "El Hijo del hombre tiene que ser entregado en manos de pecadores, ser crucificado y al tercer día resucitar"». Recordaron sus palabras, volvieron del sepulcro y anunciaron todo esto a los Once y a los demás. María Magdalena, Juana y María, la de Santiago, y sus compañeras contaban esto a los apóstoles. Ellos lo tomaron por un delirio y no las creyeron. Pedro se levantó y fue corriendo al sepulcro. Asomándose, vio solo las vendas por el suelo. Y se volvió admirándose de lo sucedido.

Sábado

Blanco.

Inés de Montepulciano.

Antiguo Testamento:
1: *Génesis 1,1-2,2 con Salmo 103 o 32 /* **2:** *Génesis 22,1-18 con Salmo 15 /* **3:** *Éxodo 14,15-15,1 con Éxodo 15 /* **4:** *Isaías 54,5-14 con Salmo 29 /* **5:** *Isaías 55,1-11 con Isaías 12 /* **6:** *Baruc 3,9-15.32-4,4 con Salmo 18 /* **7:** *Ezequiel 36,16-28 con Salmo 41-42 o Isaías 12 o Salmo 50.*

Nuevo Testamento:
Romanos 6,3-11 con Salmo 117 / Lucas 24,1-12.

¡Está vivo!

No busquen entre los muertos al que está vivo, dice el ángel a las mujeres que habían acudido al sepulcro con sus aromas en la alborada del domingo. Nos imaginamos la cadencia de sensaciones y pálpitos que arrollaron el alma y el corazón de éstas. Estupor, desconcierto, instantes de luz y alegrías, primero contenidas y salvajes después; también miradas entre ellas que hicieron palidecer los astros del cielo; y de pronto, como de lo más profundo, se eleva un grito: ¡Era verdad! Anunció que no sería vencido por la muerte, que se alzaría victorioso sobre ella y así ha sido. Se echaron a correr como locas, con la locura de quien ha sido visitado por el mismo Dios. Hicieron partícipes de la buena noticia a los Once. No les creyeron mucho. No les importó a ellas demasiado.

Tú rompiste, Señor, las cadenas de la muerte, y llenaste de luz el laberinto de sombras de mi alma. Bendito y alabado seas, Señor, por tu amor.

Domingo

Blanco.

Anselmo.

Misa del día:
Hechos 10,34.37-43 /
Salmo 117 /
Colosenses 3,1-4 /
1Corintios 5,6-8 /

Secuencia obligatoria:
Juan 20,1-9.

Misa vespertina:
Lucas 24,13-35.

EVANGELIO

El primer día de la semana, María Magdalena fue al sepulcro al amanecer, cuando aún estaba oscuro, y vio la losa quitada del sepulcro. Echó a correr y fue donde estaba Simón Pedro y el otro discípulo, a quien tanto quería Jesús, y les dijo: «Se han llevado del sepulcro al Señor y no sabemos dónde lo han puesto». Salieron Pedro y el otro discípulo camino del sepulcro. Los dos corrían juntos, pero el otro discípulo corría más que Pedro; se adelantó y llegó primero al sepulcro; y, asomándose, vio las vendas en el suelo; pero no entró. Llegó también Simón Pedro detrás de él y entró en el sepulcro: vio las vendas en el suelo y el sudario con que le habían cubierto la cabeza, no por el suelo con las vendas, sino enrollado en un sitio aparte. Entonces entró también el otro discípulo, el que había llegado primero al sepulcro; vio y creyó. Pues hasta entonces no habían entendido la Escritura: que él había de resucitar de entre los muertos.

Vieron y creyeron

Bajo el peso de las últimas sombras que retienen la noche, una mujer llega hasta el sepulcro donde yace su Señor, el amor de su alma. Se extraña, la muerte ha sido visitada por alguien. María Magdalena, la intrépida mujer cuyo amor desafió a las tinieblas y al miedo, no comprende bien aún qué ha pasado. Sabe sí, que la muerte perdió su prepotencia y sus armas; la piedra que sellaba y atestiguaba su victoria fue desplazada, la arrebatadora de la vida quedó indefensa. Ante lo que ven sus ojos, nuestra buena amiga se lanza veloz al encuentro de los discípulos. Pedro y Juan corrieron con ella, vieron y creyeron. En seguida adivinaron quién era ese alguien que había desplazado la piedra dejando al descubierto la vaciedad del sepulcro. La muerte había sido despojada de su botín; a la vista quedaron las vendas y el sudario, como proclamando que el Resucitado se había librado de ellas. Juan y Pedro vieron "la obra de Dios por excelencia" (*Sal* 118,23) y creyeron.

Señor Jesús, al desplazar la piedra que custodiaba la muerte, desplazaste también todos mis miedos y desconfianzas. Gracias, Señor, ahora ya puedo amarte.

Lunes

Blanco.

Agapito.

Hechos 2,14.22-33 / Salmo 15 / Mateo 28,8-15.

EVANGELIO

En aquel tiempo, las mujeres se marcharon a toda prisa del sepulcro; impresionadas y llenas de alegría, corrieron a anunciarlo a los discípulos. De pronto, Jesús les salió al encuentro y les dijo: «Alegraos». Ellas se acercaron, se postraron ante él y le abrazaron los pies. Jesús les dijo: «No tengáis miedo: id a comunicar a mis hermanos que vayan a Galilea; allí me verán». Mientras las mujeres iban de camino, algunos de la guardia fueron a la ciudad y comunicaron a los sumos sacerdotes todo lo ocurrido. Ellos, reunidos con los ancianos, llegaron a un acuerdo y dieron a los soldados una fuerte suma, encargándoles: «Decid que sus discípulos fueron de noche y robaron el cuerpo mientras vosotros dormíais. Y si esto llega a oídos del gobernador, nosotros nos lo ganaremos y os sacaremos de apuros». Ellos tomaron el dinero y obraron conforme a las instrucciones. Y esta historia se ha ido difundiendo entre los judíos hasta hoy.

Lo abrazaron

Recibida la buena noticia de que su Señor hizo valer su Palabra demoliendo a la muerte, María Magdalena y María la de Santiago, corren en busca de los discípulos para comunicarles lo que han visto y oído. De pronto, el mismo Jesús, aquel que ya estaba vivo en sus bocas y corazones, les sale al encuentro. Delicadeza extrema esta del Hijo de Dios. Podemos suponer que las dos mujeres albergaban serias dudas de que los Apóstoles diesen crédito a su testimonio. Al salirles al paso el Resucitado y decirles: ¡Dios los guarde!, es decir, ¡no teman que yo estoy con ustedes!, está anticipando uno de los sellos que autentifican la misión evangelizadora de la Iglesia: "Salgan y anuncien el Evangelio, y sepan que ¡yo estoy con ustedes todos los días hasta el fin del mundo!" (*Mt* 28,19-20).

Danos, Señor, la audacia y también el amor de estas dos mujeres. Obedecieron la palabra del ángel que era la tuya, y tú te hiciste encontrar por ellas.

Martes

Blanco.

Jorge y Adalberto.

Hechos 2,36-41 / Salmo 32 / Juan 20,11-18.

EVANGELIO

En aquel tiempo, fuera, junto al sepulcro, estaba María, llorando. Mientras lloraba, se asomó al sepulcro y vio dos ángeles vestidos de blanco, sentados, uno a la cabecera y otro a los pies, donde había estado el cuerpo de Jesús. Ellos le preguntan: «Mujer, ¿por qué lloras?». Ella les contesta: «Porque se han llevado a mi Señor y no sé dónde lo han puesto». Dicho esto, da media vuelta y ve a Jesús, de pie, pero no sabía que era Jesús. Jesús le dice: «Mujer, ¿por qué lloras?, ¿a quién buscas?». Ella, tomándolo por el hortelano, le contesta: «Señor, si tú te lo has llevado, dime dónde lo has puesto y yo lo recogeré». Jesús le dice: «¡María!». Ella se vuelve y le dice: «¡Rabboni!», que significa: «¡Maestro!». Jesús le dice: «Suéltame, que todavía no he subido al Padre. Anda, ve a mis hermanos y diles: "Subo al Padre mío y Padre vuestro, al Dios mío y Dios vuestro"». María Magdalena fue y anunció a los discípulos: «He visto al Señor y ha dicho esto».

El amor de mi alma

María Magdalena llora desconsoladamente al tiempo que busca a su Señor, aun cuando las palabras que intenta retener –guardar– en su corazón, "¡Resucitaré al tercer día!", le parecen irreales e inconsistentes. Aun así, fue al sepulcro. Visiones y diálogos con ángeles; no le basta. Le ha amado tanto que tan solo le sirve un encuentro con Él. ¡Qué maravillosa combinación la del amor y la terquedad! Ambas se dan en esta mujer, hasta que venció. Jesús, el que había pintado en su alma los colores indelebles de lo eterno, la llama por su nombre: ¡María! Esta se volvió hacia la voz y, como dice la Esposa del Cantar de los Cantares, "encontré al amor de mi vida, no lo soltaré jamás" (*Cant* 3,4). Añadimos un pequeño comentario bellísimo de Paul Jeremie: "Cuando Dios te parece un extraño, has de seguir hablando con Él hasta que pronuncie tu nombre..., sabrás entonces que tú nunca fuiste extraño para Él".

Señor Jesús, quiero buscarte con tanta pasión como la de María Magdalena, hasta que también tus labios pronuncien mi nombre. Sabes que soy débil, pero concédemelo, Señor.

EVANGELIO

Miércoles

Blanco.

Fidel de Sigmaringa.

Hechos 3,1-10 / Salmo 104 / Lucas 24,13-35.

Dos discípulos de Jesús iban andando aquel mismo día, el primero de la semana, a una aldea llamada Emaús, distante unas dos leguas de Jerusalén; iban comentando todo lo que había sucedido. Mientras conversaban y discutían, Jesús en persona se acercó y se puso a caminar con ellos. Pero sus ojos no eran capaces de reconocerlo. Él les dijo: «¿Qué conversación es esa que traéis mientras vais de camino?». Ellos se detuvieron preocupados. Y uno de ellos, que se llamaba Cleofás, le replicó: «¿Eres tú el único forastero en Jerusalén, que no sabes lo que ha pasado allí estos días?». Él les preguntó: «¿Qué?». Ellos le contestaron: «Lo de Jesús el Nazareno, que fue un profeta poderoso en obras y palabras, ante Dios y ante todo el pueblo; cómo lo entregaron los sumos sacerdotes y nuestros jefes para que lo condenaran a muerte, y lo crucificaron. Nosotros esperábamos que él fuera el futuro liberador de Israel. Y ya ves: hace ya dos días que sucedió esto. Es verdad que algunas mujeres de nuestro grupo nos han sobresaltado: pues fueron muy de mañana al sepulcro, no encontraron su cuerpo, e incluso vinieron diciendo que habían visto una aparición de ángeles, que les habían dicho que estaba vivo. Algunos de los nuestros fueron también al sepulcro y lo encontraron como habían dicho las mujeres; pero a él no lo vieron». Entonces Jesús les dijo: «¡Qué necios y torpes sois para creer lo que anunciaron los profetas! ¿No era necesario que el Mesías padeciera esto para entrar en su gloria?». Y, comenzando por Moisés y siguiendo por los profetas, les explicó lo que se refería a él en toda la Escritura. Ya cerca de la aldea donde iban, él hizo ademán de seguir adelante; pero ellos le apremiaron, diciendo: «Quédate con nosotros, porque atardece y el día va de caída». Y entró para quedarse con ellos. Sentado a la mesa con ellos, tomó el pan, pronunció la bendición, lo partió y se lo dio. A ellos se les abrieron los ojos y lo reconocieron. Pero él desapareció. Ellos comentaron: «¿No ardía nuestro corazón mientras nos hablaba por el camino y nos explicaba las Escrituras?»... (cf vv. 33-35).

Gracias a ti, Señor, podremos habitar con el fuego que arde en tu corazón.

Jueves

Blanco.

1Pedro 5,5-14 / Salmo 88 / Marcos 16,15-20.

EVANGELIO

En aquel tiempo, se apareció Jesús a los Once y les dijo: «Id al mundo entero y proclamad el Evangelio a toda la creación. El que crea y se bautice se salvará; el que se resista a creer será condenado. A los que crean, les acompañarán estos signos: echarán demonios en mi nombre, hablarán lenguas nuevas, cogerán serpientes en sus manos y, si beben un veneno mortal, no les hará daño. Impondrán las manos a los enfermos, y quedarán sanos». Después de hablarles, el Señor Jesús subió al cielo y se sentó a la derecha de Dios. Ellos se fueron a pregonar el Evangelio por todas partes, y el Señor cooperaba confirmando la palabra con las señales que los acompañaban.

El Señor con ellos

Festividad de san Marcos, evangelista a quien asociamos de forma primordial con el Apóstol Pedro; considerado como una de las columnas evangelizadoras de Antioquía. Al igual que todos los discípulos del Resucitado, emprendió su misión con el tesoro de Dios en su alma y en sus labios: la Palabra de su Señor, ante la cual se someten y doblegan todos los espíritus del mal, aunque tengan su hora de gloria como la tuvieron con respecto al mismo Hijo de Dios. Los discípulos saben muy bien esto y se pierden por el mundo entero, selvas y pueblos, páramos y desiertos, para hacer partícipes a todos los hombres –sus hermanos– de la vida eterna que ya poseen. Son hijos de la Palabra y, por tanto, también de la vida; salen hacia fuera no movidos por unos ideales o ilusiones, sino por quien vive en ellos: Dios. Mucho de esto sabía Marcos.

Dame, Señor, corazón de discípulo; rompe mis horizontes y dame la pasión por tu Evangelio para llevarte allí donde impera el absurdo y el sinsentido.

EVANGELIO

Viernes

Blanco.

Cleto.

Hechos 4,1-12 / Salmo 117 / Juan 21,1-14.

En aquel tiempo, Jesús se apareció otra vez a los discípulos junto al lago de Tiberíades. Y se apareció de esta manera: Estaban juntos Simón Pedro, Tomás apodado el Mellizo, Natanael el de Caná de Galilea, los Zebedeos y otros dos discípulos suyos. Simón Pedro les dice: «Me voy a pescar». Ellos contestan: «Vamos también nosotros contigo». Salieron y se embarcaron; y aquella noche no cogieron nada. Estaba ya amaneciendo, cuando Jesús se presentó en la orilla; pero los discípulos no sabían que era Jesús. Jesús les dice: «Muchachos, ¿tenéis pescado?». Ellos contestaron: «No». Él les dice: «Echad la red a la derecha de la barca y encontraréis». La echaron, y no tenían fuerzas para sacarla, por la multitud de peces. Y aquel discípulo que Jesús tanto quería le dice a Pedro: «Es el Señor». Al oír que era el Señor, Simón Pedro, que estaba desnudo, se ató la túnica y se echó al agua. Los demás discípulos se acercaron en la barca, porque no distaban de tierra más que unos cien metros, remolcando la red con los peces. Al saltar a tierra, ven unas brasas con un pescado puesto encima y pan. Jesús les dice: «Traed de los peces que acabáis de coger». Simón Pedro subió a la barca y arrastró hasta la orilla la red repleta de peces grandes: ciento cincuenta y tres. Y aunque eran tantos, no se rompió la red. Jesús les dice: «Vamos, almorzad». Ninguno de los discípulos se atrevía a preguntarle quién era, porque sabían bien que era el Señor. Jesús se acerca, toma el pan y se lo da, y lo mismo el pescado. Esta fue la tercera vez que Jesús se apareció a los discípulos, después de resucitar de entre los muertos.

¡Es el Señor!

Es el Señor!, gritó de júbilo el discípulo amado al reconocerlo a lo lejos en la orilla. Discípulo amado es todo aquel que, en los ojos del corazón (*Ef* 1,18), reconoce al Señor Jesús no sólo cuando lo siente cercano, sino también cuando está en la lejanía.

Sábado

Blanco.

Ma. Guadalupe García Zavala.

Hechos 4,13-21 / Salmo 117 / Marcos 16,9-15.

EVANGELIO

Jesús, resucitado al amanecer del primer día de la semana, se apareció primero a María Magdalena, de la que había echado siete demonios. Ella fue a anunciárselo a sus compañeros, que estaban de duelo y llorando. Ellos, al oírle decir que estaba vivo y que lo había visto, no la creyeron. Después se apareció en figura de otro a dos de ellos que iban caminando a una finca. También ellos fueron a anunciarlo a los demás, pero no los creyeron. Por último, se apareció Jesús a los Once, cuando estaban a la mesa, y les echó en cara su incredulidad y dureza de corazón, porque no habían creído a los que lo habían visto resucitado. Y les dijo: «Id al mundo entero y proclamad el Evangelio a toda la creación».

Para que el hombre viva

Las apariciones de Jesús resucitado a sus discípulos no tienen como finalidad simplemente consolarlos, ya que habían quedado sumidos en el dolor y la aflicción a causa de su muerte tan violenta como afrentosa. Por supuesto que todos ellos se alegraron lo indecible al verlo, y que su victoria sobre la muerte, que lo fue también sobre la mentira y el mal, les abrió las puertas a la fe. Sin embargo, estos hombres y mujeres pronto comprendieron que tan ricas experiencias no eran para ser retenidas como se conservan unas obras de arte, sino que Jesús se las daba para ser compartidas. Las apariciones de Jesús resucitado, en definitiva, la fe, implica por su propia naturaleza su expansión. No es una orden, es fruto del dinamismo propio del Evangelio recibido. Así hemos de entender las palabras de Jesús: "¡Vayan por todo el mundo y proclamen el Evangelio!". Es como si les dijera: Anuncien que están vivos. Anuncien esto a un mundo que da culto a todo aquello que tiene fecha de caducidad. ¡Anuncien la vida eterna! Hagan saber al hombre que nadie me es extraño. Me entregué a la muerte para que todos y cada uno de ellos encontraran la vida.

Señor Jesús, gracias por llamarnos al discipulado,
a iluminar a los que viven en tinieblas y en sombras de muerte.

EVANGELIO

Domingo

Luis Ma. Grignion de Montfort.

Hechos 5,12-16 / Salmo 117 / Apocalipsis 1,9-11. 12-13.17-19 / Juan 20,19-31.

Al anochecer de aquel día, el primero de la semana, estaban los discípulos en una casa, con las puertas cerradas por miedo a los judíos. Y en esto entró Jesús, se puso en medio y les dijo: «Paz a vosotros». Y, diciendo esto, les enseñó las manos y el costado. Y los discípulos se llenaron de alegría al ver al Señor. Jesús repitió: «Paz a vosotros. Como el Padre me ha enviado, así también os envío yo». Y, dicho esto, exhaló su aliento sobre ellos y les dijo: «Recibid el Espíritu Santo; a quienes les perdonéis los pecados, les quedan perdonados; a quienes se los retengáis, les quedan retenidos». Tomás, uno de los Doce, llamado el Mellizo, no estaba con ellos cuando vino Jesús. Y los otros discípulos le decían: «Hemos visto al Señor». Pero él les contestó: «Si no veo en sus manos la señal de los clavos, si no meto el dedo en el agujero de los clavos y no meto la mano en su costado, no lo creo». A los ocho días, estaban otra vez dentro los discípulos y Tomás con ellos. Llegó Jesús, estando cerradas las puertas, se puso en medio y dijo: «Paz a vosotros». Luego dijo a Tomás: «Trae tu dedo, aquí tienes mis manos; trae tu mano y métela en mi costado; y no seas incrédulo, sino creyente». Contestó Tomás: «¡Señor mío y Dios mío!». Jesús le dijo: «¿Porque me has visto has creído? Dichosos los que crean sin haber visto». Muchos otros signos, que no están escritos en este libro, hizo Jesús a la vista de los discípulos. Éstos se han escrito para que creáis que Jesús es el Mesías, el Hijo de Dios, y para que, creyendo, tengáis vida en su nombre.

La cita de Tomás

Dice el Apóstol Pablo en su primera *Carta a los Corintios* hablando de la comunidad cristiana, que cuando un miembro sufre, todos los demás sufren con él (*1Cor* 12,26). De esto, entre otras cosas, trata el Evangelio de este domingo. La comunidad apostólica reunida en el cenáculo recibió la visita del Señor Jesús, el Resucitado. Todos se alegran, todos quedan perdonados y curados de sus miedos y cobardías. Todos menos Tomás que no estaba con ellos esa noche. Los demás apóstoles le cuentan, testifican que lo han visto y oído; más aún, que han sido confirmados en la llamada que un día recibieron de Él. Tomás, muy a su pesar, no cree. Necesita, al igual que ellos, ver, oír e incluso tocar al que dicen ha salido victorioso de la muerte. A los ocho días Jesús vuelve con ellos. Esta vez sí está Tomás. ¡Grandiosa esta comunidad! El desvalido debe esperar el momento de Dios en su vida, y la comunidad entera lo retiene como arropándole, sabiendo que el Hijo de Dios tiene con él su propia cita.

Lunes

Virgen y doctora de la Iglesia.

Memoria: Blanco.

Hechos 4,23-31 / Salmo 2 / Juan 3,1-8.

EVANGELIO

Había un fariseo llamado Nicodemo, jefe judío. Éste fue a ver a Jesús de noche y le dijo: «Rabí, sabemos que has venido de parte de Dios, como maestro; porque nadie puede hacer los signos que tú haces si Dios no está con él». Jesús le contestó: «Te lo aseguro, el que no nazca de nuevo no puede ver el reino de Dios». Nicodemo le pregunta: «¿Cómo puede nacer un hombre, siendo viejo? ¿Acaso puede por segunda vez entrar en el vientre de su madre y nacer?». Jesús le contestó: «Te lo aseguro, el que no nazca de agua y de Espíritu no puede entrar en el reino de Dios. Lo que nace de la carne es carne, lo que nace del Espíritu es espíritu. No te extrañes de que te haya dicho: "Tenéis que nacer de nuevo"; el viento sopla donde quiere y oyes su ruido, pero no sabes de dónde viene ni a dónde va. Así es todo el que ha nacido del Espíritu».

Creer supone renacer

El nacimiento de nuevo es un tema recurrente en muchas experiencias religiosas, tanto cristianas como de otro tipo. En efecto, la conversión, la "caída del caballo", la iluminación, todas ellas son ruptura con lo anterior y comienzo de algo nuevo.

Nicodemo es judío, además de los principales. Él se mueve en los esquemas de lo que marca la ley para llevar una vida religiosa con escrupulosidad. No está capacitado para entender que Jesús habla de "renacer", de "dar muerte a lo antiguo e iniciar lo totalmente distinto".

Esta dificultad de Nicodemo es la de muchas buenas personas: si yo "cumplo" lo establecido por la Ley de Dios, si llevo una vida ordenada, si no favorezco el mal ni apoyo la injusticia ni la violencia... ¿qué me queda? ¿No es suficiente para ser un buen cristiano?

Como a Nicodemo, Jesús nos dice: "Tienes que nacer de nuevo". Sí, hay que dejarse sorprender y dejarse trabajar por la gracia y la frescura que brota del Espíritu. Hay que dejarse "encontrar" por Jesús que nos busca. Hay que dejarse "cuestionar" en lo más íntimo, sin argumentos retorcidos, por la luz del Evangelio. Hay que ponerse en camino con la ilusión de los primeros discípulos. Creer supone renacer.

EVANGELIO

Martes

San Pío V, Papa.
Memoria libre o feria: Blanco.

Virgen de la Soledad, patrona de la diócesis de Irapuato.

Hechos 4,32-37 / Salmo 92 / Juan 3,7-15.

En aquel tiempo, dijo Jesús a Nicodemo: «Tenéis que nacer de nuevo; el viento sopla donde quiere y oyes su ruido, pero no sabes de dónde viene ni a dónde va. Así es todo el que ha nacido del Espíritu». Nicodemo le preguntó: «¿Cómo puede suceder eso?». Le contestó Jesús: «Y tú, el maestro de Israel, ¿no lo entiendes? Te lo aseguro, de lo que sabemos hablamos; de lo que hemos visto damos testimonio, y no aceptáis nuestro testimonio. Si no creéis cuando os hablo de la tierra, ¿cómo creeréis cuando os hable del cielo? Porque nadie ha subido al cielo, sino el que bajó del cielo, el Hijo del hombre.

Lo mismo que Moisés elevó la serpiente en el desierto, así tiene que ser elevado el Hijo del hombre, para que todo el que cree en él tenga vida eterna».

¿Entiendes el Antiguo Testamento?

Jesús, después de explicarle a Nicodemo la necesidad de volver a nacer para la vida de fe, se muestra muy severo con él. La forma de interpretar la ley, por parte de Nicodemo, está muerta. Es querer explicar normas sin vida. Es querer someter las Escrituras a una interpretación que ella sola no se basta. La nueva vida que anuncia Jesús es la salvación para todos de parte de Dios. El texto de mañana lo explicita: Dios no ha venido al mundo para condenarlo, sino para salvarlo. Hoy nos prepara: Moisés no pudo salvar de forma definitiva a su Pueblo, pues sólo era su guía, pero elevó la serpiente en el desierto para curar a los picados por las sierpes. Sin embargo, el levantamiento de Cristo en la Cruz, sí que salva y otorga la vida eterna. Moisés es sólo la preparación a la salvación de Cristo. Nicodemo, siendo especialista en la ley, no lo entiende.

Desvela tu misterio de amor y salvación, Dios mío. Ilumina mis ojos y enciende mi corazón para que te pueda contemplar en las Escrituras, en la Eucaristía, en los hermanos. Hazme comprender tu palabra siempre provocativa y luminosa. No permitas, buen Dios, que, como Nicodemo, me enzarce en discusiones inútiles y torpes. ¿Acaso no eres el Dios de nuestros padres? ¿No nos hablas en tus Escrituras? ¿No eres el Dios del amor?

Miércoles

Memoria: Blanco.

Hechos 5,17-26 / Salmo 33 / Mateo 13,54-58.

EVANGELIO

En aquel tiempo, fue Jesús a su ciudad y se puso a enseñar en la sinagoga. La gente decía admirada: «¿De dónde saca este esa sabiduría y esos milagros? ¿No es el hijo del carpintero? ¿No es su madre María, y sus hermanos Santiago, José, Simón y Judas? ¿No viven aquí todas sus hermanas? Entonces, ¿de dónde saca todo eso?». Y aquello les resultaba escandaloso. Jesús les dijo: «Sólo en su tierra y en su casa desprecian a un profeta». Y no hizo allí muchos milagros, porque les faltaba fe.

Espacio de libertad

El Hijo del carpintero. Así es como conocen a Jesús en su tierra, tal y como nos lo narra el evangelista Mateo. Evidentemente no es la mejor carta de presentación para ser reconocido como el Ungido de Dios. Por supuesto que si hubiera dependido de nosotros, si Dios nos hubiera consultado, y dada nuestra particular forma de combinar fe con éxito, hubieramoshecho nacer a Jesús en otro ambiente y entre personas mucho más influyentes desde cualquier punto de vista. Dios, que conoce nuestro terrible poder de manipular –incluso a Él mismo–, le hizo nacer allí y con quienes no es posible el escaparate de las vanidades ni el seguimiento adulador. Al asumir el rechazo con tan sorprendentes razones, Jesús entra en el espacio de la libertad total, al tiempo que nos muestra que ese es el único espacio en el que su Evangelio es preservado en su total frescura y trasparencia.

Arranca, Señor, las hierbas de mi corazón pretencioso para poder reconocer tu rostro, que tanto resplandeció en el taller del carpintero.

EVANGELIO

Jueves

San Atanasio, obispo y doctor de la Iglesia.

Memoria: Blanco.

Hechos 5,27-33 / Salmo 33 / Juan 3,31-36.

El que viene de lo alto está por encima de todos. El que es de la tierra es de la tierra y habla de la tierra. El que viene del cielo está por encima de todos. De lo que ha visto y ha oído da testimonio, y nadie acepta su testimonio. El que acepta su testimonio certifica la veracidad de Dios. El que Dios envió habla las palabras de Dios, porque no da el Espíritu con medida. El Padre ama al Hijo y todo lo ha puesto en su mano. El que cree en el Hijo posee la vida eterna; el que no crea al Hijo no verá la vida, sino que la ira de Dios pesa sobre él.

La fuerza del testimonio

Juan Bautista da testimonio de Jesús ante sus discípulos. Estos aún no tienen claro su mesianismo. Para disipar dudas, Juan les dice que Jesús viene de arriba, de lo alto, del cielo, en definitiva, de Dios. Dicho esto, queda claro que el testimonio de Juan sobre Jesús es que este habla de su Padre con propiedad. Su testimonio acerca de Él no es proclamado desde la teoría o reflexión, menos aun a partir de una elucubración, sino de lo que ha visto y oído de su Padre. Hasta aquí lo que dice Juan. Por su parte, el Señor Jesús proclamará que su Evangelio corresponde a lo que ha visto junto a su Padre (*Jn* 8,38). Y va más allá. Testifica que no habla por su cuenta, que no se inventa nada, que las palabras que salen de sus labios son tal cual el Padre se las ha ido diciendo a Él. ¡He visto y oído!, proclama Jesús acerca del Padre. ¡Hemos visto y oído!, confesarán los Apóstoles ante el Sanedrín al dar testimonio de Jesús como Mesías (*Hch* 4,20).

Señor Jesús, te pedimos que nuestra fe no se fundamente en fábulas, sino en lo que hemos visto y oído de ti por medio del Evangelio.

Viernes

Fiesta: Rojo.

Titular de la prelatura de Cancún-Chetumal.

Números 21,4-9 o Filipenses 2,6-11 / Salmo 77 / Juan 3,13-17.

EVANGELIO

En aquel tiempo, Jesús dijo a Nicodemo: "Nadie ha subido al cielo sino el Hijo del hombre, que bajó del cielo y está en el cielo. Así como Moisés levantó la serpiente en el desierto, así tiene que ser levantado el Hijo del hombre, para que todo el que crea en él tenga vida eterna.

Porque tanto amó Dios al mundo, que le entregó a su Hijo único, para que todo el que crea en él no perezca, sino que tenga vida eterna. Porque Dios no envió a su Hijo para condenar al mundo, sino para que el mundo se salvara por él".

"Que no se pierda ninguno..."

Para superar el valle de muerte, Dios Padre nos envió a su Hijo Jesucristo. Con el ejemplo de su vida dirigida a curar, a fortalecer, a anunciar el triunfo de Dios sobre la muerte, sobre el mal y sobre la miseria humana, Jesús cumple el mandato que Dios le dio: "Que no se pierda ninguno. . .". Pues Jesús vino para que todos nos salvemos. Abrazando la Cruz salvadora que simboliza la vida, muerte y resurrección de Cristo nos comprometemos, sabiéndonos salvados por Cristo, a comunicar el mensaje de salvación a todas las personas. ¿Puedo afirmar que me comporto como alguien que ha sido rescatado de la muerte? ¿Cómo muestra mi alegría de sentirme salvado por Cristo?

Por tu Cruz y resurrección líbrame de la muerte imprevista, aleja de mi persona y de mis seres queridos toda adversidad y dame la fuerza que concediste al Salvador para comprometerme cada día en construir tu Reino de justicia. Por Cristo Nuestro Señor. Amén.

Sábado

Fiesta: Rojo.

1Corintios 15,1-8 / Salmo 18 / Juan 14,6-14.
CUBA y E.U.A.: *feria de Pascua: Blanco.*
Hechos 5,34-42 / Salmo 26 / Juan 6,1-15.

EVANGELIO

En aquel tiempo, dijo Jesús a Tomás: «Yo soy el camino, y la verdad, y la vida. Nadie va al Padre, sino por mí. Si me conocéis a mí, conoceréis también a mi Padre. Ahora ya lo conocéis y lo habéis visto». Felipe le dice: «Señor, muéstranos al Padre y nos basta». Jesús le replica: «Hace tanto que estoy con vosotros, ¿y no me conoces, Felipe? Quien me ha visto a mí ha visto al Padre. ¿Cómo dices tú: "Muéstranos al Padre"? ¿No crees que yo estoy en el Padre, y el Padre en mí? Lo que yo os digo no lo hablo por cuenta propia. El Padre, que permanece en mí, hace sus obras. Creedme: yo estoy en el Padre, y el Padre en mí. Si no, creed a las obras. Os lo aseguro: el que cree en mí, también él hará las obras que yo hago, y aún mayores. Porque yo me voy al Padre; y lo que pidáis en mi nombre, yo lo haré, para que el Padre sea glorificado en el Hijo. Si me pedís algo en mi nombre, yo lo haré».

Queremos ver a Dios

Hoy celebramos la fiesta de Felipe y Santiago, Apóstoles del Señor Jesús. Hombres tan apasionados por Él y su Evangelio que el mundo se les quedó pequeño. Gracias a ellos y a tantos más, la buena noticia alcanzó al mundo entero "formando amigos de Dios" (*Sab* 7,27). "Muéstranos al Padre", pidió Felipe a Jesús durante la Última Cena; muéstranos al Padre, asentimos todos los demás sumidos en nuestras brumas. ¡Dónde está Dios que es Padre!, gritamos no pocas veces todos nosotros ante el ensañamiento del mal. El que me ve a mí –dice Jesús– venciendo al mal, incluso cuando estaba en los estertores de mi muerte en la Cruz, tendrá ojos para ver al Padre y también para saberse victorioso sobre el mal, sobre todo mal, igual que yo.

Te alabamos y te bendecimos, Señor, porque nos muestras tu rostro en todos aquellos que, como Felipe y Santiago, viven de y por el Evangelio.

Domingo

Blanco.

Hilario de Arlés.

Hechos 5,27-32.40-41 / Salmo 29 / Apocalipsis 5,11-14 / Juan 21,1-19. (breve: 21,1-14).

EVANGELIO

En aquel tiempo, Jesús se apareció otra vez a los discípulos junto al lago de Tiberíades. Y se apareció de esta manera: Estaban juntos Simón Pedro, Tomás apodado el Mellizo, Natanael el de Caná de Galilea, los Zebedeos y otros dos discípulos suyos. Simón Pedro les dice: «Me voy a pescar». Ellos contestan: «Vamos también nosotros contigo». Salieron y se embarcaron; y aquella noche no cogieron nada. Estaba ya amaneciendo, cuando Jesús se presentó en la orilla; pero los discípulos no sabían que era Jesús. Jesús les dice: «Muchachos, ¿tenéis pescado?». Ellos contestaron: «No». Él les dice: «Echad la red a la derecha de la barca y encontraréis». La echaron, y no tenían fuerzas para sacarla, por la multitud de peces. Y aquel discípulo que Jesús tanto quería le dice a Pedro: «Es el Señor». Al oír que era el Señor, Simón Pedro, que estaba desnudo, se ató la túnica y se echó al agua. Los demás discípulos se acercaron en la barca, porque no distaban de tierra más que unos cien metros, remolcando la red con los peces. Al saltar a tierra, ven unas brasas con un pescado puesto encima y pan. Jesús les dice: «Traed de los peces que acabáis de coger». Simón Pedro subió a la barca y arrastró hasta la orilla la red repleta de peces grandes: ciento cincuenta y tres. Y aunque eran tantos, no se rompió la red. Jesús les dice: «Vamos, almorzad». Ninguno de los discípulos se atrevía a preguntarle quién era, porque sabían bien que era el Señor. Jesús se acerca, toma el pan y se lo da, y lo mismo el pescado. Esta fue la tercera vez que Jesús se apareció a los discípulos, después de resucitar de entre los muertos.

Señor Jesucristo resucitado, tú haces rodar la piedra que me bloquea y me impide vivir. Tú has levantado la roca que me oprime. Tú te has levantado de la muerte y me obsequias la certeza de que pueda yo contigo resucitar de la tumba de mi angustia.

Lunes

Feria: Blanco.

Lucio de Cirene.

Hechos 6,8-15 / Salmo 118 / Juan 6,22-29.

EVANGELIO

Después que Jesús hubo saciado a cinco mil hombres, sus discípulos lo vieron caminando sobre el lago. Al día siguiente, la gente que se había quedado al otro lado del lago notó que allí no había habido más que una lancha y que Jesús no había embarcado con sus discípulos, sino que sus discípulos se habían marchado solos. Entretanto, unas lanchas de Tiberíades llegaron cerca del sitio donde habían comido el pan sobre el que el Señor pronunció la acción de gracias. Cuando la gente vio que ni Jesús ni sus discípulos estaban allí, se embarcaron y fueron a Cafarnaúm en busca de Jesús. Al encontrarlo en la otra orilla del lago, le preguntaron: «Maestro, ¿cuándo has venido aquí?». Jesús les contestó: «Os lo aseguro, me buscan, no porque han visto signos, sino porque comisteis pan hasta saciaros. Trabajad, no por el alimento que perece, sino por el alimento que perdura para la vida eterna, el que os dará el Hijo del hombre; pues a este lo ha sellado el Padre, Dios». Ellos le preguntaron: «Y, ¿qué obras tenemos que hacer para trabajar en lo que Dios quiere?». Respondió Jesús: «La obra que Dios quiere es esta: que creáis en el que él ha enviado».

Lo que agrada a Dios

Los que habían comido de los panes multiplicados por Jesús hasta saciarse van a su encuentro. El Señor aprovecha entonces para instruirlos en la fe. Viene a decirles: Si solo me buscan por los panes que han comido, ¿cómo podrán saciar su alma? Tabajen, vivan, busquen en mí el alimento que permanece para siempre, que les da vida y hace crecer delante de su Padre, el pan que los hace aptos para la vida eterna. Esta forma de hablar del Hijo de Dios los hace reaccionar. Le preguntan qué es lo que tienen que hacer para poder agradar a Dios. Jesús les hace saber cuál es la fe que provoca su agrado: "¡Que crean en mí. Él me ha enviado a ustedes, al mundo! Creer en Jesús, adherirse a su Evangelio, vivir abrazado a su Palabra" (*1Tes* 1,6). De eso se trata, cuidado no nos perdamos en las florituras.

Danos, Señor, oídos libres para escucharte, y amor incondicional para dejar que el Evangelio se abra camino hacia nuestro corazón.

Martes

Feria: Blanco.

Rosa Venerini.

Hechos 7,51-8,1 / Salmo 30 / Juan 6,30-35.

EVANGELIO

En aquel tiempo, dijo la gente a Jesús: «¿Y qué signo vemos que haces tú, para que creamos en ti? ¿Cuál es tu obra? Nuestros padres comieron el m aná en el desierto, como está escrito: "Les dio a comer pan del cielo"». Jesús les replicó: «Os aseguro que no fue Moisés quien os dio pan del cielo, sino que es mi Padre el que os da el verdadero pan del cielo. Porque el pan de Dios es el que baja del cielo y da vida al mundo». Entonces le dijeron: «Señor, danos siempre de este pan». Jesús les contestó: «Yo soy el pan de la vida. El que viene a mí no pasará hambre, y el que cree en mí nunca pasará sed».

La señal soy yo

¿Qué señal haces para que creamos en ti? Esto es lo que exigen, lo que piden, los judíos a Jesús. Es evidente que la señal de la multiplicación de los panes, que debía recordarles el maná con el que Dios alimentó a sus padres en el desierto, no ha sido suficiente. Si por un momento provocó en ellos el entusiasmo y el fervor, ya les llegó la fase del enfriamiento. Como esto de pedir señales se convierte en el cuento de nunca acabar, Jesús les dice: "Yo soy la señal. Yo soy el pan de la vida". Por supuesto que la paciencia de Dios con nosotros es ilimitada, lo cual no quiere decir que rehúse a ponernos en la verdad al tiempo que nos deja elegirla o rechazarla. Esto es lo que Jesús hace con estos hombres cuyas preguntas parece que no tienen otra finalidad que dejar de lado la aceptación de su Palabra. ¿Una señal? La señal soy yo. Y podría añadir, "el que me acoge a mí, acoge a aquel que me ha enviado" (*Jn* 13,20b).

Apiádate del mundo, Señor Dios nuestro, que nunca se vea privado de las señales de tu presencia, que nunca le falten los discípulos de tu Hijo. Ellos son tus señales.

EVANGELIO

Miércoles

Feria: Blanco.

Benedicto II.

Hechos 8,1-8 / Salmo 65 / Juan 6,35-40.

En aquel tiempo, dijo Jesús a la gente: «Yo soy el pan de la vida. El que viene a mí no pasará hambre, y el que cree en mí nunca pasará sed; pero, como os he dicho, me habéis visto y no creéis. Todo lo que me da el Padre vendrá a mí, y al que venga a mí no lo echaré afuera, porque he bajado del cielo, no para hacer mi voluntad, sino la voluntad del que me ha enviado. Esta es la voluntad del que me ha enviado: que no pierda nada de lo que me dio, sino que lo resucite en el último día. Esta es la voluntad de mi Padre: que todo el que ve al Hijo y cree en él tenga vida eterna, y yo lo resucitaré en el último día».

El Padre nos ama

Al que venga a mí no le echaré fuera, dice Jesús. No se trata de dejarse acoger pasivamente; Él mismo toma la iniciativa invitando a los cansados, a los sobrecargados, a los que tienen la vida como deslizándose en el resbaladero de la angustia o del absurdo. No se limita a esperarnos, sino que nos sale al encuentro. "¡Vengan a mí todos ustedes, los que estan cansados y agobiados!" (*Mt* 11,28ss). Vengan a mí, pues esta es la voluntad, el deseo amoroso de mi Padre, que ninguno de ustedes se pierda. Me ha enviado para decirles que su vida es preciosa a sus ojos. Este es el Hijo de Dios, el enviado que sale a nuestro encuentro, de mil formas y maneras, con este anuncio sobrecogedor: el Padre –nuestro– los ama porque me aman y cren en mí (*Jn* 16,27). Yo, su Hijo, soy el signo visible de que su amor sobrepasa todo mal que cargan sobre su alma.

Tú eres, Señor Dios nuestro, el manantial de aguas vivas hacia el que se dirigen nuestros pasos aun sin nosotros saberlo. Señor, sacia nuestros sequedales.

Jueves

Feria: Blanco.

Isaías.

Hechos 8,26-40 / Salmo 65 / Juan 6,44-51.

EVANGELIO

En aquel tiempo, dijo Jesús a la gente: «Nadie puede venir a mí, si no lo atrae el Padre que me ha enviado. Y yo lo resucitaré el último día. Está escrito en los profetas: "Serán todos discípulos de Dios". Todo el que escucha lo que dice el Padre y aprende viene a mí. No es que nadie haya visto al Padre, a no ser el que procede de Dios: ese ha visto al Padre. Os lo aseguro: el que cree tiene vida eterna. Yo soy el pan de la vida. Vuestros padres comieron en el desierto el maná y murieron: este es el pan que baja del cielo, para que el hombre coma de él y no muera. Yo soy el pan vivo que ha bajado del cielo; el que coma de este pan vivirá para siempre. Y el pan que yo daré es mi carne para la vida del mundo».

Aprender la Palabra

"Nadie puede venir a mí si el Padre que me ha enviado no lo atrae". Así, de pronto, y considerando estas palabras en su literalidad, nos da la impresión de que las puertas de la salvación son despiadadamente inalcanzables; como que casi sólo pueden cruzarlas aquellos que Dios Padre quiera. La Iglesia nunca ha interpretado en su literalidad palabras o frases sueltas de la Escritura, como es este caso. Es necesario iluminarlas y completarlas a la luz del contexto o paralelos a fin de captar el mensaje de forma objetiva. En esta ocasión completamos estas palabras con las que leemos casi a continuación: "Todo el que escucha al Padre y aprende viene a mí". Aprender, en la espiritualidad bíblica, no significa tanto estudiar cuanto lo que nos indica el verbo de donde deriva: prender. Estaríamos hablando, pues, de atar, adherir el Evangelio escuchado al corazón. Lo entendemos mejor a la luz de lo que Jesús dice a los judíos en otra ocasión: "Tratan de matarme porque mi Palabra no prende en ustedes" (*Jn* 8,37).

Atráenos hacia ti, Señor, no sea que nuestros pasos nos encaminen hacia oasis ficticios o aguas estancadas que no nos pueden regenerar.

Viernes

Feria: Blanco.

Juan de Ávila.

Hechos 9,1-20/ Salmo 116/ Juan 6,52-59.

En E.U.A.: **San Damián de Veuster, presbítero.**

Memoria libre: Blanco.

Hechos 20,17-18.28-32,36/ Salmo 16/ Mateo 9,35-38

EVANGELIO

En aquel tiempo, disputaban los judíos entre sí: «¿Cómo puede este darnos a comer su carne?». Entonces Jesús les dijo: «Os aseguro que si no coméis la carne del Hijo del hombre y no bebéis su sangre, no tenéis vida en vosotros. El que come mi carne y bebe mi sangre tiene vida eterna, y yo lo resucitaré en el último día. Mi carne es verdadera comida, y mi sangre es verdadera bebida. El que come mi carne y bebe mi sangre habita en mí y yo en él. El Padre que vive me ha enviado, y yo vivo por el Padre; del mismo modo, el que me come vivirá por mí. Este es el pan que ha bajado del cielo: no como el de vuestros padres, que lo comieron y murieron; el que come este pan vivirá para siempre». Esto lo dijo Jesús en la sinagoga, cuando enseñaba en Cafarnaúm.

Palabra y Eucaristía

"El que come mi carne y bebe mi sangre tiene vida eterna", dice Jesús a sus oyentes. Ya dijimos en su momento que tanto los santos Padres de la Iglesia como muchos exégetas, nos dicen que todo el capítulo sexto de Juan es una catequesis antológica del Hijo de Dios acerca de las riquezas insondables que fluyen tanto de la Palabra como de la Eucaristía. Ambas se constituyen en la fuente de vida del discípulo. Es en este sentido como podríamos traducir el pasaje citado: "El que participa de mí por medio de las palabras vivas de mi Evangelio y también de la Eucaristía, participa de mi vida que es eterna". A propósito de la Palabra como alimento del alma, podemos apropiarnos de lo que nos dice san Bernardo partiendo indudablemente de su propia experiencia: "Cuando rumio dulcemente las palabras de la Escritura, se llenan mis entrañas, se sacia mi interior y la médula de mis huesos destila alabanza".

Tú pusiste en nuestros corazones las ansias y hasta la necesidad de vivir eternamente.
Tú, que así nos hiciste, no te quedes lejos, ven a nuestro encuentro, Señor.

Sábado

Mayolo de Cluny.

Feria: Blanco.

Hechos 9,31-42 / Salmo 115 / Juan 6,60-69.

EVANGELIO

En aquel tiempo, muchos discípulos de Jesús, al oírlo, dijeron: «Este modo de hablar es duro, ¿quién puede hacerle caso?». Adivinando Jesús que sus discípulos lo criticaban, les dijo: «¿Esto os hace vacilar?, ¿y si vierais al Hijo del hombre subir a donde estaba antes? El Espíritu es quien da vida; la carne no sirve de nada. Las palabras que os he dicho son espíritu y vida. Y con todo, algunos de vosotros no creen». Pues Jesús sabía desde el principio quiénes no creían y quién lo iba a entregar. Y dijo: «Por eso os he dicho que nadie puede venir a mí, si el Padre no se lo concede». Desde entonces, muchos discípulos suyos se echaron atrás y no volvieron a ir con él. Entonces Jesús les dijo a los Doce: «¿También vosotros queréis marcharos?». Simón Pedro le contestó: «Señor, ¿a quién vamos a acudir? Tú tienes palabras de vida eterna; nosotros creemos y sabemos que tú eres el Santo consagrado por Dios».

Cuando el Evangelio sabe a Dios

"Mis palabras son Espíritu y vida, la carne no sirve para nada". En este contexto, la carne significaría lo alcanzado por medio de la sabiduría y la gloria del mundo. Quizá nos parezca un poco fuerte lo que acaba de decir el Hijo de Dios. Lo entenderemos mejor a la luz de la denuncia de Dios a su Pueblo santo por medio del profeta Jeremías: "A mí me dejaron, manantial de aguas vivas, para hacerse cisternas, cisternas agrietadas, que no retienen el agua" (*Jr* 2,13). A esto habría que añadir que las aguas vivas del manantial son gratuitas (*Ap* 22,17). Las de las cisternas, que terminan por diluirse, son, por el contrario, adquiridas a base de ímprobos esfuerzos y, además, tienen su precio (*Is* 55,1). ¡Qué resonancia, qué ecos recorrieron el alma, el corazón y las entrañas de Pedro que, al preguntar Jesús –a quien ya había abandonado la muchedumbre– si también ellos, los discípulos, querían marcharse, con el corazón en la mano le respondió: ¡Solo tú tienes esas palabras que, por ser Espíritu y vida, pueden saciar mi alma! ¡Ahora sé que las necesito! ¿Dónde podría ir?

¡Cuántas voces nos llaman, Señor, sin saber siquiera lo que nos ofrecen! Danos oídos para tu voz, la que nos habla palabras de vida, la que nos calma interiormente.

Nereo y Aquileo.

Feria: Blanco.

Hechos 13,14.43-52 / Salmo 99 / Apocalipsis 7,9.14-17 / Juan 10,27-30.

EVANGELIO

En aquel tiempo, dijo Jesús: «Mis ovejas escuchan mi voz, y yo las conozco, y ellas me siguen, y yo les doy la vida eterna; no perecerán para siempre, y nadie las arrebatará de mi mano. Mi Padre, que me las ha dado, supera a todos, y nadie puede arrebatarlas de la mano del Padre. Yo y el Padre somos uno».

El que escucha, conoce

En este pequeño texto evangélico encontramos toda una serie de verbos, empleados por Jesús, que están interrelacionados. Es como si el Hijo de Dios, provisto de paleta y pincel, se hubiese puesto a imprimir en la tela los trazos que marcan y constituyen la quintaesencia del discipulado. El primer signo identificador de los suyos consiste en escuchar con amor y deseo su voz: el Evangelio. Es una escucha dinámica que provoca el conocimiento mutuo, es un reconocer a Dios desde el alma hasta poder llegar un día, al igual que Job, a confesar llenos de gozo: "Yo te conocía solo de oídas, mas ahora te han visto mis ojos" (*Job* 42,5). Lo que Jesús añade en su descripción del discipulado lo llamaremos consecuencia lógica de esta escucha y conocimiento espiritual del que nos habla san León Magno, y que nos permite llegar a tocar a Dios. "Las ovejas me siguen, les doy la vida eterna, vencen conmigo la muerte y están conmigo y mi Padre, que también es suyo". De ahí que enseñara a sus discípulos a dirigirse a Él diciéndole: Padre nuestro...

Dios eterno y todopoderoso, creador del mundo. Estoy en tu creación, disfruto del verde de las praderas y de la paz de los bosques. La naturaleza está penetrada por tu espíritu. Experimento en la vida natural tu vida divina, que ha penetrado en todo a mi alrededor.

Lunes

Memoria libre o feria: Blanco.

Hechos 11,1-18 / Salmo 41 y 42 / Juan 1,1-10.

EVANGELIO

En aquel tiempo, dijo Jesús: «Os aseguro que el que no entra por la puerta en el aprisco de las ovejas, sino que salta por otra parte, ese es ladrón y bandido; pero el que entra por la puerta es pastor de las ovejas. A este le abre el guarda, y las ovejas atienden a su voz, y él va llamando por el nombre a sus ovejas y las saca fuera. Cuando ha sacado todas las suyas, camina delante de ellas, y las ovejas lo siguen, porque conocen su voz; a un extraño no lo seguirán, sino que huirán de él, porque no conocen la voz de los extraños». Jesús les puso esta comparación, pero ellos no entendieron de qué les hablaba. Por eso añadió Jesús: «Os aseguro que yo soy la puerta de las ovejas. Todos los que han venido antes de mí son ladrones y bandidos; pero las ovejas no los escucharon. Yo soy la puerta: quien entre por mí se salvará y podrá entrar y salir, y encontrará pastos. El ladrón no entra sino para robar y matar y hacer estrago; yo he venido para que tengan vida y la tengan abundante».

Los verdes prados

Yo soy el buen pastor, y también la puerta que da acceso a Dios. Por ella entran los vencedores, como dice el salmista; los que llegaron hasta la presencia de Dios cantando: "Tú has sido para mí la salvación" (*Sal* 118,21). Jesús es el buen pastor, en Él encontramos sus ovejas los pastos abundantes, el alimento que nos fortalece y hace crecer. Él es el Maestro que nos da la sabiduría que necesitamos para apartar con nuestras manos aquello que nos impide "subir al monte del Señor, a su presencia" (*Sal* 24,3). El mismo salmista señala con énfasis especial aquello que nos impide alcanzar el cara a cara con Dios: la falta de limpieza interior, juicios, murmuraciones, etc., y, sobre todo, el terrible cáncer de la vanidad del alma (*Sal* 24,4). Jesús conoce a fondo nuestras debilidades y carencias, y se compadece; nos cura de ellas al tiempo que nos enseña a comer en las verdes praderas. Así es como llama san Agustín a las Escrituras.

Señor Jesús, tú eres el enviado del Padre, tú el que nos rescatas de nuestras aventuras tan escasas de vida. Danos hambre de ti para buscarte.

EVANGELIO

Martes

Fiesta: Rojo.

Hechos 1,15-17.20-26 / Salmo 112 / Juan 15,9-17.

En aquel tiempo, dijo Jesús a sus discípulos: «Como el Padre me ha amado, así os he amado yo; permaneced en mi amor. Si guardáis mis mandamientos, permaneceréis en mi amor; lo mismo que yo he guardado los mandamientos de mi Padre y permanezco en su amor. Os he hablado de esto para que mi alegría esté en vosotros, y vuestra alegría llegue a plenitud. Este es mi mandamiento: que os améis unos a otros como yo os he amado. Nadie tiene amor más grande que el que da la vida por sus amigos. Vosotros sois mis amigos, si hacéis lo que yo os mando. Ya no os llamo siervos, porque el siervo no sabe lo que hace su señor: a vosotros os llamo amigos, porque todo lo que he oído a mi Padre os lo he dado a conocer. No sois vosotros los que me habéis elegido, soy yo quien os he elegido y os he destinado para que vayáis y deis fruto, y vuestro fruto dure. De modo que lo que pidáis al Padre en mi nombre os lo dé. Esto os mando: que os améis unos a otros».

No son ustedes los que me han elegido, soy yo quien los ha elegido.

Jesús revela cuál es la fuente de la verdadera alegría: permanecer en el amor. Él nos da ejemplo permaneciendo en el amor del Padre. Jesús sabe que estando unido a su Padre podrá cumplir su misión: anunciar el Reino de Dios, compartir los mandamientos de este Reino para vivir ahí, dejarnos los sacramentos como alimento para el camino de esta vida, morir en la cruz por amor al Padre y a sus hermanos. Nosotros podremos permanecer en el amor de Jesús si cumplimos sus mandamientos de amor y de servicio. Esta es una condición que no podemos evadir con trampas: en el amor y en el servicio a los demás se comprueban verdaderamente que estamos en el amor de Jesús. Y para este plan de felicidad plena y duradera nos ha elegido Dios desde la eternidad, nos ha llamado a vivir en su Reino de justicia, amor y paz.

Concédenos, Dios mío, acoger con gozo inaudito el ser llamados amigos por ti.
Así, amigos, tal y como salió de tu boca, sin ninguna.

Miércoles

Memoria libre o feria: Blanco.
Patrono secundario de la diócesis de Toluca y de la Arq. de Puebla.

Ntra. Sra. de La Luz

Hechos 12,24-13,5 / Salmo 66 / Juan 12,44-50.

EVANGELIO

En aquel tiempo, Jesús dijo, gritando: «El que cree en mí, no cree en mí, sino en el que me ha enviado. Y el que me ve a mí ve al que me ha enviado. Yo he venido al mundo como luz, y así, el que cree en mí no quedará en tinieblas. Al que oiga mis palabras y no las cumpla yo no lo juzgo, porque no he venido para juzgar al mundo, sino para salvar al mundo. El que me rechaza y no acepta mis palabras tiene quien lo juzgue: la palabra que yo he pronunciado, esa lo juzgará en el último día. Porque yo no he hablado por cuenta mía; el Padre que me envió es quien me ha ordenado lo que he de decir y cómo he de hablar. Y sé que su mandato es vida eterna. Por tanto, lo que yo hablo lo hablo como me ha encargado el Padre».

Vean en mí al Padre

Dicen los exegetas que el Señor Jesús es el templo, el santuario en quien vemos y conocemos al Padre. Si la imagen es bella, la realidad la supera. Efectivamente, Jesús es el revelador del Padre. Nos dejamos llevar por el soplo del Espíritu Santo en la conclusión –auténtico broche de oro– que Juan da al prólogo de su Evangelio: "A Dios nadie lo ha visto jamás: el Hijo único, que está en el seno del Padre, nos lo ha dado a conocer" (*Jn* 1,18). En verdad, nadie ha visto a Dios. Su Hijo, sí. Él mismo nos dice que lo ve por medio de la Palabra que de Él recibe a lo largo de su misión (*Jn* 8,38). Por supuesto que esto sería insuficiente para nosotros al momento de aceptar su llamada al discipulado. El Señor Jesús lo sabe y viene a nuestro encuentro, en nuestra ayuda, poniendo a nuestra disposición su experiencia del Padre. "El que cree en mí, el que me ve a mí cree y ve al Padre".

Señor Jesús, abre mis ojos, hazlos capaces de traspasar las paredes en las que he acomodado mi existencia. Solamente así podré reconocerte a mi lado.

Jueves

San Juan Nepomuceno, mártir.

Memoria libre o feria: Rojo o Blanco.

Hechos 13,13-25 / Salmo 88 / Juan 13,16-20.

EVANGELIO

Cuando Jesús acabó de lavar los pies a sus discípulos, les dijo: «Os aseguro, el criado no es más que su amo, ni el enviado es más que el que lo envía. Puesto que sabéis esto, dichosos vosotros si lo ponéis en práctica. No lo digo por todos vosotros; yo sé bien a quiénes he elegido, pero tiene que cumplirse la Escritura: "El que compartía mi pan me ha traicionado". Os lo digo ahora, antes de que suceda, para que cuando suceda creáis que yo soy. Os lo aseguro: El que recibe a mi enviado me recibe a mí; y el que a mí me recibe, recibe al que me ha enviado».

Enviado por el Padre, Jesús envía a los suyos

El texto propuesto hoy a nuestra meditación continúa la instrucción que sigue en el Evangelio de Juan al lavatorio de los pies de los discípulos, en la que les pide que hagan unos con otros lo que Él ha hecho con ellos. Unas líneas antes se refirió a Judas, "que comía el pan conmigo", a quien el diablo "metió en la cabeza la idea de entregarlo". Ahora les invita a tomar conciencia de que, enviados por Jesús, tienen que seguir sus pasos y participar en su destino. Eso, que en vísperas de su pasión puede parecer para ellos una exigencia extrema, les asegura que les procurará la verdadera alegría. ¿Cómo no va a procurar mantener con Jesús una relación tan estrecha, tan extraordinaria, como la que él, el Enviado, mantiene con el Padre que lo envía? ¡Cómo deberá la relación de los discípulos con el Señor que los envía transformar sus personas y sus vidas para que quien los reciba a ellos reciba al mismo Señor y al Padre que lo ha enviado!

¡Gracias, Señor, por tu llamada a ser discípulos tuyos!
Haz que nuestra vida irradie la tuya, como tu vida revela al Padre.

Viernes

Pascual Bailón.

Feria: Blanco.

Hechos 13,26-33 / Salmo 2 / Juan 14,1-6.

EVANGELIO

En aquel tiempo, dijo Jesús a sus discípulos: «Que no tiemble vuestro corazón; creed en Dios y creed también en mí. En la casa de mi Padre hay muchas estancias; si no fuera así, ¿os habría dicho que voy a prepararos sitio? Cuando vaya y os prepare sitio, volveré y os llevaré conmigo, para que donde estoy yo, estéis también vosotros. Y adonde yo voy, ya sabéis el camino». Tomás le dice: «Señor, no sabemos adónde vas, ¿cómo podemos saber el camino?». Jesús le responde: «Yo soy el camino, y la verdad, y la vida. Nadie va al Padre, sino por mí».

Volveré y los llevaré conmigo

El Evangelio de hoy contiene una nueva y conmovedora invitación a creer en el Señor. Está introducida por la llamada a desterrar el miedo profundo, capaz de turbar el corazón de los discípulos, que supondrá el paso, ya próximo, de Jesús por la muerte, que les privará de la presencia que había encantado sus vidas y les había permitido superar todos los peligros. Contra ese miedo radical que sacude los cimientos sobre los que se asienta la vida no hay más que un remedio eficaz: apoyarse, mediante la confianza radical que es la fe, en Dios, único fundamento sólido de nuestra precaria vida: "Si no ponen su confianza en Dios, no tendrán lugar seguro". Jesús invita ahora a los discípulos a tener en Él la misma confianza que en Dios, porque Jesús es la garantía de la presencia de Dios y de su amor por nosotros, como con la resurrección de Jesús, Dios garantiza su condición de Hijo amado del Padre. La muerte de Jesús no tiene por qué atemorizarnos, porque, por ella, "va a prepararnos un lugar". Pero tampoco nuestra muerte debe hacernos temblar. Porque la muerte es para los creyentes en Jesús, el momento en que Él viene para llevarnos consigo.

¡Ayúdanos, Señor, a reconocerte como camino, verdad y vida, ahora y en la hora en que vuelvas para llevarnos contigo!

EVANGELIO

Sábado

San Juan I, Papa y mártir.

Memoria libre o feria: Rojo o Blanco.

Hechos 13,44-52 / Salmo 97 / Juan 14,7-14.

En aquel tiempo, dijo Jesús a sus discípulos: «Si me conocéis a mí, conoceréis también a mi Padre. Ahora ya lo conocéis y lo habéis visto». Felipe le dice: «Señor, muéstranos al Padre y nos basta». Jesús le replica: «Hace tanto que estoy con vosotros, ¿y no me conoces, Felipe? Quien me ha visto a mí ha visto al Padre. ¿Cómo dices tú: "Muéstranos al Padre"? ¿No crees que yo estoy en el Padre, y el Padre en mí? Lo que yo os digo no lo hablo por cuenta propia. El Padre, que permanece en mí, hace sus obras. Creedme: yo estoy en el Padre, y el Padre en mí. Si no, creed a las obras. Os lo aseguro: el que cree en mí, también él hará las obras que yo hago, y aún mayores. Porque yo me voy al Padre; y lo que pidáis en mi nombre, yo lo haré, para que el Padre sea glorificado en el Hijo. Si me pedís algo en mi nombre, yo lo haré».

En el Evangelio

¿Tanto tiempo hace que estoy con ustedes y no me conocen? He aquí la respuesta que Jesús da a Felipe, quien, en nombre de los demás Apóstoles, suplicó a Jesús que le mostrara al Padre. Hoy también preguntamos, pedimos al Señor que nos haga ver pistas, señales de su existencia; también de su estar en nosotros. Pienso que la respuesta sería muy parecida a la que dio entonces a los suyos: ¿Tanto tiempo con el Evangelio en tus manos y no me conoces? ¿Aún no te has dado cuenta de que en él estoy vivo, te hablo y te sostengo? Como podemos observar, los problemas que nos parecen nuevos, son viejos. Queremos descubrir a Dios por atajos que no llegan a ninguna parte, cuando su rostro está impreso en cada página del Evangelio. "Bienaventurado el hombre que me escucha esperando en el umbral de mi puerta" (*Prov* 8,24).

Dame oídos, Señor, para escucharte y saber de ti, porque las palabras que me hablan de mí mismo con todas sus quejas, me agotan.

Domingo

Blanco.

Pedro Celestino V.

Hechos 14,21-27 / Salmo 144 / Apocalipsis 21,1-5 / Juan 13,31-33.34-35.

EVANGELIO

Cuando salió Judas del cenáculo, dijo Jesús: «Ahora es glorificado el Hijo del hombre, y Dios es glorificado en él. Si Dios es glorificado en él, también Dios lo glorificará en sí mismo: pronto lo glorificará. Hijos míos, me queda poco de estar con vosotros. Os doy un mandamiento nuevo: que os améis unos a otros; como yo os he amado, amaos también entre vosotros. La señal por la que conocerán todos que sois discípulos míos será que os amáis unos a otros».

Desde la abundancia

El amor nace y brota desde la riqueza del alma. Desde esta su inagotable fuente, Jesús tiene autoridad para afirmar que ama porque da la vida y da la vida porque ama. No es un amor teórico, sin cuerpo ni forma, sino delicadamente personalizado. "El buen pastor da su vida por sus ovejas". No las llama a todas en bloque, en pelotón, sino "una a una y por su nombre" (*Jn* 10,3). Así es como el Señor Jesús ama, y no creo que nos cueste mucho trabajo entenderlo. Sin embargo, nos asusta lo que nos dice a continuación: "Así han de amarse los unos a los otros". Ante este susto, no nos queda otra que tener en cuenta que, si el Señor ama así, dada la inagotable riqueza de su alma, no nos podría pedir jamás amar como Él si no nos hiciera partícipes de su riqueza. Hablamos de la abundancia de vida, la que el buen pastor prometió a sus ovejas. "Vengo para que tengan vida y la tengan en abundancia" (*Jn* 10,10b).

Señor Jesús, creo en ti lo suficiente como para saber que no juegas con nadie. Si me mandas amar como tú, es porque tú mismo me lo vas a conceder.

EVANGELIO

Lunes

San Bernardino de Siena, presbítero.

Memoria libre o feria: Blanco.

Hechos 14,5-18 / Salmo 113B / Juan 14,21-26.

En aquel tiempo, Jesús dijo a sus discípulos. "El que acepta mis mandamientos y los cumple, ése me ama. Al que me ama a mi lo amará mi Padre, yo también lo amaré y me manifestaré a él".

Entonces le dijo Judas (no el Iscariote): "Señor, ¿por qué razón a nosotros sí te nos vas a manifestar y al mundo no?" Le respondió Jesús: "El que me ama, cumplirá mi palabra y mi Padre lo amará y vendremos a él y haremos en él nuestra morada. El que no me ama no cumplirá mis palabras. Y la palabra que están oyendo no es mía, sino del Padre, que me envió".

Les he hablado de esto ahora que estoy con ustedes; pero el Consolador, el Espíritu Santo que mi Padre les enviará en mi nombre, les enseñará todas las cosas y les recordará todo cuanto yo les he dicho.

Los mandamientos

Los salvados por Cristo necesitan cumplir sus mandamientos. Los mandamientos son luz de sabiduría que nos ayudan a no perdernos en tantas ofertas que el mundo coloca ante nosotros. La prueba de que cumplimos los mandamientos se debe reflejar en una vida alegre, justa, generosa con los demás, sobre todo, con los más necesitados. Sin embargo, nuestras propias decisiones, a veces equivocadas, nos pueden alejar de los mandamientos de Dios y es ahí cuando necesitamos la inspiración de Dios para regresar y/o mantenernos firmes en lo que Jesús nos enseñó. El Espíritu Santo nos acompaña en todas las batallas que el mundo nos presenta. ¿Invoco con frecuencia y devoción la fuerza del Espíritu Santo para mantenerme firme en la ley de Dios?

Dame tu luz Padre para comprender el camino de salvación que muestran tus mandamientos. Por Cristo nuestro Señor. Amén.

Martes

Memoria: Rojo. En E.U.A: Memoria libre ó feria: Rojo o Blanco.

Hechos 14,19-28 / Salmo 144 / Juan 14,27-31.

EVANGELIO

En aquel tiempo, dijo Jesús a sus discípulos: «La paz os dejo, mi paz os doy; no os la doy yo como la da el mundo. Que no tiemble vuestro corazón ni se acobarde. Me habéis oído decir: "Me voy y vuelvo a vuestro lado". Si me amarais, os alegraríais de que vaya al Padre, porque el Padre es más que yo. Os lo he dicho ahora, antes de que suceda, para que cuando suceda, sigáis creyendo. Ya no hablaré mucho con vosotros, pues se acerca el Príncipe del mundo; no es que él tenga poder sobre mí, pero es necesario que el mundo comprenda que yo amo al Padre, y que lo que el Padre me manda yo lo hago».

¡Es de fiar!

Nos centramos en los dos últimos versículos del texto evangélico. Jesús Dice: "El príncipe de este mundo no tiene poder alguno sobre mí". Anteriormente saber que nadie tiene poder para arrebatarle la vida, sino que Él la ofrecía voluntariamente por sus ovejas (Jn 10,14.18). El pasaje que tenemos hoy en nuestras manos completa con broche de oro la razón de la entrega del Hijo de Dios: "Para que sepa el mundo que amo al Padre". Para que todos tengamos claro que el amor a Dios significa preponderantemente tener la suficiente confianza en Él como para dejarle que disponga de nuestra vida. Jesús hace visible, manifiesta su amor al Padre, de la única forma que no deja lugar a la menor duda: con su boca y con su corazón. Esto es lo que quiere que sepa el mundo, que lo sepamos todos, de forma que no haya divergencia entre nuestro decir y nuestro hacer. Amar con la boca y con el corazón a Dios es en sí un grito que atraviesa el mundo de un lado a otro, grito que dice: ¡Dios es de fiar!

Señor Dios nuestro, dame libertad de espíritu y altura de miras para apostar por ti, para fiarme del Evangelio de tu Hijo, nuestro Señor Jesucristo.

EVANGELIO

Miércoles

Memoria libre o feria: Blanco.

Hechos 15,1-6 / Salmo 121 / Juan 15,1-8.

En aquel tiempo, dijo Jesús a sus discípulos: «Yo soy la verdadera vid, y mi Padre es el labrador. A todo sarmiento mío que no da fruto lo arranca, y a todo el que da fruto lo poda, para que dé más fruto. Vosotros ya estáis limpios por las palabras que os he hablado; permaneced en mí, y yo en vosotros. Como el sarmiento no puede dar fruto por sí, si no permanece en la vid, así tampoco vosotros, si no permanecéis en mí. Yo soy la vid, vosotros los sarmientos; el que permanece en mí y yo en él, ese da fruto abundante; porque sin mí no podéis hacer nada. Al que no permanece en mí lo tiran fuera, como el sarmiento, y se seca; luego los recogen y los echan al fuego, y arden. Si permanecéis en mí, y mis palabras permanecen en vosotros, pedid lo que deseáis, y se realizará. Con esto recibe gloria mi Padre, con que deis fruto abundante; así seréis discípulos míos».

Jesús, vid y viñador

Con el capítulo 15 del Evangelio de Juan comienza el segundo discurso de despedida de Jesús. Su tema fundamental es la comunidad cristiana, y con la alegoría de la vid y los sarmientos se significan las relaciones de los discípulos con Él. El Antiguo Testamento utiliza en alguna ocasión las imágenes de la viña y la vid para referirse al Pueblo de Israel: "Sacaste una vid de Egipto…". La solemne proclamación de Jesús sobre su identidad: "Yo soy la vid verdadera", ¿significa que Jesús viene a sustituir el lugar antes ocupado por Israel? Más claro es que, al atribuir a los discípulos la condición de sarmientos de la vid que es Jesús, la imagen expresa la estrecha relación vital que une a los discípulos con el Maestro. Elemento central de la imagen es la alusión a la fecundidad que se demanda a los discípulos: "dar fruto", condicionada al mantenimiento por ellos de la unión con la vid de la que reciben la vida, a su consentimiento a "permanecer" en él, para que él pueda permanecer en ellos. Separados de Jesús no podemos dar fruto: "Sin mí no pueden hacer nada".

Meditemos: "Todo lo puedo en aquel que me conforta", dice san Pablo. El vínculo que nos une es la participación en su vida por la fe, la esperanza y el amor.

Jueves

Desiderio.

Feria: Blanco.

Hechos 15,7-21 / Salmo 95 / Juan 15,9-11.

EVANGELIO

En aquel tiempo, dijo Jesús a sus discípulos: «Como el Padre me ha amado, así os he amado yo; permaneced en mi amor. Si guardáis mis mandamientos, permaneceréis en mi amor; lo mismo que yo he guardado los mandamientos de mi Padre y permanezco en su amor. Os he hablado de esto para que mi alegría esté en vosotros, y vuestra alegría llegue a plenitud».

Evangelio y sabiduría

Jesús dice que permanece en el Padre, en su amor, y que guarda los mandamientos-palabras que recibió de Él. La catequesis que en esta ocasión está transmitiendo a los suyos es de capital importancia: "Guardo las palabras de mi Padre en mi corazón, en mis entrañas, no porque las considere una especie de consigna, sino porque tienen que ver con mi identidad. No, no me mueve el compromiso sino el amor; ni siquiera echo mano de la generosidad. Es algo mayor, mucho mayor que eso. Se trata de obrar con sabiduría. Es un saber con quién estoy y en manos de quién tengo depositada mi vida". No termina ahí la catequesis del Hijo de Dios. Alzando su mirada y como queriendo abarcar a todos los llamados al discipulado que se erguirán a lo largo de la historia, nos lega en herencia su secreto: también ustedes permanecerán en mi amor si hacen de mis mandamientos –mi Evangelio– no una consigna, sino la fuente de su sabiduría. Entonces su alegría será colmada.

Danos, Señor, la sabiduría para reconocer y aceptar que sólo permaneciendo en las palabras de tu Hijo, permanecemos en ti.

Viernes

Donaciano y Rogaciano.

Feria: Blanco.

Hechos 15,22-31 / Salmo 56 / Juan 15,12-17.

EVANGELIO

Este es mi mandamiento: que os améis unos a otros como yo os he amado. Nadie tiene amor más grande que el que da la vida por sus amigos. Vosotros sois mis amigos, si hacéis lo que yo os mando. Ya no os llamo siervos, porque el siervo no sabe lo que hace su señor: a vosotros os llamo amigos, porque todo lo que he oído a mi Padre os lo he dado a conocer. No sois vosotros los que me habéis elegido, soy yo quien os he elegido y os he destinado para que vayáis y deis fruto, y vuestro fruto dure. De modo que lo que pidáis al Padre en mi nombre os lo dé. Esto os mando: que os améis unos a otros».

Éste es mi mandamiento: que se amen los unos a los otros.

El mandamiento de Jesús es uno solo: amar. Y la medida de ese amor es amar como Jesús amó. Y ese amor nos hace crecer: ya no somos siervos sino amigos. Somos amigos de Jesús porque nos ha comunicado el plan amoroso de Dios Padre en favor de nosotros los amigos de Jesús. Estamos llamados a formar la comunidad de amigos de Jesús, es decir, queremos vivir en torno a Jesús, esforzarnos por ser sinceros entre nosotros, ayudarnos mutuamente enriqueciéndonos con los dones de cada uno en favor de los demás. Para este fin nos eligió Jesús para perpetuar su amor y su servicio en favor de todas las personas, pero sobre todo, de los más necesitados de tiempo, ayuda material o fuerza espiritual.

Concédenos, Dios mío, acoger con gozo inaudito el ser llamados amigos por ti. Así, amigos, tal y como salió de tu boca, sin ninguna devalorización.

Sábado

San Beda el Venerable, presbítero y doctor de la Iglesia. o Sta. María Magdalena de Pazzi, virgen.

Memoria libre o feria: Blanco.

Hechos 16,1-10 / Salmo 99 / Juan 15,18-21.

EVANGELIO

En aquel tiempo, dijo Jesús a sus discípulos: «Si el mundo os odia, sabed que me ha odiado a mí antes que a vosotros. Si fuerais del mundo, el mundo os amaría como cosa suya, pero como no sois del mundo, sino que yo os he escogido sacándoos del mundo, por eso el mundo os odia. Recordad lo que os dije: "No es el siervo más que su amo. Si a mí me han perseguido, también a vosotros os perseguirán; si han guardado mi palabra, también guardarán la vuestra". Y todo eso lo harán con vosotros a causa de mi nombre, porque no conocen al que me envió».

En el mundo, sin ser del mundo

Tras haber descrito la naturaleza de la comunidad de los discípulos y su relación vital con Jesús, el revelador del Padre, el texto de Juan previene ahora sobre la situación de esa comunidad en el mundo: "Mundo" significa aquí el mundo hostil a Jesús, revelador de Dios, y hostil también a la Iglesia, con una hostilidad que llegará a veces a la persecución. No es extraño que el Evangelio de Juan se refiera a esta situación que era la que estaban viviendo las comunidades en las que surgió. Para animarlas a sobreponerse a ella, Jesús les recuerda que antes lo han odiado a Él y que el servidor no es mayor que su Señor. La comunidad de vida y de amor de los discípulos con el Señor lleva consigo la comunidad de destino. La elección de Jesús los ha sacado del mundo. Los discípulos están en el mundo, pero "no son del mundo", no proceden de él, no lo tienen por su casa y su destino. Por su participación en la vida y el destino de Jesús, vienen como él de Dios, de "lo alto", "no tienen aquí ciudad permanente". Han "pasado de la muerte a la vida", son "hombres nuevos", "nueva creación", y el mundo tiende a expulsarlos, como hace con todo lo que no es suyo.

Enseña, Señor, a tu Iglesia a salir al mundo, al que la has enviado, sin hacerse del mundo, sin "acomodarse a sus criterios", sin mundanizarse, para así poder anunciarle el Evangelio y ser tu testigo.

EVANGELIO

Domingo

Blanco.

Felipe Neri.

Hechos 15,1-2.22-29 / Salmo 66 / Apocalipsis 21,10-14.22-23 / Juan 14,23-29.

En aquel tiempo, dijo Jesús a sus discípulos: «El que me ama guardará mi palabra, y mi Padre lo amará, y vendremos a él y haremos morada en él. El que no me ama no guardará mis palabras. Y la palabra que estáis oyendo no es mía, sino del Padre que me envió. Os he hablado de esto ahora que estoy a vuestro lado, pero el Defensor, el Espíritu Santo, que enviará el Padre en mi nombre, será quien os lo enseñe todo y os vaya recordando todo lo que os he dicho. La paz os dejo, mi paz os doy; no os la doy yo como la da el mundo. Que no tiemble vuestro corazón ni se acobarde. Me habéis oído decir: «Me voy y vuelvo a vuestro lado». Si me amarais, os alegraríais de que vaya al Padre, porque el Padre es más que yo. Os lo he dicho ahora, antes de que suceda, para que cuando suceda, sigáis creyendo».

Ustedes no son del mundo, pues, al elegirlos, yo los he separado del mundo.

Cristo fue un signo de contradicción para los hombres de su tiempo, es decir, que no estaba de acuerdo con muchas maneras de actuar, pues aquellas personas, actuaban en contra de la justicia, la verdad y la misericordia. El seguidor de Jesucristo también debe ser un signo de contradicción para esta generación que se olvida de Dios. Por tanto, es necesario que el creyente anteponga el amor a Dios como la primera luz y compromiso de su vida. Y anteponer a Dios no significa sólo practicar las obras de culto, sino practicar la justicia, el amor por la verdad y recordarle a la sociedad de hoy que, en los pobres, en los perseguidos, en los que sufren injusticias, Dios está clamando que nos pongamos a trabajar en favor de los más débiles de este mundo.

Aviva, Señor, en nosotros la conciencia de tu presencia en la morada de nuestras almas. Enciende en ellas el fuego de tu amor. Haznos dóciles a tu palabra y sensibles a las necesidades de los hermanos.

Lunes

San Agustín de Canterbury, Obispo.

Memoria libre o feria: Blanco.

Hechos 16,11-15 / Salmo 149 / Juan 15,26-16,4.

EVANGELIO

En aquel tiempo, dijo Jesús a sus discípulos: «Cuando venga el Defensor, que os enviaré desde el Padre, el Espíritu de la verdad, que procede del Padre, él dará testimonio de mí; y también vosotros daréis testimonio, porque desde el principio estáis conmigo. Os he hablado de esto, para que no tambaleéis. Os excomulgarán de la sinagoga; más aún, llegará incluso una hora cuando el que os dé muerte pensará que da culto a Dios. Y esto lo harán porque no han conocido ni al Padre ni a mí. Os he hablado de esto para que, cuando llegue la hora, os acordéis de que yo os lo había dicho».

Testimonio del Padre

Uno de los signos identificadores del discípulo de Jesús es su incapacidad natural de acoplamiento a todo sistema que se opone a la verdad y la luz. El discípulo no odia el sistema inicuo; de hecho, Dios lo ha llamado para sazonarlo con su sal e iluminarlo con su luz. El cristiano, al igual que Jesús, no condena al mundo, sino que le ofrece el servicio del "Evangelio de la salvación" (*Ef* 1,13). Aceptar este servicio –nunca o pobremente reconocido por los hombres, mas siempre por su Señor– es uno de los signos de madurez evangélica que se da en el discípulo. Estará siempre en el punto de mira de los que se sienten interpelados, ya que "es un reproche de nuestros criterios, su sola presencia nos es insufrible, lleva una vida distinta a la de todos nosotros, sus caminos son extraños" (*Sab* 2,14-15). El discípulo, al igual que su Señor, ni busca ni necesita que nadie dé testimonio a su favor. También es cierto que juega con una carta oculta: el testimonio que su Padre da de él (*Jn* 5,32).

Líbranos, Señor, de la esclavitud y de la dependencia de nadie que pueda dar fe de nuestro discipulado. Que nos baste tu testimonio como le bastó a tu Hijo.

Martes

Germán.

Feria: Blanco.

Hechos 16,22-34 / Salmo 137 / Juan 16,5-11.

EVANGELIO

En aquel tiempo, dijo Jesús a sus discípulos: «Ahora me voy al que me envió, y ninguno de vosotros me pregunta: "¿Adónde vas?". Sino que, por haberos dicho esto, la tristeza os ha llenado el corazón. Sin embargo, lo que os digo es la verdad: os conviene que yo me vaya; porque si no me voy, no vendrá a vosotros el Defensor. En cambio, si me voy, os lo enviaré. Y cuando venga, dejará convicto al mundo con la prueba de un pecado, de una justicia, de una condena. De un pecado, porque no creen en mí; de una justicia, porque me voy al Padre, y no me veréis; de una condena, porque el Príncipe de este mundo está condenado».

Los sentidos del alma

Les conviene que yo me vaya, dice Jesús a sus discípulos, les conviene para que su fe alcance su madurez. El Espíritu Santo que yo les enviaré dará testimonio de mí (*Jn* 15,26). Él actuará en ustedes a fin de que sus ojos y oídos interiores se abran y puedan verme y oírme. Es a la luz del envío del Espíritu Santo a los suyos como comprendemos el alcance de las palabras que Jesús dirigió a Tomás cuando pidió verlo y tocarlo resucitado para creer en Él. Palabras dichas para el Apóstol y que en realidad se refieren a nosotros, todos los que hemos creído o queremos creer en el Hijo de Dios. Jesús Dijo: "Porque me has visto has creído. Bienaventurados los que no han visto y han creído" (*Jn* 20,29). Ver y oír desde el alma, teniendo en cuenta lo que nos dice san Agustín: "Si nuestro cuerpo tiene sus sentidos, ¿no los va a tener también el alma?". Lo dicho, "conviene que yo me vaya...", si no, los sentidos de nuestra alma nunca se activarán.

Te alabamos y te bendecimos, Señor, porque nos has dado un alma capaz de verte, oírte, tocarte, palparte..., apasionarse por ti.

Miércoles

Maximino.

Feria: Blanco.

Hechos 17,15-16.22-18,1 / Salmo 148 / Juan 16,12-15.

EVANGELIO

En aquel tiempo, dijo Jesús a sus discípulos: «Muchas cosas me quedan por deciros, pero no podéis cargar con ellas por ahora; cuando venga él, el Espíritu de la verdad, os guiará hasta la verdad plena. Pues lo que hable no será suyo: hablará de lo que oye y os comunicará lo que está por venir. Él me glorificará, porque recibirá de mí lo que os irá comunicando. Todo lo que tiene el Padre es mío. Por eso os he dicho que toma de lo mío y os lo anunciará».

Hasta la verdad completa

El Espíritu de la verdad los pastoreará hasta que puedan alimentarse con ella. Digamos que toda la verdad de nuestra vida está contenida en la Palabra de Dios. Alguien nos tiene que abrir el misterio contenido en ella para saber quiénes somos y también para abrazarnos a la riqueza infinita de nuestro misterio: Dios nos hizo misterio y misterio es Él también. La plenitud de la relación entre Dios y el hombre va a la par de abrirse recíprocamente ambos misterios. El primer paso lo dio Él, escogió un Pueblo en el cual se hizo Emmanuel para el mundo entero. Flanqueado definitivamente el abismo, sigue en medio de nosotros mediante el envío del Espíritu Santo. Él nos guiará a la verdad completa de nuestra alma, nos explicará todas las cosas. Esto es lo que la samaritana esperaba del Mesías, tal y como ella misma afirma (*Jn* 4,25). Jesús envió el Espíritu Santo para esto, para abrirnos de tal forma a la Palabra que podamos ver todo nuestro yo encajado en ella, y por lo tanto, en Él. Esta es la verdad completa de nuestra existencia. ¡Dichoso quien desee buscarla!

Señor, sigue compadeciéndote de nosotros y, cuando oigamos cantos de sirena que nos insinúan otras verdades, guíanos hacia ti, la Verdad completa.

EVANGELIO

Jueves

Fernando.

Feria: Blanco.

Hechos 18,1-8 / Salmo 97 / Juan 16,16-20.

En aquel tiempo, dijo Jesús a sus discípulos: «Dentro de poco ya no me veréis, pero poco más tarde me volveréis a ver». Comentaron entonces algunos discípulos: «¿Qué significa eso de "dentro de poco ya no me veréis, pero poco más tarde me volveréis a ver", y eso de "me voy con el Padre"?». Y se preguntaban: «¿Qué significa ese "poco"? No entendemos lo que dice». Comprendió Jesús que querían preguntarle y les dijo: «¿Estáis discutiendo de eso que os he dicho: "Dentro de poco ya no me veréis, pero poco más tarde me volveréis a ver"?». Pues sí, os aseguro que lloraréis y os lamentaréis vosotros, mientras el mundo estará alegre; vosotros estaréis tristes, pero vuestra tristeza se convertirá en alegría».

Tristeza contenida

"Me voy al Padre, no me verán más; mas no se dejen llevar por la tristeza, me volverán a ver". Así habla Jesús a los suyos. Nos imaginamos a estos hombres inmersos en una angustia muy difícil de describir. Jesús, en quien habían depositado su confianza, su vida entera con todos sus proyectos y horizontes, parece que les está fallando; ven que camina inexorablemente hacia el fracaso y la muerte, y aparentemente no le afecta. Es evidente que cuando aceptaron su llamada al seguimiento, no imaginaban ni por asomo este devenir de los acontecimientos. Jesús sufre con y por ellos; son bastante rudos, también egoístas y ambiciosos, en realidad son como todos los demás hombres; sin embargo, los ama. Le han sido fieles, han perseverado con Él hasta donde podían hacerlo, Él no les pide más (*Lc* 22,28). Como recogiendo el dolor de estos hombres en sus manos, les promete que sus ayes y lamentos darán paso al gozo y la alegría interminables. Posiblemente no estaban en condiciones de entender nada; no le preocupó, sabía que lo entenderían cuando sus palabras se cumpliesen; entonces pasarían de la tristeza contenida a la alegría desbordante (*Lc* 24,41).

Señor Dios nuestro, nos diste ojos no sólo para llorar, sino también para buscarte en la oscuridad. Alégralos con tu presencia.

Viernes

Fiesta: Blanco.

Sofonías 3,14-18 o Romanos 12,9-16 / Isaías 12 / Lucas 1,39-56.

EVANGELIO

En aquellos días, María se puso en camino y fue aprisa a la montaña, a un pueblo de Judá; entró en casa de Zacarías y saludó a Isabel. En cuanto Isabel oyó el saludo de María, saltó la criatura en su vientre. Se llenó Isabel del Espíritu Santo y dijo a voz en grito: «¡Bendita tú entre las mujeres, y bendito el fruto de tu vientre! ¿Quién soy yo para que me visite la madre de mi Señor? En cuanto tu saludo llegó a mis oídos, la criatura saltó de alegría en mi vientre. Dichosa tú, que has creído, porque lo que te ha dicho el Señor se cumplirá». María dijo: «Proclama mi alma la grandeza del Señor, se alegra mi espíritu en Dios, mi salvador; porque ha mirado la humillación de su esclava. Desde ahora me felicitarán todas las generaciones, porque el Poderoso ha hecho obras grandes por mí: su nombre es santo, y su misericordia llega a sus fieles de generación en generación. Él hace proezas con su brazo: dispersa a los soberbios de corazón, derriba del trono a los poderosos y enaltece a los humildes, a los hambrientos los colma de bienes y a los ricos los despide vacíos. Auxilia a Israel, su siervo, acordándose de la misericordia –como lo había prometido a nuestros padres– en favor de Abrahán y su descendencia por siempre». María se quedó con Isabel unos tres meses y después volvió a su casa.

Las visitas de Dios

En la de María a Isabel, esta, alertada por el salto de alegría del Precursor, la saluda como "Madre de mi Señor" y proclama la primera bienaventuranza: "Dichosa tú porque has creído".

¡Cuántas visitas de Dios a nosotros! ¿Mereceremos escuchar de Él: "Estuve enfermo, en la cárcel, y me visitaste?".

Sábado

San Justino, mártir.

Memoria: Rojo.

Hechos 18,23-28 / Salmo 46 / Juan 16,23-28.

EVANGELIO

En aquel tiempo, dijo Jesús a sus discípulos: «Yo os aseguro, si pedís algo al Padre en mi nombre, os lo dará. Hasta ahora no habéis pedido nada en mi nombre; pedid, y recibiréis, para que vuestra alegría sea completa. Os he hablado de esto en comparaciones; viene la hora en que ya no hablaré en comparaciones, sino que os hablaré del Padre claramente. Aquel día pediréis en mi nombre, y no os digo que yo rogaré al Padre por vosotros, pues el Padre mismo os quiere, porque vosotros me queréis y creéis que yo salí de Dios. Salí del Padre y he venido al mundo, otra vez dejo el mundo y me voy al Padre».

¡Mi Padre los quiere!

Palabras entrañables estas de Jesús a sus discípulos de todos los tiempos. "Les hablaré del Padre. Es mío y es suyo también, porque han creído, han hecho suya la Palabra" (*Jn* 1,12). "Puesto a hacerles consideraciones, voy a abrirles un poco más mi alma. ¿Saben? Mi Padre los quiere a todos y cada uno de ustedes. Los ama porque me aman a mí; los quiere porque creen en mí". Anteriormente, también a lo largo de la Última Cena, Jesús les dijo que el Padre amaba a los suyos porque habían guardado su Palabra, habían hecho suyo el Evangelio. Mas ahora nos parece que el discurso del Hijo de Dios se convirtió en una confidencia rebosante de ternura: ¡Mi Padre los quiere! ¡Cómo no iba a saltar hasta el cielo el alma del Hijo de Dios al saber que su Padre quería tan tiernamente a los suyos, cuando Él mismo vivía suspendido entre el cielo y la tierra a causa del amor que recibía de Él! Nos imaginamos el grito del Hijo de Dios hoy: ¡Crean en mí, en mi Palabra, lleven mi Evangelio hacia sus entrañas, que mi Padre los quiere!

Jesús, Señor, me rindo ante ti, viniste al mundo para que conociéramos tu amor, al tiempo que nos abres al amor del Padre.

Domingo

Blanco.

Marcelino y Pedro.

Hechos 1,1-11 / Salmo 46 / Hebreos 9,24-28; 10,19-23 / Lucas 24,46-53.

EVANGELIO

En aquel tiempo, dijo Jesús a sus discípulos: «Así estaba escrito: el Mesías padecerá, resucitará de entre los muertos al tercer día y en su nombre se predicará la conversión y el perdón de los pecados a todos los pueblos, comenzando por Jerusalén. Vosotros sois testigos de esto. Yo os enviaré lo que mi Padre ha prometido; vosotros quedaos en la ciudad, hasta que os revistáis de la fuerza de lo alto». Después los sacó hacia Betania y, levantando las manos, los bendijo. Y mientras los bendecía se separó de ellos, subiendo hacia el cielo. Ellos se postraron ante él y se volvieron a Jerusalén con gran alegría; y estaban siempre en el templo bendiciendo a Dios.

Con el Padre y con nosotros

Jesús resucitado abre el corazón de sus discípulos; los hace capaces para que puedan entender las Escrituras. Con este acto da autoridad a lo que les dijo anteriormente: "No se dejen llamar maestros porque solo yo soy su Maestro" (*Mt* 23,8). Efectivamente, solo el Hijo, sabiduría del Padre (*1Cor* 1,24), tiene poder para abrir nuestro espíritu a las riquezas insondables e inagotables de su Palabra (*Col* 3,16).

Bendito seas, Señor Dios nuestro, por habernos dado a tu Hijo como Maestro interior de nuestras almas. Él es quien, abriéndonos a la Palabra, nos abre a ti.

EVANGELIO

Lunes

San Carlos Lwanga y compañeros mártires.

Memoria: Rojo.

Hechos 19,1-8 / Salmo 67 / Juan 16,29-33.

En aquel tiempo, dijeron los discípulos a Jesús: «Ahora sí que hablas claro y no usas comparaciones. Ahora vemos que lo sabes todo y no necesitas que te pregunten; por ello creemos que saliste de Dios». Les contestó Jesús: «¿Ahora creéis? Pues mirad: está para llegar la hora, mejor, ya ha llegado, en que os disperséis cada cual por su lado y a mí me dejéis solo. Pero no estoy solo, porque está conmigo el Padre. Os he hablado de esto, para que encontréis la paz en mí. En el mundo tendréis luchas; pero tened valor: yo he vencido al mundo».

No estoy solo

Creemos en ti, ahora sí que no tenemos la menor duda de que eres el enviado de Dios, que vienes de Él. Protestas de amor y fidelidad por parte de sus discípulos. Jesús cree en su amor y adhesión, mas también sabe que no están en condiciones de prometer nada, no son fuertes aún. Entendámonos, son fuertes según su generosa disposición, pero no son fuertes según Dios; y para ser fieles a Dios hay que ser fuertes según Él; es necesario que sean revestidos por "la fuerza de Dios que es el Evangelio", utilizando esta feliz expresión de Pablo (*Rm* 1,16). Jesús les pone en sobreaviso, mas sin censurarles: "Me dejaran solo, aunque, en realidad, nunca estaré solo, pues el Padre está conmigo". Jesús se agarra al Padre, Él es su fuerza a lo largo de su misión. Ningún hombre nos puede servir de apoyo en ese espacio de soledad en el que se fragua nuestro sí a Dios; ya lo dijo Jeremías: "Maldito el hombre que se apoya en el hombre apartándose de Dios" (*Jr* 17,5). Jesús se apoya en su Padre, ofreciéndonos así lo que podríamos llamar el eje neurálgico de todo discipulado. El día que un hombre enseñado por Dios, se apoye solamente en Él, ese día conoce el resplandor de su rostro.

¡Tú nos hiciste, Dios nuestro, para ser en ti! No permitas que nos apoyemos en nada ni nadie que no seas tú.

Martes

Quirino.

Blanco.

Hechos 20,17-27 / Salmo 67 / Juan 17,1-11.

EVANGELIO

En aquel tiempo, Jesús, levantando los ojos al cielo, dijo: «Padre, ha llegado la hora, glorifica a tu Hijo, para que tu Hijo te glorifique y, por el poder que tú le has dado sobre toda carne, dé la vida eterna a los que le confiaste. Esta es la vida eterna: que te conozcan a ti, único Dios verdadero, y a tu enviado, Jesucristo. Yo te he glorificado sobre la tierra, he coronado la obra que me encomendaste. Y ahora, Padre, glorifícame cerca de ti, con la gloria que yo tenía cerca de ti, antes que el mundo existiese. He manifestado tu nombre a los hombres que me diste de en medio del mundo. Tuyos eran, y tú me los diste, y ellos han guardado tu palabra. Ahora han conocido que todo lo que me diste procede de ti, porque yo les he comunicado las palabras que tú me diste, y ellos las han recibido, y han conocido verdaderamente que yo salí de ti, y han creído que tú me has enviado. Te ruego por ellos; no ruego por el mundo, sino por estos que tú me diste, y son tuyos. Sí, todo lo mío es tuyo, y lo tuyo mío; y en ellos he sido glorificado. Ya no voy a estar en el mundo, pero ellos están en el mundo, mientras yo voy a ti».

Conocer a Jesucristo es creer en Él

El texto de hoy podría considerarse un resumen del mensaje de todo el Evangelio de san Juan: "En esto consiste la vida eterna: en que te conozcan a ti, único Dios verdadero, y a quien enviaste, Jesucristo". Basta con que entendamos ese "conocer" como "creer en", "encontrarse con él". "El cristiano de hoy será místico o no será cristiano". La expresión no hace más que glosar la frase central del Evangelio de hoy. Porque "ser místico" cristianamente no es otra cosa que encontrarse personalmente con Dios en Jesucristo.

Dame, Señor, conocimiento interno de tu persona y de tu vida, para que te ame y te siga.

EVANGELIO

Miércoles

San Bonifacio, obispo y mártir.

Memoria: Rojo.

Hechos 20,28-38 / Salmo 67 / Juan 17,11-19.

En aquel tiempo, Jesús, levantando los ojos al cielo, oró, diciendo: «Padre santo, guárdalos en tu nombre, a los que me has dado, para que sean uno, como nosotros. Cuando estaba con ellos, yo guardaba en tu nombre a los que me diste, y los custodiaba, y ninguno se perdió, sino el hijo de la perdición, para que se cumpliera la Escritura. Ahora voy a ti, y digo esto en el mundo para que ellos mismos tengan mi alegría cumplida. Yo les he dado tu palabra, y el mundo los ha odiado porque no son del mundo, como tampoco yo soy del mundo. No ruego que los retires del mundo, sino que los guardes del mal. No son del mundo, como tampoco yo soy del mundo. Conságralos en la verdad; tu palabra es verdad. Como tú me enviaste al mundo, así los envío yo también al mundo. Y por ellos me consagro yo, para que también se consagren ellos en la verdad».

Padre, cuídalos

Jesús habla al Padre de sus discípulos, diríamos que con el corazón en la mano. ¿Qué le va a contar a Él de sus debilidades e incluso ambiciones terrenas? Sin embargo, lo aman, bien lo sabe Jesús. Sufre por el desvalimiento que se cierne sobre ellos y suplica al Padre: "Cuando me vean injuriado, insultado, tratado como un muñeco, siendo el blanco de toda burla..., cuando me vean morir, ¡cuídalos tú! Les he dado tu Palabra, que es su fuerza y al mismo tiempo su debilidad en el sentido de que a causa de ella serán perseguidos." Jesús está trascendiendo en el tiempo. Intercede, pues, al Padre por todos nosotros, los que hemos aceptado, o bien queremos aceptar, su llamado al discipulado. ¡"Cuida de ellos! –de nosotros–, grita Jesús al Padre. Santifícalos, conságralos en la verdad, en tu Palabra, de forma que un día puedan decir que has sido leal con ellos, que no les has fallado, que has hecho honor a tu nombre, que han recibido la plenitud prometida en mi Evangelio; demuéstrales tu lealtad a tu palabra dada. ¡Cuídalos! Que el escándalo de la Cruz, del mal del mundo, no les haga caer irremisiblemente. Levántalos con tu amor".

Señor Dios nuestro, concédenos la sabiduría de reconocer que cuanto más pequeños nos hacemos más y mejor nos cuidas.

Jueves

San Norberto, Obispo.

Memoria libre o feria de la 7a. semana de Pascua: Blanco.

Hechos 22,30;23,6-11 / Salmo 15 / Juan 17,20-26.

EVANGELIO

En aquel tiempo, Jesús, levantando los ojos al cielo, oró, diciendo: «Padre santo, no solo por ellos ruego, sino también por los que crean en mí por la palabra de ellos, para que todos sean uno, como tú, Padre, en mí, y yo en ti, que ellos también lo sean en nosotros, para que el mundo crea que tú me has enviado. También les di a ellos la gloria que me diste, para que sean uno, como nosotros somos uno; yo en ellos, y tú en mí, para que sean completamente uno, de modo que el mundo sepa que tú me has enviado y los has amado como me has amado a mí. Padre, este es mi deseo: que los que me confiaste estén conmigo donde yo estoy y contemplen mi gloria, la que me diste, porque me amabas, antes de la fundación del mundo. Padre justo, si el mundo no te ha conocido, yo te he conocido, y estos han conocido que tú me enviaste. Les he dado a conocer y les daré a conocer tu nombre, para que el amor que me tenías esté con ellos, como también yo estoy con ellos».

El deseo de Jesús

Al principio de su intercesión al Padre desarrollada a lo largo de todo el capítulo 17 del Evangelio de Juan, Jesús le dijo que, culminada su misión, lo glorificase junto a Él con la gloria que tenía a su lado desde siempre (*Jn* 17,5). Al final del capítulo que es este pasaje, parece como si a Jesús le faltara algo cuando esté con su Padre...; sí, le faltan los que en Él han creído, sus discípulos; de ahí su súplica y su deseo: "Quiero que donde yo esté, estén también conmigo, y que mientras permanezcan en el mundo, no les falte el amor con el que tú me has amado a lo largo de toda mi vida". Este es Jesús, nuestro Señor, en quien tenemos depositada nuestra fe. Podría decir al resucitar: ¡misión cumplida, vuelvo al Padre! No lo va a hacer así; le vence el amor, de ahí su súplica: ¡"Quiero que estén conmigo, con nosotros; mira que aun en su debilidad están a mi lado"!. La buena y extraordinaria noticia consiste en que este deseo de Jesús se extiende con la misma fuerza e intensidad a través del tiempo y del espacio hacia todos aquellos que "por medio de su predicación creerán en mí".

Señor Jesús, si a ti te venció el amor por mí, me atrevo a pedirte que mi amor por ti venza sobre mí.

Viernes

Roberto de Newminster.

Feria de la 7a. semana de Pascua: Blanco.

Hechos 25,13-21 / Salmo 102 / Juan 21,15-19.

EVANGELIO

Habiéndose aparecido Jesús a sus discípulos, después de comer con ellos, dice a Simón Pedro: «Simón, hijo de Juan, ¿me amas más que éstos?». Él le contestó: «Sí, Señor, tú sabes que te quiero». Jesús le dice: «Apacienta mis corderos». Por segunda vez le pregunta: «Simón, hijo de Juan, ¿me amas?». Él le contesta: «Sí, Señor, tú sabes que te quiero». Él le dice: «Pastorea mis ovejas». Por tercera vez le pregunta: «Simón, hijo de Juan, ¿me quieres?». Se entristeció Pedro de que le preguntara por tercera vez si lo quería y le contestó: «Señor, tú conoces todo, tú sabes que te quiero». Jesús le dice: «Apacienta mis ovejas. Te lo aseguro: cuando eras joven, tú mismo te ceñías e ibas adonde querías; pero, cuando seas viejo, extenderás las manos, otro te ceñirá y te llevará adonde no quieras». Esto dijo aludiendo a la muerte con que iba a dar gloria a Dios. Dicho esto, añadió: «Sígueme».

Pastores según mi corazón

Tres veces pregunta el Señor a Pedro "¿Me amas?". Tres veces le responde: "Señor, sabes de mí mejor que nadie, más que yo mismo. He aprendido a no prometerte nada; si me lo preguntas es porque entiendo que va a ser más un don tuyo que un compromiso mío. Así pues, desde mi flaqueza te digo que sí, que te amo". Le propone el Resucitado, el Restaurador de almas y corazones: "Apacienta mis ovejas". Pedro no da crédito a lo que está oyendo. ¿Que apaciente tus ovejas? ¿Que te represente como pastor? ¿Que la profecía acerca de ti del salmista: "el Señor es mi pastor nada me falta, en prados de fresca hierba me apacienta", se va a cumplir también en mí? ¿Me llamas a ser pastor? Sí, le responde Jesús. Como de costumbre, no entiendes, ya que "mis pensamientos no son como los tuyos" (*Is* 55,8). Nos imaginamos a Pedro diciéndose a sí mismo: ¿Cuándo comprenderé que el Señor Jesús me ama por ser Él quien es: el amor visible del Padre? "Él nos amó primero" (*1Jn* 4,19).

Señor Jesús, pensar que me haces a mí las mismas preguntas que a Pedro, me lleva a abrirme a ti diciéndote: háblame, pídeme lo que quieras.

Sábado

Blanca.

Hechos 28,16-20.30-31 / Salmo 10
Juan 21,20-25.

Misa vespertina de la vigilia: Roja.

Génesis 11,1-9 / Salmo 103 / Romanos 8,22-27 / Juan 7,37-39.

EVANGELIO

En aquel tiempo, Pedro, volviéndose, vio que los seguía el discípulo a quien Jesús tanto amaba, el mismo que en la cena se había apoyado en su pecho y le había preguntado: «Señor, ¿quién es el que te va a entregar?». Al verlo, Pedro dice a Jesús: «Señor, y este, ¿qué?». Jesús le contesta: «Si quiero que se quede hasta que yo venga, a ti, ¿qué? Tú, sígueme». Entonces se empezó a correr entre los hermanos el rumor de que ese discípulo no moriría. Pero no le dijo Jesús que no moriría, sino: «Si quiero que se quede hasta que yo venga, ¿a ti qué?». Este es el discípulo que da testimonio de todo esto y lo ha escrito; y nosotros sabemos que su testimonio es verdadero. Muchas otras cosas hizo Jesús. Si se escribieran una por una, pienso que los libros no cabrían ni en todo el mundo.

Tú sígueme

Sígueme, le dijo Jesús a Pedro al confirmarle la llamada que de Él recibió. El Apóstol sigue los pasos de su Señor. De pronto, se vuelve y ve que otro discípulo va detrás de ambos. Pregunta a Jesús acerca de quién le sigue, y obtiene una respuesta que no parece muy esclarecedora; sin embargo, lo es. Jesús quiere dejar patente que hay momentos en el seguimiento en los que seremos tentados a mirar atrás o a cualquier parte, para ver si hay alguien con quien compartir la locura de seguirle sin saber cuál será el paso siguiente a dar. Discipulado y precariedad van de la mano. Si conociéramos los pasos a seguir, no habría ni sorpresa, ni novedad, ni creatividad; no habría lugar para el asombro, en definitiva, seríamos privados de poder decir una y otra vez a lo largo de nuestro caminar: "Hoy he visto cosas increíbles". Y sin la experiencia de lo increíble, ¿para qué nos habría de llamar el Hijo de Dios? (*Lc* 5,26b).

Padre en el cielo, déjame vivir en la libertad del hijo de Dios, y en la confianza con la que fortaleces mi espina dorsal, e invitas a mi espalda a que vaya conmigo por la vida en la libertad que me has obsequiado: una vida en plenitud, una vida colorida y llena de gozo.

EVANGELIO

Domingo

Rojo.

Efrén, diácono y doctor de la iglesia.

Hechos 2,1-11 / Salmo 103 / 1Corintios 12,3-7.12-13 o Romanos 8,8-17 /

Secuencia obligatoria: Juan 20,19-23 o 14,15-16.23-26.

En aquel tiempo, dijo Jesús a sus discípulos: «Si me amáis, guardaréis mis mandamientos. Yo le pediré al Padre que os dé otro defensor, que esté siempre con vosotros. El que me ama guardará mi palabra, y mi Padre lo amará, y vendremos a él y haremos morada en él. El que no me ama no guardará mis palabras. Y la palabra que estáis oyendo no es mía, sino del Padre que me envió. Os he hablado de esto ahora que estoy a vuestro lado, pero el Defensor, el Espíritu Santo, que enviará el Padre en mi nombre, será quien os lo enseñe todo y os vaya recordando todo lo que os he dicho».

El don del Señor Jesús

Claridad sin fisuras por parte de Jesús en lo que se refiere a la calidad y verdad respecto a nuestro pretendido amor hacia Él. El que me ama guardará mi Palabra; y a la inversa, el que no guarda mis palabras, no me ama. Dicho así, con esta franqueza, nos quedamos un poco perplejos, sobre todo si no hemos sido instruidos por el Espíritu Santo acerca de la inagotable riqueza que contiene la Palabra de Dios. Sabemos acerca de ella, mas quizá sólo de Memoria, sin haber sido sumergidos en sus profundos manantiales cuyas aguas son gozo y alegría de salvación (*Is* 12,3). De ser así, acojamos con sencillez el don incomparable del Señor Jesús, su Espíritu Santo. Nos lo envía para enseñarnos a saborear la Palabra, a beberla y a comerla; también a recordarla, es decir, y tal como lo expresa este verbo, a llevarla al corazón, allí dará su fruto: conoceremos a Dios.

El Dios que Jesús anunció, nos trae en relación con nosotros mismos, con los ámbitos inconscientes de nuestra alma, con nuestro vivir. Y Él nos abre hacia los hermanos y las hermanas. El Dios de la vida es igualmente también el Dios del amor.

Lunes

Landerico.

Feria: Verde.

2Corintios 1,1-7 / Salmo 33 / Mateo 5,1-12.

EVANGELIO

En aquel tiempo, al ver Jesús el gentío, subió a la montaña, se sentó, y se acercaron sus discípulos; y él se puso a hablar, enseñándoles: «Dichosos los pobres en el espíritu, porque de ellos es el Reino de los cielos. Dichosos los que lloran, porque ellos serán consolados. Dichosos los sufridos, porque ellos heredarán la tierra. Dichosos los que tienen hambre y sed de la justicia, porque ellos quedarán saciados. Dichosos los misericordiosos, porque ellos alcanzarán misericordia. Dichosos los limpios de corazón, porque ellos verán a Dios. Dichosos los que trabajan por la paz, porque ellos se llamarán los hijos de Dios. Dichosos los perseguidos por causa de la justicia, porque de ellos es el Reino de los cielos. Dichosos vosotros cuando os insulten y os persigan y os calumnien de cualquier modo por mi causa. Estad alegres y contentos, porque vuestra recompensa será grande en el cielo, que de la misma manera persiguieron a los profetas anteriores a vosotros».

Bienaventurados los que me buscan

Nos preguntamos cómo puede uno atreverse a resumir en tan pocas líneas lo que podríamos llamar el Espíritu del Evangelio. Este, el Espíritu del Evangelio, es la denominación que se da a las Bienaventuranzas proclamadas por el Hijo de Dios para todos aquellos que quieren emprender el camino del discipulado con Él. Se me ocurre pensar que son "lo mejor de Dios", si es que se pudiera hablar así, y que sólo los hambrientos y sedientos de Él son capaces de degustarlas. Siendo así, podríamos proclamar: Bienaventurados los que Tienen el alma hambrienta, tan hambrienta que recorren caminos y rincones buscando a ese Alguien que se la pueda saciar. Jesús subió al monte y proclamó: "Vengan a mí todos ustedes, hambrientos y sedientos de amor, de paz, de misericordia, de justicia... Yo soy ese alguien que, aun a tientas y quizá sin saberlo muy bien, buscan. Vengan a mí los que buscan respuestas a sus insatisfacciones...".

Danos, Señor Jesús, un corazón abierto a ti,
a tus palabras de vida eterna.

EVANGELIO

Martes

Memoria: Rojo. Patrono de la ciudad de Mérida, Yuc.

Hechos 11,21-26; 13,1-3 / Salmo 97 / Mateo 5,13-16.

En aquel tiempo, dijo Jesús a sus discípulos: «Vosotros sois la sal de la tierra. Pero si la sal se vuelve sosa, ¿con qué la salarán? No sirve más que para tirarla fuera y que la pise la gente. Vosotros sois la luz del mundo. No se puede ocultar una ciudad puesta en lo alto de un monte. Tampoco se enciende una lámpara para meterla debajo del celemín, sino para ponerla en el candelero y que alumbre a todos los de casa. Alumbre así vuestra luz a los hombres, para que vean vuestras buenas obras y den gloria a vuestro Padre que está en el cielo».

Luz del mundo, sal de la tierra

La parábola de la sal y la luz se refiere a la misión de los discípulos de Jesús en el mundo. La misión es, en primer lugar, un rasgo constitutivo de su propia identidad. El cristiano es, como Jesús mismo, enviado al mundo. La misión no es una acción añadida, no es una tarea reservada a unos pocos. "Ustedes –todos los discípulos por el hecho de serlo– son la sal de la tierra"; "ustedes son la luz del mundo". El cristiano puede ser poca cosa, pero deja de ser cristiano, si se hace insignificante. Y la significatividad del cristianismo depende de su autenticidad, de su radicalidad. Decisivo para la acción de la luz y la sal es que sean verdaderamente lo que son. Si no es verdaderamente creyente, el cristiano no podrá ser testigo. Pero lo que está llamado a ser depende de que exista, como Jesús, para los demás. La lámpara ha de consumir su aceite, como la vela su cera, para iluminar. Es entregándose como el cristiano produce su efecto maravilloso de dar sabor al mundo, como el amor se lo da a la vida. Sal y luz son metáforas para cada cristiano, para las comunidades cristianas, para la Iglesia.

Escuchemos y meditemos las advertencias sobre la sal y la luz: ¿Qué pasa con la luz puesta bajo una vasija? ¿Qué es de la sal si pierde su sabor? ¿Qué será de una Iglesia que deja de evangelizar?

Miércoles

Feria: Verde.

Onofre.

2Corintios 3,4-11 / Salmo 98 / Mateo 5,17-19.

EVANGELIO

En aquel tiempo, dijo Jesús a sus discípulos: «No creáis que he venido a abolir la Ley y los profetas: no he venido a abolir, sino a dar plenitud. Os aseguro que antes pasarán el cielo y la tierra que deje de cumplirse hasta la última letra o tilde de la Ley. El que se salte uno solo de los preceptos menos importantes, y se lo enseñe así a los hombres, será el menos importante en el Reino de los cielos. Pero quien los cumpla y enseñe será grande en el Reino de los cielos».

No he venido a abolir

No he venido a abolir la ley sino a darle cumplimiento. A primera vista no nos parece que esta exhortación del Hijo de Dios sea muy comprensible. En realidad, es un anuncio bellísimo de liberación interior del hombre. Jesús está proclamando desde lo más profundo de su ser que la ley es una propuesta que ha de ser entendida como don. Está hablando más de gracia que de compromiso y esfuerzo personal. Vemos a lo largo del Evangelio cómo está subyacente la comprensión de que la ley en cuanto tal, pura y dura, termina desgastando al hombre y recortando sus más nobles intenciones y propósitos. La ley, en el espíritu en que le fue revelada a Israel, da paso a la gracia. Se convierte en Palabra viva y eficaz sembrada en el corazón, haciéndose así nuestra aliada, motor que genera fuerza: la fuerza de Dios. Llega a ser entonces la fuerza y nuestra razón de ser discípulos; se erige en la garantía de nuestra fidelidad. Entendemos mejor todo esto a la luz de lo que dijo Jesús a la samaritana acerca del agua viva –la fuente interior– que Él ha venido a dar a todo hombre. "El agua que yo le dé se convertirá en Él en fuente de agua que brota para la vida eterna" (*Jn* 4,14b). Es su Palabra viva hecha fuente la que nos pone en comunión con Dios. No, no he venido a abolir la ley, sino a darle plenitud.

Gracias, Señor, porque con tu muerte has convertido la ley en fuente de vida que fluye de los corazones que tú habitas.

EVANGELIO

Jueves

Fiesta: Blanco.

Antonio de Padua.

Hebreos 10, 12-23 / Salmo 39 / Lucas 22,14-20.

Cuando llegó la hora, se puso a la mesa con los apóstoles; y les dijo: «Con ansia he deseado comer esta Pascua con vosotros antes de padecer; porque os digo que ya no la comeré más hasta que halle su cumplimiento en el Reino de Dios.» Y recibiendo una copa, dadas las gracias, dijo: «Tomad esto y repartidlo entre vosotros; porque os digo que, a partir de este momento, no beberé del producto de la vid hasta que llegue el Reino de Dios.» Tomó luego pan, y, dadas las gracias, lo partió y se lo dio diciendo: Este es mi cuerpo que es entregado por vosotros; haced esto en recuerdo mío.» De igual modo, después de cenar, hizo lo mismo con una copa de vino, diciendo: «Esta copa es la Nueva Alianza, sellada con mi sangre, que es derramada por vosotros.

Todo el que se enoje contra su hermano, será llevado ante el tribunal

Jesús, nuestro Maestro, es el nuevo Moisés que vino a dar plenitud a la ley de Dios. Por eso lleva la ley de la primera alianza a una nueva manera de comprender la voluntad de Dios. Dios ama siem-pre e incondicionalmente, por eso el prójimo debe ser recibido, respetado, amado y servido incondi-cionalmente. El cristiano debe renunciar, por amor a Dios, y luchar contra la ira, el rencor, el des-precio, el insulto o la violencia como formas sutiles de estar "matando" a los demás. El creyente descubre en las palabras de sabiduría de Jesús que en la medida en que aprende a amar, a respetar y servir va madurando en el designio de Dios que quiere que no seamos esclavos de las cadenas más fuertes que el acero: las cadenas del rencor y del odio. Jesús vino a romper esas cadenas.

Señor, di sólo tu palabra de amor y afirmación, para que yo mismo pueda afirmar y asumir todo lo que en mí hay.

Viernes

Feria: Verde.

Eliseo.

2Corintios 4,6-15 / Salmo 115 / Mateo 5,27-32.

EVANGELIO

En aquel tiempo, dijo Jesús a sus discípulos: «Habéis oído el mandamiento "no cometerás adulterio". Pero yo os digo: El que mira a una mujer casada deseándola, ya ha sido adúltero con ella en su interior. Si tu ojo derecho te hace caer, sácatelo y tíralo. Más te vale perder un miembro que ser echado entero en el infierno. Si tu mano derecha te hace caer, córtatela y tírala, porque más te vale perder un miembro que ir a parar entero al infierno. Está mandado: "El que se divorcie de su mujer, que le dé acta de repudio". Pues yo os digo: El que se divorcie de su mujer, excepto en caso de impureza, la induce al adulterio, y el que se case con la divorciada comete adulterio».

Sinceros con Dios

El que se pasa la vida como un funámbulo haciendo equilibrios sobre la cuerda de la ley, sopesando hasta dónde puede transgredir o no sin mancharse demasiado, en realidad es un pobre hombre. Ni conoce a Dios ni se conoce a sí mismo. Esta forma de actuar es lo que podríamos llamar la antesala del escepticismo, también de una relación con Dios insulsa. Bien conoce Jesús este peligro que nos acecha, y justamente para abrirnos los ojos nos habla del adulterio del corazón. Jesús no hace caso de estos funambulismos, de corazones calculadores. De lo que se trata es de tener un corazón habitado por Dios (*Jn* 14,23). Si no lo habita Él, estará poseído por nuestros egos, por tantos espectros nombrados específicamente por el Hijo de Dios (*Mc* 7,21-23). El que se deja atravesar por el Evangelio de Jesús conoce la transparencia del corazón. Puede por debilidad transgredir, mas no se opaca la transparencia, así de sencillo, sin funambulismos.

Danos, Señor, un corazón noble que busque la verdad,
y que nunca se contente con nada que no seas tú o que no lleve tu sello.

Sábado

Vito.

Verde o Blanco.

2Corintios 5,14-21 / Salmo 102 / Mateo 5,33-37.

EVANGELIO

En aquel tiempo, dijo Jesús a sus discípulos: «Habéis oído que se dijo a los antiguos: "No jurarás en falso" y "cumplirás tus votos al Señor". Pues yo os digo que no juréis en absoluto: ni por el cielo, que es el trono de Dios; ni por la tierra, que es estrado de sus pies; ni por Jerusalén, que es la ciudad del Gran Rey. Ni jures por tu cabeza, pues no puedes volver blanco o negro un solo pelo. A vosotros os basta decir "sí" o "no". Lo que pasa de ahí viene del Maligno».

Sin doblez

A Dios le agrada el sí y el no, esos que salen de la boca y del corazón de los hombres rectos, aquellos a los que las Escrituras llaman rectos de corazón. Ni juramentos ni fórmulas; mirar a lo alto y contactar con aquel que, por el honor y la gloria de Dios, culminó su misión a favor nuestro: "Yo te he glorificado en la tierra, llevando a cabo la obra que me encomendaste realizar" (*Jn* 17,4). Mirarle y suplicar más que prometer, abrir una vez más su costado con nuestra indigencia, y dejarnos colmar por la gracia y el amor que fluyen de él. Sólo desde la gracia y el amor derramados en nuestro corazón por el buen pastor que se dio por nosotros, el hombre puede, consciente de su debilidad, decirle: ¡Aquí estoy! Soy debilidad y no te digo nada nuevo, pues bien la conoces; y aun así me llamas al seguimiento. Me pides un sí sin adornos ni florituras que me hagan olvidar mis flaquezas. Bien, Señor. Te digo mi sí..., y lo pongo en tus manos, pues en las mías se me puede caer.

Señor, siembra tu libertad en nuestros corazones para que, de ellos, nazcan palabras y actitudes alejadas de toda sospecha de fingimiento.

Domingo

Blanco;
Patrono principal de la diócesis de Atlacomulco.

Quirico y Julita.

Proverbios 8,22-31 / Salmo 8 / Romanos 5,1-5 / Juan 16,12-15.

EVANGELIO

En aquel tiempo, dijo Jesús a sus discípulos: «Muchas cosas me quedan por deciros, pero no podéis cargar con ellas por ahora; cuando venga él, el Espíritu de la verdad, os guiará hasta la verdad plena. Pues lo que hable no será suyo: hablará de lo que oye y os comunicará lo que está por venir. Él me glorificará, porque recibirá de mí lo que os irá comunicando. Todo lo que tiene el Padre es mío. Por eso os he dicho que tomará de lo mío y os lo anunciará».

Unas confidencias

Durante la Última Cena, Jesús confió en sus amigos. Les hizo saber que no les consideraba siervos, sino amigos íntimos; les dio la razón de por qué les había abierto su intimidad: porque los había hecho partícipes de la palabra recibida de su Padre (*Jn* 15,15), Palabra que mantuvo a ambos en comunión. Fue en las palabras del Padre donde Jesús se encontraba con Él, sentía su presencia y amor; cada palabra recibida era un baluarte que le mantenía fiel a su voluntad. En el mismo clima de confidencias, los exhorta a guardar, a hacer suyas las palabras que Él les da, las que han oído de sus labios. Los exhorta a que hagan del Evangelio el armazón espiritual de su alma. Les promete, en fin, el envío del Espíritu Santo. Él será quien les enseñará a saborear a Dios en el banquete ininterrumpido que es la Palabra. Banquete ofrecido por el Padre, el Hijo y el Espíritu Santo; la Santísima Trinidad cuya fiesta celebramos hoy.

Dios Padre santo y eterno, concédenos la pasión por el Evangelio de tu Hijo; solo así comprenderemos la inagotable riqueza de tu Palabra.

EVANGELIO

Lunes

Feria: Verde.

Blasto y Diógenes.

2Corintios 6,1-10 / Salmo 97 / Mateo 5,38-42.

En aquel tiempo, dijo Jesús a sus discípulos: «Habéis oído que se dijo: "Ojo por ojo, diente por diente". Yo, en cambio, os digo: No hagáis frente al que os agravia. Al contrario, si uno te abofetea en la mejilla derecha, preséntale la otra; al que quiera ponerte pleito para quitarte la túnica, dale también la capa; a quien te requiera para caminar una milla, acompáñale dos; a quien te pide, dale, y al que te pide prestado, no lo rehúyas».

Pero yo les digo

A lo largo de las enseñanzas que nos va dejando el Hijo de Dios en el Sermón de la Montaña, encontramos una especie de estribillo que dice: "Han oído que se dijo, pero yo les digo". No he querido hacer mención de él hasta hoy, ya que lo que leemos en este pasaje son palabras mayores: "No te resistas al mal, ofrece la otra mejilla, da el manto al que te quite la túnica...". Más que palabras mayores, las podríamos considerar inaceptables. Así es desde el punto de vista de la ley, es decir, desde lo que benevolamente "podemos ofrecer al Señor". No es así desde la gracia. De ahí la distinción entre: "Han oído que se dijo..." –es decir, la ley por la ley– y "pero yo les digo", la ley cumplida por Él, y también por el hombre en cuanto don y gracia suya. Hablamos de la fuerza de Dios prometida por el Señor Jesús a los suyos (*Lc* 24,49) para que puedan ser sus testigos (*Hch* 1,8). Ser testigos de Jesús significa llevar el resplandor de sus palabras en el alma, también aquellas que parecen inaceptables para el mundo. Esto no es posible desde el fanatismo, sino desde la experiencia de ser amados y enriquecidos por Él. Algo de esto nos adelantó el salmista: "Bienaventurado el que encuentra en ti su fuerza al emprender su camino" –de fe– (*Sal* 84,6).

Señor Jesús, ¡hay tantos que dicen y dicen a mis oídos sin, en realidad, decirme nada! Haz que me apasione por lo que me dices tú.

Martes

Feria: Verde.

Amando.

2Corintios 8,1-9 / Salmo 145 / Mateo 5,43-48.

EVANGELIO

En aquel tiempo, dijo Jesús a sus discípulos: «Habéis oído que se dijo: "Amarás a tu prójimo" y aborrecerás a tu enemigo. Yo, en cambio, os digo: Amad a vuestros enemigos, y rezad por los que os persiguen. Así seréis hijos de vuestro Padre que está en el cielo, que hace salir su sol sobre malos y buenos, y manda la lluvia a justos e injustos. Porque, si amáis a los que os aman, ¿qué premio tendréis? ¿No hacen lo mismo también los publicanos? Y si saludáis solo a vuestros hermanos, ¿qué hacéis de extraordinario? ¿No hacen lo mismo también los gentiles? Por tanto, sed perfectos, como vuestro Padre celestial es perfecto».

La gracia de Dios conmigo

"Amen a sus enemigos, rueguen por los que los persiguen", nos dice el Señor Jesús. En el mismo contexto Lucas escribe: "Amen a sus enemigos, hagan el bien a los que los odian" (Lc 6,27). Ya no se trata de una actitud pasiva ante la enemistad y el agravio. Se trata de pasar a la acción: haz el bien al que a ti te haga el mal. Por supuesto que esto es inaceptable para un corazón dividido. Me explico. Hablo de un corazón dividido en compartimentos en los que caben la vanidad, el dinero, el honor, la gloria, el ego... ¡y, por fin, otro para Dios! En este sentido da la impresión de que Dios no es más que un inspector que viene a reclamar su parte. Cuando es así, no solamente sobra el Evangelio de hoy, sino por completo. Cuando Dios establece su morada en el corazón del hombre (*Jn* 14,23), desaparecen los compartimentos inicuos; lo que nos parecían montañas imposibles de conquistar, se nos muestran como ridículas pequeñeces. Eso quiere decir que Dios nos ha capacitado para amar sin condiciones ni parcelas. Es entonces cuando vivimos agradecidos porque actuamos bajo la fuerza de la gracia, como testimonia Pablo: "...pero no yo, sino la gracia de Dios que está conmigo..." (*1Cor* 15,10b).

Señor Dios nuestro, líbranos de la mortal pobreza de un corazón que sólo tiene compartimentos de acogida para sus amigos.

EVANGELIO

Miércoles

San Romualdo, abad.

Memoria libre ó feria: Blanco ó Verde.

2Corintios 9,6-11 / Salmo 111 / Mateo 6,1-6.16-18.

En aquel tiempo, dijo Jesús a sus discípulos: «Cuidad de no practicar vuestra justicia delante de los hombres para ser vistos por ellos; de lo contrario, no tendréis recompensa de vuestro Padre celestial. Por tanto, cuando hagas limosna, no vayas tocando la trompeta por delante, como hacen los hipócritas en las sinagogas y por las calles, con el fin de ser honrados por los hombres; os aseguro que ya han recibido su paga. Tú, en cambio, cuando hagas limosna, que no sepa tu mano izquierda lo que hace tu derecha; así tu limosna quedará en secreto, y tu Padre, que ve en lo secreto, te lo pagará. Cuando recéis, no seáis como los hipócritas, a quienes les gusta rezar de pie en las sinagogas y en las esquinas de las plazas, para que los vea la gente. Os aseguro que ya han recibido su paga. Tú, cuando vayas a rezar, entra en tu aposento, cierra la puerta y reza a tu Padre, que está en lo escondido, y tu Padre, que ve en lo escondido, te lo pagará. Cuando ayunéis, no andéis cabizbajos, como los hipócritas que desfiguran su cara para hacer ver a la gente que ayunan. Os aseguro que ya han recibido su paga. Tú, en cambio, cuando ayunes, perfúmate la cabeza y lávate la cara, para que tu ayuno lo note, no la gente, sino tu Padre, que está en lo escondido; y tu Padre, que ve en lo escondido, te recompensará».

Tu Padre ve en lo secreto

Oración, ayuno y limosna. Todas las religiones del mundo tienen estos tres puntales que les ayudan a relacionarse con Dios. ¿Cuál es la novedad que nos ofrece Jesucristo? La discreción, y más aún, el anonimato. Sólo así nuestras oraciones, ayunos y limosnas quedan preservadas del padre de la mentira. Satanás ejerce su poder seductor sobre nosotros impulsándonos a elevarnos, por medio de nuestras buenas obras, a un pedestal en el que nuestro nombre pueda cobrar esplendor. "Ya han recibido su paga", dice Jesús. Tres veces repite la palabra paga, la que se da a los mercenarios. Estos reciben de los hombres su paga.

Jueves

Blanco.

Génesis 14,18-20/ Salmo 109/ 1Corintios 11,23-26/ Secuencia/ Lucas 9,11-17.

CUBA y E.U.A., feria: Verde.

2Corintios 11,1-11/ Salmo 110/ Mateo 6,7-15.

EVANGELIO

En aquel tiempo, Jesús se puso a hablar al gentío del reino de Dios y curó a los que lo necesitaban. Caía la tarde, y los Doce se le acercaron a decirle: «Despide a la gente; que vayan a las aldeas y cortijos de alrededor a buscar alojamiento y comida, porque aquí estamos en descampado». Él les contestó: «Dadles vosotros de comer». Ellos replicaron: «No tenemos más que cinco panes y dos peces; a no ser que vayamos a comprar de comer para todo este gentío». Porque eran unos cinco mil hombres. Jesús dijo a sus discípulos: «Decidles que se echen en grupos de unos cincuenta». Lo hicieron así, y todos se echaron. Él, tomando los cinco panes y los dos peces, alzó la mirada al cielo, pronunció la bendición sobre ellos, los partió y se los dio a los discípulos para que se los sirvieran a la gente. Comieron todos y se saciaron, y cogieron las sobras: doce cestos.

Denles el sabor de Dios

Me sirvo del profeta Baruc, quien describe en una oración bellísima la situación anímica de los primeros israelitas que vuelven desde Babilonia a Jerusalén: "El alma colmada de aflicción, el que camina encorvado y extenuado, los ojos lánguidos y el alma hambrienta, esos son los que te dan gloria y justicia, Señor" (*Bar* 2,18). Así es como ve Jesús a esta multitud que, olvidándose de sus cosas, acude a Él con el alma hambrienta para escucharle. Se acerca la noche y los discípulos dicen al Señor que despida a todos y que se arreglen como puedan. El Señor hará un signo cuyo significado va mucho más allá de su literalidad, más allá de comer unos panes. Signo que apunta a la verdadera altura –gigantesca– que puede alcanzar el hombre: llegar a saborear a Dios. Jesús funda la Iglesia y da a sus hijos el poder de proporcionar al hombre el pan del alma, aquel que nos da el sabor de Dios; de ahí su recomendación a los discípulos en el pasaje de hoy: «¡Denles de comer!». A continuación partió los panes, los dio primeramente a los suyos, y estos a la multitud, los que habían dejado todo para escucharlo.

Danos, Señor, tus entrañas de compasión y misericordia ante el hambre de ti que tiene el mundo entero.

Viernes

San Luis Gonzaga, religioso.

Memoria: Blanco.

2Corintios 11,18.21-30/ Salmo 33 / Mateo 6,19-23.

EVANGELIO

En aquel tiempo, dijo Jesús a sus discípulos: «No atesoréis tesoros en la tierra, donde la polilla y la carcoma los roen, donde los ladrones abren boquetes y los roban. Atesorad tesoros en el cielo, donde no hay polilla ni carcoma que se los coman, ni ladrones que abran boquetes y roben. Porque donde está tu tesoro allí está tu corazón. La lámpara del cuerpo es el ojo. Si tu ojo está sano, tu cuerpo entero tendrá luz; si tu ojo está enfermo, tu cuerpo entero estará a oscuras. Y si la única luz que tienes está oscura, ¡cuánta será la oscuridad!».

Tú y nadie más

"Yo y nadie más", gritó en su inconsciencia la poderosa Babilonia, hasta que le llegó el día en el que sus incontables grandezas se hicieron polvo con el polvo de la tierra (*Is* 47,10...). El Hijo de Dios nos da las pautas evangélicas a fin de que nuestras metas alcanzadas no nos arrastren al vacío y al aniquilamiento. Con qué claridad resuena su voz: Busca, amontona tesoros que sean inmunes al tiempo, a la polilla y al desgaste, a los saqueos y tragedias..., a todo tipo de deterioro. Busca lo que permanece para siempre, sean hijos de la luz. Estos son aquellos que tienen ojos en el corazón venciendo así toda oscuridad. Oigamos al salmista: "¡Sea Dios tu delicia y Él te dará lo que pide tu corazón!" (*Sal* 37,4). Cuando estés abrazado a estas riquezas que Jesús te propone, dirás lo contrario que los hijos de Babilonia, aquellos que desde sus inestables alturas pregonaban ¡yo y nadie más...! Los discípulos del Señor pueden proclamar desde la Roca-Evangelio en la que han asentado su vida: ¡Tú, Dios mío, y nadie más! ¡Estoy contigo, nada me falta! (*Sal* 23,1)

Líbrame, Dios mío, de tener dos señores; porque uno moriría conmigo, y el otro, que serías tú, lo desconocería.

Sábado

San Paulino de Nola o san Juan Fisher. obispo y Tomás Moro, mártires.

Memoria libre o feria: Rojo o Verde.

2Corintios 12,1-10 / Salmo 33 / Mateo 6,24-34.

EVANGELIO

En aquel tiempo, dijo Jesús a sus discípulos: «Nadie puede estar al servicio de dos amos. Porque despreciará a uno y querrá al otro; o, al contrario, se dedicará al primero y no hará caso del segundo. No podéis servir a Dios y al dinero. Por eso os digo: No estéis agobiados por la vida, pensando qué vais a comer o beber, ni por el cuerpo, pensando con qué os vais a vestir. ¿No vale más la vida que el alimento, y el cuerpo que el vestido? Mirad a los pájaros: ni siembran, ni siegan, ni almacenan y, sin embargo, vuestro Padre celestial los alimenta. ¿No valéis vosotros más que ellos? ¿Quién de vosotros, a fuerza de agobiarse, podrá añadir una hora al tiempo de su vida? ¿Por qué os agobiáis por el vestido? Fijaos cómo crecen los lirios del campo: ni trabajan ni hilan. Y os digo que ni Salomón, en todo su fasto, estaba vestido como uno de ellos. Pues, si a la hierba, que hoy está en el campo y mañana se quema en el horno, Dios la viste así, ¿no hará mucho más por vosotros, gente de poca fe? No andéis agobiados, pensando qué vais a comer, o qué vais a beber, o con qué os vais a vestir. Los gentiles se afanan por esas cosas. Ya sabe vuestro Padre del cielo que tenéis necesidad de todo eso. Sobre todo buscad el reino de Dios y su justicia; lo demás se os dará por añadidura. Por tanto, no os agobiéis por el mañana, porque el mañana traerá su propio agobio. A cada día le bastan sus disgustos».

Nuestro Padre los cuida

Un corazón, sólo un corazón tenemos los hombres, no dos. Solo uno puede ser habitado. Sin embargo, dos son los que se lo disputan: Dios y el dinero. Que sea uno u otro el que gane la partida, "el derecho de propiedad", va más allá de las buenas intenciones o actitudes superficiales. Al final ganará la partida aquel que sea digno de la confianza del hombre. De ahí la bellísima catequesis del Señor Jesús a sus discípulos: ¡Confíen en su Padre! No sean como los gentiles, los escépticos, los indiferentes, como todos aquellos que se afanan por tener hasta malbaratar su vida.

Domingo

Verde.

José Cafasso.

Zacarías 12,10-11; 13,1 / Salmo 62 / Gálatas 3,26-29 / Lucas 9,18-24.

EVANGELIO

Hermanos: Todos sois hijos de Dios por la fe en Cristo Jesús. Los que os habéis incorporado a Cristo por el bautismo os habéis revestido de Cristo. Ya no hay distinción entre judíos y gentiles, esclavos y libres, hombres y mujeres, porque todos sois uno en Cristo Jesús. Y, si sois de Cristo, sois descendencia de Abrahán y herederos de la promesa.

Una vez que Jesús estaba orando solo, en presencia de sus discípulos, les preguntó: «¿Quién dice la gente que soy yo?». Ellos contestaron: «Unos que Juan el Bautista, otros que Elías, otros dicen que ha vuelto a la vida uno de los antiguos profetas». Él les preguntó: «Y vosotros, ¿quién decís que soy yo?». Pedro tomó la palabra y dijo: «El Mesías de Dios». Él les prohibió terminantemente decírselo a nadie. Y añadió: «El Hijo del hombre tiene que padecer mucho, ser desechado por los ancianos, sumos sacerdotes y escribas, ser ejecutado y resucitar al tercer día». Y, dirigiéndose a todos, dijo: «El que quiera seguirme, que se niegue a sí mismo, cargue con su cruz cada día y se venga conmigo. Pues el que quiera salvar su vida la perderá; pero el que pierda su vida por mi causa la salvará».

Confesión de boca y corazón

¿Quién dice la gente que soy yo?, pregunta Jesús a sus discípulos. Responde Pedro en nombre de todos: "Tú eres el Cristo, el Ungido de Dios". Llama la atención el cambio radical de escena que se da a continuación: El Hijo del hombre no será aceptado por nadie; de hecho será ejecutado y al tercer día resucitará. Aún no se han repuesto los Apóstoles del susto cuando Jesús continúa: "Si alguno quiere seguirme, sepa que su vida ya no le pertenece. Se los voy a explicar mejor: Quien quiera preservar su vida a toda costa, terminará perdiéndola. Por el contrario, quien la ponga en mis manos, la salvará". Había dicho que el cambio de escena había sido radical, aunque en realidad no hubo cambio alguno. Detrás de todo esto la escena permanece imperturbable, ya que Jesús quiere hacer constar que a la confesión de boca que acaba de hacer Pedro, debe de seguir la confesión del corazón, es decir, con la propia vida. El discípulo llega a hacer esto no por heroísmo, sino por la convicción profunda de su experiencia, su vivir en Jesucristo, como Pablo (*Gál* 2,20). Jesús está diciendo que nuestra vida alcanza su plenitud en Él, y no habla del futuro. El seguimiento nos proporciona las primicias de esta plenitud.

Lunes

Solemnidad: Blanco.

Misa del día: Isaías 49,1-6 / Salmo 138 / Hechos 13,22-26 / Lucas 1,57-66.80.

EVANGELIO

A Isabel se le cumplió el tiempo del parto y dio a luz un hijo. Se enteraron sus vecinos y parientes de que el Señor le había hecho una gran misericordia, y la felicitaban. A los ocho días fueron a circuncidar al niño, y lo llamaban Zacarías, como a su padre. La madre intervino diciendo: «¡No! Se va a llamar Juan». Le replicaron: «Ninguno de tus parientes se llama así». Entonces preguntaban por señas al padre cómo quería que se llamase. Él pidió una tablilla y escribió: «Juan es su nombre». Todos se quedaron extrañados. Inmediatamente se le soltó la boca y la lengua, y empezó a hablar bendiciendo a Dios. Los vecinos quedaron sobrecogidos, y corrió la noticia por toda la montaña de Judea. Y todos los que lo oían reflexionaban diciendo: «¿Qué va a ser este niño?». Porque la mano del Señor estaba con él. El niño iba creciendo, y su carácter se afianzaba; vivió en el desierto hasta que se presentó a Israel.

El profeta del Altísimo

Fiesta del nacimiento de Juan Bautista. Zacarías quedó sin habla desde que el ángel le anunció que él y su mujer serían los padres del precursor del Mesías. Repito, se quedó mudo: ¿Castigo o, más bien, espacio de silencio ante el precursor de la Palabra? De cualquier manera, ante el nacimiento del precursor Dios desató su lengua. Zacarías bendice a Dios con todo su corazón y con toda su alma. Mirando a los ojos al niño que tiene en sus brazos, le dice: "Y tú, hijo de mis entrañas, serás llamado profeta del Altísimo; tú eres aquella voz a quien se refirió el profeta" (*Is* 40,3) que clamaría en el desierto para preparar el camino a la Gloria de Israel, el Mesías. Tú harás conocer al Pueblo santo la luz que nos visitará de lo alto para iluminar a los que vivimos en tinieblas y en sombras de muerte.

Tú eres bendito, Señor,
y por ti toda la humanidad ha sido bendecida.

EVANGELIO

Martes

Feria: Verde.

Guillermo de Vercelli.

Génesis 13,2.5-18 / Salmo 14 / Mateo 7,6.12-14.

En aquel tiempo, dijo Jesús a sus discípulos: «No deis lo santo a los perros, ni les echéis vuestras perlas a los cerdos; las pisotearán y luego se volverán para destrozaros. Tratad a los demás como queréis que ellos os traten; en esto consiste la ley y los profetas. Entrad por la puerta estrecha. Ancha es la puerta y espacioso el camino que lleva a la perdición, y muchos entran por ellos. ¡Qué estrecha es la puerta y qué angosto el camino que lleva a la vida! Y pocos dan con ellos».

La puerta estrecha

Entren por la puerta estrecha, la que lleva a la vida, nos dice Jesús. Es la puerta por la que entran los sencillos, los que no portan sobre sí mismos, como si fuesen bestias de carga, un abanico interminable de pretensiones y ambiciones. En realidad, todo hombre cabe por esta puerta, por muy estrecha que sea, que da acceso a la vida. El problema se da únicamente cuando uno es tan necio en pensar que su equipaje es parte de su yo, por lo que considera irrenunciable atar indisolublemente a él su existencia, algo así como si fuesen uña y carne. Quizá nos conviene apropiarnos de la sabiduría de Pablo quien, a este respecto, nos da este bellísimo testimonio: "Juzgo que todo es pérdida ante la sublimidad del conocimiento de Cristo Jesús, mi Señor, por quien perdí todas las cosas, y las tengo por basura para ganar a Cristo" (*Flp* 3,8). Muchas cosas, mucho de equipaje imprescindible cargaba Pablo sobre sus lomos. Cuando conoció al Señor Jesús, tuvo la lucidez para llamar a las cosas por su nombre: a toda su carga amontonada a través de años y años de esfuerzo, la llamó basura. Cupo por la puerta.

Señor, no me sueltes de tu mano, porque me seduce más la puerta grande que la pequeña.

Miércoles

Feria: Verde.

Antelmo.

Génesis 15,1-12.17-18 / Salmo 104 / Mateo 7,15-20.

EVANGELIO

En aquel tiempo, dijo Jesús a sus discípulos: «Cuidado con los falsos profetas; se acercan con piel de oveja pero por dentro son lobos rapaces. Por sus frutos los conoceréis. A ver, ¿acaso se cosechan uvas de las zarzas o higos de los cardos? Los árboles sanos dan frutos buenos; los árboles dañados dan frutos malos. Un árbol sano no puede dar frutos malos, ni un árbol dañado dar frutos buenos. El árbol que no da fruto bueno se tala y se echa al fuego. Es decir, que por sus frutos los conoceréis.

La obra de Dios

¿En qué se distingue un verdadero de un falso profeta? Por supuesto que en varias cosas. Hay, sin embargo, una que es determinante: el verdadero profeta busca la gloria de Dios; el falso, la suya. El profeta verdadero tiene sus ojos fijos en su Señor, con la simplicidad de quien sabe que es Él quien inicia y consuma su fe (*Heb* 12,2). En esta dependencia, que es tan amorosa como gloriosa, no se le ocurre ni pensar que esté realizando su propia gloria, sino la de aquel que le llamó. Vive su misión inmensamente agradecido y hasta confundido, porque Dios se haya fijado en él y se haya atrevido a confiarle el ministerio de la evangelización, como nos confiesa Pablo (*1Tim* 1,12). Por su parte, el falso profeta vive para su obra. Es capaz de recorrer cielos y tierra para llevarla a cabo. Demasiado agotamiento y cansancio solo para firmar su obra. Todo esto teniendo en cuenta que hasta el mismo Hijo de Dios testifica que no ha venido al mundo para hacer su obra, sino la del Padre (*Jn* 4,34).

Señor Dios nuestro, dame ojos para mirarme por dentro,
y fuerza para arrancar toda falsedad que en mi interior encuentre.

EVANGELIO

Jueves

San Cirilo de Alejandría, obispo y doctor de la Iglesia.

Memoria libre: Blanco o Verde.

Génesis 16,1-12.15-16 / Salmo 105 / Mateo 7,21-29.

En aquel tiempo, dijo Jesús a sus discípulos: «No todo el que me dice "Señor, Señor" entrará en el Reino de los cielos, sino el que cumple la voluntad de mi Padre que está en el cielo. Aquel día muchos dirán: "Señor, Señor, ¿no hemos profetizado en tu nombre, y en tu nombre echado demonios, y no hemos hecho en tu nombre muchos milagros?". Yo entonces les declararé: "Nunca os he conocido. Alejaos de mí, malvados". El que escucha estas palabras mías y las pone en práctica se parece a aquel hombre prudente que edificó su casa sobre roca. Cayó la lluvia, se salieron los ríos, soplaron los vientos y descargaron contra la casa; pero no se hundió, porque estaba cimentada sobre roca. El que escucha estas palabras mías y no las pone en práctica se parece a aquel hombre necio que edificó su casa sobre arena. Cayó la lluvia, se salieron los ríos, soplaron los vientos y rompieron contra la casa, y se hundió totalmente». Al terminar Jesús este discurso, la gente estaba admirada de su enseñanza, porque les enseñaba con autoridad, y no como los escribas.

¡Señor, Señor!

No todo el que me dice Señor, Señor, entrará en el Reino de los cielos. El que un hombre tenga sin cesar mi nombre en sus labios, no significa ni quiere decir que me conozca y que vaya un día a tener parte conmigo. Duras estas palabras del Hijo de Dios, pronunciadas no para causar miedo, más bien las llamaríamos medicinales, ya que nos ponen en alerta ante una relación con Él sostenida por la falsedad y el vacío. Por otra parte, a los que escuchaban a Jesús no les debió extrañar este lenguaje; lo oían con frecuencia en las sinagogas. Veamos, por ejemplo, estas: "Dios dice al impío: ¿Qué tienes tú que recitas mis preceptos, y tomas en tu boca mi alianza, tú que detestas la doctrina, y echas a tus espaldas mis palabras?" (*Sal* 50,16-17). Hay un decir: ¡Señor, Señor!, y no hacer; y hay un "sí hacer" que proclama a gritos quién es el Señor de quien así actúa. Jesús llama a estos hombres sabios y prudentes, porque edifican su casa –su vida– sobre la Roca, sobre Él. Toda la forma de ser de estos hombres indica quién es su Señor.

Jesús, Hijo de Dios, haz que mis labios sean lo suficientemente limpios como para llamarte Señor, Señor, sin caer en la mentira.

Viernes

Solemnidad: Rojo.

Ireneo.

Ezequiel 34,11-16 / Salmo 22 / Romanos 5,5-11 / Lucas 15,3-7.

EVANGELIO

En aquel tiempo, dijo Jesús a los fariseos y escribas esta parábola: «Si uno de vosotros tiene cien ovejas y se le pierde una, ¿no deja las noventa y nueve en el campo y va tras la descarriada, hasta que la encuentra? Y, cuando la encuentra, se la carga sobre los hombros, muy contento; y, al llegar a casa, reúne a los amigos y a los vecinos para decirles: "¡Felicitadme!, he encontrado la oveja que se me había perdido". Os digo que así también habrá más alegría en el cielo por un solo pecador que se convierta que por noventa y nueve justos que no necesitan convertirse».

De corazón a corazón

El corazón es el símbolo para el centro del ser humano, para su fondo de misterio que ni él mismo conoce del todo. El corazón es, además, el "órgano" del amor: se ama a Dios "de todo corazón". Hablar del corazón de Jesús es hablar del centro, abismado en Dios, de Jesús "en quien habita corporalmente la plenitud de Dios". Por eso, si todo en Jesús: sus palabras, sus gestos, sus sentimientos, su vida toda nos revela a Dios, nada nos lo revela tan inmediata, tan íntimamente como su corazón. Ese corazón que se conmueve ante la desdicha de los humanos, que busca como el buen pastor a la oveja perdida, que acoge con fiestas al hijo alejado. Ese corazón traspasado hasta derramar la última gota de su sangre que "habiendo amado a los suyos, los amó hasta el extremo". San Pablo canta el misterio del corazón de Jesús y el de los creyentes en su himno: "Por eso doblo las rodillas ante el Padre… Que Cristo habite por la fe en nuestros corazones; que vivan arraigados y fundamentados en el amor. Así podrán comprender… cuál es la anchura, la longitud, la altura y la profundidad del amor de Cristo, que supera todo conocimiento y que los llena de la plenitud misma de Dios".

¡Sagrado corazón de Jesús, en ti confío!

Sábado

Solemnidad: Rojo.

Misa del día:

Hechos 12,1-11 / Salmo 33 / 2Timoteo 4,6-8.17-18 / Mateo 16,13-19.

EVANGELIO

En aquel tiempo, al llegar a la región de Cesarea de Filipo, Jesús preguntó a sus discípulos: «¿Quién dice la gente que es el Hijo del hombre?». Ellos contestaron: «Unos que Juan Bautista, otros que Elías, otros que Jeremías o uno de los profetas». Él les preguntó: «Y vosotros, ¿quién decís que soy yo?». Simón Pedro tomó la palabra y dijo: «Tú eres el Mesías, el Hijo de Dios vivo». Jesús le respondió: «¡Dichoso tú, Simón, hijo de Jonás!, porque eso no te lo ha revelado nadie de carne y hueso, sino mi Padre que está en el cielo. Ahora te digo yo: Tú eres Pedro, y sobre esta piedra edificaré mi Iglesia, y el poder del infierno no la derrotará. Te daré las llaves del Reino de los cielos; lo que ates en la tierra quedará atado en el cielo, y lo que desates en la tierra quedará desatado en el cielo».

Amaron hasta encontrar la vida

Fiesta de los Apóstoles Pedro y Pablo. Amaron a su Señor hasta el extremo, con toda la grandeza e intensidad de la que se dejaron llenar por el Espíritu Santo. ¡Tú eres el Cristo, el Hijo de Dios vivo!, confesó Pedro sin poder contener las llamaradas de fuego que subían de su alma. Jesús lo miró fijamente y, viendo en su rostro, tan ingenuo como amoroso, los millones de discípulos que irían a compartir la misma confesión de fe, le dijo: ¡Bienaventurado eres, Simón, bienaventurado porque mi Padre ha tomado posesión de ti y ha puesto esta confesión de fe en tus labios! Bienaventurado porque, aunque caigas un día –y así será–, tu confesión ha quedado escrita con tinta indeleble en tu alma. Te doblarás ante la tentación, mas yo te levantaré y volverás a confesar hasta dar tu vida por mí y por mi Evangelio. Pero recuerda que cuando des tu vida por mí, mi Evangelio es tuyo, tan tuyo que tendrás autoridad para repetir lo mismo que yo: "Por eso me ama el Padre, porque doy mi vida, para recobrarla de nuevo. Y nadie me la quita; la doy voluntariamente" (*Jn* 10,17-18).

Danos, Señor, la nobleza e intrepidez de estos dos Apóstoles, y también un corazón como el suyo para amarte como ellos.

Domingo

Verde.

Familia Paulina, San Pablo apóstol.

Solemnidad: Rojo.

1Reyes 19,16.19-21 / Salmo 15 / Gálatas 5,1.13-18 / Lucas 9,51-62.

EVANGELIO

Cuando se iba cumpliendo el tiempo de ser llevado al cielo, Jesús tomó la decisión de ir a Jerusalén. Y envió mensajeros por delante. De camino, entraron en una aldea de Samaria para prepararle alojamiento. Pero no lo recibieron, porque se dirigía a Jerusalén. Al ver esto, Santiago y Juan, discípulos suyos, le preguntaron: «Señor, ¿quieres que mandemos bajar fuego del cielo que acabe con ellos?». Él se volvió y les regañó. Y se marcharon a otra aldea. Mientras iban de camino, le dijo uno: «Te seguiré adonde vayas». Jesús le respondió: «Las zorras tienen madriguera, y los pájaros nido, pero el Hijo del hombre no tiene dónde reclinar la cabeza». A otro le dijo: «Sígueme». Él respondió: «Déjame primero ir a enterrar a mi padre». Le contestó: «Deja que los muertos entierren a sus muertos; tú vete a anunciar el reino de Dios». Otro le dijo: «Te seguiré, Señor. Pero déjame primero despedirme de mi familia». Jesús le contestó: «El que echa mano al arado y sigue mirando atrás no vale para el reino de Dios».

Hacia Jerusalén

Nos dice Lucas que, cercana la fecha en la que había de volver al cielo, pasando por su muerte de malhechor y blasfemo, Jesús se reafirmó en su aceptación de esta voluntad del Padre. Para ello encamina sus pasos hacia Jerusalén, ciudad en la que será llevada a cabo su condena ultrajante. Nada queda al azar, ha venido para ofrecer su vida en rescate por todos y nada le retrae; ni siquiera va a tener el consuelo de morir aclamado como un héroe; más bien todo lo contrario, como un impostor. En su caminar hacia el cumplimiento definitivo de su misión, se le acercan algunos que desean ser sus discípulos. Las distintas respuestas que les da tienen un denominador común: "Nadie que quiera buscarse a sí mismo podrá seguirme, ni siquiera entenderá lo que significa el discipulado". Seguir al Señor Jesús supone la confianza de dejarse conducir por otro, por Dios.

Señor, reafirma mi corazón que oscila entre dos amores: el tuyo y el del mundo. Inclina mi balanza hacia ti.

EVANGELIO

Lunes

Feria: Verde.

Aarón.

Génesis 18,16-33 / Salmo 102 / Mateo 8,18-22.

En aquel tiempo, viendo Jesús que lo rodeaba mucha gente, dio orden de atravesar a la otra orilla. Se le acercó un escriba y le dijo: «Maestro, te seguiré adonde vayas». Jesús le respondió: «Las zorras tienen madrigueras y los pájaros nidos, pero el Hijo del hombre no tiene dónde reclinar la cabeza». Otro, que era discípulo, le dijo: «Señor, déjame ir primero a enterrar a mi padre». Jesús le replicó: «Tú, sígueme. Deja que los muertos entierren a sus muertos».

Todos estamos llamados al seguimiento

Existen distintos estados de vida en la Iglesia. Los ministros ordenados en sus diferentes grados los pastores, que tenían la misión de gobernar, enseñar y santificar, y el Pueblo fiel, los "religiosos", que abrazan la vida consagrada, y los que viven en el mundo, pero sabemos que todos los cristianos formamos el Pueblo de Dios, somos consagrados por el bautismo, que la dignidad suprema de todos es la de ser hijos de Dios, y que todos somos discípulos, llamados igualmente a la santidad. Así todos nos sentimos discípulos de Jesús, concernidos por sus instrucciones sobre el seguimiento. Todos estamos invitados a seguir sus pasos, llevar su forma de vida en los diferentes estados de vida en que nos encontramos; urgidos a poner el reinado de Dios por encima de todo; a desprender el corazón de los bienes del mundo, para que ninguno se convierta en un ídolo para nosotros, y a anunciar el Reino de Dios donde vivimos. ¿Son estas exigencias excesivas? El Señor no nos llama sin darnos la capacidad y los recursos para seguirle.

El misericordioso y buen Dios te bendice. Él se encuentra contigo, y te abre los ojos al secreto que alumbra en cada rostro humano. Él te protege en todos tus caminos.

Martes

Feria: Verde.

Monegunda.

Génesis 19,15-29 / Salmo 25 / Mateo 8,23-27.

EVANGELIO

En aquel tiempo, subió Jesús a la barca, y sus discípulos lo siguieron. De pronto, se levantó un temporal tan fuerte que la barca desaparecía entre las olas; él dormía. Se acercaron los discípulos y lo despertaron, gritándole: «¡Señor, sálvanos, que nos hundimos!». Él les dijo: «¡Cobardes! ¡Qué poca fe!». Se puso en pie, increpó a los vientos y al lago, y vino una gran calma. Ellos se preguntaban admirados: «¿Quién es este? ¡Hasta el viento y el agua le obedecen!».

¿Hombres de poca fe?

"Jesús subió a la barca y los discípulos lo siguieron". En el texto de hoy prosigue la instrucción sobre el seguimiento, y con él el evangelista va a mostrar la nueva actitud que deben adoptar los discípulos para serlo. La violenta tempestad está a punto de hundir la barca y pone en serio peligro la vida de los discípulos. Su grito de auxilio dirigido a Jesús: "¡nos hundimos!", manifiesta que no ven otra solución que la intervención de Jesús, aparentemente ajeno a todo y profundamente dormido. Alguna confianza muestra que le pidan ayuda, cuando todo les parece perdido. Pero Jesús les reprocha su poca fe. Porque la fe disipa el temor. Creer en Dios significa estar convencido de que la propia vida está en manos de Dios y nada definitivamente malo puede ocurrirnos. Saber que Él nos acompaña siempre, aunque su presencia se nos oculte, justamente para que confiemos en Él como solo Él merece: con confianza absoluta. El episodio de la tempestad calmada es imagen de la situación de la barca de la Iglesia, frecuentemente zarandeada por las olas, y de que en ella hacemos la travesía de la vida. Cada prueba superada nos hará, como a los discípulos, crecer en el conocimiento interno del Señor que expresa su pregunta: "¿Quién es este hombre…?".

En la esperanza en la misericordia de Dios, debemos también tratarnos con misericordia, y perdonarnos todo lo que hasta ahora nos hemos reprochado.

EVANGELIO

Miércoles

Fiesta: Rojo.

Efesios 2,19-22 / Salmo 116 / Juan 20,24-29.

Tomás, uno de los Doce, llamado el Mellizo, no estaba con ellos cuando vino Jesús. Y los otros discípulos le decían: «Hemos visto al Señor». Pero él les contestó: «Si no veo en sus manos la señal de los clavos, si no meto el dedo en el agujero de los clavos y no meto la mano en su costado, no lo creo». A los ocho días, estaban otra vez dentro los discípulos y Tomás con ellos. Llegó Jesús, estando cerradas las puertas, se puso en medio y dijo: «Paz a vosotros». Luego dijo a Tomás: «Trae tu dedo, aquí tienes mis manos; trae tu mano y métela en mi costado; y no seas incrédulo, sino creyente». Contestó Tomás: «¡Señor mío y Dios mío!». Jesús le dijo: «¿Porque me has visto has creído? Dichosos los que crean sin haber visto».

Jesús, el que hace la comunidad

Fiesta de Tomás, Apóstol, tan incrédulo como desconfiado antes de su experiencia de Jesús resucitado. Sin embargo, de él hemos recibido la más bella y profunda confesión de fe en Jesús: "¡Señor mío y Dios mío!". Cierto que fue escéptico ante el testimonio que le dieron los demás Apóstoles. Su confesión fue fruto del amor del buen pastor, quien vino a su encuentro. Misterio de amor el que se dio entre el Señor Jesús y su discípulo. Todo el grupo quedó sobrecogido al ver a Tomás palpar con sus manos al Resucitado. Tomás vio, oyó, palpó y creyó. Bienaventurado, dijo Jesús, aquel que crea en mí sin verme físicamente. Quizá a la luz de esta exhortación, Juan escribió: "Lo que existía desde el principio, lo que hemos oído, lo que hemos visto con nuestros ojos, lo que contemplaron y tocaron nuestras manos acerca de la Palabra de la vida... se lo anunciamos para que también ustedes esten en comunión con nosotros" (*Jn* 1,1-3). He ahí la comunión perfecta entre los hermanos. Lo son porque cada uno de ellos desde su alma ve, oye y palpa a Dios en su Palabra.

Señor Jesús, despierta los sentidos de mi alma para que pueda ver, oírte, palparte y saborearte.

Jueves

Feria: Blanco o Verde.

Isabel de Portugal.
E.U.A: Día de la Independencia.
Memoria libre: Blanco o Verde.

Formulario de la Misa por diversas circunstancias.

Génesis 22,1-19/ Salmo 114/ Mateo 9,1-8.

EVANGELIO

En aquel tiempo, subió Jesús a una barca, cruzó a la otra orilla y fue a su ciudad. Le presentaron un paralítico, acostado en una camilla. Viendo la fe que tenían, dijo al paralítico: «¡Ánimo, hijo!, tus pecados están perdonados». Algunos de los escribas se dijeron: «Este blasfema». Jesús, sabiendo lo que pensaban, les dijo: «¿Por qué pensáis mal? ¿Qué es más fácil decir: "Tus pecados están perdonados", o decir: "Levántate y anda"? Pues, para que veáis que el Hijo del hombre tiene potestad en la tierra para perdonar pecados –dijo dirigiéndose al paralítico–: "Ponte en pie, coge tu camilla y vete a tu casa"». Se puso en pie, y se fue a su casa. Al ver esto, la gente quedó sobrecogida y alababa a Dios, que da a los hombres tal potestad.

Tus pecados están perdonados

El relato de este milagro presenta dos novedades: Jesús lo realiza al ver la fe de los que presentan al paralítico. Aprecia esta oración de intercesión hecha con fe que tantas veces ha recomendado. Pero la respuesta de Jesús no es la esperada y desconcierta a los fariseos. Comienza dando ánimos al paralítico y declarando perdonados sus pecados. Jesús no quiere decir que su enfermedad esté causada por ellos. Ha percibido la situación real del enfermo y responde a ella en su totalidad. Con su respuesta da lugar a la reacción de los fariseos y a la revelación de su propia identidad que ellos son incapaces de reconocer. Efectivamente, solo Dios puede perdonar los pecados. Por eso, si Él puede hacerlo, podrá también curar al enfermo. Y curando al paralítico les hace ver que al Hijo del hombre le ha sido dado poder para perdonar los pecados: viene de parte de Dios. Las multitudes han comprendido el mensaje: quedan sobrecogidas ante la irrupción del poder de Dios en Jesús y le glorifican por habérselo dado. El paralítico se levanta y vuelve a su casa perdonado y curado.

¡Señor, que en nuestras plegarias de los fieles nos llevemos los unos a los otros a tu presencia con la fe de los que te presentaron al paralítico!

EVANGELIO

Viernes

San Antonio Ma. Zacaría, presbítero.
Memoria libre ó feria: Blanco o Verde.
E.U.A: Sta. Isabel de Portugal,
Memoria libre ó feria: Blanco o Verde.
Génesis 23,1-4.19; 24,1-8.62-67 / Salmo 105 / Mateo 9,9-13.

En aquel tiempo, vio Jesús al pasar a un hombre llamado Mateo, sentado al mostrador de los impuestos, y le dijo: «Sígueme». Él se levantó y lo siguió. Y, estando en la mesa en casa de Mateo, muchos publicanos y pecadores, que habían acudido, se sentaron con Jesús y sus discípulos. Los fariseos, al verlo, preguntaron a los discípulos: «¿Cómo es que vuestro maestro come con publicanos y pecadores?». Jesús lo oyó y dijo: «No tienen necesidad de médico los sanos, sino los enfermos. Andad, aprended lo que significa "misericordia quiero y no sacrificios": que no he venido a llamar a los justos, sino a los pecadores».

Misericordia quiero

El oficio de Mateo era despreciado y hasta odiado por los judíos piadosos. El que lo ejercía era considerado un publicano, un pecador público. La llamada de Jesús: "sígueme" significa unirlo al círculo de los discípulos más cercanos; y la respuesta de Mateo es inmediata e incondicional. Mateo invita después a Jesús y a sus discípulos a su mesa y a ella se suman muchos publicanos y pecadores. La pregunta escandalizada de los fariseos muestra que se tienen por puros e intachables y que dan gracias a Dios porque no son como ellos. La respuesta de Jesús no deja de reconocer la condición de pecadores de los que le acompañan a la mesa. Pero él no rehúye su compañía, como hacían los fariseos, ni teme contagiarse de su impureza. Son los enfermos y no los sanos los que necesitan médico; y Ésl viene a salvar no a los que se creen justos, sino a los pecadores. Con el recurso al profeta: "Misericordia quiero. . .", Jesús indica que su actitud hace presente la que Dios tiene con todos los humanos. Porque solo la misericordia de Dios, de la que todos necesitamos, nos salva a todos.

Dios misericordioso, me es tan difícil aceptarme a mí mismo. Hay tanto en mí que me molesta: mi impaciencia, mi inquietud, mi susceptibilidad. Todo lo que de mí me enoja, te lo presento. Yo sé que tú me aceptas sin condiciones. Tú no me juzgas ni me condenas.

Sábado

Sta. María Goretti, virgen y mártir.

Memoria libre o feria: Rojo o Verde.

Génesis 27,1-5.15-29/ Salmo 134/ Mateo 9,14-17.

EVANGELIO

En aquel tiempo, se acercaron los discípulos de Juan a Jesús, preguntándole: «¿Por qué nosotros y los fariseos ayunamos a menudo y, en cambio, tus discípulos no ayunan?». Jesús les dijo: «¿Es que pueden guardar luto los invitados a la boda, mientras el novio está con ellos? Llegará un día en que se lleven al novio, y entonces ayunarán. Nadie echa un remiendo de paño sin remojar a un manto pasado; porque la pieza tira del manto y deja un roto peor. Tampoco se echa vino nuevo en odres viejos, porque revientan los odres; se derrama el vino, y los odres se estropean; el vino nuevo se echa en odres nuevos, y así las dos cosas se conservan».

La alegría del Evangelio

Los discípulos de Juan llevaban, como el Bautista, una vida de penitencia y reprochan a Jesús que sus discípulos no observen como ellos y los fariseos la práctica del ayuno. La respuesta de Jesús refleja la conciencia de que con Él irrumpe en el mundo el Evangelio, la buena noticia de que en su persona Dios visita a su Pueblo para salvarlo, y se hace realidad la nueva alianza de Dios con su Pueblo que habían anunciado los profetas. Al ayuno, manifestación externa de la aflicción por la lejanía de Dios, sucede la fiesta con que se celebra la visibilización de su presencia en la persona y la vida de su Hijo encarnado. Con la llegada del reino de Dios, hasta los pobres y los que lloran son declarados bienaventurados; y Jesús declarará dichosos los ojos de los discípulos que ven lo que otros desearon ver y no vieron. El vino nuevo de la nueva alianza requiere los odres nuevos de una nueva forma de vida, envuelta en el clima de alegría que procuran el Evangelio y la fe, la esperanza y el amor con que estamos llamados a responder a él. Es verdad que somos hijos de Dios y que todavía no se ha manifestado lo que estamos llamados a ser. Pero él "está ya con nosotros hasta el final de los días", animando nuestra peregrinación con la esperanza de su venida definitiva.

Expresemos nuestra alegría y nuestra admiración en una oración de alabanza: ¡Bendito sea el Señor, nuestro Dios, porque en Jesucristo ha visitado y redimido a su Pueblo!

Verde.

Panteno de Alejandría.

Isaías 66,10-14 / Salmo 65 / Gálatas 6,14-18 / Lucas 10,1-12.17-20.

EVANGELIO

En aquel tiempo, designó el Señor otros setenta y dos y los mandó por delante, de dos en dos, a todos los pueblos y lugares adonde pensaba ir él. Y les decía: «La mies es abundante y los obreros pocos; rogad, pues, al dueño de la mies que mande obreros a su mies. ¡Poneos en camino! Mirad que os mando como corderos en medio de lobos. No llevéis talega, ni alforja, ni sandalias; y no os detengáis a saludar a nadie por el camino. Cuando entréis en una casa, decid primero: «Paz a esta casa». Y si allí hay gente de paz, descansará sobre ellos vuestra paz; si no, volverá a vosotros. Quedaos en la misma casa, comed y bebed de lo que tengan, porque el obrero merece su salario. No andéis cambiando de casa. Si entráis en un pueblo y os reciben bien, comed lo que os pongan, curad a los enfermos que haya, y decid: "Está cerca de vosotros el reino de Dios". Cuando entréis en un pueblo y no os reciban, salid a la plaza y decid: "Hasta el polvo de vuestro pueblo, que se nos ha pegado a los pies, nos lo sacudimos sobre vosotros. De todos modos, sabed que está cerca el reino de Dios". Os digo que aquel día será más llevadero para Sodoma que para ese pueblo». Los setenta y dos volvieron muy contentos y le dijeron: «Señor, hasta los demonios se nos someten en tu nombre». Él les contestó: «Veía a Satanás caer del cielo como un rayo. Mirad: os he dado potestad para pisotear serpientes y escorpiones y todo el ejército del enemigo. Y no os hará daño alguno. Sin embargo, no estéis alegres porque se os someten los espíritus; estad alegres porque vuestros nombres están inscritos en el cielo».

La mies es mucha

Las instrucciones para esta misión de los setenta y dos subrayan sobre todo la urgencia de la tarea y las previsibles dificultades: "como corderos entre lobos". En el relato hay un clima de expectación del final; ahora no van a sembrar, van a recoger la cosecha. La magnitud y la urgencia de la tarea hacen necesario el envío de más trabajadores. Los enviados son sólo colaboradores: van a preparar el terreno a Jesús, y el dueño de la mies es Dios. Cualquier aplicación literal de las normas a la misión a otros tiempos y lugares resultaría anacrónica. Pero sigue siendo actual el envío de todos los discípulos, la urgencia de la misión y su contenido: el Reino y su paz, la pobreza de recursos y la necesidad de la oración. La práctica de la misión llena de alegría. En ella se percibe la fuerza del Evangelio. Jesús les asegura, además, que los nombres de los que anuncian el Evangelio están guardados en la Memoria de Dios.

Lunes

Feria: Verde.

Adriano III.

Génesis 28,10-22 / Salmo 90 / Mateo 9,18-26.

EVANGELIO

En aquel tiempo, mientras Jesús hablaba, se le acercó un jefe de la sinagoga, se postró ante él y le dijo: "Señor mi hija acaba de morir; pero ven tú a imponerle las manos y volverá a vivir".

Jesús se levantó y lo siguió, acompañado de sus discípulos. Entonces, una mujer que padecía de flujo de sangre desde hacía doce años, se le acercó por detrás y le tocó la orilla del manto, pues pensaba: "Con tan solo tocar su manto, me curare". Jesús, volviéndose, la miró y le dijo: "Hija, ten confianza; tu fe te ha curado". Y en aquel mismo instante quedó curada la mujer.

Cuando llegó a la casa del jefe de la sinagoga, vio Jesús a los flautistas, y el tumulto de la gente y les dijo: "Retírense de aquí. La niña no está muerta; está dormida". Y todos se burlaron de él. En cuanto hicieron salir a la gente, entró Jesús, tomó a la niña de la mano y ésta se levantó. La noticia se difundió por toda aquella región.

Dios me rescatará de la muerte

Jesús premia la fe en Dios cumpliendo un signo de vida en favor de una niña que acaba de morir y de una mujer enferma. A la primera le devuelve la vida y a la segunda la cura de su enfermedad. Ni la enfermedad ni la muerte son obra de Dios. Ambas son expresión de nuestra naturaleza limitada que cada día se va consumiendo. La vida plena y definitiva es obra de Dios. Un anticipo de la plenitud es el sacrificio de Jesús en la Santa Misa: ahí Dios mismo nos alimenta con el pan de los fuertes, ahí Jesús se nos da como prenda de vida eterna. ¿Creo firmemente en que Dios me rescatará de la muerte y me llevará junto a Él?

Padre misericordioso que otorgas tu perdón al pecador arrepentido, concédeme tu gracia para que pueda reconocer los signos de tu presencia en mi vida. Por Cristo nuestro Señor. Amén.

EVANGELIO

Martes

Stos. Agustín Zhao Rong, presbítero. y compañeros mártires.

Génesis 32,22-32 / Salmo 16 / Mateo 9,32-38.

En aquel tiempo, llevaron ante Jesús a un hombre mudo, que estaba poseído por el demonio. Jesús expulsó al demonio y el mudo habló. La multitud maravillada, decía: "Nunca se había visto nada semejante en Israel". Pero los fariseos decían: "Expulsa a los demonios por autoridad del príncipe de los demonios".

Jesús recorría todas las ciudades y los pueblos, enseñando en las sinagogas, predicando el Evangelio del Reino y curando toda enfermedad y dolencia. Al ver a las multitudes, se compadecía de ellas, porque estaban extenuadas y desamparadas, como ovejas sin pastor. Entonces dijo a sus discípulos: "La cosecha es mucha y los trabajadores pocos. Rueguen por tanto, al dueño de la mies que envíe trabajadores a sus campos".

Vencer nuestros propios límites

El Reino de Dios se abre camino en los corazones buenos y sinceros. Nada puede apartarnos del abrazo misericordioso de Dios que es capaz de vencer nuestros propios límites, la enfermedad, el mal y la muerte. El hombre mudo que recupera el habla es signo de la libertad en la que Dios quiere que vivamos todos. Pero la palabra que es un don también de Dios debe servir para construir lazos de amistad, de cariño, de amor. En todo momento debemos de ser cuidadosos para que nuestra palabra no hiera, humille o lastime. Aunque también es un deber del amor corregir. ¿Cuido mis palabras? ¿Trato de animar, respetar, corregir con palabras llenas de paz?

Que tu Palabra salvadora me limpie Padre de mis límites y falsas seguridades y me dé la fuerza necesaria para ser pregonero del amor y la justicia que tú viniste a traer al mundo. Por Cristo nuestro Señor. Amén.

Miércoles

Feria: Verde.

Anatolia y Victoria. Ntra. Sra. de Ocotlán, *patrona de Ocotlán, Pue.: Blanco.*

Génesis 41,55-57; 42,5-7.17-24 / Salmo 32 / Mateo 10,1-7.

EVANGELIO

En aquel tiempo, Jesús, llamando a sus doce discípulos, les dio autoridad para expulsar espíritus inmundos y curar toda enfermedad y dolencia. Estos son los nombres de los doce apóstoles: el primero, Simón, llamado Pedro, y su hermano Andrés; Santiago el Zebedeo, y su hermano Juan; Felipe y Bartolomé, Tomás y Mateo, el publicano; Santiago el Alfeo, y Tadeo; Simón el Celote, y Judas Iscariote, el que lo entregó. A estos doce los envió Jesús con estas instrucciones: «No vayáis a tierra de gentiles, ni entréis en las ciudades de Samaria, sino id a las ovejas descarriadas de Israel. Id y proclamad que el reino de los cielos está cerca».

Llamados y enviados

La liturgia, que el domingo pasado nos proponía la misión de los setenta y dos discípulos narrada por Lucas, nos propone hoy, tomada del Evangelio de Mateo, la elección y misión de "los Doce", los apóstoles. Marcos dice que Jesús los eligió "para que estuvieran con Él y para enviarlos a predicar". La elección ha sido personal, constan sus nombres y, de varios de ellos, se añaden detalles que los caracterizan. Forman el círculo de los discípulos más íntimos. En todas las listas aparece, el primero, Simón, con el sobrenombre, impuesto por Jesús, de Pedro. El grupo de los doce acompañó a Jesús a lo largo de su vida pública, escuchó de cerca sus enseñanzas, fue testigo de sus milagros, recibió sus confidencias: "a ustedes los llamo amigos". Es verdad que Jesús se quejó de su poca fe, lo abandonaron a la hora de la pasión y uno de ellos llegó a entregarle. Pero su convivencia con Jesús no fue en vano. El encuentro con el Resucitado y el envío sobre ellos del Espíritu Santo los convertirá en testigos intrépidos, columnas de la naciente Iglesia. Se dice con razón de los Obispos que son sucesores de los Apóstoles; en alguna medida lo somos todos los cristianos, llamados como ellos, y, como ellos, enviados a anunciar el Evangelio.

Misericordioso y querido Dios, estás presente. Tomo asiento junto a ti, porque quiero sentirte. Sé lo que tú eres. Pero no te siento, déjame experimentarte. Cuanto más te abro mi realidad, más cerca estás de mí, y más te siento. Sí, tú estás verdaderamente ahí.

EVANGELIO

Jueves

Abad.

Memoria: Blanco.

Génesis 44,18-21.23-29; 45,1-5 / Salmo 104 / Mateo 10,7-15.

En aquel tiempo, dijo Jesús a sus apóstoles: «Id y proclamad que el reino de los cielos está cerca. Curad enfermos, resucitad muertos, limpiad leprosos, echad demonios. Lo que habéis recibido gratis, dadlo gratis. No llevéis en la faja oro, plata ni calderilla; ni tampoco alforja para el camino, ni túnica de repuesto, ni sandalias, ni bastón; bien merece el obrero su sustento. Cuando entréis en un pueblo o aldea, averiguad quién hay allí de confianza y quedaos en su casa hasta que os vayáis. Al entrar en una casa, saludad; si la casa se lo merece, la paz que le deseáis vendrá a ella. Si no se lo merece, la paz volverá a vosotros. Si alguno no os recibe o no os escucha, al salir de su casa o del pueblo, sacudid el polvo de los pies. Os aseguro que el día del juicio les será más llevadero a Sodoma y Gomorra que a aquel pueblo».

El estilo de vida de los discípulos

La misión incluye anunciar, como hizo Jesús, que el reino de los cielos está cerca, y realizar signos de su llegada. Solo en pocas ocasiones, como cuenta el libro de los Hechos, esos signos se han materializado en acciones milagrosas de los Apóstoles. Pero en la vida de los enviados no pueden faltar las acciones de ayuda, acompañamiento y compasión, que muestren a la Iglesia sensible a las calamidades de la gente, atenta a sus necesidades y dispuesta a remediarlas como hizo Jesús. Esos son los milagros que no pueden faltar en la Iglesia. No se trata de reproducir miméticamente los rasgos de la misión aquí propuestos. De hecho, los Apóstoles parecen haberlas aplicado de formas diferentes en su tarea misionera. Pero está claro que de las normas para la misión se sigue una organización de la Iglesia y una forma de vida de sus miembros, y en especial de sus ministros, que se distinga por la renuncia al poder, la sencillez y la pobreza que caracterizó la vida de Jesús.

Ayuda, Señor, a nuestras comunidades a anunciar el Evangelio, como las comunidades de los primeros siglos, por el testimonio de su forma de vida.

Viernes

Feria: Verde.

Nabor y Félix.

Génesis 46,1-7.28-30 / Salmo 36 / Mateo 10,16-23.

EVANGELIO

En aquel tiempo, dijo Jesús a sus apóstoles: «Mirad que os mando como ovejas entre lobos; por eso, sed sagaces como serpientes y sencillos como palomas. Pero no os fiéis de la gente, porque os entregarán a los tribunales, os azotarán en las sinagogas y os harán comparecer ante gobernadores y reyes, por mi causa; así daréis testimonio ante ellos y ante los gentiles. Cuando os arresten, no os preocupéis de lo que vais a decir o de cómo lo diréis: en su momento se os sugerirá lo que tenéis que decir; no seréis vosotros los que habléis, el Espíritu de vuestro Padre hablará por vosotros. Los hermanos entregarán a sus hermanos para que los maten, los padres a los hijos; se rebelarán los hijos contra sus padres, y los matarán. Todos os odiarán por mi nombre; el que persevere hasta el final, se salvará. Cuando os persigan en una ciudad, huid a otra. Porque os aseguro que, no terminaréis con las ciudades de Israel antes de que vuelva el Hijo del hombre».

Pruebas que son parte del destino de la Iglesia

El Evangelio de hoy parece sugerir que el sufrimiento y la persecución son las circunstancias ordinarias para los discípulos de Jesús y para su Iglesia. Es un hecho que casi nunca han faltado en la historia de la Iglesia las persecuciones para algunas de sus comunidades. Las palabras de Jesús enseñan a los discípulos la forma de enfrentarse con esas situaciones. Con la imagen de la serpiente y la paloma Jesús recomienda a los suyos una actitud prudente, que sabe discernir y valorar los distintos aspectos de la situación y actuar consecuentemente; y sencilla, es decir, falta de todo doblez, o hipocresía. Las pruebas, que nunca faltarán, son para los discípulos de Jesús la ocasión para el testimonio de su fidelidad incondicional al Señor, como el que han dado los testigos por excelencia, los mártires.

Mirando a Jesús, Señor, no nos atrevemos a pedirte que nos evites las pruebas. Te pedimos que en ellas no nos falte el consuelo y la fuerza de tu Espíritu.

EVANGELIO

Sábado

San Enrique..

Memoria libre o feria: Blanco o Verde.

Génesis 49,29-32; 50,15-26 / Salmo 104 / Mateo 10,24-33.

En aquel tiempo, dijo Jesús a sus apóstoles: «Un discípulo no es más que su maestro, ni un esclavo más que su amo; ya le basta al discípulo con ser como su maestro, y al esclavo como su amo. Si al dueño de la casa lo han llamado Belzebú, ¡cuánto más a los criados! No les tengáis miedo, porque nada hay cubierto que no llegue a descubrirse; nada hay escondido que no llegue a saberse. Lo que os digo de noche decidlo en pleno día, y lo que escucháis al oído, pregonadlo desde la azotea. No tengáis miedo a los que matan el cuerpo, pero no pueden matar el alma. No, temed al que puede destruir con el fuego alma y cuerpo. ¿No se venden un par de gorriones por unos cuartos? Y, sin embargo, ni uno solo cae al suelo sin que lo disponga vuestro Padre. Pues vosotros hasta los cabellos de la cabeza tenéis contados. Por eso, no tengáis miedo; no hay comparación entre vosotros y los gorriones. Si uno se pone de mi parte ante los hombres, yo también me pondré de su parte ante mi Padre del cielo. Y si uno me niega ante los hombres, yo también lo negaré ante mi Padre del cielo».

No tengan miedo

El texto de hoy es sobre todo una invitación a la confianza. Nos recuerda primero que las persecuciones acompañaron también la vida de Jesús, nuestro Maestro y nuestro Señor, y que Él las venció también para nosotros. "Temed, más bien…" no significa que debamos tener miedo de Dios. El "temor de Dios" no significa miedo de Dios, sino el reconocimiento de su existencia, el respeto de su condición divina, la conformidad con su voluntad que forma parte de la actitud de confianza incondicional en el Padre bondadoso que cuida con delicadeza de nosotros y acompaña nuestra vida. ¿Habrá que temer el juicio? Escuchemos a san Pablo: "¿Quién acusará a los elegidos de Dios, si Dios es el que salva? ¿Quién será el que condene, si Cristo… está a la derecha de Dios intercediendo por nosotros?".

Oremos: "El Señor es mi luz y mi salvación, ¿a quién temeré? El Señor es la defensa de mi vida, ¿quién me hará temblar?... Espera en el Señor, sé fuerte, ten ánimo" (Sal 26).

Domingo

Verde.

Camilo de Lelis.

Deuteronomio 30,10-14 / Salmo 68 / Colosenses 1,15-20 / Lucas 10,25-37.

EVANGELIO

En aquel tiempo, se presentó un maestro de la Ley y le preguntó a Jesús para ponerlo a prueba: «Maestro, ¿qué tengo que hacer para heredar la vida eterna?». Él le dijo: «¿Qué está escrito en la Ley? ¿Qué lees en ella?». Él contestó: «Amarás al Señor, tu Dios, con todo tu corazón y con toda tu alma y con todas tus fuerzas y con todo tu ser. Y al prójimo como a ti mismo». Él le dijo: «Bien dicho. Haz esto y tendrás la vida». Pero el maestro de la Ley, queriendo justificarse, preguntó a Jesús: «¿Y quién es mi prójimo?». Jesús dijo: «Un hombre bajaba de Jerusalén a Jericó, cayó en manos de unos bandidos, que lo desnudaron, lo molieron a palos y se marcharon, dejándolo medio muerto. Por casualidad, un sacerdote bajaba por aquel camino y, al verlo, dio un rodeo y pasó de largo. Y lo mismo hizo un levita que llegó a aquel sitio: al verlo dio un rodeo y pasó de largo. Pero un samaritano que iba de viaje, llegó a donde estaba él y, al verlo, le dio lástima, se le acercó, le vendó las heridas, echándoles aceite y vino, y, montándolo en su propia cabalgadura, lo llevó a una posada y lo cuidó. Al día siguiente, sacó dos denarios y, dándoselos al posadero, le dijo: "Cuida de él, y lo que gastes de más yo te lo pagaré a la vuelta". ¿Cuál de estos tres te parece que se portó como prójimo del que cayó en manos de los bandidos?». Él contestó: «El que practicó la misericordia con él». Díjole Jesús: «Anda, haz tú lo mismo».

Haz tú lo mismo

La pregunta del Maestro de la ley por la salvación está en el fondo de todo corazón humano. La respuesta es sencilla: para ser feliz, para salvarse solo hay un camino: el amor. A Dios, con todo el corazón; al prójimo, como a sí mismo. La parábola responde a la vez quién es el prójimo y cómo hay que amarlo. El sacerdote y el levita, funcionarios del templo, al ver al herido, cruzan al otro lado y pasan de largo. Su oficio hace sospechar razones religiosas para actuar así. El samaritano: extranjero y enemigo, se acercó a él y "se compadeció". La misericordia ante el sufrimiento es la mejor predisposición para amar. Pero el amor no es mero sentimiento: contemos todos los actos que genera la compasión del samaritano hacia el herido. Esos pasos muestran la verdad de su amor, que no termina hasta reintegrar al herido a la vida. La parábola no es una lección que aprender. Es un ejemplo que seguir: "Haz tú lo mismo". ¡Cuánto cambiaría nuestro mundo si todos lo hiciéramos!

EVANGELIO

Lunes

San Buenaventura, obispo y doctor de la Iglesia.

Memoria: Blanco.

Éxodo 1,8-14.22 / Salmo 123 / Mateo 10,34-11,1.

En aquel tiempo, dijo Jesús a sus apóstoles: «No penséis que he venido a la tierra a sembrar paz; no he venido a sembrar paz, sino espadas. He venido a enemistar al hombre con su padre, a la hija con su madre, a la nuera con su suegra; los enemigos de cada uno serán los de su propia casa. El que quiere a su padre o a su madre más que a mí no es digno de mí; el que quiere a su hijo o a su hija más que a mí no es digno de mí; y el que no coge su cruz y me sigue no es digno de mí. El que encuentre su vida la perderá, y el que pierda su vida por mí la encontrará. El que os recibe a vosotros me recibe a mí, y el que me recibe, recibe al que me ha enviado; el que recibe a un profeta porque es profeta tendrá paga de profeta; y el que recibe a un justo porque es justo tendrá paga de justo. El que dé a beber, aunque no sea más que un vaso de agua fresca, a uno de estos pobrecillos, solo porque es mi discípulo, no perderá su paga, os lo aseguro». Cuando Jesús acabó de dar instrucciones a sus doce discípulos, partió de allí para enseñar y predicar en sus ciudades.

Sobre todas las cosas

Hay pasajes del Evangelio que parecen provocar escándalo. El de hoy es uno de ellos: El que ama o no pospone a su padre, a su madre, a su hijo, a su hija, etc., más que a mí, no es digno de mí. Son palabras que en nuestra falta de discernimiento nos parece que podrían oponerse al cuarto mandamiento, que es honrar al padre y a la madre. En realidad, solamente una visión superficial del texto nos llevaría a hacer esta especie de confrontación. Lo que Jesús está diciendo es que el amor a Dios sobre todas las cosas, sobre todo lo demás, es lo que salva al hombre..., también a la familia y la amistad. El que pone a Dios por encima de todo está presentando ante los suyos lo que es realmente importante en la existencia: vivir con Dios. Por supuesto que no hay mayor herencia que podamos dar a los nuestros: ¡El Dios vivo!

Señor Jesús, cúrame de otros focos de atención que no seas tú; que sea consciente de que todo palidece ante la belleza de tu misterio.

Martes

Memoria: Blanco.

Éxodo 2,1-15 / Salmo 68 / Mateo 11,20-24.

EVANGELIO

En aquel tiempo, se puso Jesús a recriminar a las ciudades donde había hecho casi todos sus milagros, porque no se habían convertido: «¡Ay de ti, Corozaín, ay de ti, Betsaida! Si en Tiro y en Sidón se hubieran hecho los milagros que en vosotras, hace tiempo que se habrían convertido, cubiertas de sayal y ceniza. Os digo que el día del juicio les será más llevadero a Tiro y a Sidón que a vosotras. Y tú, Cafarnaúm, ¿piensas escalar el cielo? Bajarás al infierno. Porque si en Sodoma se hubieran hecho los milagros que en ti, habría durado hasta hoy. Os digo que el día del juicio le será más llevadero a Sodoma que a ti».

¡Ojalá escuchemos hoy tu voz!

Extraña la dureza de las amenazas de Jesús a las ciudades que habían escuchado su predicación y habían sido testigos de sus milagros. Pero Jesús siguió anunciando el Reino y dando nuevas oportunidades a las ciudades a las que iban dirigidas esas quejas. Por otra parte, la razón de la condena es la falta de fe y la negativa a convertirse, cuando habían visto los muchos signos realizados por Jesús en ellas, y el Evangelio de Juan advirtió: "El que cree no será condenado, pero el que no crea en él ya está condenado, por no haber creído". La condena no es un castigo de Dios; es el resultado de la autoexclusión de aquellos a los que ha sido ofrecida la salvación. El texto es una seria advertencia para nosotros, ciudades y países de larga tradición cristiana, que hemos convivido durante siglos con el cristianismo, y parecemos habernos vuelto sordos a las invitaciones y llamadas a la conversión que el Señor nunca ha dejado ni deja ahora de dirigirnos.

¡Ojalá, Señor, escuchemos hoy tu voz, no endurezcamos nuestros corazones y nos dejemos convertir por las incontables muestras de tu amor!

Feria: Verde.

Justa y Rufina.

Éxodo 3,1-6.9-12 / Salmo 102 / Mateo 11,25-27.

EVANGELIO

En aquel tiempo, exclamó Jesús: «Te doy gracias, Padre, Señor de cielo y tierra, porque has escondido estas cosas a los sabios y entendidos y se las has revelado a la gente sencilla. Sí, Padre, así te ha parecido mejor. Todo me lo ha entregado mi Padre, y nadie conoce al Hijo más que el Padre, y nadie conoce al Padre sino el Hijo, y aquel a quien el Hijo se lo quiera revelar».

Dios, Padre, Señor de cielo y tierra

El Evangelio de hoy contiene una de las más explícitas revelaciones de la identidad del Señor, de su relación con el Padre y de la inclusión de los suyos en esa relación. Repetidas veces los evangelios nos cuentan que Jesús se retiraba para orar. Ahora sabemos algo sobre el contenido de su oración: se dirige a Dios, a la vez "Padre" y "Señor de cielo y tierra", con una oración de bendición y alabanza, que trasluce su más profunda intimidad. Jesús alaba y bendice al Padre porque se ha revelado, no a los sabios y entendidos, a los importantes del mundo, sino a la gente sencilla. Es el eco en la oración de Jesús de su misión a "evangelizar a los pobres", del "enaltece a los humildes" del cántico de María, de los pobres y los que lloran, sujetos de las bienaventuranzas. Junto al Padre, a quien se dirige la oración, aparece el Hijo, en perfecto acuerdo con su designio, a quien el Padre ha entregado todo, en quien el Padre se nos revela por la estrecha relación que los une. "Aquel a quien el Hijo se lo quiera revelar" asocia a esa comunidad de vida divina a todos los que escucharon y seguimos escuchando su oración.

Escuchemos, hagamos nuestra la oración de Jesús hasta que el clima de paz y gozo que la envuelve, inunde nuestro corazón y nuestra vida.

Jueves

Feria: Verde.

Arnulfo.
E.U.A.: San Camilo de Lelis.

Memoria libre o feria: Blanco o Verde.

Éxodo 3,13-20 / Salmo 104 / Mateo 11,28-30.

EVANGELIO

En aquel tiempo, exclamó Jesús: «Venid a mí todos los que estáis cansados y agobiados, y yo os aliviaré. Cargad con mi yugo y aprended de mí, que soy manso y humilde de corazón, y encontraréis vuestro descanso. Porque mi yugo es llevadero y mi carga ligera».

Vengan a mí

Jesús llama aquí a todos los cansados y agobiados. Por las calamidades que comporta la condición humana, sobre todo para los pobres, y por el pesado yugo de una ley sobrecargada de preceptos y prohibiciones e impuesta sobre la gente con el mayor rigor. Y los llama a acercarse a Él, porque es Él mismo, su persona, quien les procurará el alivio y el descanso que anhelan. "Su yugo es llevadero y su carga ligera". Su seguimiento no es menos exigente que la ley de entonces, pero es llevadero, porque Él va delante abriéndonos camino; porque la forma de vida que pide tiene su centro en el amor y es su consecuencia y, como dirá san Agustín: "por duro que sea lo que se nos pida, el amor lo hace ligero". Y, sobre todo, porque Él, el que nos llama, es "bondadoso y humilde de corazón"; ha asumido nuestra condición y la ha transformado gracias a su condición de Hijo; y ya en su vida, pero sobre todo en su pasión, "cargó sobre sí nuestros sufrimientos" haciéndolos soportables para nosotros. Por eso puede asegurarnos que si escuchamos su llamada, hallaremos, aquí y ahora, el descanso para nuestras almas.

Señor, abre nuestros oídos para que escuchemos tu voz y sigamos tu llamada: Tú eres el agua para nuestra sed, la luz para nuestra oscuridad, el pan para nuestra hambre, el descanso para nuestros cansancios. Tú eres la resurrección y la vida.

EVANGELO

Viernes

Feria: Verde.

Beata Ma. Vicenta de Sta. Dorotea.

Memoria libre o feria:

Éxodo 11,10-12,14 / Salmo 115 / Mateo 12,1-8.

Un sábado de aquellos, Jesús atravesaba un sembrado; los discípulos, que tenían hambre, empezaron a arrancar espigas y a comérselas. Los fariseos, al verlo, le dijeron: «Mira, tus discípulos están haciendo una cosa que no está permitida en sábado». Les replicó: «¿No habéis leído lo que hizo David, cuando él y sus hombres sintieron hambre? Entró en la casa de Dios y comieron de los panes presentados, cosa que no les estaba permitida ni a él ni a sus compañeros, sino solo a los sacerdotes. ¿Y no habéis leído en la Ley que los sacerdotes pueden violar el sábado en el templo sin incurrir en culpa? Pues os digo que aquí hay uno que es más que el templo. Si comprendierais lo que significa "quiero misericordia y no sacrificio", no condenaríais a los que no tienen culpa. Porque el Hijo del hombre es señor del sábado».

El sábado es para el hombre

En varias ocasiones los evangelios narran el enfrentamiento de Jesús con los maestros de la ley, que la estudiaban y la enseñaban, y los fariseos que defendían su literal y estricta observancia. El enfrentamiento se produce generalmente por la absolutización por personas de esos grupos de alguno de los preceptos de la ley, con frecuencia la observancia del descanso sabático, incluso a costa de la salud o la satisfacción de las necesidades de las personas. Jesús recuerda una y otra vez que las mediaciones están al servicio del hombre: "el sábado es para el hombre y no el hombre para el sábado»; y que la misericordia, atributo esencial de Dios y rasgo distintivo de la actitud de los discípulos, es más importante que el culto.

Con san Buenaventura, en el día de su Memoria:
"Oremos y digamos a Dios nuestro Señor: Condúcenos, Señor, por tus sendas y entraremos en tu verdad; alégrese nuestro corazón y venere tu nombre".

Sábado

San Apolinar, obispo y mártir.

Memoria libre o feria: Rojo o Verde.

Éxodo 12,37-42 / Salmo 135 / Mateo 12,14-21.

EVANGELIO

En aquel tiempo, los fariseos planearon el modo de acabar con Jesús. Pero Jesús se enteró, se marchó de allí, y muchos le siguieron. Él los curó a todos, mandándoles que no lo descubrieran. Así se cumplió lo que dijo el profeta Isaías: «Mirad a mi siervo, mi elegido, mi amado, mi predilecto. Sobre él he puesto mi espíritu para que anuncie el derecho a las naciones. No porfiará, no gritará, no voceará por las calles. La caña cascada no la quebrará, el pábilo vacilante no lo apagará, hasta implantar el derecho; en su nombre esperarán las naciones».

Un retrato de Jesús

La decisión de los fariseos "de acabar con él" no aleja a la gente de Jesús. Son muchos los que lo siguen y Él continúa ejerciendo para ellos el ministerio de la curación. El texto de Isaías ofrece, con las palabras del profeta, un retrato completo y atractivo de Jesús. Su primer rasgo, el fundamental, evoca, literalmente, el relato del bautismo: Jesús aparece como el Hijo a quien Dios ha elegido, el amado en quien el Padre se complace. El profeta promete para él lo que el Evangelio ha afirmado: que el Espíritu descendió sobre él para anunciar el juicio, un juicio que los versos siguientes anuncian como salvación para los paganos, frente a "esta generación perversa que pide señales" a la que aludirá después. Tras la identidad del Mesías, su conducta. No altercará ni gritará; Él trae la paz. Así comenta san Jerónimo el texto: "El que no extiende la mano a un pecador y no sobrelleva la carga del hermano, quiebra la caña cascada. El que menosprecia la llama mortecina de la fe en los pequeños, apaga el pábilo humeante". Ese Hijo de Dios paciente, "bondadoso de corazón", hará triunfar el juicio de Dios y en su nombre "pondrán su esperanza las naciones".

Querido Dios, a cada instante tú quieres obsequiarme con la belleza de la naturaleza, que me alegra; con encuentros que me conmueven; con palabras que me enseñan el camino; con una mirada amistosa que me abre el corazón.

EVANGELIO

Domingo

Verde.

Lorenzo de Brindis.

Génesis 18,1-10 / Salmo 14 / Colosenses 1,24-28 / Lucas 10,38-42.

En aquel tiempo, entró Jesús en una aldea, y una mujer llamada Marta lo recibió en su casa. Ésta tenía una hermana llamada María, que, sentada a los pies del Señor, escuchaba su Palabra. Y Marta se multiplicaba para dar abasto con el servicio; hasta que se paró y dijo: «Señor, ¿no te importa que mi hermana me haya dejado sola con el servicio? Dile que me eche una mano». Pero el Señor le contestó: «Marta, Marta, andas inquieta y nerviosa con tantas cosas; solo una es necesaria. María ha escogido la parte mejor, y no se la quitarán».

La mejor parte

Seguimos en el viaje de Jesús a Jerusalén. En esta aldea Jesús sí es recibido y con verdadera hospitalidad. Marta es la dueña de la casa, enseguida ocupada en las tareas de la anfitriona. Entre tanto, María, su hermana, "sentada a los pies del Señor, escucha su Palabra". Es, otra vez, una mujer, la encarnación misma de la figura del discípulo. Marta, "muy atareada en las labores del servicio", pide a Jesús que María le ayude. En su respuesta Jesús constata su agitación, afanándose por muchas cosas, y declara la prioridad de la escucha de la Palabra, "lo único necesario", "la mejor parte que ha elegido María" y que "no le será quitada". Se ha visto en la escena la justificación por Jesús de la vida contemplativa, como forma de vida superior a la activa. Nada justifica esa lectura anacrónica del texto, a la que se han opuesto los mismos contemplativos. Se trata de subrayar como eje de la vida cristiana la atención a Dios, la escucha de la Palabra: "En esto consiste la vida eterna: en que te conozcan a ti, único Dios verdadero...".

Ayúdanos, Señor, a incorporar en nuestra vida cristiana la atención a tu presencia, la escucha de tu palabra y el amor servicial a los hermanos.

Lunes

Sta. María Magdalena,

fiesta: Blanco.

Éxodo 14,5-18 / Éxodo 15 / Juan 20,1-2.11-18.

EVANGELIO

El primer día de la semana, oscura todavía la mañana, fue María Magdalena al sepulcro y vio quitada la piedra que tapaba la entrada. Entonces corrió, y llegó a la casa donde estaba Simón Pedro y aquel otro discípulo a quien Jesús amaba, y les dijo: "Han quitado al Señor del sepulcro y no sabemos dónde lo habrán puesto". María se había quedado afuera llorando junto al sepulcro. Estando llorando se asomó al sepulcro, y vio a dos ángeles vestidos de blanco, sentados el uno a la cabecera y el otro a los pies del lugar donde yacía el cuerpo de Jesús. Éstos le dijeron: "¿Por qué lloras, mujer?" Ella les respondió: "Porque se llevar ron a mi Señor, y no sé dónde lo pondrían". Dicho esto miró hacia atrás y vio a Jesús de pie pero no se daba cuenta de que era Él Jesús le preguntó: "¿Por qué lloras, mujer? ¿A quién buscas?" María creyendo que sería el hortelano, le dijo: "Señor, si tú te lo llevaste, dime dónde lo pusiste, y yo me lo traeré". Entonces le dijo Jesús: "¡María!" Volviendo ella la cara exclamó en hebreo: "¡Rabuní!", que quiere decir "Maestro". Jesús le dijo: "¡No me toques! Porque todavía no he subido al lado de mi Padre; anda a la casa de mis hermanos, y diles que voy a subir al lado de mi Padre y Padre de ustedes, de mi Dios y Dios de ustedes". María Magdalena se fue, pues, y les llevó la noticia a los discípulos: "He visto al Señor y me dijo estas cosas".

Mujer, ¿por qué estás llorando? ¿A quién buscas?

//La historia de María Magdalena recuerda a todos una verdad fundamental: discípulo de Cristo es quien, en la experiencia de la debilidad humana, ha tenido la humildad de pedirle ayuda, ha sido curado por él, y lo ha seguido de cerca, convirtiéndose en testigo del poder de su amor misericordioso, que es más fuerte que el pecado y la muerte". Papa Francisco

Señor que sepamos llevar tu noticia con dignidad y amor.

EVANGELIO

Martes

Sta. Brígida, religiosa.

Memoria libre o feria: Blanco o Verde.

Éxodo 14,21-15,1 / Éxodo 15 / Mateo 12,46-50.

En aquel tiempo, estaba Jesús hablando a la gente, cuando su madre y sus hermanos se presentaron fuera, tratando de hablar con él. Uno se lo avisó: «Oye, tu madre y tus hermanos están fuera y quieren hablar contigo». Pero él contestó al que le avisaba: «¿Quién es mi madre y quiénes son mis hermanos?». Y, señalando con la mano a los discípulos, dijo: «Estos son mi madre y mis hermanos. El que cumple la voluntad de mi Padre del cielo, ese es mi hermano, y mi hermana, y mi madre».

La nueva familia de Jesús

Con esta escena relativa a la familia y la nueva familia de Jesús se cierra la polémica con los escribas y fariseos. Con la llegada del Reino nace la "nueva generación". Jesús, que pidió a sus discípulos que dejen padre, madre y hermanos para poder serlo, comenzó Él mismo por dejarlos, cuando, tras la experiencia del bautismo en la que escucha al Padre declararle su Hijo amado, decide dedicarse enteramente al anuncio del Reino. El texto no expresa rechazo ni menosprecio alguno hacia su familia natural. Quiere mostrar la constitución en torno a Él de una familia nueva conformada por otros lazos que los de la sangre. Su mano extendida hacia sus discípulos señala a sus primeros miembros. Los discípulos, no sólo los Apóstoles, todos los discípulos, son la nueva familia de Jesús. Los ha agregado a ella su elección y el compromiso de todos ellos de cumplir la voluntad del Padre celestial. Ese cumplimiento es la razón, el criterio de la pertenencia a ella: lo que los une a todos. Jesús dirá de sus discípulos que no son para Él siervos, sino amigos. Ahora muestra que su relación con ellos es más intensa, más íntima: son, somos, como su madre y sus hermanos.

Señor que "no te avergüenzas de llamarnos tus hermanos", haz que el cumplimiento de la voluntad del Padre nos lleve a serlo de verdad.

Miércoles

Presbítero,

Memoria libre o feria: Blanco o Verde.

Éxodo 16,1-5.9-15 / Salmo 77 / Mateo 13,1-9.

EVANGELIO

Aquel día, salió Jesús de casa y se sentó junto al lago. Y acudió tanta gente a él que tuvo que subirse a una barca; se sentó, y la gente se quedó de pie en la orilla. Les habló mucho rato en parábolas: "Salió el sembrador a sembrar. Al sembrar, un poco cayó al borde del camino; vinieron los pájaros y se lo comieron. Otro poco cayó en terreno pedregoso, donde apenas tenía tierra; y como la tierra no era profunda, brotó en seguida; pero en cuanto salió el sol, se abrasó y por falta de raíz se secó. Otro poco cayó entre zarzas, que crecieron y lo ahogaron. El resto cayó en tierra buena y dio grano: unos, ciento; otros, sesenta; otros, treinta. El que tenga oídos que oiga".

"El que tenga oídos que oiga"

Con sus parábolas Jesús quiere poner a sus oyentes ante el misterio del Reino y provocar su acogida. La del sembrador resalta dos cosas: el sembrador sale incansablemente a sembrar; siembra en todos los humanos. Pero las condiciones de los oyentes cuentan para que la semilla produzca su fruto. En tres de los cuatro terrenos en que cae la semilla esta se malogra. ¿Con cuál de los terrenos nos identificamos? Todos los humanos somos agraciados con la presencia de Dios; en todos el Señor ha sembrado la semilla; a todos nos ha hecho posibles "oyentes de la Palabra". ¿Con qué disposición la escuchamos? En la tierra de una vida sin interioridad, reducida a "ser" impersonal, que no ha desarrollado oídos para lo importante, la semilla no llega a calar en la persona. En la tierra pedregosa de una vida superficial, inconstante, sin cultivo de la dimensión espiritual, la primera dificultad hará olvidarla. En la tierra llena de maleza de un sujeto posesivo, o lleno de temores, desconfianzas, malos hábitos, preocupaciones, la semilla se verá enseguida asfixiada y no podrá prosperar.

Meditemos unos minutos: ¿Qué tipo de tierra ha sido nuestra vida hasta ahora? ¿Cuál queremos que sea en adelante?

EVANGELIO

Jueves

Fiesta: Rojo.

2Corintios 4,7-15 / Salmo 125 / Mateo 20,20-28.

En aquel tiempo, se acercó a Jesús la madre de los Zebedeos con sus hijos y se postró para hacerle una petición. Él le preguntó: "¿Qué deseas?". Ella contestó: "Ordena que estos dos hijos míos se sienten en tu reino, uno a tu derecha y el otro a tu izquierda". Pero Jesús replicó: "No sabéis lo que pedís. ¿Sois capaces de beber el cáliz que yo he de beber?". Contestaron: "Lo somos". Él les dijo: "Mi cáliz lo beberéis; pero el puesto a mi derecha o a mi izquierda no me toca a mí concederlo, es para aquellos para quienes lo tiene reservado mi Padre". Los otros diez, que lo habían oído, se indignaron contra los dos hermanos. Pero Jesús, reuniéndolos, les dijo: "Sabéis que los jefes de los pueblos los tiranizan y que los grandes los oprimen. No será así entre vosotros: el que quiera ser grande entre vosotros, que sea vuestro servidor, y el que quiera ser primero entre vosotros, que sea vuestro esclavo. Igual que el Hijo del hombre no ha venido para que le sirvan, sino para servir y dar su vida en rescate por muchos".

Por todo el mundo

Hoy celebramos la fiesta de Santiago Apóstol, el primero de todos los Apóstoles que bebió el cáliz del Señor. El libro de los *Hechos de los Apóstoles* nos da detalles de su martirio, señalando que fue decapitado por Herodes Agripa a los pocos años de la resurrección del Señor. Fiel a su mandato, al envío recibido: "vayan por todo el mundo y anuncien el Evangelio", se dedicó en cuerpo y alma a dar a conocer al Señor Jesús, luz y esperanza de todos los hombres. Tal y como leemos en crónicas antiquísimas dignas de todo crédito, su afán misionero lo llevó a España, así como a otros países occidentales de Europa. Vuelto a Jerusalén, selló su amor a su Dios y Salvador con su sangre. La figura de Santiago, así como la de los demás Apóstoles, nos da la certeza de que la fuerza de Dios se sobrepone a nuestra debilidad; la certeza también de que Jesús cumple la Palabra que un día proclamó a los suyos: que no obstante sus limitaciones, llegarían a ser sus testigos por el mundo entero (*Hch* 1,8).

Danos, Señor, el fuego que movió a tus amigos, los Apóstoles, a recorrer el mundo entero.

Viernes

Memoria: Blanco.

Éxodo 20,1-17 / Salmo 18 / Mateo 13,18-23.

EVANGELO

En aquel tiempo, dijo Jesús a sus discípulos: «Vosotros oíd lo que significa la parábola del sembrador: Si uno escucha la palabra del reino sin entenderla, viene el Maligno y roba lo sembrado en su corazón. Esto significa lo sembrado al borde del camino. Lo sembrado en terreno pedregoso significa el que la escucha y la acepta enseguida con alegría; pero no tiene raíces, es inconstante, y, en cuanto viene una dificultad o persecución por la palabra, sucumbe. Lo sembrado entre zarzas significa el que escucha la palabra; pero los afanes de la vida y la seducción de las riquezas la ahogan y se queda estéril. Lo sembrado en tierra buena significa el que escucha la palabra y la entiende; ese dará fruto y producirá ciento o sesenta o treinta por uno».

Seréis mis discípulos

Jesús dice en su parábola del buen pastor que "el ladrón no viene más que a robar, matar y destruir" (*Jn* 10,10a). Esto es lo que intenta hacer, y no pocas veces lo consigue, cuando ve que nos acercamos a la Palabra. Nos hace violencia para arrebatárnosla, sembrando en nuestro corazón la desconfianza, el miedo ante el ridículo, la persecución, el futuro, etc. Perseverar en la Palabra recibida hasta que esta se abra y nos dé constancia de que no estamos solos, sino que estamos habitados por Dios; esta es la gran victoria del hombre de fe. Por supuesto que se hace después de una travesía, a veces penosa, sobre el mar de las dudas, pero ha valido la pena. La Palabra, sin dejar de ser voz, se ha convertido en rostro. Hemos desafiado los miedos que Satanás nos quería imponer y hemos vencido. De esta perseverancia, de esta aferrción al Evangelio como algo absolutamente irrenunciable, Jesús habló en estos términos: "Si se mantienen en mi Palabra, serán verdaderamente mis discípulos" (*Jn* 8,31).

Danos, Señor, la sabiduría de tus hijos, aquella que esquiva y desorienta al tentador cuando quiere arrebatarles la Palabra.

EVANGELIO

Sábado

Feria o de la Virgen María:

Verde ó Blanco.

Celestino I. San Cristóbal, mártir.
Patrono secundario de la Ciudad de Puebla.

Éxodo 24,3-8 / Salmo 49 / Mateo 13,24-30.

En aquel tiempo, Jesús propuso otra parábola a la gente: «El Reino de los cielos se parece a un hombre que sembró buena semilla en su campo; pero, mientras la gente dormía, su enemigo fue y sembró cizaña en medio del trigo y se marchó. Cuando empezaba a verdear y se formaba la espiga apareció también la cizaña. Entonces fueron los criados a decirle al amo: "Señor, ¿no sembraste buena semilla en tu campo? ¿De dónde sale la cizaña?". Él les dijo: "Un enemigo lo ha hecho". Los criados le preguntaron: "¿Quieres que vayamos a arrancarla?". Pero él les respondió: "No, que, al arrancar la cizaña, podríais arrancar también el trigo. Dejadlos crecer juntos hasta la siega y, cuando llegue la siega, diré a los segadores: Arrancad primero la cizaña y atadla en gavillas para quemarla, y el trigo almacenadlo en mi granero"».

Trigo y cizaña

Parábola de la buena semilla y la cizaña. Dios sembró su buena semilla al hacer al hombre, lo creó para la incorruptibilidad, y por ello puso en él su propia imagen (*Sab* 2,23). Sin embargo, junto a esta buena semilla, el que es llamado envidioso y mentiroso por naturaleza sembró la suya, la única posible en él: la cizaña. Pablo expresa esto como experiencia personal. "Estoy vendido al poder del pecado" (*Rm* 7,14). Todo parece indicar una vuelta al caos, confusión y tinieblas que precedieron a la creación (*Gén* 1,1ss); mas aconteció la Encarnación, la visita de Dios al mundo, el encuentro del hombre con aquel que hizo gritar a san Agustín: "¡Feliz culpa que nos mereció tan grande Redentor!". Cizaña, sí, ahí está; mas también la buena semilla: el Hijo de Dios. A nuestro lado está rescatándonos de las marañas asesinas con su propia sangre. Cada día Dios nos limpia con la Palabra de su Hijo (*Jn* 15,3). Hijos de Dios, podemos vencer al mundo con toda su cizaña (*1Jn* 5,4).

Concédenos, Dios Padre Santo, ese amor, insobornable por toda mentira, que nos hace reconocer tu trigo, tus frutos.

Domingo

Verde.

Víctor I.

Génesis 18,20-32 / Salmo 137 / Colosenses 2,12-14 / Lucas 11,1-13.

EVANGELIO

Una vez que estaba Jesús orando en cierto lugar, cuando terminó, uno de sus discípulos le dijo: «Señor, enséñanos a orar, como Juan enseñó a sus discípulos». Él les dijo: «Cuando oréis decid: "Padre, santificado sea tu nombre, venga tu reino, danos cada día nuestro pan del mañana, perdónanos nuestros pecados, porque también nosotros perdonamos a todo el que nos debe algo, y no nos dejes caer en la tentación"». Y les dijo: «Si alguno de vosotros tiene un amigo, y viene durante la medianoche para decirle: "Amigo, préstame tres panes, pues uno de mis amigos ha venido de viaje y no tengo nada que ofrecerle". Y, desde dentro, el otro le responde: "No me molestes; la puerta está cerrada; mis niños y yo estamos acostados; no puedo levantarme para dártelos". Si el otro insiste llamando, yo os digo que, si no se levanta y se los da por ser amigo suyo, al menos por la importunidad se levantará y le dará cuanto necesite. Pues así os digo a vosotros: Pedid y se os dará, buscad y hallaréis, llamad y se os abrirá; porque quien pide recibe, quien busca halla, y al que llama se le abre. ¿Qué padre entre vosotros, cuando el hijo le pide pan, le dará una piedra? ¿O si le pide un pez, le dará una serpiente? ¿O si le pide un huevo, le dará un escorpión? Si vosotros, pues, que sois malos, sabéis dar cosas buenas a vuestros hijos, ¿cuánto más vuestro Padre celestial dará el Espíritu Santo a los que se lo piden?».

Dios misericordioso, tú eres el amor que me cubre. En tu presencia puedo llegar a estar yo mismo presente, para estar cerca de mí mismo. Y así estaré yo tranquilamente contigo, y me encontraré en paz en medio de las turbulencias de mi alma. Te agradezco por tu amor que sana, y que me cubre.

EVANGELIO

Lunes

Santa Marta.

Memoria: Blanco.

Éxodo 32,15-24.30-34/ Salmo 105/ Juan 11,19-27 o Lucas 10,38-42.

En aquel tiempo, Jesús entró en un poblado, y una mujer, llamada Martha, lo recibió en su casa. Ella tenía una hermana, llamada María, la cual se sentó a los pies de Jesús y se puso a escuchar su palabra. Marta, entre tanto se afanaba en diversos quehaceres, hasta que, acercándose a Jesús, le dijo: "Señor, ¿no te has dado cuenta de que mi hermana me ha dejado sola con todo el quehacer? Dile que me ayude".

El Señor le respondió: "Martha, Martha, muchas cosas te preocupan y te inquietan, siendo así que una sola es necesaria. María escogió la mejor parte y nadie se la quitará".

La amistad

La casa de Betania era un refugio para Jesús cuando andaba cerca de Jerusalén. La amistad había crecido con Martha, María y Lázaro. Ambas hermanas se cuentan entre las amigas y discípulas más cercanas al maestro de Nazaret. El texto sagrado nos invita a darle a cada persona su justo lugar y a afanarnos según el valor que tiene cada realidad. El ser humano necesita trabajar para ganarse honradamente su propio sustento y el de su familia, pero también requiere momentos de descanso e intimidad, sobre todo, con Dios que lo visita siempre, que lo ama, que lo espera.

Visita Señor Jesús mi casa y que tu presencia me ayude a construir un ambiente de paz, serenidad y alegría. Amén.

Martes

San Pedro Crisólogo, obispo y doctor de la Iglesia.

Memoria libre o feria: Blanco o Verde.

Éxodo 33,7-11; 34,5-9.28 / Salmo 102 / Mateo 13,36-43.

EVANGELIO

En aquel tiempo, Jesús dejó a la gente y se fue a su casa. Los discípulos se le acercaron a decirle: «Acláranos la parábola de la cizaña en el campo». Él les contestó: «El que siembra la buena semilla es el Hijo del hombre; el campo es el mundo; la buena semilla son los ciudadanos del reino; la cizaña son los partidarios del Maligno; el enemigo que la siembra es el diablo; la cosecha es el fin del tiempo, y los segadores los ángeles. Lo mismo que se arranca la cizaña y se quema, así será al fin del tiempo: el Hijo del Hombre enviará a sus ángeles, y arrancarán de su reino a todos los corruptores y malvados y los arrojarán al horno encendido; allí será el llanto y el rechinar de dientes. Entonces los justos brillarán como el sol en el reino de su Padre. El que tenga oídos, que oiga».

El juicio corresponde al Señor

La aclaración de la parábola de la cizaña, "en la casa", para los de dentro, los discípulos, orienta su significado en otra dirección que el que aparece a primera vista en el texto. Éste subraya la "paciencia de Dios", que manda dejar crecer la cizaña con el trigo, hasta el tiempo de la siega, en lugar de arrancarla en cuanto se la descubre, como proponen sus trabajadores. En su explicación para los discípulos, en cambio, Jesús, después de enumerar una tras otra todas las realidades a las que remiten los diferentes elementos de la parábola, centra la atención sobre la etapa final, la de la siega, la del juicio último, y sobre la suerte que van a correr los hijos del maligno. Con este desplazamiento del sentido, Jesús quiere prevenir a la comunidad: también ellos están expuestos al influjo del Maligno que sigue sembrando; no es incumbencia de la comunidad en el momento presente separar a los unos de los otros; el juicio último está reservado al Hijo del hombre al final de la historia; y también ellos están expuestos a quedar excluidos del Reino. Por el contrario, "los justos, en el reino de su Padre, resplandecerán como el sol".

Presbítero, Memoria: Blanca.

Éxodo 34,29-35 / Salmo 98 / Mateo 13,44-46.

EVANGELIO

En aquel tiempo, dijo Jesús a la gente: «El reino de los cielos se parece a un tesoro escondido en el campo: el que lo encuentra lo vuelve a esconder, y, lleno de alegría, va a vender todo lo que tiene y compra el campo. El reino de los cielos se parece también a un comerciante en perlas finas que, al encontrar una de gran valor, se va a vender todo lo que tiene y la compra».

El tesoro del Reino

Todas las parábolas nos desvelan algún aspecto importante del reino de Dios. Las del tesoro y la perla preciosa nos revelan como ninguna otra su verdadera esencia y su valor único para nosotros, su belleza deslumbrante y su poder de atracción para quienes lo descubren. "Tesoro", en el imaginario de las personas, es una suma extraordinaria de dinero, alhajas o cosas de enorme valor, escondido o bien guardado, objeto de deseo para cualquier persona y que cambia la vida de quien lo encuentra. Así sucede con el Reino. Se explica que quien lo encuentre esté dispuesto a sacrificar, a vender, "lleno de alegría", todo cuanto posee por adquirirlo. La "perla" añade a su gran valor, su belleza extraordinaria y su condición de ornato que embellece a quienes se adornan con ella. Se explica que sea apreciada de forma especial por quien comercia con ellas y es capaz de reconocer el extraordinario valor de la que la ha encontrado. Así ha sucedido siempre con los que un buen día se han encontrado con el Evangelio, la buena noticia del Reino. Por eso Carlos de Foucauld decía tras su conversión: "Desde que conocí a Dios supe que no podría vivir más que para Él". El papa Francisco escribió que la "alegría del Evangelio llena el corazón y la vida entera de los que se encuentran con Jesús, porque con Jesucristo nace y renace la alegría". Los que lo encuentran sólo lamentan no haberlo encontrado antes: "Tarde te conocí, Hermosura tan antigua y tan nueva; tarde te conocí", escribe san Agustín.

"¡Cuán bueno eres, Jesús, para los que te buscan! ¡Qué no serás con quien al fin te encuentra!" (Del Himno al Nombre de Jesús).

Jueves

San Alfonso Ma. de Ligorio. Obispo y doctor de la Iglesia.

Memoria: Blanco.

Éxodo 40,16-21.34-38/ Salmo 83 / Mateo 13,47-53.

EVANGELIO

En aquel tiempo, dijo Jesús a la gente: "El reino de los cielos se parece también a la red que echan en el mar y recoge toda clase de peces: cuando está llena, la arrastran a la orilla, se sientan, y reúnen los buenos en cestos y los malos los tiran. Lo mismo sucederá al final del tiempo: saldrán los ángeles, separarán a los malos de los buenos y los echarán al horno encendido. Allí será el llanto y el rechinar de dientes. ¿Entendéis bien todo esto?". Ellos le contestaron: "Sí". Él les dijo: "Ya veis, un escriba que entiende del reino de los cielos es como un padre de familia que va sacando del arca lo nuevo y lo antiguo". Cuando Jesús acabó estas parábolas, partió de allí.

Jesús, juez misericordioso

Ya la parábola de la cizaña hablaba de la siega, metáfora para el final de los tiempos, cuando se procederá a la separación del trigo de la cizaña que creció junto a él en el campo sembrado por el Señor. También la parábola de la red que recoge toda clase de peces es una metáfora para el final de los tiempos en el que serán separados los peces valiosos de los que no lo son. En las dos, el encargado de esa separación es el Señor por medio de sus ángeles. Nos advierte, pues, sobre la posibilidad de que, puestos en la vida por el Señor y, beneficiados con sus cuidados, podamos no haber vivido a la altura de la llamada y la elección del Señor, y, consiguientemente, podamos vernos excluidos del Reino. Por lo que tiene de advertencia, la parábola resalta la suerte de los "malos", descrita, en términos propios del lenguaje apocalíptico, bajo las imágenes del "horno de fuego" y del "llanto y rechinar de dientes". Tales imágenes traducen solo aproximadamente la tristeza de la suerte de quien, agraciado con el deseo de infinito, se vea reducido para siempre a su finitud, insuperablemente insatisfactoria para él solo. Pero no podemos olvidar que contamos en el juicio con un juez misericordioso.

Ayúdanos, Señor, a seguir tus pasos en la vida, para que al final podamos escuchar de tu boca: "Vengan, benditos de mi Padre".

EVANGELIO

Viernes

San Eusebio de Vercelli, obispo o san Pedro Julián Eymard, presbítero

Memoria libre ó feria: Blanco o Verde.

Levítico 23,1.4-11.15-16.27.34-37 / Salmo 80 / Mateo 13,54-58.

En aquel tiempo, fue Jesús a su ciudad y se puso a enseñar en la sinagoga. La gente decía admirada: «¿De dónde saca este esa sabiduría y esos milagros? ¿No es el hijo del carpintero? ¿No es su madre María, y sus hermanos Santiago, José, Simón y Judas? ¿No viven aquí todas sus hermanas? Entonces, ¿de dónde saca todo eso?». Y aquello les resultaba escandaloso. Jesús les dijo: «Solo en su tierra y en su casa desprecian a un profeta». Y no hizo allí muchos milagros, porque les faltaba fe.

El peligro del escándalo

Tras el discurso de las parábolas, Mateo presenta a Jesús volviendo, a su patria, a su Pueblo, y enseñando en la sinagoga, el lugar de reunión de la comunidad judía para la lectura y la explicación de las Escrituras. De los tres sinópticos, sólo Lucas narra el contenido de su enseñanza. En los tres se describe el rechazo de sus oyentes. Ese rechazo tiene aquí un nombre preciso: el escándalo. De la gravedad de esta reacción da idea la expresión de Jesús en su respuesta a los discípulos de Juan: "Bienaventurado el que no se escandaliza de mí". El escándalo es, sencillamente, la actitud contraria a la fe. ¿Por qué rechazan sus paisanos a Jesús? Lo expresa claramente la primera pregunta que se hacen a propósito de una doctrina y unos milagros que no pueden por menos de asombrarlos: "¿De dónde le viene a este. . .?". Ellos ya tienen, forjada desde su visión mundana de las cosas, una idea del Salvador y no conciben ni pueden admitir que este aparezca bajo la figura de "uno de tantos", cuyos orígenes ellos creen conocer. Así ha sucedido con otros muchos judíos de su tiempo: "De Nazaret, ¿puede salir algo bueno?". Ese prejuicio impide que la doctrina sumamente atrayente y los milagros de Jesús les sirvan de signos de su condición de Salvador; les impide recibirlo con la actitud confiada de los creyentes, y que se vean inundados con la alegría que produce el encuentro con el Salvador.

Ayúdanos, Señor, a superar los prejuicios y las falsas expectativas que nos impiden descubrirte y aceptarte como nuestro Salvador.

Sábado

Feria o de la Virgen María:

Verde o Blanco.

Asprenato.

Levítico 25,1.8-17 / Salmo 66 / Mateo 14,1-12.

EVANGELIO

Juan, precursor de Jesús también en su muerte

En varias ocasiones se refieren los evangelios al rumor que corría entre la gente de que Jesús, cuya doctrina y milagros asombran al pueblo, fuera Juan Bautista devuelto a la vida. Herodes Antipas, abrumado por el remordimiento que le produce haber dado muerte al Bautista que le afeaba haber tomado como esposa a Herodías, la mujer de su hermano, atribuye la fama de Jesús y sus prodigios a que efectivamente sea Juan Bautista resucitado. Juan Bautista fue reconocido por Jesús como «profeta y más que profeta». También Jesús fue considerado «profeta poderoso en obras y palabras», que denunció la perversión de la religión y la opresión sobre el pueblo de los dirigentes religiosos y políticos del momento. Los dos correrán la suerte de tantos otros profetas en el Antiguo Testamento. Al narrar la muerte del Precursor a manos de Herodes, Mateo adelanta la de Jesús condenado por el Sanedrín y ejecutado por Pilato.

Juan, precursor de Jesús también en su muerte

En varias ocasiones los evangelios se refieren al rumor que corría entre la gente de que Jesús, cuya doctrina y milagros asombran al Pueblo, fuera Juan Bautista devuelto a la vida. Herodes Antipas, abrumado por el remordimiento de haber dado muerte al Bautista que le afeaba el tomar como esposa a Herodías, la mujer de su hermano, atribuye la fama de Jesús y sus prodigios a que efectivamente sea Juan Bautista resucitado. Juan Bautista fue reconocido por Jesús como "profeta y más que profeta". También Jesús fue considerado "profeta poderoso en obras y palabras", que denunció la perversión de la religión y la opresión sobre el Pueblo de los dirigentes religiosos y políticos del momento. Los dos correrán la suerte de tantos otros profetas en el Antiguo Testamento. Al narrar la muerte del precursor a manos de Herodes, Mateo adelanta la de Jesús condenado por el Sanedrín y ejecutado por Pilato.

Concede, Señor, a tu Iglesia que no se apague en ella el espíritu de la profecía que la consuele con sus promesas y la estimule con sus críticas.

Verde.

Juan Ma. Vianney.

Qohélet 1,2; 2,21-23 / Salmo 89 / Colosenses 3,1-5.9-11 / Lucas 12,13-21.

EVANGELIO

En aquel tiempo, dijo uno del público a Jesús: «Maestro, dile a mi hermano que reparta conmigo la herencia». Él le contestó: «Hombre, ¿quién me ha nombrado juez o árbitro entre vosotros?». Y dijo a la gente: «Mirad: guardaos de toda clase de codicia. Pues, aunque uno ande sobrado, su vida no depende de sus bienes». Y les propuso una parábola: «Un hombre rico tuvo una gran cosecha. Y empezó a echar cálculos: "¿Qué haré? No tengo dónde almacenar la cosecha". Y se dijo: "Haré lo siguiente: derribaré los graneros y construiré otros más grandes, y almacenaré allí todo el grano y el resto de mi cosecha. Y entonces me diré a mí mismo: Hombre, tienes bienes acumulados para muchos años; túmbate, come, bebe y date buena vida". Pero Dios le dijo: "Necio, esta noche te van a exigir la vida. Lo que has acumulado, ¿de quién será?". Así será el que amasa riquezas para sí y no es rico ante Dios».

Hay más alegría en dar que en recibir

Jesús pone aquí de manifiesto a sus oyentes la necedad de quien dedica su vida a amasar unas riquezas incapaces de responder a su deseo de felicidad. No ha sabido descubrir que su vida no depende de sus bienes; que el valor de éstos depende del uso que se haga de ellos; y que acumularlos para sí, por más cálculos que haga, no va a garantizar su posesión duradera. Pero el rico de la parábola es necio no solo porque no piensa que la muerte le va a arrebatar lo acumulado. Es que no ha descubierto que hay otro tipo de riqueza. La que nos hace "ricos ante Dios". Es la riqueza de Dios; la del don permanente de sus bienes, con los que nos hace ricos a nosotros; la del don de sí de Jesús para hacernos felices a nosotros. Basta iniciar esa actitud para descubrir la verdad de las "palabras de Jesús" que Pablo recordaba: "Hay más felicidad en dar que en recibir". Porque, hechos a imagen de Dios, los hombres sólo nos abrimos a la felicidad, cuando hacemos de nuestra vida el canal por el que los dones de Dios llegan a nuestros hermanos.

Oremos con san Ignacio: "Toma, Señor, y recibe toda mi libertad, mi Memoria, mi entendimiento y toda mi voluntad... Dame tu amor y gracia, que ésta me basta".

Lunes

Memoria libre: Blanco o Verde.

Números 11,4-15 / Salmo 80 / Mateo 14,13-21.

EVANGELIO

En aquel tiempo, al enterarse Jesús de la muerte de Juan, el Bautista, se marchó de allí en barca, a un sitio tranquilo y apartado. Al saberlo la gente, lo siguió por tierra desde los pueblos. Al desembarcar, vio Jesús el gentío, le dio lástima y curó a los enfermos. Como se hizo tarde, se acercaron los discípulos a decirle: «Estamos en despoblado y es muy tarde, despide a la multitud para que vayan a las aldeas y se compren de comer». Jesús les replicó: «No hace falta que vayan, dadles vosotros de comer». Ellos le replicaron: «Si aquí no tenemos más que cinco panes y dos peces». Les dijo: «Traédmelos». Mandó a la gente que se recostara en la hierba y, tomando los cinco panes y los dos peces, alzó la mirada al cielo, pronunció la bendición, partió los panes y se los dio a los discípulos; los discípulos se los dieron a la gente. Comieron todos hasta quedar satisfechos y recogieron doce cestos llenos de sobras. Comieron unos cinco mil hombres, sin contar mujeres y niños.

Denles ustedes de comer

"La gente", atraída por Jesús, se adelanta con sus enfermos a Jesús y lo recibe al desembarcar en busca de un lugar tranquilo. Los discípulos representan la postura humana ante esa situación. En descampado y con tan escasos recursos, "despídelos y que vayan a comprarse pan". Jesús contempla la situación con otros ojos: se compadece, sana a los enfermos y ordena a los suyos: "Denles ustedes de comer". Y tomando lo poco que tienen, alza los ojos al cielo, pronuncia la bendición, parte los panes y se los da a los discípulos. Lo poco, compartido, se ha hecho suficiente hasta sobrar. Los discípulos ahora se tornan colaboradores de Jesús: son ellos los que "les dan los panes a la gente". Eran cinco mil; representan a la humanidad entera de la que Jesús se proclamará "Pan de vida".

Dios todopoderoso, en la belleza del paisaje veo tu belleza, en la ternura de las flores tu ternura, en la quietud de los suaves valles tu quietud y suavidad divinas.

EVANGELIO

Martes

Fiesta: Blanco.

2Pedro 1,16-19 / Salmo 96 / Lucas 9,28-36.

En aquel tiempo, Jesús cogió a Pedro, a Juan y a Santiago y subió a lo alto de la montaña, para orar. Y, mientras oraba, el aspecto de su rostro cambió, sus vestidos brillaban de blancos. De repente, dos hombres conversaban con él: eran Moisés y Elías, que, apareciendo con gloria, hablaban de su muerte, que iba a consumar en Jerusalén. Pedro y sus compañeros se caían de sueño; y, espabilándose, vieron su gloria y a los dos hombres que estaban con él. Mientras estos se alejaban, dijo Pedro a Jesús: «Maestro, qué bien se está aquí. Haremos tres tiendas: una para ti, otra para Moisés y otra para Elías». No sabía lo que decía. Todavía estaba hablando, cuando llegó una nube que los cubrió. Se asustaron al entrar en la nube. Una voz desde la nube decía: «Este es mi Hijo, el escogido, escuchadle». Cuando sonó la voz, se encontró Jesús solo. Ellos guardaron silencio y, por el momento, no contaron a nadie nada de lo que habían visto.

Gloriosos como Dios

Jesús se muestra lleno de gloria junto con Moisés y Elías –gloriosos también ellos– ante Pedro, Juan y Santiago. Pedro nos cuenta este acontecimiento en su Segunda Carta. Adivinamos que nos lo cuenta embargado por un recuerdo que le estremece: "...Recibió de Dios Padre honor y gloria, cuando la sublime Gloria le dirigió esta voz: Este es mi Hijo muy amado en quien me complazco. Nosotros mismos escuchamos esta voz, venida del cielo..." (*2Pe* 1,17-18). Que Jesús manifieste su gloria para robustecer la fe de los suyos en su debilidad nos parece algo bellísimo y también lógico. Que Moisés y Elías se nos muestren gloriosos colman nuestras expectativas, lo que de Dios esperamos: ser glorificados por Él y en Él. Es cierto que nos cuesta trabajo creer que Dios nos ame tanto; sin embargo, es cierto que estamos llamados a participar de su gloria. Recojamos el testimonio del Apóstol Pablo: "...Somos ciudadanos del cielo, de donde esperamos como salvador al Señor Jesucristo, el cual transfigurará este endeble cuerpo nuestro en un cuerpo glorioso como el suyo..." (*Flp* 3,20-21).

Concédeme, Señor Jesús, verte transfigurado
en cada página de tu Evangelio.

Miércoles

Sixto II, Papa y compañeros mártires o san Cayetano, presbítero.

Memoria libre o feria: Blanco o Verde.

San Miguel de la Mora, *mártir de Colima.*

Números 13,1-2.25-14,1.26-29.34-35/ Salmo 105/ Mateo 15,21-28.

EVANGELIO

En aquel tiempo, Jesús salió y se retiró al país de Tiro y Sidón. Entonces una mujer cananea, saliendo de uno de aquellos lugares, se puso a gritarle: «Ten compasión de mí, Señor, Hijo de David. Mi hija tiene un demonio muy malo». Él no le respondió nada. Entonces los discípulos se le acercaron a decirle: «Atiéndela, que viene detrás gritando». Él les contestó: «Solo me han enviado a las ovejas descarriadas de Israel». Ella los alcanzó y se postró ante él, y le pidió de rodillas: «Señor, socórreme». Él le contestó: «No está bien echar a los perros el pan de los hijos». Pero ella repuso: «Tienes razón, Señor; pero también los perros se comen las migajas que caen de la mesa de los amos». Jesús le respondió: «Mujer, qué grande es tu fe: que se cumpla lo que deseas». En aquel momento quedó curada su hija.

¡Señor, ten piedad!

La poca fe de Pedro en el lago contrasta con la fe de esta mujer cananea, pagana, que Jesús admira y alaba: "Mujer, ¡qué grande es tu fe!". La fe no depende de las circunstancias de las personas. Pueden ser creyentes los judíos y los paganos, los cristianos y los no cristianos. Todos estamos llamados a serlo. Porque todos estamos agraciados con la presencia de Dios, el Misterio santo, "que no está lejos de ninguno de nosotros, porque en él vivimos, nos movemos y existimos"; a todos nos ha creado "oyentes de su Palabra"; y a todos nos atrae hacia sí como la meta y el sentido de nuestra vida. Que lo seamos depende, en primer lugar, de que estemos atentos a su paso por nuestra vida, como lo estuvo la mujer cananea al paso de Jesús por su tierra. Depende también de que cultivemos el deseo de Dios que Él mismo ha puesto en nosotros: "Mi alma está sedienta de ti"; que perseveremos en nuestras súplicas cuando nos parezca que su silencio es la única respuesta a ellas; y que no dejemos de confiar en su misericordia.

Dios todopoderoso, te agradezco por el obsequio de la naturaleza. En ella yo siento que a través de las flores y de los árboles irrumpe en mí tu amor y me llena.

Jueves

Presbítero.

Memoria: Blanco.

Números 20,1-13 / Salmo 94 / Mateo 16,13-23.

EVANGELIO

En aquel tiempo, al llegar a la región de Cesarea de Filipo, Jesús preguntó a sus discípulos: «¿Quién dice la gente que es el Hijo del hombre?». Ellos contestaron: «Unos que Juan Bautista, otros que Elías, otros que Jeremías o uno de los profetas». Él les preguntó: «Y vosotros, ¿quién decís que soy yo?». Simón Pedro tomó la palabra y dijo: «Tú eres el Mesías, el Hijo de Dios vivo». Jesús le respondió: «¡Dichoso tú, Simón, hijo de Jonás!, porque eso no te lo ha revelado nadie de carne y hueso, sino mi Padre que está en el cielo. Ahora te digo yo: Tú eres Pedro, y sobre esta piedra edificaré mi Iglesia, y el poder del infierno no la derrotará. Te daré las llaves del reino de los cielos; lo que ates en la tierra, quedará atado en el cielo, y lo que desates en la tierra, quedará desatado en el cielo». Y les mandó a los discípulos que no dijesen a nadie que él era el Mesías. Empezó Jesús a explicar a sus discípulos que tenía que ir a Jerusalén y padecer allí mucho por parte de los ancianos, sumos sacerdotes y escribas, y que tenía que ser ejecutado y resucitar al tercer día. Pedro se lo llevó aparte y se puso a increparlo: «¡No lo permita Dios, Señor! Eso no puede pasarte». Jesús se volvió y dijo a Pedro: «Quítate de mi vista, Satanás, que me haces tropezar; tú piensas como los hombres, no como Dios».

¿Quién es Jesús para mí?

La respuesta de Pedro confesando a Jesús Mesías, Hijo de Dios vivo, merece que Jesús lo declare bienaventurado, porque se lo ha revelado el Padre. Sobre la Roca que es Simón y su confesión de fe se fundará una nueva comunidad, la Iglesia de Jesús, el nuevo Pueblo de Dios, contra la que nada podrán los poderes del infierno. El mismo Pedro, poco después, se resiste a aceptar para Jesús el paso por la pasión y la muerte y Jesús le ordena "quitarse de su vista" y lo llama "Satanás", porque "piensa como los hombres y no como Dios". ¡Qué largo camino le espera a Pedro hasta descubrir y aceptar el misterioso destino de Jesús! Le ha confesado Mesías, Hijo de Dios, pero todavía no parece dispuesto a encarnar en su vida ese reconocimiento. Quien sea Jesús para mí lo expresan no mis palabras, sino mi forma de pensar y sobre todo de vivir.

Viernes

Sta. Teresa Benedicta de la Cruz, virgen y mártir.

Memoria libre o feria: Rojo o Verde.

Deuteronomio 4,32-40 / Salmo 76 / Mateo 16,24-28.

EVANGELIO

En aquel tiempo, dijo Jesús a sus discípulos: «El que quiera venirse conmigo, que se niegue a sí mismo, que cargue con su cruz y me siga. Si uno quiere salvar su vida, la perderá; pero el que la pierda por mí la encontrará. ¿De qué le sirve a un hombre ganar el mundo entero, si arruina su vida? ¿O qué podrá dar para recobrarla? Porque el Hijo del hombre vendrá entre sus ángeles, con la gloria de su Padre, y entonces pagará a cada uno según su conducta. Os aseguro que algunos de los aquí presentes no morirán sin antes haber visto llegar al Hijo del hombre con majestad».

Creer en Jesucristo es seguirlo

El texto del Evangelio de hoy expone las consecuencias de la confesión de Pedro sobre la vida de los discípulos. Anteriormente Mateo mostró la inutilidad de la confesión: "Señor, Señor", si no se cumple la voluntad del Padre. El texto de hoy muestra que reconocer a Jesús como Hijo de Dios comporta recorrer tras él el camino de la abnegación de sí mismo que condujo a Jesús a la resurrección pasando por la Cruz. Negarse a sí mismo y tomar la Cruz no es buscar el sufrimiento por el sufrimiento, es abandonar la pretensión de salvarse a sí mismo; de poner en sí mismo la razón de ser y el sentido de la propia vida, y optar por una forma de vida que pone en el reconocimiento de Dios y en el servicio a los otros el ideal, la realización, la salvación de su vida. Es ser creyente en Jesucristo, revelación del amor infinito de Dios en la entrega de sí mismo por amor a nosotros y por nuestra salvación. Es encarnar nuestra confesión de fe en Jesucristo, Hijo de Dios, en una forma de vida que siga los pasos de la suya.

¡Enséñame a seguir tus sendas, Señor! ¡Indícame, Señor, tus caminos!

EVANGELIO

Sábado

San Lorenzo, diácono y mártir.

Fiesta: Rojo.

2Corintios 9,6-10 / Salmo 111 / Juan 12,24-26.

En aquel tiempo, dijo Jesús a sus discípulos: «Os aseguro que si el grano de trigo no cae en tierra y muere, queda infecundo; pero si muere, da mucho fruto. El que se ama a sí mismo se pierde, y el que se aborrece a sí mismo en este mundo se guardará para la vida eterna. El que quiera servirme, que me siga, y donde esté yo, allí también estará mi servidor; a quien me sirva, el Padre lo premiará».

Grano de trigo y vida

Si el grano de trigo no cae en tierra y muere, queda solo. Muy fuertes y contundentes nos parecen estas palabras del Hijo de Dios. Detrás de ellas adivinamos que el problema del hombre no es tanto la muerte en sí en el sentido de que es algo natural, sino el hecho de morir solo, es decir, sin Dios. De esto, de esta carencia terrible nos está previniendo el Señor Jesús; de la soledad existencial, de la posibilidad de que, llegado el día de nuestra muerte, seamos atrapados, que no abrazados, por los brazos del absurdo, al no haber nadie que nos acoja. Es un absurdo que viene al encuentro de quien se hizo hijo suyo. Es decir, Hijo del absurdo es aquel que se ha cerrado, a lo largo de toda su vida, a una etiqueta que, más allá de su resplandor, marca inexorablemente una fecha de caducidad. Por el contrario, aquel que deposita el grano de trigo, que es su propia vida, en las manos del Hijo de Dios, tiene escrita su eternidad en el libro de la vida (*Ap* 3,5).

Líbrame, Señor, de la peor de las soledades, la de morir como el grano de trigo que no cae en tierra. Quiero morir en ti.

Domingo

Clara.

Verde.

Sabiduría 18,6-9 / Salmo 32 / Hebreos 11,1-2.8-19 / Lucas 12,32-48.

EVANGELIO

En aquel tiempo, dijo Jesús a sus discípulos: Tened ceñida la cintura y encendidas las lámparas. Vosotros estad como los que aguardan a que su señor vuelva de la boda, para abrirle apenas venga y llame. Dichosos los criados a quienes el señor, al llegar, los encuentre en vela; os aseguro que se ceñirá, los hará sentar a la mesa y los irá sirviendo. Y, si llega entrada la noche o de madrugada y los encuentra así, dichosos ellos. Comprended que si supiera el dueño de casa a qué hora viene el ladrón, no le dejaría abrir un boquete. Lo mismo vosotros, estad preparados, porque a la hora que menos penséis viene el Hijo del hombre».

Administradores del misterio de Dios

Jesús llama a sus discípulos para ser pastores según su corazón, como fue profetizado por Jeremías (*Jr* 3,15). Los llamados por Jesús están siempre alerta, en vela, pendientes del cuidado y el bien de sus ovejas. Jesús los llama administradores fieles y prudentes, porque dan a sus ovejas la porción, "el pan de cada día", que necesitan para vivir su fe, para caminar hacia Dios Padre. Palabras que nos recuerdan la porción de maná que cada israelita comía diariamente para no caer desfallecido en el desierto. A estos pastores, Jesús los llama fieles, sabios y administradores de sus bienes. "Administradores de los misterios de Dios", dice Pablo (*1Cor* 4,1). La predicación de estos pastores es en sí una teofanía.

Bendito seas, Señor Dios nuestro, por la confianza que depositas en tus pastores, tanta como para hacerles administradores de tu misterio.

Lunes

Religiosa.

Memoria libre o feria: Blanco o Verde.

Deuteronomio 10,12-22 / Salmo 147 / Mateo 17,22-27.

EVANGELIO

En aquel tiempo, mientras Jesús y los discípulos recorrían juntos Galilea, les dijo Jesús: "Al Hijo del hombre lo van a entregar en manos de los hombres, lo matarán, pero resucitará al tercer día". Ellos se pusieron muy tristes. Cuando llegaron a Cafarnaúm, los que cobraban el impuesto de las dos dracmas se acercaron a Pedro y le preguntaron: «¿Vuestro Maestro no paga las dos dracmas?». Contestó: «Sí». Cuando llegó a casa, Jesús se adelantó a preguntarle: «¿Qué te parece, Simón? Los reyes del mundo, ¿a quién le cobran impuestos y tasas, a sus hijos o a los extraños?». Contestó: «A los extraños». Jesús le dijo: «Entonces, los hijos están exentos. Sin embargo, para no escandalizarlos, ve al lago, echa el anzuelo, coge el primer pez que pique, ábrele la boca y encontrarás una moneda de plata. Cógela y págales por mí y por ti».

"Por mí y por ti"

Por segunda vez Jesús anuncia aquí su pasión, muerte y resurrección. El anuncio es breve, casi lacónico. El "Hijo del hombre" va a ser entregado "a los hombres". La pasión aparecerá como una sucesión de entregas. La reacción de los discípulos es en este caso diferente. No protestan airadamente, como Pedro al primer anuncio; lo entienden, pero no pueden aceptarlo; de ahí su profunda tristeza, su consternación, que es indicio de la debilidad de su fe. Esta reacción ayuda a entender su posterior escándalo ante la pasión y su abandono del Maestro. Sorprende sobremanera que los discípulos no hayan prestado atención al anuncio de la resurrección; como si no cupiera en sus esquemas mentales y no pudiera más que resbalar a su atención y caer en el vacío. Por eso tardarán también en reconocer al Resucitado. Del episodio del impuesto resalta un detalle que llamó la atención del cardenal Martini. La conversación entre Pedro y Jesús termina con el detalle conmovedor de la asociación de Pedro con Jesús en el pago del impuesto, signo de la asociación del destino del discípulo al de su Maestro: "Por ti y por mí".

Dios todopoderoso y eterno, abre nuestra mirada a tu belleza,
que se hace visible en la creación.

Martes

Stos. Ponciano, Papa e Hipólito, presbítero, mártires.

Memoria libre o feria: Rojo o Verde.

Deuteronomio 31,1-8/ Deuteronomio 32/ Mateo 18,1-5.10.12-14.

EVANGELIO

En aquel momento, se acercaron los discípulos a Jesús y le preguntaron: «¿Quién es el más importante en el Reino de los cielos?». Él llamó a un niño, lo puso en medio y dijo: «Os aseguro que, si no volvéis a ser como niños, no entraréis en el Reino de los cielos. Por tanto, el que se haga pequeño como este niño, ese es el más grande en el Reino de los cielos. El que acoge a un niño como este en mi nombre me acoge a mí. Cuidado con despreciar a uno de estos pequeños, porque os digo que sus ángeles están viendo siempre en el cielo el rostro de mi Padre celestial. ¿Qué os parece? Suponed que un hombre tiene cien ovejas: si una se le pierde, ¿no deja las noventa y nueve en el monte y va en busca de la perdida? Y si la encuentra, os aseguro que se alegra más por ella que por las noventa y nueve que no se habían extraviado. Lo mismo vuestro Padre del cielo: no quiere que se pierda ni uno de estos pequeños».

Dios vela por tu dignidad

¡Cuántas veces nos hemos rebajado a límites insospechados ante alguien, porque estaba en su mano hacernos un favor o algo que nos agradase! ¡Cuántas veces nos hemos rebajado de forma humillante, única y exclusivamente por conseguir de alguien una cercanía, mirada de aprobación y hasta para llamar su atención! Lo peor es que hemos hecho todas estas cosas con personas que a lo mejor no eran gran cosa..., para empezar no eran Dios. Sin embargo, ¡cómo nos cuesta rebajarnos ante Él, qué reticentes somos para recibir su Palabra, el Evangelio de su Hijo, sin cuestionarlo! Lo mejor de todo esto es que, al contrario de los casos anteriormente citados, cuando "nos rebajamos ante Dios", no perdemos en absoluto nuestra dignidad, al contrario, nos coloca a su altura: los mayores en el Reino de los cielos.

Solo el buen pastor que se hace pequeño, se gana la confianza de sus ovejas.
Así hiciste conmigo, Señor. Bendito seas.

Miércoles

Presbítero y mártir.

Memoria: Rojo.

Deuteronomio 34,1-12 / Salmo 65 / Mateo 18,15-20.

EVANGELIO

En aquel tiempo, dijo Jesús a sus discípulos: «Si tu hermano peca, repréndelo a solas entre los dos. Si te hace caso, has salvado a tu hermano. Si no te hace caso, llama a otro o a otros dos, para que todo el asunto quede confirmado por boca de dos o tres testigos. Si no les hace caso, díselo a la comunidad, y si no hace caso ni siquiera a la comunidad, considéralo como un gentil o un publicano. Os aseguro que todo lo que atéis en la tierra quedará atado en el cielo, y todo lo que desatéis en la tierra quedará desatado en el cielo. Os aseguro, además, que si dos de vosotros se ponen de acuerdo en la tierra para pedir algo, se lo dará mi Padre del cielo. Porque donde dos o tres están reunidos en mi nombre, allí estoy yo en medio de ellos».

La corrección que cura

La corrección al otro. Tema arduo y complejo, pues hay que tener mucha sabiduría para corregir a los demás. Para ser más exactos, tendríamos que puntualizar que sólo podemos corregir al hermano desde la sabiduría de Dios. Job nos ayuda a discernir diciéndonos cómo corrige Dios, a quien pudo conocer en su profundidad gracias a su prodigiosa experiencia de fe: "Él es el que hiere y el que venda la herida, el que llaga y luego cura con su mano" (*Job* 5,18). Existe la corrección desde la prepotencia, desde creer tener la razón, también desde el rencor por cuentas antiguas...; y existe la corrección desde la compasión, la misericordia y, sobre todo, desde morir por el otro: esta es la corrección de Dios. Él toma nuestras heridas y las hace suyas. "Con sus heridas han sido curados" (*1Pe* 2,24b). Cuando un hombre se siente así corregido-amado por Dios, ¿cómo no vivir con y para Él?

Y como nos viste tan desvalidos, nos corregiste con tu sangre.
Bendito y alabado seas, Señor Jesús.

Jueves

Solemnidad: Blanco.

Apocalipsis 11,19; 12,1-6.10 / Salmo 44 / 1Corintios 15,20-27 / Lucas 1,39-56.

EVANGELIO

En aquellos días, María se puso en camino y fue aprisa a la montaña, a un pueblo de Judá; entró en casa de Zacarías y saludó a Isabel. En cuanto Isabel oyó el saludo de María, saltó la criatura en su vientre. Se llenó Isabel del Espíritu Santo y dijo a voz en grito: «¡Bendita tú entre las mujeres, y bendito el fruto de tu vientre! ¿Quién soy yo para que me visite la madre de mi Señor? En cuanto tu saludo llegó a mis oídos, la criatura saltó de alegría en mi vientre. Dichosa tú, que has creído, porque lo que te ha dicho el Señor se cumplirá». María dijo: «Proclama mi alma la grandeza del Señor, se alegra mi espíritu en Dios, mi salvador; porque ha mirado la humillación de su esclava. Desde ahora me felicitarán todas las generaciones, porque el Poderoso ha hecho obras grandes por mí: su nombre es santo, y su misericordia llega a sus fieles de generación en generación. Él hace proezas con su brazo: dispersa a los soberbios de corazón, derriba del trono a los poderosos y enaltece a los humildes, a los hambrientos los colma de bienes y a los ricos los despide vacíos. Auxilia a Israel, su siervo, acordándose de la misericordia –como lo había prometido a nuestros padres– en favor de Abrahán y su descendencia por siempre». María se quedó con Isabel unos tres meses y después volvió a su casa.

María, primicia de los redimidos

La Asunción de María, primicia de los redimidos, es también la primicia del destino de los creyentes. Ella, "la esclava del Señor", es recibida por Isabel como "la Madre de mi Señor", "Bendita entre las mujeres". El encuentro de las dos madres está envuelto en el clima de gozo de la buena nueva de la llegada del Salvador. El precursor salta de gozo en el vientre de la madre; Isabel declara a María "dichosa porque ha creció"; y el cántico de María, llena de gozo en Dios, su Salvador, resume los rasgos del nuevo orden que va a instaurar en el mundo la llegada del reino de Dios.

"Al cielo vas, Señora, /y allá te reciben con alegre canto. / ¡Oh quién pudiera ahora / asirse a tu manto / para subir contigo al monte santo!" *(Himno de vísperas de la Asunción).*

EVANGELIO

Viernes

San Esteban de Hungría ó Beato Bartolomé Laure.,

Memoria libre o feria: Blanco, Rojo o Verde.

Josué 24,1-13 / Salmo 135 / Mateo 19,3-12.

En aquel tiempo, se acercaron a Jesús unos fariseos y le preguntaron para ponerlo a prueba: "¿Es lícito a uno despedir a su mujer por cualquier motivo?". Él les respondió: "¿No habéis leído que el Creador en el principio los creó hombre y mujer, y dijo: 'Por eso abandonará el hombre a su padre y a su madre, y se unirá a su mujer, y serán los dos una sola carne?' De modo que ya no son dos sino una sola carne. Pues lo que Dios ha unido que no lo separe el hombre". Ellos insistieron: "¿Y por qué mandó Moisés darle acta de repudio y divorciarse?". Él le contestó: "Por lo tercos que sois os permitió Moisés divorciaros de vuestras mujeres; pero al principio no era así. Ahora os digo yo que si uno se divorcia de su mujer –no hablo de impureza– y se casa con otra comete adulterio". Los discípulos le replicaron: "Si esa es la situación del hombre con la mujer, no trae cuenta casarse". Pero él les dijo: "No todos pueden con eso, solo los que han recibido ese don. Hay eunucos que salieron así del vientre de su madre, a otros los hicieron los hombres, y hay quienes se hacen eunucos por el reino de los cielos. El que pueda con esto, que lo haga".

Por el sentido evangélico de las normas cristianas

La pregunta de los fariseos no se refiere en la versión de Mateo a la posibilidad del divorcio en general. Se alude a esa posibilidad "por cualquier motivo", que defendían algunos maestros judíos del momento. La respuesta de Jesús aborda el fondo de la cuestión, remitiendo a la voluntad del Creador: "Lo que Dios ha unido no lo separe el hombre". La dureza de tal norma, ya entonces, aparece en la reacción de los discípulos: "en tales condiciones no conviene casarse". Y esto lleva a Jesús a aludir, entre los que no se casan, a algunos a los que se ha concedido renunciar al matrimonio "por el reino de los cielos".

El misericordioso y querido Dios te bendice. Te cubre con su amorosa y sanadora presencia. Está contigo cuando te levantas y cuando te acuestas. Te protege en todos tus caminos.

Sábado

Feria o de la Virgen María:

Verde o Blanco.

Eusebio.

Josué 24,14-29 / Salmo 15 / Mateo 19,13-15.

EVANGELIO

En aquel tiempo, le acercaron unos niños a Jesús para que les impusiera las manos y rezara por ellos, pero los discípulos los regañaban. Jesús dijo: «Dejadlos, no impidáis a los niños acercarse a mí; de los que son como ellos es el reino de Dios». Les impuso las manos y se marchó de allí.

Hacernos como niños

La atención de Jesús a los niños es una muestra más de la universalidad de Jesús, de su mensaje y de la salvación que aporta. Apenas tomados en cuenta en la cultura y la forma de proceder de los representantes de la religión de entonces, son objeto de atención y de predilección por parte de Jesús, como lo eran los pobres, los enfermos y los excluidos. Como con los enfermos, Jesús se detiene ante ellos, les impone las manos, los bendice. La preferencia de Jesús por los niños va, además, más lejos. Aquí, y de forma más clara en el texto paralelo de Marcos, Jesús los pone como ejemplo de los que pertenecen al Reino y asegura a los discípulos que "el que no reciba el reino de Dios como un niño no entrará en él". ¿Qué hace de los niños sujetos de predilección para Jesús y modelos de la aceptación del Reino? No parece que sea su candor, su inocencia, como se ha pensado con frecuencia. Es más bien su impotencia. Ni siquiera pueden llegar a Jesús por sus propios medios: son "presentados", son "llevados" ante Él. El Señor que, como cantó María, derriba del trono a los poderosos, se vuelca sobre los que todo lo esperan de Él y no pueden presentarle otro título que su necesidad de ayuda. No es extraño que grandes creyentes como Teresa de Lisieux hayan abierto un nuevo camino hacia Dios: el de la infancia espiritual.

Ayúdanos, Señor, a recibir el reino de Dios como un niño, con confianza e inocencia.

EVANGELIO

Domingo

Verde.

Elena.

Jeremías 38,4-6.8-10 / Salmo 39 / Hebreos 12,1-4 / Lucas 12,49-53.

En aquel tiempo, dijo Jesús a sus discípulos: «He venido a prender fuego en el mundo, ¡y ojalá estuviera ya ardiendo! Tengo que pasar por un bautismo, ¡y qué angustia hasta que se cumpla! ¿Pensáis que he venido a traer al mundo paz? No, sino división. En adelante, una familia de cinco estará dividida: tres contra dos y dos contra tres; estarán divididos el padre contra el hijo y el hijo contra el padre, la madre contra la hija y la hija contra la madre, la suegra contra la nuera y la nuera contra la suegra».

Jesús, signo de contradicción

El texto de hoy contiene algunos de esos "versículos incómodos" del Evangelio, sobre los que se apoyan quienes sostienen que el cristianismo, como el resto de las religiones, son fuente de conflicto y generadores de violencia en la historia humana. Pero ese apoyo se debe a una lectura literal del texto, que no responde a su sentido verdadero. Jesús aporta división por la separación que introducirá entre los hombres la opción por Él o contra Él. Precisamente Lucas ha subrayóo desde su narración de la infancia de Jesús el mensaje de paz con el que los ángeles anuncian su nacimiento al mundo: "En la tierra paz a los hombres que ama el Señor". Jesús anuncia e inicia el Reino de Dios, pero ese Reino va a encontrar oposición, resistencias y hasta la violencia de los poderes que rigen el mundo. Su primera víctima será el mismo Jesús, que ya sabe en su subida a Jerusalén que allí le espera la pasión y el "bautismo de sangre" de su muerte. Lo mismo anunció Jesús que sucedería a sus discípulos, y estos, cuando lo son de verdad, preferirán con Jesús ser víctimas de la violencia a ejercerla contra otros. Por eso Jesús sigue preguntando a los suyos si serán capaces de beber el cáliz que Él bebió para la salvación de todos.

Señor que nos dijiste: "La paz les dejo, mi paz los doy",
concede a tu Iglesia, concédenos a todos, el don de la unidad y la paz.

Lunes

Beatos Pedro Zúñiga y Luis Flores, presbíteros y mártires o San Juan Eudes, presbítero.

Memoria libre o feria: Rojo, Blanco o Verde.

Jueces 2,11-19 / Salmo 105 / Mateo 19,16-22.

EVANGELIO

En aquel tiempo, se acercó uno a Jesús y le preguntó: «Maestro, ¿qué tengo que hacer de bueno para obtener la vida eterna?». Jesús le contestó: «¿Por qué me preguntas qué es bueno? Uno solo es Bueno. Mira, si quieres entrar en la vida, guarda los mandamientos». Él le preguntó: «¿Cuáles?». Jesús le contestó: «No matarás, no cometerás adulterio, no robarás, no darás falso testimonio, honra a tu padre y a tu madre, y ama a tu prójimo como a ti mismo». El muchacho le dijo: «Todo eso lo he cumplido. ¿Qué me falta?». Jesús le contestó: «Si quieres llegar hasta el final, vende lo que tienes, da el dinero a los pobres –así tendrás un tesoro en el cielo– y luego vente conmigo». Al oír esto, el joven se fue triste, porque era rico.

Rompe tu techo

Un hombre se acerca a Jesús. Lo reconoce como Maestro y, como a tal, le hace una pregunta que, sin duda, rondaba en su interior desde hacía tiempo: ¿Qué he de hacer para tener vida eterna? Jesús le dice que guarde los mandamientos, a lo que nuestro buen amigo ingenuamente le responde que los cumple bien. Jesús, viendo que el techo hacia el que se elevan sus aspiraciones como persona es tan ínfimo, tan asfixiante, le propone un techo nuevo: Dios. Un techo que se pierde en el infinito, en lo eterno. Jesús arroja luz sobre el cumplimiento de los mandamientos de este hombre sin haber reparado en el primero: amar a Dios sobre todas las cosas..., tus cosas, tus bienes. Es como si le dijera: rompe tu techo, el que te aplasta por completo, y ábrete a la eternidad. Vende tus bienes, despójate de tanto engaño, vuela conmigo... Se alejó triste de Jesús.

Señor, líbrame de aspirar a nada y ábreme para aspirar a todo: a ti.

Martes

San Bernardo, abad y doctor de la Iglesia.

Memoria: Blanco.

Jueces 6, 11-24 / Salmo 84 / Mateo 19,23-30.

EVANGELIO

En aquel tiempo, dijo Jesús a sus discípulos: «Os aseguro que difícilmente entrará un rico en el Reino de los cielos. Lo repito: Más fácil le es a un camello pasar por el ojo de una aguja que a un rico entrar en el Reino de Dios». Al oírlo, los discípulos dijeron espantados: «Entonces, ¿quién puede salvarse?». Jesús se les quedó mirando y les dijo: «Para los hombres es imposible; pero Dios lo puede todo». Entonces le dijo Pedro: «Pues nosotros lo hemos dejado todo y te hemos seguido; ¿qué nos va a tocar?». Jesús les dijo: «Os aseguro: cuando llegue la renovación, y el Hijo del hombre se siente en el trono de su gloria, también vosotros, los que me habéis seguido, os sentaréis en doce tronos para regir a las doce tribus de Israel. El que por mí deja casa, hermanos o hermanas, padre o madre, mujer, hijos o tierras, recibirá cien veces más, y heredará la vida eterna. Muchos primeros serán últimos y muchos últimos serán primeros».

El reino y las riquezas

El texto evangélico de hoy explica la dificultad extrema que constituye la riqueza para entrar en el reino de los cielos. La razón de la dificultad está en primer lugar en el poder de seducción de las posesiones sobre el hombre, que fácilmente las convierte en ídolos que toman posesión de su corazón y le impiden dar al reino el valor supremo que le es propio. En este sentido, la renuncia a las riquezas no es un consejo reservado a unos pocos. Es exigencia irrenunciable para todos, aunque tal exigencia pueda ser vivida en diferentes formas de vida. La segunda razón de esa dificultad está en la estrecha relación de la posesión de riquezas con la injusticia que comporta la desigual distribución de los bienes y su incompatibilidad con el mandamiento central del amor. Dos lecturas del texto conviene excluir: la que tiende a ensanchar a toda costa el ojo de la aguja para que se pueda pasar por él cargados de riquezas; y la que, pasando de la dificultad, incluso extrema, a la imposibilidad, declara, sin contar con el poder y la misericordia de Dios, que todos los que poseen riquezas, sin fijarse en el uso que hacen de ellas, están ya excluidos del reino de Dios.

Miércoles

Memoria: Blanco.

Jueces 9,6-15 / Salmo 20 / Mateo 20,1-16.

EVANGELIO

En aquel tiempo, dijo Jesús a sus discípulos esta parábola: «El Reino de los cielos se parece a un propietario que al amanecer salió a contratar jornaleros para su viña. Después de ajustarse con ellos en un denario por jornada, los mandó a la viña. Salió otra vez a media mañana, vio a otros que estaban en la plaza sin trabajo, y les dijo: "Id también vosotros a mi viña, y os pagaré lo debido". Ellos fueron. Salió de nuevo hacia mediodía y a media tarde e hizo lo mismo. Salió al caer la tarde y encontró a otros, parados, y les dijo: "¿Cómo es que estáis aquí el día entero sin trabajar?". Le respondieron: "Nadie nos ha contratado". Él les dijo: "Id también vosotros a mi viña". Cuando oscureció, el dueño de la viña dijo al capataz: "Llama a los jornaleros y págales el jornal, empezando por los últimos y acabando por los primeros". Vinieron los del atardecer y recibieron un denario cada uno. Cuando llegaron los primeros, pensaban que recibirían más, pero ellos también recibieron un denario cada uno. Entonces se pusieron a protestar contra el amo: "Estos últimos han trabajado solo una hora, y los has tratado igual que a nosotros, que hemos aguantado el peso del día y el bochorno". Él replicó a uno de ellos: "Amigo, no te hago ninguna injusticia. ¿No nos ajustamos en un denario? Toma lo tuyo y vete. Quiero darle a este último igual que a ti. ¿Es que no tengo libertad para hacer lo que quiera en mis asuntos? ¿O vas a tener tú envidia porque yo soy bueno?". Así, los últimos serán los primeros y los primeros los últimos».

El privilegio de trabajar para el Señor

La protesta de los trabajadores de la primera hora se debe a que no han apreciado el privilegio que supone trabajar toda la vida en la viña del Señor.

Al romper el día, nos apalabraste. / Cuidamos tu viña del alba a la tarde. / Ahora que nos pagas, nos lo das de balde, / que a jornal de gloria no hay trabajo grande *(Himno de vísperas)*.

EVANGELIO

Jueves

Memoria: Blanco.

Jueces 11,29-39 / Salmo 39 / Mateo 22,1-14.

En aquel tiempo, de nuevo tomó Jesús la palabra y habló en parábolas a los sumos sacerdotes y a los ancianos del pueblo: «El Reino de los cielos se parece a un rey que celebraba la boda de su hijo. Mandó criados para que avisaran a los convidados a la boda, pero no quisieron ir. Volvió a mandar criados, encargándoles que les dijeran: "Tengo preparado el banquete, he matado terneros y reses cebadas, y todo está a punto. Venid a la boda". Los convidados no hicieron caso; uno se marchó a sus tierras, otro a sus negocios; los demás les echaron mano a los criados y los maltrataron hasta matarlos. El rey montó en cólera, envió sus tropas, que acabaron con aquellos asesinos y prendieron fuego a la ciudad. Luego dijo a sus criados: "La boda está preparada, pero los convidados no se la merecían. Id ahora a los cruces de los caminos, y a todos los que encontréis, convidadlos a la boda". Los criados salieron a los caminos y reunieron a todos los que encontraron, malos y buenos. La sala del banquete se llenó de comensales. Cuando el rey entró a saludar a los comensales, reparó en uno que no llevaba traje de fiesta y le dijo: "Amigo, ¿cómo has entrado aquí sin vestirte de fiesta?". El otro no abrió la boca. Entonces el rey dijo a los camareros: "Atadlo de pies y manos y arrojadlo fuera, a las tinieblas. Allí será el llanto y el rechinar de dientes". Porque muchos son los llamados y pocos los elegidos».

Dios reclama nuestra aceptación para salvarnos

Algunos detalles del texto de la parábola como la respuesta de algunos invitados que matan a los mensajeros y la reacción del rey de acabar con ellos y arrasar su ciudad hace sospechar que Mateo introdujo en la parábola propuesta por Jesús una interpretación a la luz de su muerte y de la destrucción de Jerusalén que ya tuvo lugar cuando se escribio el Evangelio. La universalidad de la invitación no exime a los invitados de disponerse para responder a ella. El Dios que nos ha creado sin nosotros no nos salvará sin nuestra colaboración. Ésta consiste en la fe y el amor, clave de nuestra respuesta.

Viernes

Feria: Verde.

Eugenio.

Rut 1,1.3-8.14-16.22 / Salmo 145 / Mateo 22,34-40.

EVANGELIO

En aquel tiempo, los fariseos, al oír que Jesús había hecho callar a los saduceos, formaron grupo, y uno de ellos, que era experto en la Ley, le preguntó para ponerlo a prueba: «Maestro, ¿cuál es el mandamiento principal de la Ley?». Él le dijo: «"Amarás al Señor, tu Dios, con todo tu corazón, con toda tu alma, con todo tu ser". Este mandamiento es el principal y primero. El segundo es semejante a él: "Amarás a tu prójimo como a ti mismo". Estos dos mandamientos sostienen la Ley entera y los profetas».

El segundo mandamiento es semejante al primero

Para cualquier conocedor de la ley era sabido que el primer mandamiento estaba formulado en el texto del Deuteronomio repetido en la oración diaria: "Escucha, Israel… amarás al Señor, tu Dios, con todo tu corazón". Lo nuevo de la respuesta de Jesús es que enseñe, como semejante a Él, el segundo: "Amarás a tu prójimo como a ti mismo". También resulta nuevo que: "de estos dos mandamientos, pendan la ley y los profetas". Porque "la ley y los profetas" es la expresión completa de la voluntad de Dios para su Pueblo, lo que Dios espera de él. Así, la respuesta de Jesús significa que en ese doble precepto están contenidos todos los demás, que todos se resumen en ellos. A partir de ahí la ley adquiere un sentido nuevo: toda la vida moral del creyente tiene su origen en el amor y está orientado hacia él. Dios no es fundamentalmente alguien a quien temer, sino alguien a quien amar como se ama al propio padre. Las relaciones entre los humanos se rigen por el mismo principio del amor. Un amor que abarca a todos, hasta a los enemigos, porque se funda en el amor de Dios "que hace salir el sol sobre buenos y malos".

Concédenos, Señor, que cada vez que nos preguntemos ¿qué debo hacer?, acudamos a nuestro amor de Dios y de los hermanos como criterio para la respuesta.

Fiesta: Rojo.

Apocalipsis 21,9-14 / Salmo 144 / Juan 1,45-51.

EVANGELIO

En aquel tiempo, Felipe encuentra a Natanael y le dice: «Aquel de quien escribieron Moisés en la Ley y los profetas, lo hemos encontrado: Jesús, hijo de José, de Nazaret». Natanael le replicó: «¿De Nazaret puede salir algo bueno?». Felipe le contestó: «Ven y verás». Vio Jesús que se acercaba Natanael y dijo de él: «Ahí tenéis a un israelita de verdad, en quien no hay engaño». Natanael le contesta: «¿De qué me conoces?». Jesús le responde: «Antes de que Felipe te llamara, cuando estabas debajo de la higuera, te vi». Natanael respondió: «Rabí, tú eres el Hijo de Dios, tú eres el Rey de Israel». Jesús le contestó: «¿Por haberte dicho que te vi debajo de la higuera, crees? Has de ver cosas mayores». Y le añadió: «Yo os aseguro: veréis el cielo abierto y a los ángeles de Dios subir y bajar sobre el Hijo del hombre».

Ven y verás

Fiesta de san Bartolomé Apóstol. En el Evangelio aparece con el nombre de Natanael. ¡Ven y verás!, le dice Felipe ante sus dudas de que ese tal Jesús de quien le habla sea verdaderamente el Mesías. Natanael tenía serias dudas, lo que nos parece más que normal. Sin embargo, ¿qué vio en los ojos de Felipe y, más aún, cómo resonó en su corazón su franco "ven y verás?" Probablemente oyó algo más que palabras. Creo que el tono de la voz de Felipe estaba envuelto con el calor del fuego de una experiencia determinante. Algo así tuvo que ser cuando, dejando de lado su escepticismo, también su ironía, aceptó la propuesta de su amigo. Fue, vio y se estremeció. ¡Resulta que había ido a ver quién era ese Jesús, y Él ya lo conocía; estaba en su corazón cuando, bajo la higuera, buscaba a Dios! "Bajo la higuera" es una expresión bíblica que significa sondear las Escrituras buscando en ellas a Dios.

Saber, Señor, que tú ya me conoces cuando te busco,
colma mis alegrías, no se puede esperar más de ti.

Domingo

Verde.

San Luis, *patrono principal de la Dióc. de S.L.P.*

José de Calasanz

Isaías 66,18-21 / Salmo 116 / Hebreos 12,5-7.11-13 / Lucas 13,22-30.

EVANGELIO

En aquel tiempo, Jesús, de camino hacia Jerusalén, recorría ciudades y aldeas enseñando. Uno le preguntó: «Señor, ¿serán pocos los que se salven?». Jesús les dijo: «Esforzaos en entrar por la puerta estrecha. Os digo que muchos intentarán entrar y no podrán. Cuando el amo de la casa se levante y cierre la puerta, os quedaréis fuera y llamaréis a la puerta, diciendo: "Señor, ábrenos"; y él os replicará: "No sé quiénes sois". Entonces comenzaréis a decir: "Hemos comido y bebido contigo, y tú has enseñado en nuestras plazas". Pero él os replicará: "No sé quiénes sois. Alejaos de mí, malvados". Entonces será el llanto y el rechinar de dientes, cuando veáis a Abrahán, Isaac y Jacob y a todos los profetas en el reino de Dios, y vosotros os veáis echados fuera. Y vendrán de oriente y occidente, del norte y del sur, y se sentarán a la mesa en el reino de Dios. Mirad: hay últimos que serán primeros, y primeros que serán últimos».

La puerta estrecha

La pregunta que se dirige a Jesús tiene como trasfondo la creencia arraigada en el judaísmo de que "todo israelita entrará a formar parte del reino y gozará de la salvación que ofrece". En ese contexto la pregunta parece interesarse por la suerte de los demás y el número de los que se salvarán. La respuesta de Jesús ofrece una advertencia sobre las condiciones para entrar en el Reino. Para entrar en él es indispensable poner en práctica las enseñanzas de Jesús y haberlo seguido fielmente. En el estadio final de la vida la puerta estrecha se convierte, para los que no lo han hecho, en puerta cerrada que el Señor no abrirá a los que no reconozca como suyos. Los cristianos podemos reconocernos en los que vienen de los cuatro puntos cardinales a participar en el banquete de la salvación. Pero tampoco a nosotros nos basta haber sido discípulos, si lo hemos sido solo de nombre. También a nosotros se nos pedirá "haber practicado la justicia".

"Agranda la puerta, Padre, /porque no puedo pasar; / la hiciste para los niños, / yo he crecido a mi pesar. / Si no me agrandas la puerta, /achícame, por piedad; / vuélveme a la edad bendita / en que vivir es soñar" *(M. de Unamuno)*.

Lunes

Memoria libre o feria: Blanco o Verde.

1Tesalonicenses 1,1-5.8-10/ Salmo 149/ Mateo 23,13-22.

EVANGELIO

En aquel tiempo, habló Jesús diciendo: «¡Ay de vosotros, escribas y fariseos hipócritas, que cerráis a los hombres el reino de los cielos! Ni entráis vosotros, ni dejáis entrar a los que quieren. ¡Ay de vosotros, escribas y fariseos hipócritas, que viajáis por tierra y mar para ganar un prosélito y, cuando lo conseguís, lo hacéis digno del fuego el doble que vosotros! ¡Ay de vosotros, guías ciegos, que decís: "Jurar por el templo no obliga, jurar por el oro del templo sí obliga"! ¡Necios y ciegos! ¿Qué es más, el oro o el templo que consagra el oro? O también: "Jurar por el altar no obliga, jurar por la ofrenda que está en el altar sí obliga". ¡Ciegos! ¿Qué es más, la ofrenda o el altar que consagra la ofrenda? Quien jura por el altar jura también por todo lo que está sobre él; quien jura por el templo jura también por el que habita en él; y quien jura por el cielo jura por el trono de Dios y también por el que está sentado en él».

¿Fariseos en el cristianismo?

Durante tres días la liturgia nos ofrece una larga serie de ayes conminatorios de Jesús contra la conducta degenerada de escribas y fariseos. En todas ellas se repite la acusación de "hipócritas", porque sus hechos no se corresponden con sus palabras, ni sus falsas apariencias con su verdadero ser. Jesús los acusa, además, de que, agolpados a las puertas del Reino, obstaculizan al Pueblo sencillo su entrada en él. Resulta imposible escuchar las palabras de Jesús sin ver en ellas denuncias de doctrinas y prácticas distorsionadas que se nos cuelan en el cristianismo, han falseado la imagen del Evangelio y han dañado gravemente su crédito ante aquellos a quienes deberíamos testimoniarlo. ¿Cuántos cristianos, con nuestra forma mediocre de vivir el cristianismo, velamos, tal vez, a nuestros contemporáneos, en lugar de irradiarlas, la bondad, la belleza y la alegría del Evangelio y constituimos un obstáculo para la escucha de su mensaje en nuestro mundo?

Señor Jesucristo, déjanos encontrarnos el uno al otro, que abramos el cielo el uno para el otro, y que el cielo salga para todos nosotros.

Martes

Memoria: Blanca.

1Tesalonicenses 2,1-8 / Salmo 138 / Mateo 23,23-26.

EVANGELIO

En la ley estaba establecida la obligación de pagar el diezmo de los cereales, el mosto y el aceite para el mantenimiento del templo y su servicio. Pero los fariseos la extendían a productos incluso insignificantes, haciéndola extraordinariamente onerosa y difícil de cumplir por el pueblo. Jesús recuerda a los dirigentes las enseñanzas unánimes de los profetas que centraron la ley en las actitudes fundamentales para con Dios y la práctica del amor y la justicia para con los hombres, con especial atención a las obras de misericordia para con los pobres: «Esto, dice uno de ellos, es lo que manda el Señor: juzgar con verdad y justicia y hacer obras de misericordia. No hagáis agravio a la viuda, al huérfano, al extranjero y al pobre... Pero ellos no quisieron escuchar y, rebeldes, le dieron la espalda». Los escribas y fariseos con sus conductas estarían repitiendo las que los profetas habían condenado en nombre de Dios. Jesús les reprocha después que se preocupen de las apariencias y descuiden la rectitud de su interior. Escuchemos las advertencias de Jesús en lo que puedan tener de condenas de actitudes y conductas de nuestro cristianismo.

Actualidad de los profetas

En la ley estaba establecida la obligación de pagar el diezmo de los cereales, el mosto y el aceite para el mantenimiento del templo y su servicio. Pero los fariseos la extendían a productos incluso insignificantes, haciéndola extraordinariamente onerosa y difícil de cumplir por el pueblo. Jesús recuerda a los dirigentes las enseñanzas unánimes de los profetas que centraron la ley en las actitudes fundamentales para con Dios y la práctica del amor y la justicia para con los hombres, con especial atención a las obras de misericordia para con los pobres: "Esto, dice uno de ellos, es lo que manda el Señor: juzgar con verdad y justicia y hacer obras de misericordia. No hagan agravio a la viuda, al huérfano, al extranjero y al pobre... Pero ellos no quisieron escuchar y, rebeldes, le dieron la espalda". Los escribas y fariseos con sus conductas estarían repitiendo las que los profetas habían condenado en nombre de Dios. Jesús les reprocha después que se preocupen de las apariencias y descuiden la rectitud de su interior. Escuchemos las advertencias de Jesús en lo que puedan tener de condenas de actitudes y conductas de nuestro cristianismo.

Miércoles

Obispo y doctor de la Iglesia.

Memoria: Blanco.

1Tesalonicences 2,9-13 / Salmo 138 / Mateo 23,27-32.

EVANGELIO

En aquel tiempo, habló Jesús diciendo: «¡Ay de vosotros, escribas y fariseos hipócritas, que os parecéis a los sepulcros encalados! Por fuera tienen buena apariencia, pero por dentro están llenos de huesos y podredumbre; lo mismo vosotros: por fuera parecéis justos, pero por dentro estáis repletos de hipocresía y crímenes. ¡Ay de vosotros, escribas y fariseos hipócritas, que edificáis sepulcros a los profetas y ornamentáis los mausoleos de los justos, diciendo: "Si hubiéramos vivido en tiempo de nuestros padres, no habríamos sido cómplices suyos en el asesinato de los profetas"! ¡Con esto atestiguáis en contra vuestra, que sois hijos de los que asesinaron a los profetas! ¡Colmad también vosotros la medida de vuestros padres!».

Mármoles y profetas

Cuando alguien se acostumbra a vivir de apariencias, entra en una espiral de falsedades en la que una maldad sucede a otra como si estuviesen encadenadas. Jesús compara a los fariseos con los sepulcros blanqueados. La apariencia deslumbra, el mármol es impecable; sin embargo, el interior espanta: hay cadáveres en descomposición. La cuestión es que cuando Dios envía a sus profetas para poner al descubierto las apariencias a fin de constatar las corrupciones ocultas, se encuentra la solución perfecta: eliminarlos. Lo que decía: una maldad encadena la siguiente que siempre es mayor. En este caso, se verifica en rechazar al profeta, silenciarle y, si es preciso matarle. Se puede acabar con el profeta, mas no con Aquel que puso sus palabras en su boca. Además, su sangre es preciosa a los ojos de Dios, les ama entrañablemente; nunca dejarán de estar presentes en su corazón. "...Llegó el tiempo de dar la recompensa a tus siervos, los profetas..." (Ap 11,18).

Líbrame, Señor, de tanto aparato externo y de tanto escaparate en el que se pasean las vanidades. Líbrame, Señor, y haz que fije mis ojos en ti, solo en ti.

Jueves

Memoria: Rojo.

1Tesalonicenses 3,7-13 / Salmo 89 / Marcos 6,19-29.

EVANGELIO

En aquel tiempo, Herodes había mandado prender a Juan y lo había metido en la cárcel, encadenado. El motivo era que Herodes se había casado con Herodías, la mujer de su hermano Filipo, y Juan le decía que no le era lícito tener la mujer de su hermano. Herodías aborrecía a Juan y quería quitarlo de en medio; no acababa de conseguirlo, porque Herodes respetaba a Juan, sabiendo que era un hombre honrado y santo, y lo defendía. Cuando lo escuchaba, quedaba desconcertado, y lo escuchaba con gusto. La ocasión llegó cuando Herodes, por su cumpleaños, dio un banquete a sus magnates, a sus oficiales y a la gente principal de Galilea. La hija de Herodías entró y danzó, gustando mucho a Herodes y a los convidados. El rey le dijo a la joven: «Pídeme lo que quieras, que te lo doy». Y le juró: «Te daré lo que me pidas, aunque sea la mitad de mi reino». Ella salió a preguntarle a su madre: «¿Qué le pido?». La madre le contestó: «La cabeza de Juan, el Bautista». Entró ella enseguida, a toda prisa, se acercó al rey y le pidió: «Quiero que ahora mismo me des en una bandeja la cabeza de Juan, el Bautista». El rey se puso muy triste; pero, por el juramento y los convidados, no quiso desairarla. Enseguida le mandó a un verdugo que trajese la cabeza de Juan. Fue, lo decapitó en la cárcel, trajo la cabeza en una bandeja y se la entregó a la joven; la joven se la entregó a su madre. Al enterarse sus discípulos, fueron a recoger el cadáver y lo enterraron.

La voz que no se apaga

Grande fue sin duda la satisfacción de Herodías cuando le presentaron en bandeja la cabeza de aquel que importunaba sus sueños con sus denuncias. Tan grande como efímera. La cabeza de Juan estaba ahí, en la bandeja, entre sus manos, pero la voz no; la voz no se dejó aprisionar. Algo parecido a lo que nos dice Pablo desde su prisión: "Estoy sufriendo hasta llevar cadenas como un malhechor; pero la Palabra de Dios no está encadenada" (*2Tim* 2,9).

EVANGELIO

Viernes

Virgen.

Fiesta: Blanco. Patrona de América Latina.

2Corintios 10, 17-11,2 / Salmo 148 / Mateo 13,44-46.

En aquel tiempo, Jesús dijo a la multitud: "El Reino de los cielos se parece a un tesoro escondido en un campo. El que lo encuentra lo vuelve a esconder, y lleno de alegría, va y vende cuanto tiene y compra aquel campo. El Reino de los cielos se parece también a un comerciante en perlas finas que, al encontrar una perla muy valiosa, va y vende cuanto tiene y la compra".

Palabras y obras

Jesús vino a proclamar que el Reino de Dios estaba entre nosotros. Con su palabra y con sus obras Jesús nos enseñó cómo es ese Reino. Es un Reino en donde todos somos hijos de un mismo Padre y, por tanto, todos se quieren, se ayudan, se sirven unos a otros. Ese Reino crece cuando descubrimos que todo lo demás es pasajero: el poder, el dinero, el egoísmo. Y que, por lo tanto, necesitamos entrar en el Reino porque ahí podremos alcanzar nuestra plenitud. ¿Estoy comportándome como ciudadano del Reino de Dios? ¿Realizo obras de servicio, justicia y amor?

Padre de misericordia escucha mi plegaria y ayúdame a ser parte de tu reino, dándome la fuerza para cumplir obras de justicia y de amor. Por Cristo Nuestro Señor. Amén.

Sábado

Feria o de la Virgen María:

Verde o Blanco.

Ramón Nonato.

1 Tesalonicenses 4,9-11 / Salmo 97 / Mateo 25,14-30.

EVANGELIO

En aquel tiempo, dijo Jesús a sus discípulos esta parábola: «Un hombre, al irse de viaje, llamó a sus empleados y los dejó encargados de sus bienes: a uno le dejó cinco talentos de plata, a otro dos, a otro uno, a cada cual según su capacidad; luego se marchó. El que recibió cinco talentos fue enseguida a negociar con ellos y ganó otros cinco. El que recibió dos hizo lo mismo y ganó otros dos. En cambio, el que recibió uno hizo un hoyo en la tierra y escondió el dinero de su señor. Al cabo de mucho tiempo volvió el señor de aquellos empleados y se puso a ajustar las cuentas con ellos. Se acercó el que había recibido cinco talentos y le presentó otros cinco, diciendo: "Señor, cinco talentos me dejaste; mira, he ganado otros cinco". Su señor le dijo: "Muy bien. Eres un empleado fiel y cumplidor; como has sido fiel en lo poco, te daré un cargo importante; pasa al banquete de tu señor". Se acercó luego el que había recibido dos talentos y dijo: "Señor, dos talentos me dejaste; mira, he ganado otros dos". Su señor le dijo: "Muy bien. Eres un empleado fiel y cumplidor; como has sido fiel en lo poco, te daré un cargo importante; pasa al banquete de tu señor". Finalmente, se acercó el que había recibido un talento y dijo: "Señor, sabía que eres exigente, que siegas donde no siembras y recoges donde no esparces, tuve miedo y fui a esconder tu talento bajo tierra. Aquí tienes lo tuyo". El señor le respondió: "Eres un empleado negligente y holgazán. ¿Conque sabías que siego donde no siembro y recojo donde no esparzo? Pues debías haber puesto mi dinero en el banco, para que, al volver yo, pudiera recoger lo mío con los intereses. Quitadle el talento y dádselo al que tiene diez. Porque al que tiene se le dará y le sobrará, pero al que no tiene, se le quitará hasta lo que tiene. Y a ese empleado inútil echadle fuera, a las tinieblas; allí será el llanto y rechinar de dientes"».

Ayúdanos, Señor, a gastar tus talentos en el servicio para los hermanos.

Domingo

Verde.

Gil.

Sirácide 3,19-21.30-31 / Salmo 67 / Hebreos 12,18-19.22-24 / Lucas 14,1.7-14.

EVANGELIO

Un sábado, entró Jesús en casa de uno de los principales fariseos para comer, y ellos le estaban espiando. Notando que los convidados escogían los primeros puestos, les propuso esta parábola: «Cuando te conviden a una boda, no te sientes en el puesto principal, no sea que hayan convidado a otro de más categoría que tú: y vendrá el que os convidó a ti y al otro y te dirá: "Cédele el puesto a este". Entonces, avergonzado, irás a ocupar el último puesto. Al revés, cuando te conviden, vete a sentarte en el último puesto, para que, cuando venga el que te convidó, te diga: "Amigo, sube más arriba". Entonces quedarás muy bien ante todos los comensales. Porque todo el que se enaltece será humillado, y el que se humilla será enaltecido». Y dijo al que lo había invitado: «Cuando des una comida o una cena, no invites a tus amigos, ni a tus hermanos, ni a tus parientes, ni a los vecinos ricos; porque corresponderán invitándote, y quedarás pagado. Cuando des un banquete, invita a pobres, lisiados, cojos y ciegos; dichoso tú, porque no pueden pagarte; te pagarán cuando resuciten los justos».

El valor de la humildad

La escena descrita por la parábola ilustra de manera muy eficaz la verdad del principio que Jesús quiere inculcar en sus discípulos: "el que se ensalza será humillado…". La Escritura está llena de recomendaciones de la humildad como actitud fundamental de la vida cristiana. María, saludada por el ángel como "llena de gracia", se reconoce a sí misma como "esclava del Señor". San Pablo exhorta a los fieles de Roma: "no tengan grandes pretensiones". La razón de esa preferencia evangélica por la humildad es sencilla: la actitud contraria de la soberbia representa justamente lo contrario de la actitud del creyente, que se descentra de sí mismo y pone a Dios y a los otros en el centro de la propia vida. Por eso la tradición cristiana alaba la humildad como actitud emparentada a la de la fe, y santa Teresa la describe como "andar en verdad". Además, el falso posicionamiento del orgullo ante Dios pervierte la relación con los otros: "Yo no soy como los demás", y desquicia de raíz la vida cristiana.

Oremos con san Agustín: "Tarde te amé, hermosura tan antigua y tan nueva. Estabas dentro de mí, y yo estaba fuera de mí. Estabas conmigo, y yo no estaba contigo…".

Lunes

Beato Bartolomé Gutiérrez, presbítero y mártir.

Memoria.

1Tesalonicenses 4,13-18 / Salmo 95 / Lucas 4,16-30.

EVANGELIO

En aquel tiempo, Jesús fue a Nazaret, donde se había criado. Entró en la sinagoga, como era su costumbre hacerlo los sábados, y se levantó para hacer la lectura. Se le dio el volumen del profeta Isaías, lo desenrolló y encontró el pasaje en que estaba escrito: El Espíritu del Señor está sobre mí, porque me ha ungido para llevar a los pobres la buena nueva, para anunciar la liberación a los cautivos y la curación a los ciegos, para dar libertad a los oprimidos y proclamar el año de gracia del Señor.

Enrolló el volumen, lo devolvió al encargado y se sentó. Los ojos de todos los asistentes a la sinagoga estaban fijos en él. Entonces comenzó a hablar, diciendo: "Hoy mismo se ha cumplido este pasaje de la Escritura, que acaban de oír".

Todos le daban su aprobación y admiraban la sabiduría de las palabras que salían de sus labios, y se preguntaban: "¿No es éste el hijo de José?"

Jesús les dijo: "Seguramente me dirán aquel refrán: 'Médico, cúrate a ti mismo, y haz aquí, en tu propia tierra, todos esos prodigios que hemos oído que has hecho en Cafarnaúm'".

Y añadió: "Yo les aseguro que nadie es profeta en su tierra. Había ciertamente en Israel muchas viudas en los tiempos de Elías, cuando faltó la lluvia durante tres años y medio, y hubo un hambre terrible en todo el país; sin embargo, a ninguna de ellas fue enviado Elías, sino a una viuda que vivía en Sarepta, ciudad de Sidón. Había muchos leprosos en Israel, en tiempos del profeta Eliseo; sin embargo, ninguno de ellos fue curado sino Naamán, que era de Siria".

Al oír esto, todos los que estaban en la sinagoga se llenaron de ira, y levantándose, lo sacaron de la ciudad y lo llevaron hasta un precipicio de la montaña sobre la que estaba construida la ciudad, para despeñarlo. Pero él, pasando por en medio de ellos, se alejó de allí.

Señor Jesús que te reconozca siempre como al mesías de Dios que ha venido a salvarnos y a enseñarnos a dar la vida por los demás. Amén.

Martes

San Gregorio Magno, Papa y doctor de la Iglesia.

Memoria: Blanco.

1Tesalonicenses 5,1-6.9-11 / Salmo 26 / Lucas 4,31-37.

EVANGELIO

En aquel tiempo, Jesús bajó a Cafarnaúm, ciudad de Galilea, y los sábados enseñaba a la gente. Se quedaban asombrados de su doctrina, porque hablaba con autoridad. Había en la sinagoga un hombre que tenía un demonio inmundo, y se puso a gritar a voces: «¿Qué quieres de nosotros, Jesús Nazareno? ¿Has venido a acabar con nosotros? Sé quién eres: el Santo de Dios». Jesús le intimó: «¡Cierra la boca y sal!». El demonio tiró al hombre por tierra en medio de la gente, pero salió sin hacerle daño. Todos comentaban estupefactos: «¿Qué tiene su palabra? Da órdenes con autoridad y poder a los espíritus inmundos, y salen». Noticias de él iban llegando a todos los lugares de la comarca.

Jesús, el Maestro

Es uno de los títulos con los que fue reconocido Jesús. La enseñanza, en efecto, fue una de las formas de cumplir su misión de anunciar el Reino de Dios. Cautivaba la sencillez de sus parábolas tomadas de la vida diaria que ponían al alcance de todos los misterios del Reino. Y maravillaba sobre todo su forma de hablar de Dios, Señor del cielo y tierra, como un padre que cuida de las criaturas más insignificantes y de los hombres, sus hijos, que pueden poner en Él toda su confianza. Un padre que busca a sus hijos perdidos, los perdona y celebra con fiestas su retorno. De él, decían que hablaba con autoridad, no como los escribas y fariseos. Una autoridad que le venía de su persona que encarnaba las actitudes que enseñaba a la gente, y reflejaba la condición del Padre de quien hablaba, con prodigios como la curación de enfermos y la liberación del maligno con el solo poder de su palabra. Pedro resumió perfectamente el sentir de todos cuando confesó: "Señor, tú tienes palabras de vida eterna".

Tú nos dijiste, Señor: "Uno solo es su maestro, Cristo". Ayuda a los que tienen en la Iglesia la misión de enseñar a reducir su magisterio, a hacerse eco de tus palabras y tu vida.

Miércoles

Feria: Verde.

Moisés.

Colosenses 1,1-8 / Salmo 51 / Lucas 4,38-44.

EVANGELIO

En aquel tiempo, al salir Jesús de la sinagoga, entró en casa de Simón. La suegra de Simón estaba con fiebre muy alta y le pidieron que hiciera algo por ella. Él, de pie a su lado, increpó a la fiebre, y se le pasó; ella, levantándose enseguida, se puso a servirles. Al ponerse el sol, los que tenían enfermos con el mal que fuera se los llevaban; y él, poniendo las manos sobre cada uno, los iba curando. De muchos de ellos salían también demonios, que gritaban: «Tú eres el Hijo de Dios». Los increpaba y no les dejaba hablar, porque sabían que él era el Mesías. Al hacerse de día, salió a un lugar solitario. La gente lo andaba buscando; dieron con él e intentaban retenerlo para que no se les fuese. Pero él les dijo: «También a los otros pueblos tengo que anunciarles el reino de Dios, para eso me han enviado». Y predicaba en las sinagogas de Judea.

Jesús, "médico del mundo"

El sumario contenido en el Evangelio de hoy resume las actividades de un día en la vida de Jesús: Jesús cura, se retira a orar, sale a evangelizar. Sus curaciones son otra forma de anunciar la llegada del Reino de ese Dios que "perdona nuestras culpas y cura nuestras enfermedades". Cuando los discípulos de Juan le pregunten: "¿eres tú el que ha de venir?", Jesús les responderá: "Los ciegos ven, los cojos andan…". Las curaciones son ciertamente milagros, signos que llaman la atención del Pueblo hacia su figura y le facilitan el camino de la fe. Pero son sobre todo manifestación de la misericordia del Padre que en Él visitaba a la humanidad para salvarla. Jesús cura a toda clase de enfermos; se detiene ante ellos, los toca, les impone las manos, en un gesto de bendición que expresa a la vez su cercanía hacia ellos. Solo exige una condición: la fe, porque sólo la fe salva, y la curación de Jesús es el lado visible del encuentro con Dios que la fe les ha procurado.

Ayuda, Señor, a los cristianos que trabajan en el mundo de la enfermedad, a hacerte presente en él con el ejercicio de su ministerio de acompañamiento y sanación.

Jueves

Feria: Verde.

Bertino, Teresa de Calcuta.

Colosenses 1,9-14 / Salmo 97 / Lucas 5,1-11.

EVANGELIO

En aquel tiempo, la gente se agolpaba alrededor de Jesús para oír la palabra de Dios, estando él a orillas del lago de Genesaret. Vio dos barcas que estaban junto a la orilla; los pescadores habían desembarcado y estaban lavando las redes. Subió a una de las barcas, la de Simón, y le pidió que la apartara un poco de tierra. Desde la barca, sentado, enseñaba a la gente. Cuando acabó de hablar, dijo a Simón: «Rema mar adentro, y echad las redes para pescar». Simón contestó: «Maestro, nos hemos pasado la noche bregando y no hemos cogido nada; pero, por tu palabra, echaré las redes». Y, puestos a la obra, hicieron una redada de peces tan grande que reventaba la red. Hicieron señas a los socios de la otra barca, para que vinieran a echarles una mano. Se acercaron ellos y llenaron las dos barcas, que casi se hundían. Al ver esto, Simón Pedro se arrojó a los pies de Jesús diciendo: «Apártate de mí, Señor, que soy un pecador». Y es que el asombro se había apoderado de él y de los que estaban con él, al ver la redada de peces que habían cogido; y lo mismo les pasaba a Santiago y Juan, hijos de Zebedeo, que eran compañeros de Simón. Jesús dijo a Simón: «No temas; desde ahora serás pescador de hombres». Ellos sacaron las barcas a tierra y, dejándolo todo, lo siguieron.

"En tu nombre"

Tras una noche de trabajo infructuoso, los pescadores reciben de Jesús la orden de adentrarse de nuevo en el mar y, "en su nombre", intentar de nuevo la pesca antes imposible. La "pesca milagrosa" abre los ojos de Simón y descubre en Jesús una presencia que va a cambiar el rumbo de su vida. De Simón, pasará a ser Pedro; de pescador, Apóstol.

Dios misericordioso, alumbra mi corazón, para que tú determines más y más mi pensar y mi sentir, y yo también pueda ver a los demás con ojos puros. Con ojos que no se apropian de nada ni juzgan, sino que dejan ser a los otros; con ojos que creen en lo bueno y lo puro de los seres humanos.

Viernes

Feria: Verde.

Zacarías.

Colosenses 1,15-20 / Salmo 99 / Lucas 5,33-39.

EVANGELIO

En aquel tiempo, dijeron a Jesús los fariseos y los escribas: «Los discípulos de Juan ayunan a menudo y oran, y los de los fariseos también; en cambio, los tuyos, a comer y a beber». Jesús les contestó: «¿Queréis que ayunen los amigos del novio mientras el novio está con ellos? Llegará el día en que se lo lleven, y entonces ayunarán». Y añadió esta parábola: «Nadie recorta una pieza de un manto nuevo para ponérsela a un manto viejo; porque se estropea el nuevo, y la pieza no le pega al viejo. Nadie echa vino nuevo en odres viejos; porque el vino nuevo revienta los odres, se derrama, y los odres se estropean. A vino nuevo, odres nuevos. Nadie que cate vino añejo quiere del nuevo, pues dirá: "Está bueno el añejo"».

"Hago nuevas todas las cosas"

La presencia de Jesús, "el novio" de la parábola, renueva todas las cosas. Con Él, con Cristo Jesús, apareció en la historia la novedad absoluta. En Él hay una nueva creación, un hombre nuevo que recibe un nombre nuevo. Con Él Dios ha dicho su palabra definitiva al mundo y nos ha revelado: "lo viejo pasó; he aquí que hago nuevas todas las cosas". De la conciencia en los cristianos de esa novedad surgirá una creatividad capaz de renovar unas estructuras que siglos de rutina han hecho opacas a la vida interior que las habitó en otro tiempo. La conciencia renovada de la presencia del Señor entre los suyos renovará el rostro avejentado de la Iglesia. Y, así transformada, se mostrará como la "la novia ataviada festivamente para su esposo", como la casa de Dios abierta a todos los hombres.

Envía, Señor, tu Espíritu que renueve la faz de tu Iglesia.

Sábado

Feria o de la Virgen María: Verde o Blanco.

Regina.

Colosenses 1,21-23 / Salmo 53 / Lucas 6,1-5.

EVANGELIO

Un sábado, Jesús atravesaba un sembrado; sus discípulos arrancaban espigas y, frotándolas con las manos, se comían el grano. Unos fariseos les preguntaron: «¿Por qué hacéis en sábado lo que no está permitido?». Jesús les replicó: «¿No habéis leído lo que hizo David, cuando él y sus hombres sintieron hambre? Entró en la casa de Dios, tomó los panes presentados, que solo pueden comer los sacerdotes, comió él y les dio a sus compañeros». Y añadió: «El Hijo del hombre es señor del sábado».

Un principio para la reforma estructural de la Iglesia

Toda religión tiene su origen y su centro en una profunda experiencia de Dios a cuyo servicio las generaciones que han intentado hacerla suya establecen incontables mediaciones: fiestas, templos, creencias, ritos, instituciones, etc., de las que se han servido para poder vivir humanamente la relación con el Dios contenido de esa experiencia. Todas ellas son indispensables, dada la condición humana; pero ninguna de ellas ni su conjunto son absolutas. Todas están al servicio del hombre y su relación con el misterio divino. Pero sucede con frecuencia que los sujetos las ponen en el centro de su vida religiosa, las convierten en absolutas e intocables y supeditan al ser humano a su mantenimiento, incluso con daño para la vida del hombre. Ese es el caso del sábado que los fariseos ponen por encima de la necesidad de comer de los discípulos. Jesús restablece el orden debido cuando proclama: "El sábado es para el hombre, no el hombre para el sábado". Bastaría la advertencia de Jesús para disponer de un principio que guiase la tan deseada reforma estructural de la Iglesia.

Concede, Señor, a tu Iglesia, siempre necesitada de reforma, lucidez y valentía para poner las mediaciones del culto, las doctrinas y la institución al servicio de la experiencia de la fe y la práctica de la caridad.

Domingo

Verde.

Natividad de la V. María. Ntra. Sra. de Loreto, *patrona principal de la Dióc. de La Paz, B.C.*

Sabiduría 9,13-19 / Salmo 89 / Filemón 9-10.12-17 / Lucas 14,25-33.

EVANGELIO

En aquel tiempo, mucha gente acompañaba a Jesús; él se volvió y les dijo: «Si alguno se viene conmigo y no pospone a su padre y a su madre, y a su mujer y a sus hijos, y a sus hermanos y a sus hermanas, e incluso a sí mismo, no puede ser discípulo mío. Quien no lleve su cruz detrás de mí no puede ser discípulo mío. Así, ¿quién de vosotros, si quiere construir una torre, no se sienta primero a calcular los gastos, a ver si tiene para terminarla? No sea que, si echa los cimientos y no puede acabarla, se pongan a burlarse de él los que miran, diciendo: «Este hombre empezó a construir y no ha sido capaz de acabar». ¿O qué rey, si va a dar la batalla a otro rey, no se sienta primero a deliberar si con diez mil hombres podrá salir al paso del que le ataca con veinte mil? Y si no, cuando el otro está todavía lejos, envía legados para pedir condiciones de paz. Lo mismo vosotros: el que no renuncia a todos sus bienes no puede ser discípulo mío».

El que no renuncie a todos sus bienes no puede ser mi discípulo.

Llevar la cruz no significa aceptar cualquier tipo de sacrificio o soportar una situación injusta o creer que una maldición se nos vino encima. De ninguna manera. Jesús vino a cumplir la voluntad amorosa de Dios Padre y eso necesitaba reunir discípulos, caminar anunciando la Buena Nueva, resistir las críticas que ocasionaba su misión. La cruz a la que fue crucificado simboliza todo su amor y toda su vida entregada a construir el reino de Dios. Si nosotros somos sus seguidores, entonces, también tenemos que trabajar, anunciar, evangelizar, ensanchar el reino de Dios… y eso requiere fuerza, energía y también conlleva críticas y desgaste. Pero cuando se ama el reino de Dios, se lleva con alegría la "cruz". Comunicar y luchar por los valores del reino de Dios, puede también, significar dolor para el creyente. Pero, si llega, será un dolor o sacrificio que se convertirá en fuente inagotable de paz y alegría.

Que podamos confesar con Carlos de Foucauld: "Desde que conocí a Dios, sabía que no podría vivir más que para Él". Que podamos cantar con santa Teresa: "Quien a Dios tiene, nada le falta".

Lunes

San Pedro Claver, presbítero.

Memoria libre o feria: Blanco Verde. En E.U.A., Memoria: Blanco.

Colosenses 1,24-2,3 / Salmo 61 / Lucas 6,6-11.

EVANGELIO

Un sábado, entró Jesús en la sinagoga a enseñar. Había allí un hombre que tenía parálisis en el brazo derecho. Los letrados y los fariseos estaban al acecho para ver si curaba en sábado, y encontrar de qué acusarlo. Pero él, sabiendo lo que pensaban, dijo al hombre del brazo paralítico: «Levántate y ponte ahí en medio». Él se levantó y se quedó en pie. Jesús les dijo: «Os voy a hacer una pregunta: ¿Qué está permitido en sábado?, ¿hacer el bien o el mal, salvar a uno o dejarlo morir?». Y, echando en torno una mirada a todos, le dijo al hombre: «Extiende el brazo». Él lo hizo y su brazo quedó restablecido. Ellos se pusieron furiosos y discutían qué había que hacer con Jesús.

Todas las cosas son para el hombre, el hombre es para Dios

Otro conflicto entre el precepto del descanso sabático y la curación de una persona. La última frase del texto manifiesta la seriedad que ese conflicto revestía para Jesús: sus adversarios se enfurecen contra Él y se ponen a maquinar cómo perderlo. Se ha dicho con razón que lo peor que puede ocurrir es la corrupción de lo mejor. La historia muestra que formas distorsionadas de comprender y vivir la religión la han convertido con frecuencia en fuente de numerosos conflictos entre los hombres. Jesús, que conocía los pensamientos de sus adversarios, sabe a qué se expone con su acción profética y lo asume por el bien del paralítico, como terminará asumiendo su muerte por la salvación de los hombres.

Meditemos la sentencia de San Ireneo: "La gloria de Dios es que el hombre viva; la vida del hombre es la gloria de Dios".

Martes

Feria: Verde.

Nicolás Tolentino.

Colosenses 2,6-15 / Salmo 144 / Lucas 6,12-19.

EVANGELIO

En aquel tiempo, subió Jesús a la montaña a orar, y pasó la noche orando a Dios. Cuando se hizo de día, llamó a sus discípulos, escogió a doce de ellos y los nombró apóstoles: Simón, al que puso de nombre Pedro, y Andrés, su hermano, Santiago, Juan, Felipe, Bartolomé, Mateo, Tomás, Santiago Alfeo, Simón, apodado el Celotes, Judas el de Santiago y Judas Iscariote, que fue el traidor. Bajó del monte con ellos y se paró en un llano, con un grupo grande de discípulos y de pueblo, procedente de toda Judea, de Jerusalén y de la costa de Tiro y de Sidón. Venían a oírlo y a que los curara de sus enfermedades; los atormentados por espíritus inmundos quedaban curados, y la gente trataba de tocarlo, porque salía de él una fuerza que los curaba a todos.

Orar no es una obligación, es una necesidad

Como en otras ocasiones, ante momentos y acciones especialmente importantes de su vida, Jesús aparece aquí retirándose a un lugar solitario, al monte, lugar bíblico de las manifestaciones de Dios, para orar. No se trata, sin duda, de recitar las oraciones diarias prescritas a los judíos piadosos. Todo hace pensar en una especie de necesidad. Jesús, el hombre verdadero, el gran creyente y principio de nuestra fe, cuya vida discurría enteramente en la presencia del Padre: "yo nunca estoy solo, porque el Padre está conmigo", necesita dedicar largos momentos –"pasó toda la noche en oración"–, al ejercicio de esa relación con Dios de la que vive. En pasajes como este del Evangelio de hoy encontraron muy pronto numerosos cristianos el apoyo para buscar en el monacato, en la vida contemplativa, una organización de su forma de vida que les permitiera "vacar para Dios" permanentemente. Aquí tenemos también los que vivimos en el mundo, dedicados a las imprescindibles tareas seculares, la invitación a consagrar momentos oportunos a ese cultivo expreso de la actitud creyente que es el ejercicio de la también imprescindible actitud orante.

EVANGELIO

Miércoles

Feria: Verde.

Proto y Jacinto.

Colosenses 3,1-11 / Salmo 144 / Lucas 6,20-26.

En aquel tiempo, Jesús, levantando los ojos hacia sus discípulos, les dijo: «Dichosos los pobres, porque vuestro es el reino de Dios. Dichosos los que ahora tenéis hambre, porque quedaréis saciados. Dichosos los que ahora lloráis, porque reiréis. Dichosos vosotros, cuando os odien los hombres, y os excluyan, y os insulten, y proscriban vuestro nombre como infame, por causa del Hijo del hombre. Alegraos ese día y saltad de gozo, porque vuestra recompensa será grande en el cielo. Eso es lo que hacían vuestros padres con los profetas. Pero, ¡ay de vosotros, los ricos!, porque ya tenéis vuestro consuelo. ¡Ay de vosotros, los que ahora estáis saciados!, porque tendréis hambre. ¡Ay de los que ahora reís!, porque haréis duelo y lloraréis. ¡Ay si todo el mundo habla bien de vosotros! Eso es lo que hacían vuestros padres con los falsos profetas».

Llevar la dignidad humana al centro

Se rinde un culto idolátrico al dinero. Porque se ha globalizado la indiferencia!, se ha globalizado la indiferencia: a mí ¿qué me importa lo que les pasa a otros mientras yo defienda lo mío? Porque el mundo se ha olvidado de Dios, que es Padre; se ha vuelto huérfano porque dejó a Dios de lado. Algunos de ustedes expresaron: Este sistema ya no se aguanta. Tenemos que cambiarlo, tenemos que volver a llevar la dignidad humana al centro y que sobre ese pilar se construyan las estructuras sociales alternativas que necesitamos. Hay que hacerlo con coraje, pero también con inteligencia. Con tenacidad, pero sin fanatismo. Con pasión, pero sin violencia. Y entre todos, enfrentando los conflictos sin quedar atrapados en ellos, buscando siempre resolver las tensiones para alcanzar un plano superior de unidad, de paz y de justicia. Los cristianos tenemos algo muy lindo, una guía de acción, un programa, podríamos decir, revolucionario. (papa Francisco)

Meditemos: "Nosotros conocemos que hemos pasado de la muerte a la vida en que amamos a nuestros hermanos".

Jueves

Memoria: Blanco.

Ntra. Sra. del Rosario de la Virgen de Talpa, *patrona de la Dióc. de Tepic.*

Colosenses 3,12-17 / Salmo 150 / Lucas 6,27-38.

EVANGELIO

En aquel tiempo, dijo Jesús a sus discípulos: «A los que me escucháis os digo: Amad a vuestros enemigos, haced el bien a los que os odian, bendecid a los que os maldicen, orad por los que os injurian. Al que te pegue en una mejilla, preséntale la otra; al que te quite la capa, déjale también la túnica. A quien te pide, dale; al que se lleve lo tuyo, no se lo reclames. Tratad a los demás como queréis que ellos os traten. Pues, si amáis solo a los que os aman, ¿qué mérito tenéis? También los pecadores aman a los que los aman. Y si hacéis bien solo a los que os hacen bien, ¿qué mérito tenéis? También los pecadores lo hacen. Y si prestáis solo cuando esperáis cobrar, ¿qué mérito tenéis? También los pecadores prestan a otros pecadores, con intención de cobrárselo. ¡No! Amad a vuestros enemigos, haced el bien y prestad sin esperar nada; tendréis un gran premio y seréis hijos del Altísimo, que es bueno con los malvados y desagradecidos. Sed compasivos como vuestro Padre es compasivo; no juzguéis, y no seréis juzgados; no condenéis, y no seréis condenados; perdonad, y seréis perdonados; dad, y se os dará: os verterán una medida generosa, colmada, remecida, rebosante. La medida que uséis, la usarán con vosotros».

Amen a sus enemigos

Amen a sus enemigos, sean compasivos, no juzguen, perdonen, tengan misericordia, y la medida con la que Dios los amará y perdonará no podrá caber ni siquiera en su imaginación. ¿De qué nos podría servir hacer y cumplir todo, si luego resulta que hacemos el más espantoso ridículo con una medida raquítica en la que Dios no puede dar rienda suelta a su amor sin límite? El Señor nos invita a tener fijos nuestros ojos en Él, que es amor y misericordia, más que en los defectos y las faltas de nuestros hermanos.

Líbranos, Señor, de juzgar a nadie, y concédenos ver en el otro el espejo de nuestros defectos y carencias.

Viernes

Obispo y doctor de la Iglesia.

Memoria: Blanco.

1Timoteo 1,1-2.12-14 / Salmo 15 / Lucas 6,39-42.

EVANGELIO

En aquel tiempo, dijo Jesús a los discípulos una parábola: «¿Acaso puede un ciego guiar a otro ciego? ¿No caerán los dos en el hoyo? Un discípulo no es más que su maestro, si bien, cuando termine su aprendizaje, será como su maestro. ¿Por qué te fijas en la mota que tiene tu hermano en el ojo y no reparas en la viga que llevas en el tuyo? ¿Cómo puedes decirle a tu hermano: "Hermano, déjame que te saque la mota del ojo", sin fijarte en la viga que llevas en el tuyo? ¡Hipócrita! Sácate primero la viga de tu ojo, y entonces verás claro para sacar la mota del ojo de tu hermano».

Necesidad del discernimiento

En la parábola del ciego que guía a otro ciego, Jesús advierte contra el celo indiscreto de erigirse en guías y maestros de otros sin haberse liberado previamente de los propios obstáculos para ver. Pocos tan importantes como los prejuicios, visiones de la realidad en los que estamos instalados, que han podido acumular la cultura ambiente, una deficiente o errada formación o una forma de vida viciada por malas costumbres. Su peligro mayor es que hacen aparecer como normal y hasta bueno algo que, visto sin esos cristales deformantes, resulta ser una aberración. "¿Acaso estos no son hombres?", tuvieron que preguntar los misioneros más lúcidos a los encomenderos, cegados por el prejuicio de la superioridad de la propia cultura. La parábola del ciego es una invitación a la práctica del discernimiento. Para ejercitarla es indispensable introducir en nuestra mirada a la realidad la luz de la fe, única capaz de disipar oscuridades.

Dediquemos hoy un momento de oración al "examen de conciencia", a considerar en la presencia de Dios y a su luz cuál es nuestra situación. ¿Somos verdaderamente creyentes?

Sábado

Feria o de la Virgen María: Verde o Blanco.

Sto. Cristo de las Ampollas, *patrono principal de la Arq. de Mérida.*

1Timoteo 1,15-17 / Salmo 112 / Lucas 6,43-49.

EVANGELIO

En aquel tiempo, decía Jesús a sus discípulos: «No hay árbol sano que dé fruto dañado, ni árbol dañado que dé fruto sano. Cada árbol se conoce por su fruto; porque no se cosechan higos de las zarzas, ni se vendimian racimos de los espinos. El que es bueno, de la bondad que atesora en su corazón saca el bien, y el que es malo, de la maldad saca el mal; porque lo que rebosa del corazón, lo habla la boca. ¿Por qué me llamáis "Señor, Señor", y no hacéis lo que digo? El que se acerca a mí, escucha mis palabras y las pone por obra, os voy a decir a quién se parece: se parece a uno que edificaba una casa: cavó, ahondó y puso los cimientos sobre roca; vino una crecida, arremetió el río contra aquella casa, y no pudo tambalearla, porque estaba sólidamente construida. El que escucha y no pone por obra se parece a uno que edificó una casa sobre tierra, sin cimiento; arremetió contra ella el río, y enseguida se derrumbó y quedó hecha una gran ruina».

Obras son amores

El texto evangélico contiene dos enseñanzas fundamentales. La primera se refiere al criterio infalible para juzgar la calidad de nuestra vida cristiana. Este no es ni la altura de nuestras ideas sobre Dios, ni las fórmulas de las que nos servimos en la oración, ni los sentimientos más o menos gratos que experimentamos en ella, ni la mayor o menor aceptación que los demás nos manifiesten. Jesús nos advirtió que decir: "Señor, Señor", no garantiza que seamos reconocidos por Él. El criterio son las obras que hacemos. Y entre éstas, la escucha y la puesta en práctica de su palabra y, como muestra de ello, el cumplimiento del mandamiento del amor. La parábola del juicio final lo resume en las obras de misericordia para con los necesitados de ayuda. Pero las obras que hacemos proceden del interior de la persona, simbolizado en su corazón, "amarás al Señor, tu Dios, con todo tu corazón"; el corazón que acoge la semilla de la palabra para que dé fruto; el corazón abierto a los otros, sus sufrimientos y sus necesidades; el corazón limpio que hace posible "ver a Dios"; el corazón con el que se cree que Dios resucitó a Jesucristo de entre los muertos.

EVANGELIO

Domingo

Verde o Blanco.

Éxodo 32,7-11.13-14 / Salmo 50 / 1Timoteo 1,12-17 / Lucas 15,1-32.

En aquel tiempo, solían acercarse a Jesús los publicanos y los pecadores a escucharle. Y los fariseos y los escribas murmuraban entre ellos: «Ese acoge a los pecadores y come con ellos». Jesús les dijo esta parábola: «Si uno de vosotros tiene cien ovejas y se le pierde una, ¿no deja las noventa y nueve en el campo y va tras la descarriada, hasta que la encuentra? Y, cuando la encuentra, se la carga sobre los hombros, muy contento; y, al llegar a casa, reúne a los amigos y a los vecinos para decirles: "¡Felicitadme!, he encontrado la oveja que se me había perdido". Os digo que así también habrá más alegría en el cielo por un solo pecador que se convierta que por noventa y nueve justos que no necesitan convertirse. Y si una mujer tiene diez monedas y se le pierde una, ¿no enciende una lámpara y barre la casa y busca con cuidado, hasta que la encuentra? Y, cuando la encuentra, reúne a las amigas y a las vecinas para decirles: "¡Felicitadme!, he encontrado la moneda que se me había perdido". Os digo que la misma alegría habrá entre los ángeles de Dios por un solo pecador que se convierta».

La misericordia, el nombre propio de Dios

No hay mejor comentario a las tres parábolas de la misericordia de Dios que su lectura atenta a todos los detalles; su meditación, que nos introduzca en el relato de cada una de ellas como beneficiario de esa misericordia; y la contemplación reposada de la imagen del Dios misericordioso que revelan. En las tres hay un detalle conmovedor: la alegría que produce en el corazón del Padre el ejercicio de la misericordía para nosotros. Hay más alegría por la conversión de un pecador que por noventa y nueve justos que no necesitan convertirse.

Dios misericordioso y bueno, llena con tu bendición al mundo entero, para que podamos experimentar al mundo como bendición.

Lunes

Stos. Cornelio, Papa, y Cipriano, obispo, mártires.

Memoria: Rojo.

1Timoteo 2,1-8 / Salmo 27 / Lucas 7,1-10.

EVANGELIO

En aquel tiempo, cuando terminó Jesús de hablar a la gente, entró en Cafarnaúm. Un centurión tenía enfermo, a punto de morir, a un criado a quien estimaba mucho. Al oír hablar de Jesús, le envió unos ancianos de los judíos, para rogarle que fuera a curar a su criado. Ellos, presentándose a Jesús, le rogaban encarecidamente: «Merece que se lo concedas, porque tiene afecto a nuestro pueblo y nos ha construido la sinagoga». Jesús se fue con ellos. No estaba lejos de la casa, cuando el centurión le envió unos amigos a decirle: «Señor, no te molestes; no soy yo quién para que entres bajo mi techo; por eso tampoco me creí digno de venir personalmente. Dilo de palabra, y mi criado quedará sano. Porque yo también vivo bajo disciplina y tengo soldados a mis órdenes, y le digo a uno: "Ve", y va; al otro: "Ven", y viene; y a mi criado: "Haz esto", y lo hace». Al oír esto, Jesús se admiró de él y, volviéndose a la gente que lo seguía, dijo: «Os digo que ni en Israel he encontrado tanta fe». Y al volver a casa, los enviados encontraron al siervo sano.

La fe de un pagano

Una vez más el Evangelio nos muestra la figura de un hombre pagano, centurión romano, que Lucas describe con señales evidentes de estima y aprecio y que Jesús alaba por la grandeza de su fe. Los ancianos lo recomiendan ante Jesús y Él accede a ir a su casa para curar a su criado. Pero él, que no se ha atrevido a encontrarse personalmente con Jesús, no se cree digno de que entre en su casa, y expresa su fe en el poder de Jesús a su estilo de militar. Jesús, que tantas veces ha suscitado la admiración de la gente, se siente admirado por él; y bajo la gran calidad de la persona –se preocupa por la situación de un criado, siente afecto hacia el Pueblo–, descubre su fe que produce el milagro de la curación. ¿Qué habrá sido a partir de entonces de este buen centurión? Recordemos que en el Evangelio de Lucas era un centurión el que al ver la muerte de Jesús "glorifica a Dios diciendo: verdaderamente este hombre era justo". Y en el de Mateo: "el centurión al ver lo que sucedía, dijo: 'verdaderamente este era hijo de Dios'".

EVANGELIO

Martes

San Roberto Belarmino, obispo y doctor de la Iglesia.

Memoria libre o feria: Blanco o Verde.

1Timoteo 3,1-13 / Salmo 100 / Lucas 7,11-17.

En aquel tiempo, iba Jesús camino de una ciudad llamada Naím, e iban con él sus discípulos y mucho gentío. Cuando se acercaba a la entrada de la ciudad, resultó que sacaban a enterrar a un muerto, hijo único de su madre, que era viuda; y un gentío considerable de la ciudad la acompañaba. Al verla el Señor, le dio lástima y le dijo: «No llores». Se acercó al ataúd, lo tocó (los que lo llevaban se pararon) y dijo: «¡Muchacho, a ti te lo digo, levántate!». El muerto se incorporó y empezó a hablar, y Jesús se lo entregó a su madre. Todos, sobrecogidos, daban gloria a Dios, diciendo: «Un gran Profeta ha surgido entre nosotros. Dios ha visitado a su pueblo». La noticia del hecho se divulgó por toda la comarca y por Judea entera.

Dios ha visitado a su pueblo

Otro relato propio de Lucas. A la vista del cortejo fúnebre, el Señor se conmueve de misericordia hacia la madre y le dice: "No llores". Es la primera vez que en el relato de Lucas se aplica a Jesús ese título, celosamente reservado antes para Yavé, tal vez porque es la primera vez que Jesús muestra su poder sobre la muerte: "joven, yo te mando, levántate". Esta victoria sobre la muerte es el preludio de esa otra, ya definitiva, que será su propia resurrección, cuando, además, su victoria se extenderá también a los humanos, antes esclavos de ella. Eso explica también la reacción de los testigos. Como ante todas las teofanías, estos se sienten "sobrecogidos y dan gloria a Dios". Así se hace realidad el anuncio del cántico de Zacarías: "Por la entrañable misericordia de nuestro Dios nos visitará el sol que nace de lo alto"; el Pueblo comprende ahora que en ese "sol que nace de lo alto" que es Jesús, Dios mismo ha visitado a su Pueblo.

¿Qué sería de nosotros si la muerte fuera nuestro destino? Verdaderamente, Señor, tú has iluminado a los que vivíamos en "tinieblas y en sombras de muerte".

Miércoles

Feria: Verde.

Btos. Juan Bautista y Jacinto de los Ángeles.

1Timoteo 3,14-16 / Salmo 110 / Lucas 7,31-35.

EVANGELIO

En aquel tiempo, dijo el Señor: «¿A quién se parecen los hombres de esta generación? ¿A quién los compararemos? Se parecen a unos niños, sentados en la plaza, que gritan a otros: "Tocamos la flauta y no bailáis, cantamos lamentaciones y no lloráis". Vino Juan el Bautista, que ni comía ni bebía, y dijisteis que tenía un demonio; viene el Hijo del Hombre, que come y bebe, y decís: "Mirad qué comilón y qué borracho, amigo de publicanos y pecadores". Sin embargo, los discípulos de la sabiduría le han dado la razón».

Amor a la verdad

Cuando un hombre no quiere, se empecina en no dar su brazo a torcer; se aferra a mil razones para mantenerse en sus trece, aun cuando sabe perfectamente que cruzó la línea de la duda razonable entrando así en el campo de la mentira. Esto es lo que el Evangelio de hoy nos presenta. Los que están escuchando al Hijo de Dios hacen oídos sordos ante la evidencia de un mensaje que cambia su vida. Como tienen miedo a este cambio, en realidad, nunca se han fiado de Dios, aunque dicen creer en Él, dan largas a su enviado, a su Hijo. Jesús pone de manifiesto su corazón infantil y caprichoso, comparándolos a los niños que juegan en la calle que, ni bailan con cantos festivos, ni se entristecen con los fúnebres. Ni la fiesta ni el duelo va con ellos. Ni Juan Bautista con su forma de ser, ni el Hijo de Dios con la suya. Parece que no hemos cambiado mucho: el Evangelio en su casa y yo en la mía.

Líbranos, Dios nuestro, de las ambigüedades; esas que nacen de un corazón reacio a la verdad.

EVANGELIO

Jueves

Presbítero o san Jenaro, obispo y mártir.

Memoria libre o feria: Blanco, Rojo o Verde.

1Timoteo 4, 12-16 / Salmo 110 / Lucas 7,36-50.

En aquel tiempo, un fariseo rogaba a Jesús que fuera a comer con él. Jesús, entrando en casa del fariseo, se recostó a la mesa. Y una mujer de la ciudad, una pecadora, al enterarse de que estaba comiendo en casa del fariseo, vino con un frasco de perfume y, colocándose detrás junto a sus pies, llorando, se puso a regarle los pies con sus lágrimas, se los enjugaba con sus cabellos, los cubría de besos y se los ungía con el perfume. Al ver esto, el fariseo que lo había invitado se dijo: «Si este fuera profeta, sabría quién es esta mujer que lo está tocando y lo que es: una pecadora». Jesús tomó la palabra y le dijo: «Simón, tengo algo que decirte». Él respondió: «Dímelo, maestro». Jesús le dijo: «Un prestamista tenía dos deudores; uno le debía quinientos denarios y el otro cincuenta. Como no tenían con qué pagar, los perdonó a los dos. ¿Cuál de los dos lo amará más?». Simón contestó: «Supongo que aquel a quien le perdonó más». Jesús le dijo: «Has juzgado rectamente». Y, volviéndose a la mujer, dijo a Simón: «¿Ves a esta mujer? Cuando yo entré en tu casa, no me pusiste agua para los pies; ella, en cambio, me ha lavado los pies con sus lágrimas y me los ha enjugado con su pelo. Tú no me besaste; ella, en cambio, desde que entró, no ha dejado de besarme los pies. Tú no me ungiste la cabeza con ungüento; ella, en cambio, me ha ungido los pies con perfume. Por eso te digo: sus muchos pecados están perdonados, porque tiene mucho amor; pero al que poco se le perdona, poco ama». Y a ella le dijo: «Tus pecados están perdonados». Los demás convidados empezaron a decir entre sí: «¿Quién es este, que hasta perdona pecados?». Pero Jesús dijo a la mujer: «Tu fe te ha salvado, vete en paz».

El aroma de su ungüento llenó toda la casa

El ungüento con que la mujer pecadora ungió los pies de Jesús espandió a lo largo de la historia, el aroma evangélico de su amor a Jesús y del perdón de Jesús hacia ella.

Viernes

Stos. Andrés Kim Taegon, Pablo Chong Hasang y compañeros mártires.

Memoria: Rojo.

1Timoteo 6,2-12 / Salmo 48 / Lucas 8,1-3.

EVANGELIO

En aquel tiempo, Jesús iba caminando de ciudad en ciudad y de pueblo en pueblo, predicando el Evangelio del reino de Dios; lo acompañaban los Doce y algunas mujeres que él había curado de malos espíritus y enfermedades: María la Magdalena, de la que habían salido siete demonios; Juana, mujer de Cusa, intendente de Herodes; Susana y otras muchas que le ayudaban con sus bienes.

Las mujeres, discípulas

En contra de los usos de los rabinos, Jesús aceptó la presencia de mujeres en el círculo de sus discípulos. Los evangelios hablan de las mujeres que habían seguido a Jesús desde Galilea; las muestra presentes, casi solas, junto a la Cruz, y observando cuidadosamente dónde colocan su cuerpo. Ellas son las primeras en reconocer al Resucitado y, "Apóstolas de los Apóstoles", comunicárselo a Pedro y los discípulos. Así, Jesús se adelanta a su tiempo en la consideración de las mujeres al aceptarlas como discípulas. Por eso, hoy, cuando la sociedad las reconoce en plano de igualdad con los varones, se va abriendo paso la necesidad de que también en la Iglesia accedan a puestos de responsabilidad. Muchas voces, además, subrayan cuánto aportaría el genio femenino, reconocido con entera normalidad, a la mejora de la imagen de la Iglesia, socialmente muy deteriorada. ¡Cuántos aspectos del mensaje de Jesús resaltarían en la Iglesia con la plena participación de las mujeres en su vida!

Señor, déjame hoy oírte, pensar en ti, y atender a las personas que están conmigo. Déjame sentir que nadie se aflige, que nadie se entristece, que nadie oprime a alguien. Déjame ayudar para que si alguien está solo, no se sienta excluido o puesto a un lado.

Sábado

Fiesta: Rojo.

Efesios 4,1-7.11-13 / Salmo 18 / Mateo 9,9-13.

EVANGELIO

En aquel tiempo, vio Jesús al pasar a un hombre llamado Mateo, sentado al mostrador de los impuestos, y le dijo: «Sígueme». Él se levantó y lo siguió. Y, estando en la mesa en casa de Mateo, muchos publicanos y pecadores, que habían acudido, se sentaron con Jesús y sus discípulos. Los fariseos, al verlo, preguntaron a los discípulos: «¿Cómo es que vuestro maestro come con publicanos y pecadores?». Jesús lo oyó y dijo: «No tienen necesidad de médico los sanos, sino los enfermos. Andad, aprended lo que significa "misericordia quiero y no sacrificios": que no he venido a llamar a los justos, sino a los pecadores».

La fuerza de la Palabra

Festividad de Mateo, Apóstol y evangelista. Conocemos bien su historia, los pormenores de su llamada al discipulado. Nos preguntamos si en el fondo no estaba esperando algo –que podríamos llamar lo inesperado– en su vida, a fin de dar un vuelco a tanta rutina y amarre, por más que estuviesen adornados por la riqueza y posición social. Digo que quizá estuviera soñando algo inesperado que le moviera a sacar fuera del pozo de sus estrecheces su cabeza, para poder respirar libertad, audacia, novedad, creatividad. No sabía bien qué, pero, como ocurre a todo corazón incompleto, esperaba, suspiraba con algo que rompiera ese diseño de su vida tan gris y opaco. Llegó el algo, mejor dicho, alguien. No le tocó con una varita mágica. Lo levantó de su mesa de impuestos, armazón de su vida tan escasa, con una palabra: ¡Sígueme! La misma fuerza de la palabra que hizo callar y enmudecer al mar encrespado (*Mc* 4,39), resonó en sus oídos. Callaron y enmudecieron sus quejas internas y se levantó. Si creyéramos en la fuerza del Evangelio de Jesús, también nos levantaríamos.

Apiádate, Señor Dios nuestro, de todos aquellos hombres que no son más que su trabajo, por muy elevado que este sea.

Domingo

Solemnidad en Tlaxcala.

Amós 8,4-7 / Salmo 112 / 1Timoteo 2,1-8 / Lucas 16,1-13.

EVANGELIO

En aquel tiempo, dijo Jesús a sus discípulos: «Un hombre rico tenía un administrador, y le llegó la denuncia de que derrochaba sus bienes. Entonces lo llamó y le dijo: "¿Qué es eso que me cuentan de ti? Entrégame el balance de tu gestión, porque quedas despedido". El administrador se puso a echar sus cálculos: "¿Qué voy a hacer ahora que mi amo me quita el empleo? Para cavar no tengo fuerzas; mendigar me da vergüenza. Ya sé lo que voy a hacer para que, cuando me echen de la administración, encuentre quien me reciba en su casa". Fue llamando uno a uno a los deudores de su amo y dijo al primero: "¿Cuánto debes a mi amo?". Este respondió: "Cien barriles de aceite". Él le dijo: "Aquí está tu recibo; aprisa, siéntate y escribe cincuenta". Luego dijo a otro: "Y tú, ¿cuánto debes?". Él contestó: "Cien fanegas de trigo". Le dijo: "Aquí está tu recibo, escribe ochenta". Y el amo felicitó al administrador injusto, por la astucia con que había procedido. Ciertamente, los hijos de este mundo son más astutos con su gente que los hijos de la luz. Y yo os digo: Ganaos amigos con el dinero injusto, para que, cuando os falte, os reciban en las moradas eternas. El que es de fiar en lo menudo también en lo importante es de fiar; el que no es honrado en lo menudo tampoco en lo importante es honrado. Si no fuisteis de fiar en el injusto dinero, ¿quién os confiará lo que vale de veras? Si no fuisteis de fiar en lo ajeno, ¿lo vuestro, quién os lo dará? Ningún siervo puede servir a dos amos, porque, o bien aborrecerá a uno y amará al otro, o bien se dedicará al primero y no hará caso del segundo. No podéis servir a Dios y al dinero».

El hombre, esclavo de sus posesiones

En la parábola del administrador infiel, Jesús no alaba su conducta corrupta al manipular para su provecho las cuentas de su amo, sino su sagacidad para buscar con esos bienes mal administrados una salida a la situación comprometida en que iba a ponerlo su despido. Con ello Jesús nos invita a adoptar para con las riquezas, que siempre tienen algo de injusto, por haberse acumulado a costa del trabajo, las carencias y las penalidades de los pobres, una nueva actitud que compense la injusticia de su adquisición y haga posible ser perdonados de ella. Esa actitud no puede ser otra que desprenderse de ellas y compartirlas con los pobres. Jesús nos advierte, además, del peligro mayor que comporta para el hombre la posesión de las riquezas: de hacer de ellas la meta de sus aspiraciones que haga "consagrar" a su adquisición y su disfrute todos los afanes de quienes las poseen.

Lunes

Presbítero,

Memoria: Blanco.

Esdras 1,1-6 / Salmo 125 / Lucas 8,16-18.

EVANGELIO

En aquel tiempo, dijo Jesús a la gente: «Nadie enciende un candil y lo tapa con una vasija o lo mete debajo de la cama; lo pone en el candelero para que los que entran tengan luz. Nada hay oculto que no llegue a descubrirse, nada secreto que no llegue a saberse o a hacerse público. A ver si me escucháis bien: al que tiene se le dará, al que no tiene se le quitará hasta lo que cree tener».

Luz del mundo

Con la imagen del candelero Jesús nos recuerda que todos estamos interiormente iluminados por la presencia de Dios, "en cuya luz vemos todas las cosas", y que esa luz orientará nuestra vida si nos dejamos iluminar por ella. Así orientada, nuestra vida irradiará la luz que la ilumina hacia los demás, y hará realidad la palabra de Jesús a los discípulos: "Ustedes son la luz del mundo". ¿No sobreestima el Señor nuestras posibilidades de pobres creyentes, por la debilidad de nuestra fe vivida, además en una cultura que se ha vuelto ajena al cristianismo? No olvidemos que con esa invitación el Señor no se refiere a la relevancia social o al influjo que los creyentes y la misma Iglesia podamos ejercer sobre la organización de la sociedad. La sentencia de Jesús nos invita a hacernos transparentes a la luz del Evangelio con una forma verdaderamente evangélica de vida. Se trata, de que nuestra forma de vivir sirva de candelero a la luz que nos fue dada, que es la luz de Jesús, el "Verbo de Dios... luz de los hombres que brilla en las tinieblas". El Evangelio de Mateo lo expresa con claridad meridiana: "Brille de tal manera su luz ante los hombres que, al ver sus buenas obras, glorifiquen al Padre del cielo".

Concede, Señor, a tu Iglesia ser punto de referencia para la sociedad, como la ciudad sobre el monte; y fuerza transformadora como la levadura en la masa.

Martes

Feria: Verde.

Anatolio.

Esdras 6,7-8.12.14-20/ Salmo 121/ Lucas 8,19-21.

EVANGELIO

En aquel tiempo, vinieron a ver a Jesús su madre y sus hermanos, pero con el gentío no lograban llegar hasta él. Entonces lo avisaron: «Tu madre y tus hermanos están fuera y quieren verte». Él les contestó: «Mi madre y mis hermanos son estos: los que escuchan la palabra de Dios y la ponen por obra».

La nueva familia de Jesús

Jesús, hombre verdadero como nosotros, nació, creció y vivió gran parte de su vida en el seno de una familia de Nazaret, reunida en torno a José y María. Tras la experiencia decisiva que vive en el bautismo por Juan, en la que ve descender sobre sí el Espíritu y escucha la voz del Padre que le declara: "Tú eres mi Hijo, el predilecto", Jesús deja su familia y se consagra por completo al anuncio de la buena noticia del Reino de Dios. A partir de ese momento, las relaciones de Jesús ya no tienen su centro en los lazos naturales de la pertenencia a una familia. Su condición de Hijo amado del Padre lo lleva a considerar familia suya a todos aquellos a los que Dios quiere convertir en la familia de sus hijos. A todos ellos les une un nuevo lazo, la fe en Él, la aceptación de su persona y su Palabra, que hace de ellos los nacidos "no de carne y sangre…, sino de Dios". En la respuesta de Jesús que ofrece el texto, no cabe ver ningún desdén ni menoscabo hacia su familia "según la carne". Su misma madre será declarada bendita y dichosa "porque creyó", apareciendo así como la primera de los creyentes. Pero, refiriéndose a sus discípulos, en los que estamos representados todos, el resucitado dirá a María Magdalena: "ve y diles a mis hermanos…".

Señor, Jesús, que "no te avergüenzas de llamarnos tus hermanos", haz que nosotros nos honremos de reconocer como hermanos a todos los que forman parte de la familia humana y de la Iglesia.

Miércoles

Feria: Verde.

Sergio.

Esdras 9,5-9 / Tobías 13 / Lucas 9,1-6.

EVANGELIO

En aquel tiempo, Jesús reunió a los Doce y les dio poder y autoridad sobre toda clase de demonios y para curar enfermedades. Luego los envió a proclamar el Reino de Dios y a curar a los enfermos, diciéndoles: «No llevéis nada para el camino: ni bastón ni alforja, ni pan ni dinero; tampoco llevéis túnica de repuesto. Quedaos en la casa donde entréis, hasta que os vayáis de aquel sitio. Y si alguien no os recibe, al salir de aquel pueblo sacudíos el polvo de los pies, para probar su culpa». Ellos se pusieron en camino y fueron de aldea en aldea, anunciando el Evangelio y curando en todas partes.

Nos confía su Evangelio

Jesús envía a los Doce por todo Israel dándoles poder y autoridad sobre enfermedades y demonios; y, sobre todo, con el mayor de los poderes jamás dados por Dios a una criatura suya: el de anunciar el Evangelio. Al confiar Jesús su Evangelio a un hombre para que lo anuncie, se está, poniendo en manos del anunciador, del discípulo. Está depositando en sus manos su propio misterio para que lo reparta como pan de vida a aquellos que la Vida buscan. Palabra que, como ya fue manifestado a Israel, "revela la dulzura de Dios con sus hijos... y que es su Palabra la que mantiene la fe de los que creen en Él" (*Sab* 16,21.26). ¿Cómo es posible que el Hijo de Dios se confíe así a unos hombres concretos cuyas debilidades son tan evidentes? Porque es Señor y es Dios. Porque va a morir por ellos, cambiando así su seguimiento caprichoso en un seguimiento de amor incondicional. Solo Dios podía actuar así y así sigue actuando. Sorprendentemente se fía de ti y te confía su Evangelio.

Hoy queremos decirte con san Pablo: Gracias, Señor, porque nos hiciste capaces, te fiaste de nosotros y nos confiaste tu Evangelio.

Jueves

Mártires.

Memoria libre o feria: Rojo o Verde.

Ageo 1,1-8 / Salmo 149 / Lucas 9,7-9.

EVANGELIO

En aquel tiempo, el virrey Herodes se enteró de lo que pasaba y no sabía a qué atenerse, porque unos decían que Juan había resucitado, otros que había aparecido Elías, y otros que había vuelto a la vida uno de los antiguos profetas. Herodes se decía: «A Juan lo mandé decapitar yo. ¿Quién es este de quien oigo semejantes cosas?». Y tenía ganas de ver a Jesús.

El atractivo de Jesús

La imagen de Herodes en los evangelios es lastimosa. Pero Marcos observa también que Herodes "respetaba a Juan", "lo defendía", "lo escuchaba con gusto", "quedaba desconcertado" por sus palabras y "tenía ganas de ver a Jesús". Es posible que no pocos contemporáneos nuestros alejados de la Iglesia compartan algunos de esos rasgos de la postura de Herodes hacia Jesús. Su figura, su historia de comprensión hacia publicanos y pecadores; su preferencia por los pobres, su comprensión hacia las mujeres y su perdón de los pecadores; sus severas palabras hacia los ricos y su denuncia profética de las injusticias de su tiempo llaman la atención de muchos contemporáneos y suscita en ellos sentimientos de simpatía y hasta de afecto. "¡Si todos fueran como Él!", dicen a veces cuando se refieren a los cristianos. Eso explica el interés de los últimos tiempos por su historia. Pero no olvidemos que el encuentro con Jesús, hasta el más superficial, puede conducir y ha conducido a muchos al reconocimiento del rostro de Dios, vuelto hacia nosotros, que Él transparenta.

Concede, Señor, que tus discípulos, por la imitación de tu persona y el seguimiento de tu vida, ayudemos a los que te buscan a reconocerte como su Salvador.

Viernes

Presbítero.

Memoria: Blanca.

Ageo 1,15-2,9 / Salmo 42 / Lucas 9,18-22.

EVANGELIO

Una vez que Jesús estaba orando solo, en presencia de sus discípulos, les preguntó: «¿Quién dice la gente que soy yo?». Ellos contestaron: «Unos que Juan el Bautista, otros que Elías, otros dicen que ha vuelto a la vida uno de los antiguos profetas». Él les preguntó: «Y vosotros, ¿quién decís que soy yo?». Pedro tomó la palabra y dijo: «El Mesías de Dios». Él les prohibió terminantemente decírselo a nadie. Y añadió: «El Hijo del hombre tiene que padecer mucho, ser dese-chado por los ancianos, sumos sacerdotes y escribas, ser ejecutado y resucitar al tercer día».

En ti, Señor, hemos puesto nuestra fe

Es una nueva confesión de fe por parte de Pedro. ¿Qué significa el interés de Jesús por saber qué dice la gente y los mismos discípulos sobre quién es Él? La gente lo identifica con alguna de las figuras que anunciaron el final del tiempo de la espera y la aparición del Mesías. Pedro, inspirado por Dios mismo, confiesa que Jesús es el Cristo, el Mesías de Dios, el que había de venir para salvar al Pueblo. Con el primer anuncio de la pasión, que sigue a la confesión de Pedro, Jesús quiere ayudar a los discípulos a comprender su forma, escandalosa para ellos, de realizar la condición de Mesías: "tiene que padecer mucho, ser desechado por las autoridades, y ser ejecutado para resucitar al tercer día". Los discípulos de hoy sabemos ciertamente de forma teórica responder a la pregunta de quién es Jesús. Pero, ¿creemos de verdad en Él? ¿Confiesa nuestra vida el reconocimiento de Jesús como revelación de Dios que profesan nuestros labios?

Señor, Jesucristo, nuestros labios te confiesan en el credo Hijo único de Dios y Señor nuestro; concédenos que nuestras vidas traduzcan en actitudes y en obras lo que nuestros labios confiesan.

Sábado

San Wenceslao, mártir o santos Lorenzo Ruiz y compañeros Mártires.

Memoria libre o feria: Rojo o Verde.

Zacarías 2,5-9.14-15 / Jeremías 31 / Lucas 9,43-45.

EVANGELIO

En aquel tiempo, entre la admiración general por lo que hacía, Jesús dijo a sus discípulos: «Meteos bien esto en la cabeza: al Hijo del hombre lo van a entregar en manos de los hombres». Pero ellos no entendían este lenguaje; les resultaba tan oscuro que no cogían el sentido. Y les daba miedo preguntarle sobre el asunto.

"Métanse bien esto en la cabeza..."

Así de insistentemente Lucas introduce este nuevo anuncio por Jesús de su pasión a los discípulos. Ellos no entienden sus palabras, resulta ese lenguaje tan ajeno a sus expectativas, tan contrario a sus prejuicios, que hasta temen preguntarle por su significado. La reacción a los acontecimientos en la pasión: "lo dejaron solo", y su dificultad para creer los anuncios de su resurrección por las mujeres, que tomaron por delirios, es la mejor prueba de su incapacidad para comprender la necesidad para Jesús del paso por la muerte para llegar a su glorificación. Ni siquiera aleccionados por los primeros discípulos, llegamos los discípulos de ahora a comprender y aceptar esa necesidad, y sobre todo a sacar todas las consecuencias prácticas que esa necesidad entraña para nuestra vida. ¿Cuál es la raíz de esa incapacidad? Sin duda la visión deformada de la realidad que se deriva de nuestra tendencia a creernos el centro de todo, y a pensar que lo mejor, lo más valioso, lo más digno es lo que satisface nuestros deseos de disponer de un poder al que nada ni nadie se resista. Esta mentalidad nos lleva a pensar en Dios como alguien que realizaría de forma perfecta, infinita, eso que hemos convertido en nuestro ideal de vida. Esta pervertida visión de la realidad nos hace imposible comprender que Dios nos da un amor gratuito, que para salvar a los humanos se hace "uno de tantos" y revela su amor infinito en la entrega de su Hijo por aquellos a los que ama.

Convierte, Señor, nuestra mente y nuestro corazón a imagen de la mente y el corazón de Jesús para que sepamos reconocerte en Él.

Domingo

San Miguel.

Patrono principal de la Arq. de Puebla y de la Dióc. de Toluca.

Amós 6,1.4-7 / Salmo 145 / 1Timoteo 6,11-16 / Lucas 16,19-31.

EVANGELIO

En aquel tiempo, dijo Jesús a los fariseos: «Había un hombre rico que se vestía de púrpura y de lino y banqueteaba espléndidamente cada día. Y un mendigo llamado Lázaro estaba echado en su portal, cubierto de llagas, y con ganas de saciarse de lo que tiraban de la mesa del rico. Y hasta los perros se le acercaban a lamerle las llagas. Sucedió que se murió el mendigo, y los ángeles lo llevaron al seno de Abrahán. Se murió también el rico, y lo enterraron. Y, estando en el infierno, en medio de los tormentos, levantando los ojos, vio de lejos a Abrahán, y a Lázaro en su seno, y gritó: "Padre Abrahán, ten piedad de mí y manda a Lázaro que moje en agua la punta del dedo y me refresque la lengua, porque me torturan estas llamas". Pero Abrahán le contestó: "Hijo, recuerda que recibiste tus bienes en vida, y Lázaro, a su vez, males: por eso encuentra aquí consuelo, mientras que tú padeces. Y además, entre nosotros y vosotros se abre un abismo inmenso, para que no puedan cruzar, aunque quieran, desde aquí hacia vosotros, ni puedan pasar de ahí hasta nosotros". El rico insistió: "Te ruego, entonces, padre, que mandes a Lázaro a casa de mi padre, porque tengo cinco hermanos, para que, con su testimonio, evites que vengan también ellos a este lugar de tormento". Abrahán le dice: "Tienen a Moisés y a los profetas; que los escuchen". El rico contestó: "No, padre Abrahán. Pero si un muerto va a verlos, se arrepentirán". Abrahán le dijo: "Si no escuchan a Moisés y a los profetas, no harán caso ni aunque resucite un muerto"».

Dios se acuerda de los pobres

La parábola del hombre rico a quién sus riquezas le cierran los ojos y el corazón para el sufrimiento de los demás; y del pobre Lázaro, privado de todo, y sólo visible para el perro que lame sus heridas, es una imagen de nuestro mundo, con una pequeña parte que nada en la abundancia, ajena a todo menos a sus intereses, y una masa de personas hundidas en la miseria e ignoradas por casi todos. La inversión de la situación en la otra vida que evoca la parábola es una llamada profética de Jesús para despertar la conciencia de los ricos; y una promesa profética para todos: Dios no es indiferente a tal situación y hará prevalecer la justicia. Lázaro, olvidado de todos, es alguien de quien "Dios se acuerda", como dice su nombre, y a quien Dios garantiza la vida feliz para la que lo ha creado. Estamos a tiempo de escuchar a Jesús y luchar por transformar la situación; y de creer en su promesa de que Dios se acuerda de los pobres.

Lunes

San Jerónimo, presbítero y doctor de la Iglesia.

Memoria: Blanco.

Zacarías 8,1-8 / Salmo 101 / Lucas 9,46-50.

EVANGELIO

Acoger a los más pequeños y acoger a Jesús

Aparentemente, la discusión de los discípulos es una discusión pueril: todos quieren ser los primeros, ver satisfechos de inmediato sus caprichos, y ser el centro de la atención de todos. Pero con demasiada frecuencia los discípulos de ahora hemos cambiado las formas externas de comportarnos y los objetos de nuestras disputas, pero, seguimos actuando llevados por las mismas motivaciones y buscando las mismas metas: el propio provecho, el aumento de poder, el disfrute del mayor placer posible. Con la imagen del niño Jesús no quiere inculcarles que deban adoptar una conducta infantil. El niño de la sociedad de tiempos de Jesús era el último de la fila en la consideración social. Y hacerse como un niño significa aceptar ese último lugar. Para «meter en la cabeza» de los discípulos la actitud que comporta hacerse pequeño como un niño, Jesús les propone la razón más poderosa: la misma que les propondrá para inculcarles la práctica del amor y la misericordia con los pobres: acoger a un niño es acoger a Jesús, seguirle, que es el centro de la condición de discípulos.

Acoger a los más pequeños y a Jesús

Aparentemente, la discusión de los discípulos es una discusión pueril: todos quieren ser los primeros, ver satisfechos de inmediato sus caprichos y ser el centro de la atención de todos. Pero con demasiada frecuencia los discípulos de ahora hemos cambiado la formas de comportarnos y los objetos de nuestras disputas, pero seguimos actuando llevados por las mismas motivaciones y buscando las mismas metas: el propio provecho, el aumento de poder, el disfrute del mayor placer posible. Con la imagen del niño Jesús no quiere inculcarles que deban adoptar una conducta infantil. El niño de la sociedad del tiempo de Jesús era el último de la fila en la consideración social. Y hacerse como un niño significa aceptar ese último lugar. Para "meter en la cabeza" de los discípulos la actitud que comporta hacerse pequeño como un niño, Jesús les propone la razón más poderosa: la misma que les sugerirá para inculcarles la práctica del amor y la misericordia con los pobres: acoger a un niño es acoger a Jesús, seguirlo, que es el centro de la condición de discípulos.

Ayúdanos, Señor, a eliminar de nuestra vida todos los deseos alocados de grandeza y compartir tu preferencia por lo pequeño, lo sencillo, lo humilde.

EVANGELIO

Martes

Virgen y doctora de la Iglesia

Memoria: Blanco.

Zacarías 8,20-23 / Salmo 86 / Lucas 9,51-56.

Cuando se iba cumpliendo el tiempo de ser llevado al cielo, Jesús tomó la decisión de ir a Jerusalén. Y envió mensajeros por delante. De camino, entraron en una aldea de Samaria para prepararle alojamiento. Pero no lo recibieron, porque se dirigía a Jerusalén. Al ver esto, Santiago y Juan, discípulos suyos, le preguntaron: «Señor, ¿quieres que mandemos bajar fuego del cielo que acabe con ellos?». Él se volvió y les regañó. Y se marcharon a otra aldea.

Una "determinada determinación"

Con la "subida a Jerusalén", Jesús inicia la última etapa de su vida que culminará en su "elevación", que abarca la pasión, muerte, resurrección y ascensión del Señor, y que el Evangelio de Juan llama su "glorificación". Lo hace con esa firme decisión que comenzó con la oración de Jesús al entrar en este mundo: "Aquí estoy, Señor, para hacer tu voluntad". Esa voluntad de Dios sobre su vida convierte los momentos dispersos de su biografía en un destino personal con una misión que cumplir. Todos nosotros hemos recibido del Señor, con la llamada a la fe, el encargo de una misión que cumplir en nuestra vida y es importante descubrir el hilo conductor en el que se insertan los momentos dispersos que la componen. Para orientar o reorientar la vida ideó san Ignacio los Ejercicios espirituales, y para algo parecido debemos dejar algún espacio en nuestra vida. A ellos se debe entrar "con grande ánimo y liberalidad"; con esa decisión firme con que Jesús emprendió la subida a Jerusalén. Todo será más fácil para nosotros si nuestra vida discurre en la presencia de Dios y aceptamos su voluntad sobre ella como la que marca la dirección del camino, animándola con el don del Espíritu que, incluso en los peores momentos, pondrá alas en nuestros pies.

Concédenos, Señor, esa voluntad firme, esa "determinada determinación", que necesitamos para progresar hacia la meta que nos marca la vocación que nos has dirigido.

Miércoles

Santos Ángeles custodios

Memoria: Blanca.

Nehemías 2,1-8 / Salmo 136 / Mateo 18,1-5.10.

EVANGELIO

En aquel punto se presentaron los discípulos a Jesús preguntándole: "¿Quién es, pues, el más grande en el Reino de los Cielos?" Entonces, Jesús llamó a un muchachito, lo puso en medio de ellos y les dijo: "En verdad les digo que si no vuelven atrás y se hacen como los niños, no entrarán al Reino de los Cielos. El que se haga tan chiquito como este muchachito, será el más grande en el Reino de los Cielos. El que acoja a un muchachito como éste, en mi nombre, me recibe a Mí. Pero al que escandalice a uno de estos chiquitos que creen en Mí, más le convendría que le amarraran al cuello una piedra de molino, como ésa que el burro hace dar vueltas, y lo arrojaran a lo profundo del mar. ¡Ay del mundo por causa de los escándalos! Es una cosa inevitable que haya escándalos. Pero, ¡ay de aquel hombre que causa el escándalo!

Sus ángeles en el cielo ven continuamente el rostro de mi Padre, que está en el cielo.

El Evangelio nos presenta cuatro bienaventuranzas y cuatro maldiciones. San Lucas nos propone el mensaje de Jesús de manera breve y radical. Las bienaventuranzas no son para el futuro sino para el presente. No se cumplirán en el más allá, sino que se cumplen cuando el creyente, iluminado por Cristo, se une al pueblo de Dios cuyo destino se construye con el trabajo de todos. La miseria, en cualquiera de sus expresiones, no es cristiana. El acceso a la alimentación sana y suficiente, a la salud, a la educación, a la cultura y a la espiritualidad son derechos que se deben respetar y que todos debemos asegurar, sobre todo, para aquellos que no los han alcanzado. Pero una vida austera -pobreza de espíritu- nos hace bien a todos. Los muchos o los miserables bienes no son criterio para salvarnos, por el contrario, ambas condiciones ponen al creyente en vigilante actitud, ambas pueden ser una maldición.

Señor que sepamos vivir y compratir tus bienaventuranzas

EVANGELIO

Jueves

Feria: Verde.

Francisco de Borja.

Nehemías 8,1-4.5-6.8-12 / Salmo 18 / Lucas 10,1-12.

En aquel tiempo, dijo Jesús: «¡Ay de ti, Corozaín; ay de ti, Betsaida! Si en Tiro y en Sidón se hubieran hecho los milagros que en vosotras, hace tiempo que se habrían convertido, vestidas de sayal y sentadas en la ceniza. Por eso el juicio les será más llevadero a Tiro y a Sidón que a vosotras. Y tú, Cafarnaúm, ¿piensas escalar el cielo? Bajarás al infierno. Quien a vosotros os escucha, a mí me escucha; quien a vosotros os rechaza, a mí me rechaza; y quien me rechaza a mí, rechaza al que me ha enviado».

Los que nos reciben, a mí me reciben

Corozaín y Betsaida son dos ciudades de Galilea en las que Jesús desarrolló su misión en los primeros días de su vida pública. Con respuesta de sus habitantes algunos comentaristas hablan de ese perido de la vida de Jesús como "la primavera de Galilea". Las ciudades de Sodoma y Gomorra son en el Antiguo Testamento símbolo de la depravación humana que acarreó como castigo su destrucción. En el momento de enviar en misión a sus discípulos Jesús recuerda a quienes van a ser sus destinatarios la responsabilidad que genera permanecer indiferentes o rechazar la presencia y la acción de Dios, que ha llamado a sus puertas con el anuncio de los discípulos. En ellos es el Señor mismo quien los ha visitado. Pero este hecho supone una gran responsabilidad para los enviados por Jesús. ¿Vivimos y actuamos de tal manera que aquellos a quienes somos enviados puedan decir al vernos: "verdaderamente Dios está con ellos"? ¿Vivimos nuestras oraciones en común y la celebración de los misterios de manera que los que acuden a ellas puedan decir, como Pablo recordaba a la comunidad de Corinto: "Verdaderamente Dios está en medio de ellos"? ¡Qué responsabilidad oír a Jesús que quienes nos reciben, reciben al Señor!

Señor Jesucristo, te agradezco por esta vida, por cada instante en el que puedo respirar, sentir, amar y alegrarme. Te pido que pueda ir yo agradecido por la vida, y que a través de mi agradecimiento también los demás abran los ojos al secreto de sus vidas.

Viernes

Memoria: Blanco. Patrono principal de la Dióc. y de la ciudad de Campeche, y patrono secundario de la Dióc. de Toluca.

Baruc 1,15-22 / Salmo 78 / Lucas 10,13-16.

EVANGELIO

En aquel tiempo, dijo Jesús: «¡Ay de ti, Corozaín; ay de ti, Betsaida! Si en Tiro y en Sidón se hubieran hecho los milagros que en vosotras, hace tiempo que se habrían convertido, vestidas de sayal y sentadas en la ceniza. Por eso el juicio les será más llevadero a Tiro y a Sidón que a vosotras. Y tú, Cafarnaúm, ¿piensas escalar el cielo? Bajarás al infierno. Quien a vosotros os escucha, a mí me escucha; quien a vosotros os rechaza, a mí me rechaza; y quien me rechaza a mí, rechaza al que me ha enviado».

Aceptación o rechazo

Denuncia fuerte la de Jesús contra estas ciudades Corozaín, Betsaida y Cafarnaúm porque han recibido su visita como Mesías Salvador y han hecho oídos sordos a sus palabras y obras. Recordemos que Jesús acompañaba cada milagro con su predicación correspondiente. Denuncia esta que se extiende a lo largo de la historia, afirmando a continuación que la Palabra, el Evangelio predicado, será el testigo cualificado que inclinará la balanza de la salvación o no del hombre. Jesús dice que ante la proclamación de la Palabra no se escucha a un hombre, a un discípulo, sino a Él. En la predicación del Evangelio –no de otras cosas– Él mismo es quien habla y, por lo tanto, es aceptado o rechazado. El Evangelio es la presencia de Dios, el reflejo de su rostro. Todo el que ama de verdad y ama la verdad, entiende perfectamente lo que el Hijo de Dios nos está diciendo.

Danos, Dios Padre santo, un corazón ligero de equipaje, libre como el viento, capaz de volar hacia ti. Sólo así será totalmente tuyo.

EVANGELIO

Sábado

Ma. Faustina Kowalska. *En E.U.A:* **Bto. Fco. Javier Seelos,** *presbítero.*
Memoria libre: Blanco o verde.

Baruc 4,5-12.27-29 / Salmo 68 / Lucas 10,17-2.

En aquel tiempo, los setenta y dos volvieron muy contentos y dijeron a Jesús: «Señor, hasta los demonios se nos someten en tu nombre». Él les contestó: «Veía a Satanás caer del cielo como un rayo. Mirad: os he dado potestad para pisotear serpientes y escorpiones y todo el ejército del enemigo. Y no os hará daño alguno. Sin embargo, no estéis alegres porque se os someten los espíritus; estad alegres porque vuestros nombres están inscritos en el cielo». En aquel momento, lleno de la alegría del Espíritu Santo, exclamó: «Te doy gracias, Padre, Señor del cielo y de la tierra, porque has escondido estas cosas a los sabios y a los entendidos, y las has revelado a la gente sencilla. Sí, Padre, porque así te ha parecido bien. Todo me lo ha entregado mi Padre, y nadie conoce quién es el Hijo, sino el Padre; ni quién es el Padre, sino el Hijo, y aquel a quien el Hijo se lo quiere revelar». Y volviéndose a sus discípulos, les dijo aparte: «¡Dichosos los ojos que ven lo que vosotros veis! Porque os digo que muchos profetas y reyes desearon ver lo que veis vosotros, y no lo vieron; y oír lo que oís, y no lo oyeron».

Razones para la alegría

Nuestros nombres están en el corazón de Dios. El Espíritu nos devuelve la alegría de nuestra salvación. Nos hemos encontrado con el Señor.

En el día de su fiesta, oremos con santa Teresa del Niño Jesús:
"En la tarde de esta vida compareceré ante ti con las manos vacías… Quiero recibir de tu amor la posesión de ti mismo. No quiero otra corona que a ti".

Domingo

Verde.

Habacuc 1,2-3; 2,2-4 / Salmo 94 / 2Timoteo 1,6-8.13-14 / Lucas 17,5-10.

EVANGELIO

En aquel tiempo, los apóstoles le pidieron al Señor: «Auméntanos la fe». El Señor contestó: «Si tuvierais fe como un granito de mostaza, diríais a esa morera: "Arráncate de raíz y plántate en el mar". Y os obedecería. Suponed que un criado vuestro trabaja como labrador o como pastor; cuando vuelve del campo, ¿quién de vosotros le dice: "Enseguida, ven y ponte a la mesa"? ¿No le diréis: "Prepárame de cenar, cíñete y sírveme mientras como y bebo, y después comerás y beberás tú"? ¿Tenéis que estar agradecidos al criado porque ha hecho lo mandado? Lo mismo vosotros: Cuando hayáis hecho todo lo mandado, decid: "Somos unos pobres siervos, hemos hecho lo que teníamos que hacer"».

Señor, auméntanos la fe

Los discípulos han tomado conciencia de la debilidad de su fe lo cual Jesús reprocho varias veces: "Hombres de poca fe, ¿por qué temen?". Saben, además, que no pueden hacerla crecer con sus solos recursos. Necesitan pedirle al Señor que se la aumente. Todos los que se han iniciado en el camino de la fe viven esta misma experiencia. Nunca daremos suficientemente gracias a Dios porque con su presencia y su llamada nos está otorgando la posibilidad de ser creyentes. Pero ser creyente de verdad comporta la conciencia de ser solo un creyente mediocre, un aprendiz de creyente. La imagen de la morera arrancada de raíz y trasplantada al mar es la imagen de ese mundo de lo imposible para nosotros, en el que nos introduce el creer. Así, al "¿cómo será eso?" de María al ángel, este le responde: "… Para Dios nada hay imposible?"; y su: "Hágase en mí según tu palabra", su decidida fe, hace posible para ella lo antes imposible. "Todo es posible para el creyente", dirá más tarde Jesús a los discípulos. Justamente por eso, creer sólo es posible con la ayuda de Dios; y cuando lo somos, caemos en la cuenta de que no hay en ello mérito de nuestra parte; que solo somos pobres siervos del Señor, a los que queda: "hacer lo que tenemos que hacer"; corresponder a la acción de Dios en nosotros.

¡Señor, yo creo, pero aumenta mi fe!

Lunes

Memoria: Blanco.

Jonás 1,1-2,1-11 / Jonás 2 / Lucas 10,25-37.

EVANGELIO

En aquel tiempo, se presentó un maestro de la Ley y le preguntó a Jesús para ponerlo a prueba: «Maestro, ¿qué tengo que hacer para heredar la vida eterna?». Él le dijo: «¿Qué está escrito en la Ley? ¿Qué lees en ella?». Él contestó: «Amarás al Señor, tu Dios, con todo tu corazón y con toda tu alma y con todas tus fuerzas y con todo tu ser. Y al prójimo como a ti mismo». Él le dijo: «Bien dicho. Haz esto y tendrás la vida». Pero el maestro de la Ley, queriendo justificarse, preguntó a Jesús: «¿Y quién es mi prójimo?». Jesús dijo: «Un hombre bajaba de Jerusalén a Jericó, cayó en manos de unos bandidos, que lo desnudaron, lo molieron a palos y se marcharon, dejándolo medio muerto. Por casualidad, un sacerdote bajaba por aquel camino y, al verlo, dio un rodeo y pasó de largo. Y lo mismo hizo un levita que llegó a aquel sitio: al verlo dio un rodeo y pasó de largo. Pero un samaritano que iba de viaje, llegó a donde estaba él y, al verlo, le dio lástima, se le acercó, le vendó las heridas, echándoles aceite y vino, y, montándolo en su propia cabalgadura, lo llevó a una posada y lo cuidó. Al día siguiente, sacó dos denarios y, dándoselos al posadero, le dijo: "Cuida de él, y lo que gastes de más yo te lo pagaré a la vuelta". ¿Cuál de estos tres te parece que se portó como prójimo del que cayó en manos de los bandidos?». Él contestó: «El que practicó la misericordia con él». Díjole Jesús: «Anda, haz tú lo mismo».

Haz tú lo mismo

Con la parábola del buen samaritano, Jesús responde a la pregunta del maestro de la ley sobre quién es prójimo a quién el segundo precepto, declarado por Jesús semejante al del amor de Dios, manda a amar como a uno mismo. Jesús no responde de manera teórica, declarando a quién deba aplicarse la palabra de "prójimo", sino mostrando, con la viveza del hecho narrado, quién ha tratado al herido en la cuneta del camino como prójimo, y quiénes, por más religiosos que fueran, han ignorado el mandamiento, pasando de largo del que, solo por su condición de necesitado, reclamaba su ayuda. ¿Podríamos caminar por la vida indiferentes a tantas víctimas como hay en nuestro mundo?

Martes

Feria: Verde.

Pelagia.

Jonás 3,1-10 / Salmo 129 / Lucas 10,38-42.

EVANGELIO

En aquel tiempo, entró Jesús en una aldea, y una mujer llamada Marta lo recibió en su casa. Esta tenía una hermana llamada María, que, sentada a los pies del Señor, escuchaba su palabra. Y Marta se multiplicaba para dar abasto con el servicio; hasta que se paró y dijo: «Señor, ¿no te importa que mi hermana me haya dejado sola con el servicio? Dile que me eche una mano». Pero el Señor le contestó: «Marta, Marta, andas inquieta y nerviosa con tantas cosas; solo una es necesaria. María ha escogido la parte mejor, y no se la quitarán».

Contemplación y servicio

María, sentada a los pies de Jesús, escuchando su palabra, es la imagen viva de un alma contemplativa: "Fijos los ojos en Jesús", pendiente del Señor, acogiendo su presencia y escuchando su Palabra. Jesús defiende esa actitud como la que cuida "lo único necesario". Pero Jesús no la contrapone al servicio como menos perfecto: no olvidemos que Lucas acaba de presentar la parábola del buen samaritano. Muestra, más bien, cómo debe hacerse el servicio para que no turbe y agobie a quien sirve. El contemplativo dirige su mirada hacia Dios y encuentra sus ojos vueltos a los que sufren. La espiritualidad cristiana siempre ha cuidado que la contemplación no termine en el encerramiento del sujeto en sí mismo y en una forma sutil de narcisismo. Por eso aconsejará en la tradición dominicana: "Entregar lo contemplado a los otros". Y en la jesuítica ser "contemplativos en la acción". Como ahora proponemos una "mística en la vida cotidiana", o como recuerda san Pablo, realizar la fe "en la práctica del amor", cima de la vida cristiana. Santa Teresa quería de sus monjas que fueran a la vez Marta y María, y que sus conventos fueran "casas de santa Marta".

Oremos con san Francisco en su fiesta: "¡Oh alto y glorioso Dios!, ilumina las tinieblas de mi corazón y dame fe recta, esperanza cierta y caridad perfecta, sentido y conocimiento, para que cumpla tu santo mandamiento".

Miércoles

San Juan Leonardi, presbítero.

Feria: Rojo, Blanco o Verde.

Jonás 4,1-11 / Salmo 85 / Lucas 11,1-4.

EVANGELIO

Una vez que estaba Jesús orando en cierto lugar, cuando terminó, uno de sus discípulos le dijo: «Señor, enséñanos a orar, como Juan enseñó a sus discípulos». Él les dijo: «Cuando oréis decid: "Padre, santificado sea tu nombre, venga tu reino, danos cada día nuestro pan del mañana, perdónanos nuestros pecados, porque también nosotros perdonamos a todo el que nos debe algo, y no nos dejes caer en la tentación"».

El pan de cada día

No es casualidad que ayer viéramos a María de Betania con el oído abierto a la Palabra, y la oración que, a continuación, Jesús enseña a los suyos: El Padrenuestro. En la línea del Evangelio precedente nos detenemos en la petición "danos hoy nuestro pan de cada día". Cada día somos tentados; cada día tiene, dice Jesús, su propio mal (*Mt* 6,34b); cada día necesitamos sentir que no estamos solos; de ahí la promesa de Jesús a sus discípulos, al enviarles a predicar el Evangelio por el mundo entero. "He aquí que yo estoy con ustedes todos los días hasta el fin del mundo" (*Mt* 28,20). Cada día, nos dice Isaías, el Mesías necesitará alargar sus oídos al Padre para recibir el alimento de su Palabra (*Is* 50,4). Danos hoy nuestro pan de cada día: "la luz incorruptible de tu Palabra" (*Sab* 18,4b). Suplicamos, al igual que Israel, a Dios nuestro Padre. Podríamos añadir: Si no nos lo diera, ¿cómo podríamos serle fieles? Seguimos suplicantes y orantes, y le pedimos que nos libre de la insensatez de creer que podemos ser discípulos de Jesús sin su alimento, sin su pan de cada día.

Concédenos, Señor Dios nuestro, buscar el alimento que no perece, el que nos da la vida eterna.

Jueves

Feria: Verde.

Tomás de Villanueva.

Malaquías 3,13-20 / Salmo 1 / Lucas 11,5-13.

EVANGELIO

En aquel tiempo, dijo Jesús a los discípulos: «Si alguno de vosotros tiene un amigo, y viene durante la medianoche para decirle: "Amigo, préstame tres panes, pues uno de mis amigos ha venido de viaje y no tengo nada que ofrecerle". Y, desde dentro, el otro le responde: "No me molestes; la puerta está cerrada; mis niños y yo estamos acostados; no puedo levantarme para dártelos". Si el otro insiste llamando, yo os digo que, si no se levanta y se los da por ser amigo suyo, al menos por la importunidad se levantará y le dará cuanto necesite. Pues así os digo a vosotros: Pedid y se os dará, buscad y hallaréis, llamad y se os abrirá; porque quien pide recibe, quien busca halla, y al que llama se le abre. ¿Qué padre entre vosotros, cuando el hijo le pide pan, le dará una piedra? ¿O si le pide un pez, le dará una serpiente? ¿O si le pide un huevo, le dará un escorpión? Si vosotros, pues, que sois malos, sabéis dar cosas buenas a vuestros hijos, ¿cuánto más vuestro Padre celestial dará el Espíritu Santo a los que se lo piden?».

"Los bienes de Dios y el Dios de los bienes"

El texto de hoy nos ofrece una nueva versión, tomada del Evangelio de Lucas, de la exhortación de Jesús para acudir a Dios en nuestras necesidades. La parábola del amigo importuno sale al paso de nuestro posible temor a importunar a Dios con nuestras peticiones. No hay razón para tal temor: el Dios a quien acudimos es nuestro Padre, fuente inagotable de bondad y de misericordia. La segunda novedad aparece en la última línea del texto. ¿Qué podemos pedir a Dios en nuestras oraciones? Todo lo que necesitamos, porque en todas nuestras necesidades se manifiesta nuestro menester de salvación y nuestra incapacidad para salvarnos, y ese es el bien que Jesús nos asegura que Dios no puede dejar de darnos: ese bien que es Él mismo, su propio Espíritu, el Espíritu Santo. A la luz de este texto, san Agustín recomendaba a sus fieles pedir a Dios lo mejor que puede darnos, lo que solo Él puede darnos: Él mismo, porque con Él nos dará todo lo que necesitamos para ser felices, para salvarnos.

"Dios mío, sé Dios para mí" *(Maestro Eckhart)*.

Viernes

Memoria libre o feria: Blanco o Verde.

Bto. Elías del Socorro Nieves.

Joel 1,13-15; 2,1-2 / Salmo 9 / Lucas 11,15-26.

EVANGELIO

En aquel tiempo, habiendo echado Jesús un demonio, algunos de entre la multitud dijeron: «Si echa los demonios es por arte de Belzebú, el príncipe de los demonios». Otros, para ponerlo a prueba, le pedían un signo en el cielo. Él, leyendo sus pensamientos, les dijo: «Todo reino en guerra civil va a la ruina y se derrumba casa tras casa. Si también Satanás está en guerra civil, ¿cómo mantendrá su reino? Vosotros decís que yo echo los demonios con el poder de Belzebú; y, si yo echo los demonios con el poder de Belzebú, vuestros hijos, ¿por arte de quién los echan? Por eso, ellos mismos serán vuestros jueces. Pero, si yo echo los demonios con el dedo de Dios, entonces es que el reino de Dios ha llegado a vosotros. Cuando un hombre fuerte y bien armado guarda su palacio, sus bienes están seguros. Pero, si otro más fuerte lo asalta y lo vence, le quita las armas de que se fiaba y reparte el botín. El que no está conmigo, está contra mí; el que no recoge conmigo, desparrama. Cuando un espíritu inmundo sale de un hombre, da vueltas por el desierto, buscando un sitio para descansar; pero, como no lo encuentra, dice: "Volveré a la casa de donde salí". Al volver, se la encuentra barrida y arreglada. Entonces va a coger otros siete espíritus peores que él, y se mete a vivir allí. Y el final de aquel hombre resulta peor que el principio».

Jesús ha vencido al maligno

Jesús acaba de ofrecer otra manifestación de la misericordia de Dios: la liberación de una persona a la que el demonio dejó muda, y los fariseos ofrecen de ese hecho sobrehumano una explicación peregrina que Jesús desmonta con la mayor facilidad: solo un poder superior al suyo pudo hacer algo semejante. Jesús es ese "hombre más fuerte" que el que tenía cautivos a los humanos, y que con la entrega de su vida desarmó y liberó definitivamente a la humanidad de su dominio. Jesús lo hizo, con el dedo de Dios, y Mateo, que lo ha hecho con su Espíritu. Tal vez por eso el himno precioso al Espíritu Santo lo llama "Dedo de la mano derecha del Padre".

Sábado

Feria o de la Virgen María: Verde o Blanco.

Patrona principal de la Arq. de Guadalajara.

Joel 4,12-21 / Salmo 96 / Lucas 11,27-28.

EVANGELIO

En aquel tiempo, mientras Jesús hablaba a las gentes, una mujer de entre el gentío levantó la voz, diciendo: «Dichoso el vientre que te llevó y los pechos que te criaron». Pero él repuso: «Mejor, dichosos los que escuchan la Palabra de Dios y la cumplen».

La fe, raíz de toda bienaventuranza

La forma de hablar de Jesús suscita el grito espontáneo de una mujer que, cumpliendo la promesa contenida en el cántico de María: "Desde ahora me felicitarán todas las generaciones", declara feliz a la madre del Salvador de la humanidad. La respuesta de Jesús no retira a María esa declaración de bienaventurada; al contrario, pone de manifiesto la razón por la que María la merece. Porque María concibió a Jesús en su espíritu por su fe en Dios: "Hágase en mí según tu Palabra", antes de concebirlo en su seno corporalmente. Ella es el modelo eminente de los que han escuchado la Palabra de Dios y la han puesto en práctica. Por eso fue declarada bienaventurada, antes que por esa mujer del Pueblo, por su prima Isabel, cuando llena del Espíritu Santo, le dijo: "Dichosa tú porque has creído". Y, al descubrir la razón última de la bienaventuranza de María, Jesús proclama la primera bienaventuranza a la que podemos aspirar todos los discípulos: aquella sobre la que se fundan las que proclamará en el sermón del monte: la que se deriva de escuchar la Palabra de Dios que es Jesús y de encarnarla en el seguimiento de su vida que, pasando por la entrega de sí, culmina en la vida eterna como participación de su resurrección.

"Dios te salve, María, llena de gracia...
Bendita tú entre las mujeres y bendito el fruto de tu vientre, Jesús".

EVANGELIO

Domingo

Teófilo de Antioquía.

Verde.

2Reyes 5,14-17 / Salmo 97 / 2Timoteo 2,8-13 / Lucas 17,11-19.

Yendo Jesús camino de Jerusalén, pasaba entre Samaria y Galilea. Cuando iba a entrar en un pueblo, vinieron a su encuentro diez leprosos, que se pararon a lo lejos y a gritos le decían: «Jesús, maestro, ten compasión de nosotros». Al verlos, les dijo: «Id a presentaros a los sacerdotes». Y, mientras iban de camino, quedaron limpios. Uno de ellos, viendo que estaba curado, se volvió alabando a Dios a grandes gritos y se echó por tierra a los pies de Jesús, dándole gracias. Este era un samaritano. Jesús tomó la palabra y dijo: «¿No han quedado limpios los diez?; los otros nueve, ¿dónde están? ¿No ha vuelto más que este extranjero para dar gloria a Dios?». Y le dijo: «Levántate, vete; tu fe te ha salvado».

Curación y salvación

Una nueva curación del Señor, camino de Jerusalén, esta vez de diez leprosos. Piden ayuda desde lejos, como mandaba la ley de exclusión que padecían. Y desde lejos los cura el Señor, eliminando así la exclusión a la que estaban condenados. Uno solo de los diez, un samaritano, extranjero y mal visto por los judíos, al sentirse curado, vuelve a Jesús, dándole gracias y postrándose a sus pies. Su gesto expresa elocuentemente su actitud de reconocimiento de Jesús como manifestación de Dios. Jesús reconoce a su vez la calidad de su respuesta y su condición de extranjero. Todos han sido limpiados de su lepra; sólo el samaritano escucha: "Tu fe te ha salvado". ¿Qué añade la salvación a algo tan extraordinario para un leproso como recobrar la salud? Aparentemente nada, pero lo transforma todo. Enfermos y sanos, los humanos podemos vivir encerrados en nuestra finitud, con la muerte como único horizonte, pero con un deseo de lo mejor que nada ni nadie puede eliminar; y podemos también vivir salvados, con la muerte inscrita en el horizonte de Dios, reconociendo en Él la fuente inagotable de la que nace nuestra vida humana, esperando, todavía mortales, la vida eterna que Jesús promete a los que creen en Él.

¡Señor, que quienes recibimos cada día los dones de tu bondad, hagamos de nuestra vida una permanente acción de gracias!

Lunes

San Calixto, Papa y mártir.

Memoria libre o feria: rojo o Verde.

Romanos 1,1-7 / Salmo 97 / Lucas 11,29-32.

EVANGELIO

En aquel tiempo, la gente se apiñaba alrededor de Jesús, y él se puso a decirles: «Esta generación es una generación perversa. Pide un signo, pero no se le dará más signo que el signo de Jonás. Como Jonás fue un signo para los habitantes de Nínive, lo mismo será el Hijo del hombre para esta generación. Cuando sean juzgados los hombres de esta generación, la reina del Sur se levantará y hará que los condenen; porque ella vino desde los confines de la tierra para escuchar la sabiduría de Salomón, y aquí hay uno que es más que Salomón. Cuando sea juzgada esta generación, los hombres de Nínive se alzarán y harán que los condenen; porque ellos se convirtieron con la predicación de Jonás, y aquí hay uno que es más que Jonás».

No hay pruebas, sólo hay signos para la fe

Todo en la vida de Jesús revelaba el amor y la salvación de Dios. Sus milagros, que manifestaban un poder sobrehumano; sus gestos de misericordia hacia los pobres, los excluidos y los pecadores. Sus enseñanzas en parábolas, que hablaban de Dios como Padre lleno de bondad y misericordia. Pero todas estas señales chocaron contra la mayor incomprensión de unas personas llenas de prejuicios, de falsas concepciones de lo que tenía que ser Dios. Decían: "Señor, Señor" con los labios, pero sus corazones estaban lejos de Dios. Las señales que esta "generación perversa" pedía eran pruebas que confirmaban sus ideas preconcebidas sobre Dios y el Mesías; demostraciones que les evitaran el riesgo de confiar incondicionalmente en Dios. Por eso, ni la señal suprema que ofreció Jesús, la de Jonás y sus tres días y tres noches en el vientre del monstruo marino, la de su resurrección al tercer día de entre los muertos, llevó a reconocer en Jesús al Salvador de los hombres. Los discípulos llegaron a serlo, porque, preparados por la convivencia con Jesús, superaron el escándalo de su muerte y terminaron, como Tomás que pedía pruebas, reconociéndolo tras su resurrección como su Señor y su Dios.

Martes

Virgen y doctora de la Iglesia.

Memoria: Blanco.

Romanos 1,16-25 / Salmo 18 / Lucas 11,37-41.

EVANGELIO

En aquel tiempo, cuando Jesús terminó de hablar, un fariseo lo invitó a comer a su casa. Él entró y se puso a la mesa. Como el fariseo se sorprendió al ver que no se lavaba las manos antes de comer, el Señor le dijo: «Vosotros, los fariseos, limpiáis por fuera la copa y el plato, mientras por dentro rebosáis de robos y maldades. ¡Necios! El que hizo lo de fuera, ¿no hizo también lo de dentro? Dad limosna de lo de dentro, y lo tendréis limpio todo».

Por una actitud oblativa

Jesús no rechaza la invitación del fariseo. Se siente enviado para todos y a todos quiere ofrecer el mensaje del Reino. Pero no se acomoda a las formas de vida y a los comportamientos de los que lo invitan, ni deja de denunciar las limitaciones y deformaciones que descubre en ellos. Aquí, una vez más, reprocha a los fariseos el cuidado de las apariencias, los aspectos externos de la vida religiosa, sobre todo cuando no corresponden con una actitud interior que les dé vida. Lo ha hecho observar otras veces: lo decisivo es la rectitud de vida de la persona, de su forma de pensar, de los criterios que la rigen, y, sobre todo, de su corazón. Una vez más enseña al fariseo que Dios quiere misericordia antes que actos de culto vacío. Como en todas sus enseñanzas, Jesús consta la rectitud de la vida en una vida descentrada de sí mismo y abierta a las necesidades de los demás. La espiritualidad cristiana, tal vez la espiritualidad a secas, "comienza allí donde una persona abandona su actitud egocéntrica y adopta una actitud oblativa", de atención y ofrecimiento a los otros, como consecuencia de la fundamental apertura de sí mismo a Dios.

Señor, Dios nuestro, cuyo ser es amar. Concede a tus hijos, creados a tu imagen, hacerla realidad en la práctica del amor.

Miércoles

Sta. Eduviges, religiosa o Sta. Margarita Ma. Alacoque.

Virgen, Memoria libre o feria: Blanco o Verde.

Romanos 2,1-11 / Salmo 61 / Lucas 11,42-46.

EVANGELIO

En aquel tiempo, dijo el Señor: «¡Ay de vosotros, fariseos, que pagáis el diezmo de la hierbabuena, de la ruda y de toda clase de legumbres, mientras pasáis por alto el derecho y el amor de Dios! Esto habría que practicar sin descuidar aquello. ¡Ay de vosotros, fariseos, que os encantan los asientos de honor en las sinagogas y las reverencias por la calle! ¡Ay de vosotros, que sois como tumbas sin señal, que la gente pisa sin saberlo!». Un maestro de la Ley intervino y le dijo: «Maestro, diciendo eso nos ofendes también a nosotros». Jesús replicó: «¡Ay de vosotros también, maestros de la Ley, que abrumáis a la gente con cargas insoportables, mientras vosotros no las tocáis ni con un dedo!».

Saber esperar

¡Ay de ustedes!, dice Jesús a estos fariseos y escribas. ¡Ay de ustedes, porque no están pendientes más que de leyes y normas, y no son capaces de entrar en lo profundo del corazón del hombre! Además, desconocen totalmente saber esperar de Dios con cada uno de sus hijos, que no todos tienen por qué ir al mismo paso. ¡Ay de ustedes porque dan más valor al papel y a la letra que al alma! Es tal su empecinamiento y necedad que ni siquiera se preocupan de conocerse por dentro. Si supieran al menos una pequeña parte de lo que serpea en su interior, no se atreverían a juzgar a nadie, menos aún a doblarlo y aplastarlo con cargas insoportables. ¡Qué pronto se olvidaron de que lo más importante que mi Padre les dijo fue que "escucharan su Palabra para que Él fuese su Dios y ustedes su Pueblo!" (*Jr* 7,23).

Concédenos, Señor, ver a nuestros hermanos con tus ojos, juzgarlos según tu corazón. De esta forma el mundo se llenará de tus entrañas.

EVANGELIO

Jueves

Obispo y mártir.

Memoria: Rojo.

Romanos 3,21-30 / Salmo 129 / Lucas 11,47-54.

En aquel tiempo, dijo el Señor: «¡Ay de vosotros, que edificáis mausoleos a los profetas, después que vuestros padres los mataron! Así sois testigos de lo que hicieron vuestros padres, y lo aprobáis; porque ellos los mataron, y vosotros les edificáis sepulcros. Por algo dijo la sabiduría de Dios: "Les enviaré profetas y apóstoles; a algunos los perseguirán y matarán"; y así a esta generación se le pedirá cuenta de la sangre de los profetas derramada desde la creación del mundo; desde la sangre de Abel hasta la de Zacarías, que pereció entre el altar y el santuario. Sí, os lo repito: se le pedirá cuentas a esta generación. ¡Ay de vosotros, maestros de la Ley, que os habéis quedado con la llave del saber; vosotros, que no habéis entrado y habéis cerrado el paso a los que intentaban entrar!». Al salir de allí, los escribas y fariseos empezaron a acosarlo y a tirarle de la lengua con muchas preguntas capciosas, para cogerlo con sus propias palabras.

Por una "teología arrodillada"

Jesús reprocha muchas cosas a los maestros de la ley: su complicidad con la persecución y la muerte de los profetas que protagonizaron sus antepasados; que se hayan apropiado la llave de la ciencia con su monopolio en la interpretación de la Ley y ellos no hayan entrado en el conocimiento de su mensaje, ni hayan permitido entrar al Pueblo. ¿No habrá sucedido a veces algo así con el Evangelio? ¡Cuántas interpretaciones y doctrinas han acumulado sobre su sencillo mensaje siglos de discusiones por parte de los que disponían de las "llaves del saber"! ¿Qué ha añadido tanta sabiduría humana a la verdad y belleza del Dios de las parábolas de Jesús? Bien están los trabajos de los teólogos para facilitar el entendimiento de la fe. Pero ¡cuántas veces esos trabajos y sus resúmenes para uso del Pueblo han llevado a simplificaciones y deformaciones de lo más central del Evangelio! Toda teología tendría que ser "doxología", "oración de alabanza", y "teología arrodillada", nacida de la actitud orante.

"¡Creador inefable, fuente de luz y principio de sabiduría, infunde en mi inteligencia un rayo de luz y aleja de mí las tinieblas de la ignorancia!" *(santo Tomás de Aquino).*

Viernes

Fiesta: Rojo.

2Timoteo 4,9-17 / Salmo 144 / Lucas 10,1-9.

EVANGELIO

En aquel tiempo, designó el Señor otros setenta y dos y los mandó por delante, de dos en dos, a todos los pueblos y lugares adonde pensaba ir él. Y les decía: «La mies es abundante y los obreros pocos; rogad, pues, al dueño de la mies que mande obreros a su mies. ¡Poneos en camino! Mirad que os mando como corderos en medio de lobos. No llevéis talega, ni alforja, ni sandalias; y no os detengáis a saludar a nadie por el camino. Cuando entréis en una casa, decid primero: "Paz a esta casa". Y, si allí hay gente de paz, descansará sobre ellos vuestra paz; si no, volverá a vosotros. Quedaos en la misma casa, comed y bebed de lo que tengan, porque el obrero merece su salario. No andéis cambiando de casa. Si entráis en un pueblo y os reciben bien, comed lo que os pongan, curad a los enfermos que haya, y decid: "Está cerca de vosotros el reino de Dios"».

Los envío y los cuido

Fiesta de san Lucas, autor del tercer Evangelio y de los Hechos de los Apóstoles. La Iglesia nos ofrece el pasaje del envío de Jesús a sus discípulos, un envío muy particular, sin seguridades, sin ni siquiera un lugar fijo donde reposar la cabeza, como había indicado el Señor a aquel que quería hacer la experiencia del discipulado (Lc 9,58). Demasiado quiere el Señor Jesús a los suyos como para no fortalecerlo ante la tentación de dejarse seducir por otras riquezas que no sean Él y su Evangelio. Además, si para llevar a cabo su misión, siguen el mismo esquema, el mismo pragmatismo qempleado por los demás hombres para sus empresas, ¿qué queda de obra de Dios en su misión? ¡Nada! No lleven bolsa, ni alforja...; yo cuidaré de ustedes..., y un día podrán decir: ¡"Señor, qué precioso es tu amor! (*Sal* 36,8)".

Señor Jesús, nos has dado el mundo entero como campo de misión.
No nos dejes de tu mano, pues el Espíritu está pronto, mas la carne es débil.

EVANGELIO

Sábado

San Pablo de la Cruz, presbítero.

Familia Paulina: Bto. Timoteo Giaccardo.

Romanos 4,13.16-18 / Salmo 104 / Lucas 12,8-12.

En aquel tiempo, dijo Jesús a sus discípulos: «Si uno se pone de mi parte ante los hombres, también el Hijo del hombre se pondrá de su parte ante los ángeles de Dios. Y si uno me reniega ante los hombres, lo renegarán a él ante los ángeles de Dios. Al que hable contra el Hijo del hombre se le podrá perdonar, pero al que blasfeme contra el Espíritu Santo no se le perdonará. Cuando os conduzcan a la sinagoga, ante los magistrados y las autoridades, no os preocupéis de lo que vais a decir, o de cómo os vais a defender. Porque el Espíritu Santo os enseñará en aquel momento lo que tenéis que decir».

Me declararé por él

"Yo me declararé a favor de todo aquel que se declare por mí ante los hombres". Bellas, increíblemente bellas estas palabras, esta promesa del Señor Jesús. Aun así, por muy hermosas que sean, no serían más que bronce que suena o címbalo que retiñe, si no tuviéramos constancia de su cumplimiento en tantos hombres y mujeres que, por hacerlas suyas, alcanzaron el discipulado. Innumerables son las personas que, a lo largo de la historia, nos han dado testimonio de que las palabras de Jesús son verdad, se cumplen. Entre tantas de ellas, tenemos presente a uno de los iconos de la fraternidad universal: Francisco de Asís. Ríos innumerables de personas de toda condición social se encaminaron hacia él, ya moribundo, cuando los suyos casi lo habían relegado al olvido. Jesús se declaró por él moviendo estas multitudes.

Maestro y Señor, dame libertad de corazón para estar pendiente no del juicio de los demás, sino de tu testimonio sobre mí.

Domingo

Adelina.

Isaías 56,1.6-7 / Salmo 66 / 2Timoteo 3,14-4,2 / Lucas 18,1-8.

EVANGELIO

En aquel tiempo, Jesús, para explicar a sus discípulos cómo tenían que orar siempre sin desanimarse, les propuso esta parábola: «Había un juez en una ciudad que ni temía a Dios ni le importaban los hombres. En la misma ciudad había una viuda que solía ir a decirle: "Hazme justicia frente a mi adversario". Por algún tiempo se negó, pero después se dijo: "Aunque ni temo a Dios ni me importan los hombres, como esta viuda me está fastidiando, le haré justicia, no vaya a acabar pegándome en la cara"». Y el Señor añadió: «Fijaos en lo que dice el juez injusto; pues Dios, ¿no hará justicia a sus elegidos que le gritan día y noche?; ¿o les dará largas? Os digo que les hará justicia sin tardar. Pero, cuando venga el Hijo del hombre, ¿encontrará esta fe en la tierra?».

¿Encontrará esta fe en la tierra?

Jesús nos exhorta aquí a orar siempre, a orar con insistencia y a no desfallecer ni siquiera cuando vivamos la impresión de que nuestra plegaria no llega a los oídos de Dios o no recibe de Él respuesta alguna. La figura odiosa del juez pretende tan solo subrayar el coraje, la perseverancia que anima a la viuda, uno de "esos pequeños" por los que Jesús muestra especial predilección en el relato de Lucas. El juez, nada dispuesto a escuchar a la viuda, va a ser doblegado por la perseverancia de la mujer. Nuestras peticiones a Dios pueden chocar con un silencio semejante. Pero ese silencio nunca se deberá a la resistencia de Dios a nuestras oraciones. Es Dios mismo quien las suscita: "Tú me moviste para que te buscara"; dice a Dios el autor de la Imitación de Cristo. Tal vez su demora logre purificar y profundizar la confianza de nuestra oración. Porque la petición dirigida a Dios sólo es oración si es la expresión, en una situación de necesidad, de la actitud orante fruto de la fe verdadera; esa fe de la viuda que Jesús se pregunta si quedará en la tierra cuando vuelva.

¡Ayúdanos, Señor, a mantener viva y transmitir la fe con que nos has agraciado!

Lunes

Úrsula.

Verde.

Romanos 4,19-25 / Lucas 1 / Lucas 12,13-21.

EVANGELIO

En aquel tiempo, dijo uno del público a Jesús: «Maestro, dile a mi hermano que reparta conmigo la herencia». Él le contestó: «Hombre, ¿quién me ha nombrado juez o árbitro entre vosotros?». Y dijo a la gente: «Mirad: guardaos de toda clase de codicia. Pues, aunque uno ande sobrado, su vida no depende de sus bienes». Y les propuso una parábola: «Un hombre rico tuvo una gran cosecha. Y empezó a echar cálculos: "¿Qué haré? No tengo dónde almacenar la cosecha". Y se dijo: "Haré lo siguiente: derribaré los graneros y construiré otros más grandes, y almacenaré allí todo el grano y el resto de mi cosecha. Y entonces me diré a mí mismo: Hombre, tienes bienes acumulados para muchos años; túmbate, come, bebe y date buena vida". Pero Dios le dijo: "Necio, esta noche te van a exigir la vida. Lo que has acumulado, ¿de quién será?". Así será el que amasa riquezas para sí y no es rico ante Dios».

Las promesas engañosas de las riquezas

Una nueva advertencia de Jesús sobre el peligro de las riquezas. Las riquezas no son fundamento sólido sobre el cual edificar la propia vida. La parábola del hombre rico que, tras una buena cosecha piensa asegurarse una larga vida feliz, lo pone en evidencia. Ni la acumulación de riquezas ni la posesión del mundo entero son capaces de asegurar la felicidad al ser humano quien tiene en su condición mortal una amenaza insuperable y contra la que nada le asegura. Ni el deseo del hombre ni su tristeza encuentran respuesta adecuada en otra cosa que el infinito. Y sólo "enriquecerse ante Dios", la apertura de la propia vida a Él y la entrega de las propias riquezas al servicio de los demás, permiten al ser humano realizarse a la medida sin medida de Dios, a cuya imagen está hecho. A eso invita Jesús unas líneas más abajo: "Vende todos tus bienes y dalos en limosna. Haz bolsas que no se desgastan y un tesoro en el cielo que no te robarán los ladrones ni los destruirá la polilla".

Haznos, Señor, comprender y realizar que sólo si compartimos los bienes sirven para dar la felicidad y llevar a la salvación.

Martes

Memoria libre o feria: Blanco o Verde.

Romanos 5,12.15.17-19.20-21 / Salmo 39 / Lucas 12,35-38.

EVANGELIO

En aquel tiempo, dijo Jesús a sus discípulos: «Tened ceñida la cintura y encendidas las lámparas. Vosotros estad como los que aguardan a que su señor vuelva de la boda, para abrirle apenas venga y llame. Dichosos los criados a quienes el señor, al llegar, los encuentre en vela; os aseguro que se ceñirá, los hará sentar a la mesa y los irá sirviendo. Y, si llega entrada la noche o de madrugada y los encuentra así, dichosos ellos».

Luz y camino

Ceñida la cintura para caminar y con las lámparas encendidas para sortear las tinieblas. Estos son los hombres y las mujeres que Jesús reconoce como suyos, porque están siempre en camino apoyados en Él. Jesús es el Hijo de Dios ante quien las tinieblas se doblegaron. Sus discípulos, que lo son por su adhesión a Él, pueden hacer suyas las palabras del salmista: "Lámpara es tu palabra para mis pasos, luz en mi caminar" (*Sal* 119,105). A éstos Jesús les llama amigos porque han mantenido la fidelidad aun en sus caídas; siguen siendo fieles porque nunca se soltaron de su mano. Fidelidad que es definida con una belleza sobrecogedora por Paul Jeremie: "La fidelidad es el fruto por excelencia, precioso a los ojos de Dios, que sólo crece en el campo de la tentación, sobre todo la de la fe".

Señor Jesús, sé tú nuestra fidelidad, compadécete de nuestras flaquezas y fortalécenos con la belleza incomparable de tu Evangelio.

Miércoles

San Juan de Capistrano, presbítero.

Memoria libre o feria: Blanco o Verde.

Romanos 6,12-18 / Salmo 123 / Lucas 12,39-48.

EVANGELIO

En aquel tiempo, dijo Jesús a sus discípulos: «Comprended que si supiera el dueño de casa a qué hora viene el ladrón, no le dejaría abrir un boquete. Lo mismo vosotros, estad preparados, porque a la hora que menos penséis viene el Hijo del hombre». Pedro le preguntó: «Señor, ¿has dicho esa parábola por nosotros o por todos?». El Señor le respondió: «¿Quién es el administrador fiel y solícito a quien el amo ha puesto al frente de su servidumbre para que les reparta la ración a sus horas? Dichoso el criado a quien su amo, al llegar, lo encuentre portándose así. Os aseguro que lo pondrá al frente de todos sus bienes. Pero si el empleado piensa: "Mi amo tarda en llegar", y empieza a pegarles a los mozos y a las muchachas, a comer y beber y emborracharse, llegará el amo de ese criado el día y a la hora que menos lo espera y lo despedirá, condenándolo a la pena de los que no son fieles. El criado que sabe lo que su amo quiere y no está dispuesto a ponerlo por obra recibirá muchos azotes; el que no lo sabe, pero hace algo digno de castigo, recibirá pocos. Al que mucho se le dio, mucho se le exigirá; al que mucho se le confió, más se le exigirá».

Hacer divinamente lo que tenemos que hacer

Jesús no pretende despertar en los discípulos sentimientos de temor. La vuelta del Señor aparece, al contrario, como una grata visita. ¿Cuál es la actitud que el Señor nos recomienda para que seamos el administrador fiel a quien declara dichoso? Que no dejemos de esperar porque el Señor tarda; que no maltratemos a los que nos han sido encomendados, ni nos entreguemos a la satisfacción de los instintos.

Concédenos, Señor, evitar las grandes pretensiones y poner nuestro cuidado en "hacer divinamente lo que tenemos que hacer".

Jueves

Obispo.

Fiesta: Blanco.

CUBA: **San Antonio Ma. Claret, arzobispo de Santiago.**

Memoria: Blanco.

Romanos 6,19-23 / Salmo 1 / Lucas 12,49-53.

EVANGELIO

En aquel tiempo, dijo Jesús a sus discípulos: «He venido a prender fuego en el mundo, ¡y ojalá estuviera ya ardiendo! Tengo que pasar por un bautismo, ¡y qué angustia hasta que se cumpla! ¿Pensáis que he venido a traer al mundo paz? No, sino división. En adelante, una familia de cinco estará dividida: tres contra dos y dos contra tres; estarán divididos el padre contra el hijo y el hijo contra el padre, la madre contra la hija y la hija contra la madre, la suegra contra la nuera y la nuera contra la suegra».

La autenticidad de nuestra vida

Jesús se refiere aquí a su misión de prender en la tierra el fuego transformador del Reino de Dios y expresa su ardiente deseo de que esto suceda, aunque suponga pasar por la prueba de su pasión a la que se refiere con las imágenes del "bautismo", la "prueba" y el "fuego", para el cumplimiento de su misión. Se refiere, además, a las tensiones, divisiones, crisis que producirá entre las personas la decisión de algunos a favor de la causa de Jesús, frente a la de aquellos que la rechacen. La aparente paz de una vida solo mundana se verá interrumpida por la irrupción de un mensaje que requiere una decisión que trastornará toda la vida y comportará para los que la adopten la ruptura con las formas ordinarias de vida de la sociedad. Recordemos que el anciano Simeón anunció a la propia madre del Salvador que su corazón será atravesado por la espada. ¿Deberemos preguntarnos los creyentes de hoy por la autenticidad de nuestra vida cristiana, si la fe en Jesucristo no nos ha supuesto rupturas y crisis en la sociedad visiblemente alejada del cristianismo en que vivimos?

Querido Padre, me he enojado en exceso. Llena con tu amor mi corazón, para que yo esté de nuevo en calma. Convierte mi enojo en paz y claridad, pero también en fuerza para que los demás no me echen fuera, para que yo esté completo ante ti, y ante los demás, para que pueda dedicarme a quien yo encuentre.

EVANGELIO

Viernes

Obispo.

Memoria libre o feria: Blanco o Verde.

Romanos 7,18-25 / Salmo 118 / Lucas 12,54-59.

En aquel tiempo, decía Jesús a la gente: «Cuando veis subir una nube por el poniente, decís en seguida: "Chaparrón tenemos", y así sucede. Cuando sopla el sur, decís: "Va a hacer bochorno", y lo hace. Hipócritas: si sabéis interpretar el aspecto de la tierra y del cielo, ¿cómo no sabéis interpretar el tiempo presente? ¿Cómo no sabéis juzgar vosotros mismos lo que se debe hacer? Cuando te diriges al tribunal con el que te pone pleito, haz lo posible por llegar a un acuerdo con él, mientras vais de camino; no sea que te arrastre ante el juez, y el juez te entregue al guardia, y el guardia te meta en la cárcel. Te digo que no saldrás de allí hasta que no pagues el último céntimo».

Nuestra vida cristiana

Reino de Dios y expresa su ardiente deseo de que esto suceda, aunque suponga para él pasar por la prueba de su pasión a la que se refiere con las imágenes del "bautismo", la "prueba" y el "fuego", imágenes de lo costoso que va a ser para él el cumplimiento de su misión. Se refiere, además, a las tensiones, divisiones, crisis que va a producir entre las personas la decisión de algunos a favor de la causa de Jesús, frente a la de aquellos que la rechacen. La aparente paz de una vida solo mundana va a verse interrumpida por la irrupción de un mensaje que requiere una decisión que trastornará toda la vida y comportará para los que la adopten la ruptura con las formas ordinarias de vida de la sociedad. Recordemos que ya el anciano Simeón anuncia a la propia madre del Salvador que su corazón será atravesado por la espada. ¿No deberemos preguntarnos los creyentes de hoy por la autenticidad de nuestra vida cristiana, si la fe en Jesucristo no nos ha supuesto rupturas y crisis en la sociedad visiblemente alejada del cristianismo en que vivimos?

Señor Jesucristo, te agradezco el que hayas tomado habitación en mí, que no retroceda yo ante el caos de mi corazón, ante el desgarramiento de mi sentir. Permíteme que haga, con Pablo, la libre experiencia de que yo nada más te amo a ti en mí. Y deja que esta experiencia sea fructífera para el mundo.

Sábado

Rogaciano.

Feria o de la Virgen María: Verde o Blanco.

Romanos 8,1-11 / Salmo 23 / Lucas 13,1-9.

EVANGELIO

En una ocasión, se presentaron algunos a contar a Jesús lo de los galileos cuya sangre vertió Pilato con la de los sacrificios que ofrecían. Jesús les contestó: «¿Pensáis que esos galileos eran más pecadores que los demás galileos, porque acabaron así? Os digo que no; y, si no os convertís, todos pereceréis lo mismo. Y aquellos dieciocho que murieron aplastados por la torre de Siloé, ¿pensáis que eran más culpables que los demás habitantes de Jerusalén? Os digo que no; y, si no os convertís, todos pereceréis de la misma manera». Y les dijo esta parábola: «Uno tenía una higuera plantada en su viña, y fue a buscar fruto en ella, y no lo encontró. Dijo entonces al viñador: "Ya ves: tres años llevo viniendo a buscar fruto en esta higuera, y no lo encuentro. Córtala. ¿Para qué va a ocupar terreno en balde?". Pero el viñador contestó: "Señor, déjala todavía este año; yo cavaré alrededor y le echaré estiércol, a ver si da fruto. Si no, la cortas"».

Los signos de los tiempos

Con su referencia a los signos de los tiempos Jesús respondió a la petición de los escribas y fariseos de un signo, procedente del cielo, sobre la llegada de los tiempos mesiánicos. En este pasaje de Lucas, Jesús les reprocha que sepan interpretar las señales que anuncian en el cielo, el tiempo que hará, y no sepan, en cambio, interpretar los signos que Jesús, sobre todo con sus milagros, ofrece sobre la llegada de los tiempos mesiánicos. Juan XXIII llamó la atención de la Iglesia de los años anteriores al Concilio sobre los signos de los tiempos, los acontecimientos en los que podían descubrirse las señales del paso de Dios por la historia que, interpretados correctamente, debían llevar a emprender reformas en la Iglesia que le permitieran responder a los desafíos del mundo moderno. El Concilio Vaticano II desarrolló esta intuición mostrando algunos de esos signos y abriendo el camino para las reformas que requerían. Generalmente, los signos de los tiempos ofrecen a una lectura creyente de la actualidad invitaciones a la conversión y al descubrimiento de lo que Dios está demandando a los cristianos en las circunstancias actuales. Pensemos, por ejemplo, en la situación de injusticia generalizada que padece nuestro mundo y la llamada que supone a la conciencia de muchos cristianos a descubrir en la opción por los pobres la forma concreta de realizar el amor por los hermanos, condición indispensable y consecuencia del conocimiento y el amor de Dios.

EVANGELIO

Domingo

Evaristo.

Verde

Sirácide 35,15-17.20-22 / Salmo 33 / 2 Timoteo 4,6-8.16-18 / Lucas 18,9-14.

En aquel tiempo, a algunos que, teniéndose por justos, se sentían seguros de sí mismos y despreciaban a los demás, dijo Jesús esta parábola: «Dos hombres subieron al templo a orar. Uno era fariseo; el otro, un publicano. El fariseo, erguido, oraba así en su interior "¡Oh Dios!, te doy gracias, porque no soy como los demás: ladrones injustos, adúlteros; ni como ese publicano. Ayuno dos veces por semana y pago el diezmo de todo lo que tengo". El publicano, en cambio, se quedó atrás y no se atrevía ni a levantar los ojos al cielo; solo se golpeaba el pecho, diciendo: "¡Oh Dios!, ten compasión de este pecador". Os digo que este bajó a su casa justificado, y aquel no. Porque todo el que se enaltece será humillado, y el que se humilla será enaltecido».

Dar mucho fruto

En el texto de hoy Jesús nos enseña que Dios no interviene como una causa mundana, más poderosa que las demás, para castigar las malas acciones de los pecadores o premiar las buenas acciones de los justos. Dios "actúa" ofreciendo a todos los seres humanos la salvación para la que nos ha creado y que podremos conseguir en todas las circunstancias por las que pasemos; pero nosotros podemos entorpecerla si nos negamos a aceptarla. Esa aceptación tiene su momento decisivo en nuestra conversión, el retorno a Dios cuando nos hemos alejado de Él, y la acogida de su presencia y de la atracción hacia sí que ejerce sobre nosotros, pasando de la vida egocéntrica de quien no piensa más que en sí mismo, a una vida centrada en Dios y abierta a los demás. La propuesta de la conversión puede producir en nosotros una sensación de vértigo ante ese salto que, desde nosotros solos, puede parecer un salto en el vacío. Pero basta acoger la llamada que la presencia de Dios pone en nosotros para descubrir que solo así la planta de nuestra vida podrá producir los frutos que cabe esperar de ella. En la intervención del viñador pidiendo paciencia al dueño para la higuera estéril se insinúa la acción de Jesús, que ha venido para que unidos a Él "demos mucho fruto".

Lunes

Fiesta: Rojo.

Efesios 2,19-22 / Salmo 18 / Lucas 6,12-19.

EVANGELIO

En aquel tiempo, subió Jesús a la montaña a orar, y pasó la noche orando a Dios. Cuando se hizo de día, llamó a sus discípulos, escogió a doce de ellos y los nombró apóstoles: Simón, al que puso de nombre Pedro, y Andrés, su hermano, Santiago, Juan, Felipe, Bartolomé, Mateo, Tomás, Santiago Alfeo, Simón, apodado el Celotes, Judas el de Santiago y Judas Iscariote, que fue el traidor. Bajó del monte con ellos y se paró en un llano, con un grupo grande de discípulos y de pueblo, procedente de toda Judea, de Jerusalén y de la costa de Tiro y de Sidón. Venían a oírlo y a que los curara de sus enfermedades; los atormentados por espíritus inmundos quedaban curados, y la gente trataba de tocarlo, porque salía de él una fuerza que los curaba a todos.

Testigos del Dios vivo

Celebramos la fiesta de los Apóstoles Simón y Judas. Ambos salieron por el mundo con el Evangelio de su Señor y Maestro grabado en sus corazones. Simón predicó en Egipto y en Persia, hoy conocido como Irán. Judas lo hizo primero en Samaria y posteriormente en Siria. Su celo misionero los llevó a traspasar fronteras testificando la bondad y misericordia de Dios incansablemente, y sellando con su sangre el amor que sus labios proclamaban. Sobre el cimiento de hombres y mujeres, apasionados por el Señor Jesús y su Evangelio, se apoya nuestra fe. Allí donde hay un testigo fidedigno de Dios se afianzan los pilares de la fe de innumerables personas. Es así porque detrás y delante de cada testigo fiel de Jesús está Él mismo haciendo su obra: "el fruto que permanece" (*Jn* 15,16).

Danos, Señor, un corazón sencillo lejos de toda ambición; un corazón cuya única gloria consista en llegar a ser discípulos tuyos.

EVANGELIO

Martes

Narciso.

Feria: Verde.

Romanos 8,18-25 / Salmo 125 / Lucas 13,18-21.

En aquel tiempo, Jesús decía: «¿A qué se parece el reino de Dios? ¿A qué lo compararé? Se parece a un grano de mostaza que un hombre toma y siembra en su huerto; crece, se hace un arbusto y los pájaros anidan en sus ramas». Y añadió: «¿A qué compararé el reino de Dios? Se parece a la levadura que una mujer toma y mete en tres medidas de harina, hasta que todo fermenta».

Es necesario ver

Nadie se acuerda de la semilla plantada cuando comemos una fruta; así como nadie da importancia alguna a la levadura que hace que el pan fermente cuando lo ingerimos. Ambas, semilla y levadura, son indispensables; sin embargo, los elogios son para los manjares que degustamos. Es necesario ver en lo profundo, en lo secreto, para valorar deshacerse de la semilla y de la levadura. En lo secreto Dios ve nuestras obras, aquellas que sus verdaderos discípulos saben esconder a los ojos de los hombres, para que no pierdan lo que podríamos llamar el sello o la marca de su autor: Dios. Estos discípulos son tan maduros, tan enteros de corazón, que tienen más que suficiente con que Dios vea lo que hacen desde Él y en su nombre; nadie más, porque se echaría a perder: "Cuando hagas limosna, que no sepa tu mano izquierda lo que hace tu derecha; así tu limosna quedará en secreto; y tu Padre que ve en lo secreto, te recompensará".

Concentra, Señor, todo nuestro corazón en amarte sobre todas las cosas. Sólo así serás todo para nosotros.

Miércoles

Marcelo.

Feria: Verde.

Romanos 8,26-30 / Salmo 12 / Lucas 13,22-30.

EVANGELIO

En aquel tiempo, Jesús, de camino hacia Jerusalén, recorría ciudades y aldeas enseñando. Uno le preguntó: «Señor, ¿serán pocos los que se salven?». Jesús les dijo: «Esforzaos en entrar por la puerta estrecha. Os digo que muchos intentarán entrar y no podrán. Cuando el amo de la casa se levante y cierre la puerta, os quedaréis fuera y llamaréis a la puerta, diciendo: "Señor, ábrenos"; y él os replicará: "No sé quiénes sois". Entonces comenzaréis a decir: "Hemos comido y bebido contigo, y tú has enseñado en nuestras plazas". Pero él os replicará: "No sé quiénes sois. Alejaos de mí, malvados". Entonces será el llanto y el rechinar de dientes, cuando veáis a Abrahán, Isaac y Jacob y a todos los profetas en el reino de Dios, y vosotros os veáis echados fuera. Y vendrán de oriente y occidente, del norte y del sur, y se sentarán a la mesa en el reino de Dios. Mirad: hay últimos que serán primeros, y primeros que serán últimos».

Alegría por los milagros de Jesús

Jesús aparece enseñando un sábado más en la sinagoga. Sus ojos no se dirigen sólo al texto que comenta. Están también abiertos a las necesidades de los que lo escuchan y se han fijado en esa mujer encorvada, una pobre hija de Abrahán a la que libera de su enfermedad. Su gesto suscita la alabanza a Dios de la mujer curada y la alegría de la gente por los milagros que Jesús hacía. El contrapunto lo pone el jefe de la sinagoga, que intenta someter a las normas del sábado a los que acuden a pedir ayuda a Jesús, y sus adversarios, que quedan confundidos por la respuesta de Jesús. La acción de Jesús responde a una convicción profundamente arraigada en Él: el ser humano y su felicidad están por encima de todas las prescripciones, incluso las religiosas; y, además, "el Hijo del hombre es señor del sábado". Pero aquí Jesús argumenta remitiendo al cuidado de los animales que justificaba excepciones a las prescripciones del sábado, para concluir que con más razón podían hacerse cuando estaba en juego la salud de una "hija de Abrahán". El texto meditado hace unos días hablaba de la necesidad de conversión antes de que sea demasiado tarde. El de hoy desvela que también los que se tienen por fieles, como el jefe de la sinagoga, pueden tener necesidad de convertirse.

EVANGELIO

Jueves

Alonso.

Feria: Verde.

Romanos 8,31-35.37-39 / Salmo 108

En aquella ocasión, se acercaron unos fariseos a decirle: «Márchate de aquí, porque Herodes quiere matarte». Él contestó: «Id a decirle a ese zorro: "Hoy y mañana seguiré curando y echando demonios; pasado mañana llego a mi término". Pero hoy y mañana y pasado tengo que caminar, porque no cabe que un profeta muera fuera de Jerusalén. ¡Jerusalén, Jerusalén, que matas a los profetas y apedreas a los que se te envían! ¡Cuántas veces he querido reunir a tus hijos, como la clueca reúne a sus pollitos bajo las alas! Pero no habéis querido. Vuestra casa se os quedará vacía. Os digo que no me volveréis a ver hasta el día que exclaméis: "Bendito el que viene en nombre del Señor"».

La fuerza interior del Reino

La estructura de las dos parábolas narradas por Jesús es idéntica: dos protagonistas: un hombre y una mujer; el objeto de la comparación, el grano de mostaza y la levadura; y la eficaz acción de los dos, que originan un árbol en el que anidan los pájaros, y la fermentación de la masa. En los evangelios de Mateo y Marcos, las dos parábolas subrayan la pequeñez de los dos objetos de la comparación y la magnitud de los efectos que producen, y parecen estar orientadas a significar los grandes resultados de un Reino que, surgido de principios casi insignificantes, alcanza dimensiones extraordinarias. En el texto de Lucas no se alude a la pequeñez del grano de mostaza y el significado se orienta, más bien, a su fuerza interior que de él hace surgir un árbol. Una fuerza que anunciaban algunos textos proféticos, como este de Ezequiel: "Tomará un esqueje de un cedro alto, lo plantará en un monte elevado y echará ramas, se hará frondoso y llegará a ser un cedro magnífico". El Reino es, una realidad de un poder transformador extraordinario que permitirá acoger a todos los hombres para que vivan seguros y se salven, en el Como la levadura transforma toda la masa, el Reino traído por Jesús a la historia está llamado a transformar.

Dios misericordioso y bueno, bendice hoy este día, para que todo lo que yo tome en mi mano, pueda resultar bien. Bendice los encuentros que hoy me obsequias, para que sea una bendición para mí y también para los que voy a encontrar.

Viernes

Solemnidad: Blanco.

Apocalipsis 7,2-4.9-14 / Salmo 23 / 1Juan 3,1-3 / Mateo 5,1-12.

EVANGELIO

En aquel tiempo, al ver Jesús el gentío, subió a la montaña, se sentó, y se acercaron sus discípulos; y él se puso a hablar, enseñándoles: «Dichosos los pobres en el espíritu, porque de ellos es el reino de los cielos. Dichosos los que lloran, porque ellos serán consolados. Dichosos los sufridos, porque ellos heredarán la tierra. Dichosos los que tienen hambre y sed de la justicia, porque ellos quedarán saciados. Dichosos los misericordiosos, porque ellos alcanzarán misericordia. Dichosos los limpios de corazón, porque ellos verán a Dios. Dichosos los que trabajan por la paz, porque ellos se llamarán los Hijos de Dios. Dichosos los perseguidos por causa de la justicia, porque de ellos es el reino de los cielos. Dichosos vosotros cuando os insulten y os persigan y os calumnien de cualquier modo por mi causa. Estad alegres y contentos, porque vuestra recompensa será grande en el cielo».

¡Bienaventurados!

La Iglesia hace hoy Memoria de la muchedumbre incontable de hombres y mujeres de toda lengua, raza, pueblo y nación, creados a imagen y semejanza de Dios, que disfrutan, en Él y con Él, de la vida feliz para la que fueron creados. El Evangelio es la solemne proclamación por Jesús de las bienaventuranzas. En ellas Jesús no expone un catálogo de normas, sino que proclama la alegría que trae la llegada del Reino para los que lo acogen con corazón bien dispuesto. Las ocho bienaventuranzas son la aplicación, a diferentes personas y situaciones, de la bienaventuranza-raíz de todas las demás: "Bienaventurado quien no se escandaliza de mí"; "Bienaventurada tú, porque creíste". La acogida de Jesús y su reinado hace bienaventurados a todos aquellos que parecen no tener ninguna posibilidad de serlo.

Sábado

Conmemoración: Blanco ó Morado.

1a. Misa: Sabiduría 3,1-9/ Salmo 26/ 1Juan 3,14-16/ Mateo 25,31-46. 2a. Misa: Isaías 25,6.7-9/ Salmo 129/ 1Tesalonicenses 4, 13-14.17-18/ Juan 6,51-58. 3a. Misa: 2Macabeos 12,43-46/ Salmo 102/ 1Corintios 15,20-24.25-28/ Lucas 23,44-46.50.52-53;24,1-6

EVANGELIO

En aquel tiempo, Jesús dijo a sus discípulos: Cuando el Hijo del hombre venga, en su gloria, acompañado de todos sus ángeles, entonces se sentará en su trono de gloria. Serán congregadas delante de él todas las naciones, y él separará a los unos de los otros, como el pastor separa las ovejas de los cabritos. Pondrá las ovejas a su derecha, y los cabritos a su izquierda. Entonces dirá el Rey a los de su derecha: "Venid, benditos de mi Padre, recibid la herencia del Reino preparado para vosotros desde la creación del mundo. Porque tuve hambre, y me disteis de comer; tuve sed, y me disteis de beber; era forastero, y me acogisteis; estaba desnudo, y me vestisteis; enfermo, y me visitasteis; en la cárcel, y vinisteis a verme". Entonces los justos le responderán: "Señor, ¿cuándo te vimos hambriento, y te dimos de comer; o sediento, y te dimos de beber? ¿Cuándo te vimos forastero, y te acogimos; o desnudo, y te vestimos? ¿Cuándo te vimos enfermo o en la cárcel, y fuimos a verte?". Y el Rey les dirá: "En verdad os digo que cuanto hicisteis a unos de estos hermanos míos más pequeños, a mí me lo hicisteis". Entonces dirá también a los de su izquierda: "Apartaos de mí, malditos, al fuego eterno preparado para el Diablo y sus ángeles. Porque tuve hambre, y no me disteis de comer; tuve sed, y no me disteis de beber; era forastero, y no me acogisteis; estaba desnudo, y no me vestisteis; enfermo y en la cárcel, y no me visitasteis". Entonces dirán también éstos: "Señor, ¿cuándo te vimos hambriento o sediento o forastero o desnudo o enfermo o en la cárcel, y no te asistimos?". Y Él entonces les responderá: "En verdad os digo que cuanto dejasteis de hacer con uno de estos más pequeños, también conmigo dejasteis de hacerlo". E irán éstos a un castigo eterno, y los justos a una vida eterna.

Padre, que sepamos aprovechar las continuas oportunidades que nos brindas de compartir y de brindar nuestro tiempo, nuestra persona, nuestros dones, nuestras capacidades a otros que los requiere

Domingo

Martín de Porres.

Verde.

Sabiduría 11,22-12,2 / Salmo 144 / 2Tesalonicenses 1,11-2,2 / Lucas 19,1-10.

EVANGELIO

En aquel tiempo, entró Jesús en Jericó y atravesaba la ciudad. Un hombre llamado Zaqueo, jefe de publicanos y rico, trataba de distinguir quién era Jesús, pero la gente se lo impedía, porque era bajo de estatura. Corrió más adelante y se subió a una higuera, para verlo, porque tenía que pasar por allí. Jesús, al llegar a aquel sitio, levantó los ojos y dijo: «Zaqueo, baja en seguida, porque hoy tengo que alojarme en tu casa». Él bajó en seguida y lo recibió muy contento. Al ver esto, todos murmuraban, diciendo: «Ha entrado a hospedarse en casa de un pecador». Pero Zaqueo se puso en pie y dijo al Señor: «Mira, la mitad de mis bienes, Señor, se la doy a los pobres; y si de alguno me he aprovechado, le restituiré cuatro veces más». Jesús le contestó: «Hoy ha sido la salvación de esta casa; también este es hijo de Abrahán. Porque el Hijo del hombre ha venido a buscar y a salvar lo que estaba perdido».

Vendremos a Él

"Conviene que hoy me quede en tu casa", declara Jesús a Zaqueo, que hasta se había subido a un árbol en su vivo deseo de verlo y conocerlo. Nos podemos imaginar la sorpresa, el estremecimiento de este publicano ante las palabras y el gesto de Jesús. La cuestión es que Zaqueo demostró con hechos concretos, como correr e incluso encaramarse a un sicómoro, su ansia por contactar, al menos con la mirada, con Jesús. A su vez, Él –como siempre– lo superó en audacia y delicadeza al dirigirse a Zaqueo en estos términos: ¡Baja pronto, que quiero estar contigo! Acontecimiento, encuentro de un valor infinito y que, aunque nos cueste creerlo, está a nuestro alcance. Jesús mismo lo atestiguó: "Si alguno me ama, guardará mi Palabra y mi Padre lo amará, y vendremos a él..." (*Jn* 14,23).

No dejes, Señor, que por respeto humano me prive de buscarte y, sobre todo, de acogerte en mi alma cuando me busques a mí.

EVANGELIO

Lunes

Obispo.

Memoria: Blanco.

Romanos 11,30-36 / Salmo 68 / Lucas 14,12-14.

En aquel tiempo, dijo Jesús a uno de los principales fariseos que lo había invitado: «Cuando des una comida o una cena, no invites a tus amigos, ni a tus hermanos, ni a tus parientes, ni a los vecinos ricos; porque corresponderán invitándote, y quedarás pagado. Cuando des un banquete, invita a pobres, lisiados, cojos y ciegos; dichoso tú, porque no pueden pagarte; te pagarán cuando resuciten los justos».

En nuestra mesa

Todos, en nuestras relaciones humanas, nos movemos por preferencias que son normales y apropiadas con nuestra forma de ser, condición social, nivel cultural, etc. Son relaciones, en general, gratificantes ya que hay un intercambio de afectos, valores y hasta de bienes. En definitiva, nos recompensamos mutuamente en los servicios y favores que nos prestamos. Hasta ahí lo normal, lo establecido, lo socialmente correcto. Así hasta la Encarnación, hasta que el Señor Jesús se abajó para compartir nuestra condición humana con todas nuestras limitaciones. Se sentó a nuestra mesa, la de los pecadores, con todas las carencias que nos caracterizan, manías, frustraciones, pecados, etc. Como tenía que corresponder, resulta que nos invitó y nos invita a su mesa, al banquete celeste con el Padre: "Ustedes son los que han perseverado conmigo en mis pruebas; yo por mi parte, dispongo un Reino para ustedes... para que coman y beban a mi mesa..." (*Lc* 22,28-30). La pregunta se impone: ¿Está el Hijo de Dios –todos aquellos que sufren– en la mesa de nuestro vivir en todas sus dimensiones?

Dame, Señor, una pasión inextinguible por tu Evangelio, de forma que sea para mí una mesa en la que pueda comer y beber contigo.

Martes

Domnino.

Feria: Verde.

Romanos 12,5-16 / Salmo 130 / Lucas 14,15-24.

EVANGELIO

En aquel tiempo, uno de los comensales dijo a Jesús: «¡Dichoso el que coma en el banquete del reino de Dios!». Jesús le contestó: «Un hombre daba un gran banquete y convidó a mucha gente; a la hora del banquete mandó un criado a avisar a los convidados: "Venid, que ya está preparado". Pero ellos se excusaron uno tras otro. El primero le dijo: "He comprado un campo y tengo que ir a verlo. Dispénsame, por favor". Otro dijo: "He comprado cinco yuntas de bueyes y voy a probarlas. Dispénsame, por favor". Otro dijo: "Me acabo de casar y, naturalmente, no puedo ir". El criado volvió a contárselo al amo. Entonces el dueño de la casa, indignado, le dijo al criado: "Sal corriendo a las plazas y calles de la ciudad y tráete a los pobres, a los lisiados, a los ciegos y a los cojos". El criado dijo: "Señor, se ha hecho lo que mandaste, y todavía queda sitio". Entonces el amo le dijo: "Sal por los caminos y senderos e insísteles hasta que entren y se me llene la casa". Y os digo que ninguno de aquellos convidados probará mi banquete».

Dios como prioridad

"Dichoso el que alcance a ser digno de participar en el banquete del Reino de Dios", dijo un hombre a Jesús. Le responde con una catequesis que expresa lo siguiente: Más bien dichosos aquellos cuya prioridad en su vida sea la de buscar a Dios, pues un día participarán de Él. Porque muchos, al ser llamados, tienen otras cosas más importantes que hacer. Sí, más importantes que el mismo Dios. Por eso, bienaventurados aquellos que ponen a Dios el primero en todo, en sus anhelos, en sus ansias, en sus metas y objetivos... Sí, bienaventurados, porque Dios, mi Padre, no les defraudará. Mas, como dice Pablo, "¿cómo creerán en aquel a quien no han oído?, ¿cómo oirán si no hay nadie que les predique?" (*Rm* 10,14b).

Hazme saber, Señor Dios mío, que cuando tenga bastante contigo, serás, de forma natural, mi prioridad sobre todas mis cosas.

EVANGELIO

Miércoles

Leonardo.

Feria: Verde.

Romanos 13,8-10 / Salmo 111 / Lucas 14,25-33.

En aquel tiempo, mucha gente acompañaba a Jesús; él se volvió y les dijo: «Si alguno se viene conmigo y no pospone a su padre y a su madre, y a su mujer y a sus hijos, y a sus hermanos y a sus hermanas, e incluso a sí mismo, no puede ser discípulo mío. Quien no lleve su cruz detrás de mí no puede ser discípulo mío. Así, ¿quién de vosotros, si quiere construir una torre, no se sienta primero a calcular los gastos, a ver si tiene para terminarla? No sea que, si echa los cimientos y no puede acabarla, se pongan a burlarse de él los que miran, diciendo: "Este hombre empezó a construir y no ha sido capaz de acabar". ¿O qué rey, si va a dar la batalla a otro rey, no se sienta primero a deliberar si con diez mil hombres podrá salir al paso del que le ataca con veinte mil? Y si no, cuando el otro está todavía lejos, envía legados para pedir condiciones de paz. Lo mismo vosotros: el que no renuncia a todos sus bienes no puede ser discípulo mío».

Libres por Jesucristo

Discípulo del Señor Jesús es aquel cuyos ojos están fijos en Él, en su Palabra (*Heb* 12,1-2). A la luz de este pasaje entendemos mejor el Evangelio de hoy. Nadie, persona alguna, ni nada, bienes, posesiones, títulos, etc., debe interponerse entre el haz de luz que reverbera en el cruce de miradas entre el Hijo de Dios y el discípulo. Si hubiese alguna interferencia, se apagaría el haz de luz. Jesús no está diciendo que el cristiano viva sin bienes o afectos humanos; simplemente nos ilumina acerca de ellos; han de estar transfigurados por la luz del Evangelio. Solamente así, podrán hacer parte de la verdad, la vida y la sabiduría que conforman nuestra existencia como discípulos. verdad, vida y sabiduría que se contraponen a la mentira de Satanás –con sus consecuencias–, cuando prometió a Adán y Eva que serían "como dioses" si le hacían caso (*Gén* 3,5).

Yo sé, Señor, que me llamas para participar de tu gloria. También los diosecillos me llaman para participar de la suya, tan escasa como caduca. Enséñame a escoger.

Jueves

Prosdócimo.

Feria: Verde.

Romanos 14,7-12 / Salmo 26 / Lucas 15,1-10.

EVANGELIO

En aquel tiempo, solían acercarse a Jesús todos los publicanos y los pecadores a escucharle. Y los fariseos y los escribas murmuraban entre ellos: «Ese acoge a los pecadores y come con ellos». Jesús les dijo esta parábola: «Si uno de vosotros tiene cien ovejas y se le pierde una, ¿no deja las noventa y nueve en el campo y va tras la descarriada, hasta que la encuentra? Y, cuando la encuentra, se la carga sobre los hombros, muy contento; y, al llegar a casa, reúne a los amigos y a los vecinos para decirles: "¡Felicitadme!, he encontrado la oveja que se me había perdido". Os digo que así también habrá más alegría en el cielo por un solo pecador que se convierta que por noventa y nueve justos que no necesitan convertirse. Y si una mujer tiene diez monedas y se le pierde una, ¿no enciende una lámpara y barre la casa y busca con cuidado, hasta que la encuentra? Y, cuando la encuentra, reúne a las amigas y a las vecinas para decirles: "¡Felicitadme!, he encontrado la moneda que se me había perdido". Os digo que la misma alegría habrá entre los ángeles de Dios por un solo pecador que se convierta».

Buscar hasta encontrar

Catequesis de Jesús sobre el pastor que pierde una oveja entre cien; y la mujer que, teniendo diez monedas, se le extravía una. Nos quedamos con la angustia de la mujer. Jesús dice que encendió la lámpara, barrió, buscó y rebuscó hasta que la encontró. Nos preguntamos, ¿para qué tanto trabajo por una simple moneda? La intención de esta parábola de Jesús es meridianamente clara. Vayamos a su simbología. De poco le sirve a uno cumplir nueve mandamientos, si le falta uno que, además, es el primero: Dios sobre todas las cosas, también sobre nuestros bienes por muy legítimos que sean. Así se lo hizo saber Jesús al joven rico que fue a su encuentro. No lo entendió, mejor dicho, no quiso entenderlo. Se alejó triste de Él (*Mt* 19,21-22).

¿De qué me sirve, Señor, ganar el mundo entero si me falta esa moneda que lleva impreso tu rostro?

EVANGELIO

Viernes

Godofredo.

Feria: Verde.

Romanos 15,14-21 / Salmo 97 / Lucas 16,1-8.

En aquel tiempo, dijo Jesús a sus discípulos: «Un hombre rico tenía un administrador y le llegó la denuncia de que derrochaba sus bienes. Entonces lo llamó y le dijo: "¿Qué es eso que me cuentan de ti? Entrégame el balance de tu gestión, porque quedas despedido". El administrador se puso a echar sus cálculos: "¿Qué voy a hacer ahora que mi amo me quita el empleo? Para cavar no tengo fuerzas; mendigar me da vergüenza. Ya sé lo que voy a hacer para que, cuando me echen de la administración, encuentre quien me reciba en su casa". Fue llamando uno a uno a los deudores de su amo y dijo al primero: "¿Cuánto debes a mi amo?". Este respondió: "Cien barriles de aceite". Él le dijo: "Aquí está tu recibo; aprisa, siéntate y escribe cincuenta". Luego dijo a otro: "Y tú, ¿cuánto debes?". Él contestó: "Cien fanegas de trigo". Le dijo: "Aquí está tu recibo, escribe ochenta". Y el amo felicitó al administrador injusto, por la astucia con que había procedido. Ciertamente, los hijos de este mundo son más astutos con su gente que los hijos de la luz».

En pos de la vida o la vida

Parábola del administrador infiel. Cometió un desfalco tras otro con los bienes de su patrón, por lo que es despedido. Como se sabe mover bien entre los bastidores del fraude, sale airoso de su situación. Jesús exclama: "¡Ojalá los hijos de la luz tengan la misma astucia que este administrador!". Nos preguntamos qué hay detrás de esta reflexión, algo extraña, del Hijo de Dios. Pienso que nos está inculcando abrirnos a la vida que nos ofrece con la misma intensidad, como mínimo, con la que los hijos de las tinieblas luchan y se esfuerzan por alcanzar sus metas. Aun siendo estas tan precarias, no escatiman esfuerzos y sacrificios por conseguirlas. Se entiende, porque no aspiran a más vida que a esta. Y ustedes, nos dice Jesús, ¿están tan convencidos de la vida que yo les ofrezco como ellos de la suya?

Líbrame, mi Dios, de esforzarme sin descanso por alcanzar una vida que lleva consigo la etiqueta que indica su fecha de caducidad.

Sábado

Fiesta: Blanco.

1Corintios 3,9-11.16-17 / Salmo 45 / Juan 2,13-22.

EVANGELIO

Se acercaba la Pascua de los judíos, y Jesús subió a Jerusalén. Y encontró en el templo a los vendedores de bueyes, ovejas y palomas, y a los cambistas sentados; y, haciendo un azote de cordeles, los echó a todos del templo, ovejas y bueyes; y a los cambistas les esparció las monedas y les volcó las mesas; y a los que vendían palomas les dijo: «Quitad esto de aquí; no convirtáis en un mercado la casa de mi Padre». Sus discípulos se acordaron de lo que está escrito: «El celo de tu casa me devora». Entonces intervinieron los judíos y le preguntaron: «¿Qué signos nos muestras para obrar así?». Jesús contestó: «Destruid este templo, y en tres días lo levantaré». Los judíos replicaron: «Cuarenta y seis años ha costado construir este templo, ¿y tú lo vas a levantar en tres días?». Pero él hablaba del templo de su cuerpo. Y, cuando resucitó de entre los muertos, los discípulos se acordaron de que lo había dicho, y dieron fe a la Escritura y a la palabra que había dicho Jesús.

En espíritu y verdad

Hoy celebramos la fiesta de la dedicación de la Basílica de Letrán de Roma. La Iglesia nos ofrece este Evangelio en el que Jesucristo se manifiesta como el definitivo Templo de Dios, el que no ha sido construido por manos humanas. Él mismo atestigua que salió de Dios (*Jn* 13,3). Justamente por ello permanece incólume a toda destrucción. Prevalece por encima de todo poder del mal, incluso el de la muerte. Jesús es el Templo glorioso descrito por Juan en el Apocalipsis (*Ap* 21,22). En Él, en el Hijo muerto y resucitado, nos es ofrecido el recinto santo en el que podemos adorar a Dios en espíritu y verdad, tal y como leemos en el Evangelio: "Llega la hora, ya estamos en ella, en que los adoradores verdaderos adorarán al Padre en espíritu y en verdad" (*Jn* 4,23).

Dame, Señor, sabiduría para vivir en ti, la piedra angular en la que toda vida permanece para siempre.

EVANGELIO

Domingo

Verde.

2Macabeos 7,1-2.9-14 / Salmo 16 / 2Tesalonicenses 2,16-3,5 / Lucas 20,27-38.

En aquel tiempo, se acercaron a Jesús unos saduceos, que niegan la resurrección, y le preguntaron: «Maestro, Moisés nos dejó escrito: Si a uno se le muere su hermano, dejando mujer, pero sin hijos, cásese con la viuda y dé descendencia a su hermano. Pues bien, había siete hermanos: el primero se casó y murió sin hijos. Y el segundo y el tercero se casaron con ella, y así los siete murieron sin dejar hijos. Por último murió la mujer. Cuando llegue la resurrección, ¿de cuál de ellos será la mujer? Porque los siete han estado casados con ella». Jesús les contestó: «En esta vida, hombres y mujeres se casan; pero los que sean juzgados dignos de la vida futura y de la resurrección de entre los muertos no se casarán. Pues ya no pueden morir, son como ángeles; son hijos de Dios, porque participan en la resurrección. Y que resucitan los muertos, el mismo Moisés lo indica en el episodio de la zarza, cuando llama al Señor «Dios de Abrahán, Dios de Isaac, Dios de Jacob». No es Dios de muertos, sino de vivos; porque para él todos están vivos».

Dios de vivos

Este es uno de los pasajes evangélicos en los que se aprecia con más claridad y contundencia la falacia, burla y hasta chanza, empleados por los opositores de Jesús para rebatirlo. Le nombran a una mujer, repetidamente viuda, y sus siete maridos. Nos llama la atención la serenidad del Hijo de Dios. No se altera lo más mínimo ante estos hombres que, con sus citas de Moisés en mano, pretenden atraparlo. Jesús, sabiduría del Padre, no se altera ante su necedad, y, porque los ama –nos ama con nuestras tonterías–, les responde con una palabra de vida: "Dios es un Dios de vivos y no de muertos". Esto es –podría seguir diciendo– lo que ustedes proclaman, un día sí y otro también, en el Templo, citando a Moisés a quien me acaban de nombrar. Les está remitiendo a las palabras que oyó el libertador de Israel de parte del mismo Dios cuando le habló desde la zarza ardiente. Palabras que testificaban que los patriarcas de Israel estaban vivos: "Y añadió: Yo soy el Dios de tu padre, el Dios de Abrahán, el Dios de Isaac y el Dios de Jacob" (*Éx* 3,6).

Señor, tú que me pusiste y conoces mi nombre, ¿me añadirás un día a la lista de los vivos, al igual que Abrahán, Isaac y Jacob?

Lunes

Obispo.

Memoria: Blanco. Patrono principal de la Cd. y de la Dióc. de Zamora, Mich.

Sabiduría 1,1-7 / Salmo 138 / Lucas 17,1-6.

EVANGELIO

En aquel tiempo, Jesús dijo a sus discípulos: «Es inevitable que sucedan escándalos; pero ¡ay del que los provoca! Al que escandaliza a uno de estos pequeños, más le valdría que le encajaran en el cuello una piedra de molino y lo arrojasen al mar. Tened cuidado. Si tu hermano te ofende, repréndelo; si se arrepiente, perdónalo; si te ofende siete veces en un día, y siete veces vuelve a decirte: "Lo siento", lo perdonarás». Los apóstoles le pidieron al Señor: «Auméntanos la fe». El Señor contestó: «Si tuvierais fe como un granito de mostaza, diríais a esa morera: "Arráncate de raíz y plántate en el mar". Y os obedecería».

Todo es posible para el creyente

En el breve texto de hoy se nos ofrecen tres dichos de Jesús. El primero se refiere al escándalo. "Escándalo" significa una "piedra de tropiezo en el camino del discípulo, que podría llevarlo al abandono de su condición de discípulo", a su "apostasía". La sentencia de Jesús se refiere a quienes causan un tropiezo así a "uno de estos más pequeños", alguien débil o desvalido que forma parte de esa gente sencilla a la que el Padre se complace en revelar los misterios del Reino. La situación del mundo, el crecimiento de la cizaña en medio del trigo, hace inevitable que se produzcan escándalos, pero Jesús advierte de las graves consecuencias que tienen para quien los produce, y eso explica que concluya para prevenir a los que le escuchan: "¡Anden con cuidado!". La segunda sentencia exhorta a la corrección fraterna y a perdonar a todo el que se arrepienta. Jesús insiste, finalmente, en el valor incalculable de la fe: escuchándole se percibe; verdaderamente, "todo es posible para el creyente".

Oremos con los discípulos: "¡Señor, creemos! ¡Auméntanos la fe!".

EVANGELIO

Martes

San Josafat, obispo y mártir.

Memoria: Roja.

Sabiduría 2,23-3,9 / Salmo 33 / Lucas 17,7-10.

En aquel tiempo, dijo el Señor: «Suponed que un criado vuestro trabaja como labrador o como pastor; cuando vuelve del campo, ¿quién de vosotros le dice: "En seguida, ven y ponte a la mesa"? ¿No le diréis: "Prepárame de cenar, cíñete y sírveme mientras como y bebo, y después comerás y beberás tú"? ¿Tenéis que estar agradecidos al criado porque ha hecho lo mandado? Lo mismo vosotros: Cuando hayáis hecho todo lo mandado, decid: "Somos unos pobres siervos, hemos hecho lo que teníamos que hacer"».

Colaboradores en el servicio de Jesús

Jesús nos exhorta hoy al servicio como rasgo característico de la vida de los discípulos, y nos muestra la forma de hacerlo. La importancia del servicio en la vida de los discípulos tiene su razón de ser en la misión y la vida de Jesús, el Maestro. Recordemos que los primeros cristianos identificaron a Jesús con la figura del "Siervo de Yavé"; que Jesús en la Última Cena lavó los pies de sus discípulos y que estuvo entre ellos "como el que sirve". Cierta y felizmente, las condiciones del servicio en la parábola no son las que rigen en el servicio del Señor. No olvidemos que somos servidores a los que Jesús llama sus amigos. El ejemplo de Jesús debe más bien convencernos de que el servicio a Dios y su Reino es una gracia que no merecemos, al que vale la pena consagrar la vida que adquiere así su valor más alto, y por el que debemos estar agradecidos, porque servir a Dios nos permite formar parte de su Reino. ¿Podremos nosotros decir con verdad cada día de nuestra vida: "¿lo que teníamos que hacer lo hemos hecho?".

Concédenos, Señor, que podamos decirlo al final de nuestra vida, porque hayamos vivido cumpliendo cada día la voluntad del Padre.

Miércoles

Feria: Verde.

Leandro.

E.U.A.: **Sta. Fca. Javiera Cabrini, virgen.**

Memoria: Blanco.

Sabiduría 6,1-11 / Salmo 81 / Lucas 17,11-19.

EVANGELIO

Yendo Jesús camino de Jerusalén, pasaba entre Samaria y Galilea. Cuando iba a entrar en un pueblo, vinieron a su encuentro diez leprosos, que se pararon a lo lejos y a gritos le decían: «Jesús, maestro, ten compasión de nosotros». Al verlos, les dijo: «Id a presentaros a los sacerdotes». Y, mientras iban de camino, quedaron limpios. Uno de ellos, viendo que estaba curado, se volvió alabando a Dios a grandes gritos y se echó por tierra a los pies de Jesús, dándole gracias. Este era un samaritano. Jesús tomó la palabra y dijo: «¿No han quedado limpios los diez?; los otros nueve, ¿dónde están? ¿No ha vuelto más que este extranjero para dar gloria a Dios?». Y le dijo: «Levántate, vete; tu fe te ha salvado».

Bienaventurados los limpios de corazón

Jesús cura a diez leprosos. Esta enfermedad apunta, en el pueblo de Israel, a la impureza de alma y corazón del hombre. De los diez que experimentan la curación, nueve de ellos creen que se la han merecen, porque cumplieron la ley, la cual estipulaba que habían de presentarse ante los sacerdotes (*Lv* 14,1ss). Uno, sin embargo, se volvió hacia Jesús. Lo reconoció como plenitud de la Ley, como la palabra viva del Padre. Así lo manifestó al postrarse ante Él. Jesús le dijo entonces: "Levántate, tu fe te ha salvado". Has quedado limpio de tus impurezas exteriores e interiores. Eres bienaventurado porque al tener purificado el corazón, llegarás a ver a Dios (*Mt* 5,8). Los otros nueve ni se enteraron de la obra de salvación que Jesús quería hacer en ellos.

Te doy gracias, Señor, pues con tu sangre sacaste las vigas de los ojos de mi corazón para contemplar lo eterno. Te doy gracias porque, viéndote, veo también a mi Padre.

Jueves

Lorenzo O'Toole.

Feria: Verde.

Sabiduría 7,22-8,1 / Salmo 118 / Lucas 17,20-25.

EVANGELIO

En aquel tiempo, a unos fariseos que le preguntaban cuándo iba a llegar el reino de Dios, Jesús les contestó: «El reino de Dios no vendrá espectacularmente, ni anunciarán que está aquí o está allí; porque mirad, el reino de Dios está dentro de vosotros». Dijo a sus discípulos: «Llegará un tiempo en que desearéis vivir un día con el Hijo del hombre, y no podréis. Si os dicen que está aquí o está allí, no os vayáis detrás. Como el fulgor del relámpago brilla de un horizonte a otro, así será el Hijo del hombre en su día. Pero antes tiene que padecer mucho y ser reprobado por esta generación».

El reino de Dios ya ha comenzado

La pregunta de los fariseos sobre el momento de la llegada del Reino no obtiene respuesta alguna de parte de Jesús. Ya había dicho en otras ocasiones: "En cuanto al día y la hora, nadie sabe nada, ni los ángeles ni el Hijo, sino sólo el Padre". Y aquí: "No llegará de forma espectacular, ni podrá decirse está aquí o allí". Pero la pregunta le sirve de ocasión para ofrecer una instrucción sobre la naturaleza de su presencia: "El Reino de Dios está dentro de ustedes", como han leído muchos testigos de la tradición cristiana; o "está entre ustedes", como prefieren leer otros ahora. Con ello Jesús acusa a los fariseos de que su ignorancia se debe a su negativa de aceptar a Jesús con quien ese Reino ha llegado. En todo caso, les advierte: antes de que eso ocurra, el Hijo del hombre tiene que padecer mucho y ser rechazado por esta generación. Escuchemos como dirigido a nosotros este mensaje: "El Reino de Dios está en nuestro interior: en nuestro corazón donde se deciden las condiciones para acogerlo; y está entre nosotros, en la persona de Jesús; y de la aceptación de su mensaje depende que llegue para cada uno".

Concédenos, Señor, vivir cada día de nuestra vida como si fuera el de tu venida definitiva.

Viernes

Obispo y doctor de la Iglesia.

Memoria libre o feria: Blanco o Verde.

Sabiduría 13,1-9 / Salmo 18 / Lucas 17,26-37.

EVANGELIO

Este mundo no es todo

. Así como sucedió en los días de Noé, así sucederá también en los días del Hijo del hombre: comían y bebían; se casaban los varones con las mujeres, y daban a sus hijas en matrimonio, hasta que Noé se metió en el arca, y llegó el diluvio y los exterminó a todos. Igualmente sucedió en los días de Lot: comían y bebían, compraban y vendían, plantaban y construían. Pero el día que salió Lot de Sodoma, una lluvia de fuego y azufre bajó del cielo y los consumió a todos. Igualmente sucederá el día que aparezca el Hijo del hombre. Ese día, si alguno está en la azotea, y sus cosas abajo en el interior de la casa, que al bajar no entre a recogerlas. Lo mismo, el que esté en el campo, que no vuelva atrás. Acuérdense de la mujer de Lot. El que trate de salvar su vida, la perderá; y el que la pierda, la salvará. Yo les declaro que esa noche, de dos que estén en la misma cama tomarán al uno y dejarán al otro, de dos mujeres que estén moliendo juntas, tomarán a la una y a la otra la dejarán. Entonces le preguntaron sus discípulos: '¿Dónde, Señor?' Él les contestó: 'Donde esté el cuerpo, allí se juntarán los buitres'".

Este mundo no es todo

Los textos relativos a la segunda venida del Señor, bajo su ropaje apocalíptico, contienen importantes mensajes para nosotros. En primer lugar, anuncian el final del mundo en que vivimos y el fin de los tiempos, abriendo así la posibilidad de que se cumpla nuestro deseo de infinito y nuestra vocación de eternidad. Pero sería un error leer esos textos literalmente y aterrorizar con ellos a quienes los leemos en la actualidad. Otros textos evangélicos, despojados de ese aparato mitológico, resuman esperanza. Recordemos la descripción de nuestra muerte en el Evangelio de Juan: "Que no tiemble su corazón… Cuando me haya ido y les haya preparado un lugar, volveré y los llevaré conmigo para que donde esté yo estén también ustedes".

Querido Dios, déjame soltar lo que en mí estorba, para vivir el instante. Déjame ante todo soltar mis propias imágenes de mí, para que tu imagen me irradie, esa que has hecho de ti y de mí.

EVANGELIO

Sábado

Sta. Margarita de Escocia o Sta. Gertrudis, virgen.

Memoria libre o feria: Blanco o Verde. CUBA: San Cristóbal, patrono de La Habana.

Sabiduría 18,14-16; 19,6-9 / Salmo 104 / Lucas 18,1-8.

En aquel tiempo, Jesús, para explicar a sus discípulos cómo tenían que orar siempre sin desanimarse, les propuso esta parábola: "Había un juez en una ciudad que ni temía a Dios ni le importaban los hombres. En la misma ciudad había una viuda que solía ir a decirle: "Hazme justicia frente a mi adversario". Por algún tiempo se negó, pero después se dijo: "Aunque ni temo a Dios ni me importan los hombres, como esta viuda me está fastidiando, le haré justicia, no vaya a acabar pegándome en la cara"». Y el Señor añadió: «Fijaos en lo que dice el juez injusto; pues Dios, ¿no hará justicia a sus elegidos que le gritan día y noche?; ¿o les dará largas? Os digo que les hará justicia sin tardar. Pero, cuando venga el Hijo del hombre, ¿encontrará esta fe en la tierra?».

¿Encontrará Jesús esta fe en la tierra?

Jesús propone la parábola para inculcar a los discípulos la necesidad de "orar siempre sin desfallecer". Naturalmente, con "siempre" no se puede recomendar una oración ininterrumpida. Lo que recomienda es una oración que acompañe el discurrir de la vida como expresión de la actitud creyente, raíz de la actitud orante de la que debe surgir. ¿Quién es el protagonista de la parábola, el juez inicuo o la viuda? Sin duda esta última, figura ejemplar del desvalimiento por el que el Evangelio de Lucas siente predilección. Pero en el razonamiento del texto la figura del juezdesempeña un papel importante: si hasta un juez así se deja doblegar por la insistencia de la viuda, ¿cómo Dios, la justicia misma y Padre misericordioso, no hará justicia a sus hijos que acuden a Él con una oración perseverante? La proximidad de los textos sobre el final de los tiempos confiere una importancia especial a la pregunta con que termina el texto. La recomendación de la oración contiene una implícita recomendación de la actitud creyente de la que la oración brota. Pero hay muchas formas de creer: la de los "hombres de poca fe", y la del centurión y la mujer cananea. La viuda de la parábola es un ejemplo de fe perseverante. ¿Encontrará el Señor en la tierra cuando vuelva una fe así? ¿La encontrará en nosotros?

Domingo

Isabel de Hungría.

Verde.

Malaquías 3,19-20 / Salmo 97 / 2Tesalonicenses 3,7-12 / Lucas 21,5-19.

EVANGELIO

En aquel tiempo, algunos ponderaban la belleza del templo, por la calidad de la piedra y los exvotos. Jesús les dijo: «Esto que contempláis, llegará un día en que no quedará piedra sobre piedra: todo será destruido». Ellos le preguntaron: «Maestro, ¿cuándo va a ser eso?, ¿y cuál será la señal de que todo eso está para suceder?». Él contestó: «Cuidado con que nadie os engañe. Porque muchos vendrán usurpando mi nombre, diciendo: "Yo soy", o bien: "El momento está cerca"; no vayáis tras ellos. Cuando oigáis noticias de guerras y de revoluciones, no tengáis pánico. Porque eso tiene que ocurrir primero, pero el final no vendrá enseguida». Luego les dijo: «Se alzará pueblo contra pueblo y reino contra reino, habrá grandes terremotos, y en diversos países epidemias y hambre. Habrá también espantos y grandes signos en el cielo. Pero antes de todo eso os echarán mano, os perseguirán, entregándoos a las sinagogas y a la cárcel, y os harán comparecer ante reyes y gobernadores, por causa mía. Así tendréis ocasión de dar testimonio. Haced propósito de no preparar vuestra defensa, porque yo os daré palabras y sabiduría a las que no podrá hacer frente ni contradecir ningún adversario vuestro. Y hasta vuestros padres, y parientes, y hermanos, y amigos os traicionarán, y matarán a algunos de vosotros, y todos os odiarán por causa mía. Pero ni un cabello de vuestra cabeza perecerá; con vuestra perseverancia salvaréis vuestras almas».

Bienaventurados los perseguidos por mi causa

La primera parte del texto se refiere sin duda a la caída de Jerusalén que terminará con la maravilla que era el templo. Pero Jesús se refiere inmediatamente después a la aparición de personajes que usurparán su nombre, dirán, copiando su forma de hablar, "soy yo", y previene a los discípulos para que no los sigan ni hagan caso de los falsos rumores que propalen. La última parte del discurso les anuncia las persecuciones que van a padecer por causa de su nombre. El libro de los Hechos narra algunas de ellas: contra Esteban, Pedro, Juan, Santiago y Pablo. Pero les asegura que no van a estar a merced de sus perseguidores. La persecución ha dado a los discípulos la ocasión de dar testimonio: "comenzó una gran persecución contra la Iglesia de Jerusalén y todos se dispersaron... Los que se habían dispersado iban por todas partes dando testimonio" (*Hch* 8,1-4). De hecho, "mártir", la palabra para la entrega de la vida en la persecución, significa "testigo". Y el refrán ya utilizado por Jesús para referirse a la providencia: "ni un cabello de su cabeza se perderá", lo aplica también a los perseguidos por su causa. Su constancia, paciencia, y fortalezca les hará conseguir la vida verdadera.

Señor, que nos has advertido de la posibilidad de las persecuciones, concédenos fortaleza para ser en ellas tus testigos ante el mundo.

Lunes

Memoria libre o feria: Blanco o Verde.

E.U.A.: **Sta. Rosa Filipina Duchesne, virgen,** *Memoria libre o feria: Blanco o Verde.*

1 Macabeos 1,10-15.41-43.54-57.62-64 / Salmo 118 / Lucas 18,35-43.

EVANGELIO

En aquel tiempo, cuando se acercaba Jesús a Jericó, había un ciego sentado al borde del camino, pidiendo limosna. Al oír que pasaba gente, preguntaba qué era aquello; y le explicaron: «Pasa Jesús Nazareno». Entonces gritó: «¡Jesús, hijo de David, ten compasión de mí!». Los que iban delante le regañaban para que se callara, pero él gritaba más fuerte: «¡Hijo de David, ten compasión de mí!». Jesús se paró y mandó que se lo trajeran. Cuando estuvo cerca, le preguntó: «¿Qué quieres que haga por ti?». Él dijo: «Señor, que vea otra vez». Jesús le contestó: «Recobra la vista, tu fe te ha curado». En seguida recobró la vista y lo siguió glorificando a Dios. Y todo el pueblo, al ver esto, alababa a Dios.

Desde lo hondo a ti grito, Señor

Lucas acaba de anotar que, tras el tercer anuncio por Jesús de su pasión, "los discípulos no entendieron nada". En contraste con ellos, el ciego que pedía limosna junto al camino es presentado como modelo de creyente en Jesús, y la narración describe los pasos que lo llevaron al encuentro con Jesús que le cambió la vida. El primero, la atención a lo que ocurre a su lado, la pregunta por lo que es incapaz de ver y la identificación de Jesús, de quien tenía noticias, a quien estaba buscando, con quien estaba deseando encontrarse. Su reacción inmediata es llamarlo a grito vivo, como hacen los que oran desde una situación de gran necesidad: "Desde lo hondo a ti grito, Señor". La respuesta de Jesús es la que él recomienda a sus discípulos en la parábola del samaritano: detenerse y hacer que lo traigan a su lado. Su encuentro con él sigue la pauta de todos los encuentros: dirigirle una pregunta que parece ociosa, pero que permite al ciego dar un contenido preciso a su ruego. La fe que adivina Jesús en su actitud y en su ruego le cura de su ceguera, y permite a Jesús declararle salvado. El ciego ya puede seguir a Jesús como un discípulo en su camino a Jerusalén.

Oremos también nosotros: "Desde lo hondo a ti grito, Señor; Señor, escucha mi voz. Estén tus oídos atentos a la voz de mi súplica" *(Sal 130).*

Martes

Abdías.

Feria: Verde.

2Macabeos 6,18-31 / Salmo 3 / Lucas 19,1-10.

EVANGELIO

En aquel tiempo, entró Jesús en Jericó y atravesaba la ciudad. Un hombre llamado Zaqueo, jefe de publicanos y rico, trataba de distinguir quién era Jesús, pero la gente se lo impedía, porque era bajo de estatura. Corrió más adelante y se subió a una higuera para verlo, porque tenía que pasar por allí. Jesús, al llegar a aquel sitio, levantó los ojos y dijo: «Zaqueo, baja en seguida, porque hoy tengo que alojarme en tu casa». Él bajó en seguida y lo recibió muy contento. Al ver esto, todos murmuraban, diciendo: «Ha entrado a hospedarse en casa de un pecador». Pero Zaqueo se puso en pie, y dijo al Señor: «Mira, la mitad de mis bienes, Señor, se la doy a los pobres; y si de alguno me he aprovechado, le restituiré cuatro veces más». Jesús le contestó: «Hoy ha sido la salvación de esta casa; también este es hijo de Abrahán. Porque el Hijo del hombre ha venido a buscar y a salvar lo que estaba perdido».

De la curiosidad por Jesús, al encuentro con Él

El protagonista del texto es un marginado, un proscrito social y religiosamente. Es Zaqueo –¿diminutivo de Zacarías, que significa "Dios se ha acordado"?–, jefe de publicanos y muy rico. Él mismo sospecha además que pudo defraudar a otros. Pero es un proscrito que se interesa por Jesús, que tiene deseos de conocerlo y pone todos los medios, hasta los que rayan en el ridículo, para conseguirlo. Aparentemente, es Zaqueo quien toma la iniciativa para conseguir ver a Jesús; pero, ese que pretende verlo es alguien a quien Jesús dirige una mirada que lo cambia todo: lo que podría haber sido una vista fugaz de una persona famosa desde lo alto de la higuera, se convierte en un encuentro decisivo para su vida. La llamada de Jesús es urgente: "Baja enseguida, porque tengo que alojarme en tu casa". Zaqueo en realidad no pidió la misericordia de Jesús, ni expresa su contrición como el hijo pródigo. Jesús, por su parte no alude a la fe de Zaqueo.

Aunque no nos creamos dignos, invitemos insistentemente a Jesús: "Quédate con nosotros, porque anochece". "Señor, yo no soy digno, pero una palabra tuya bastará para sanarme".

Miércoles

Feria: Verde.

1Macabeos 7,1.20-31 / Salmo 16 / Lucas 19,11-28.

EVANGELIO

En aquel tiempo, dijo Jesús una parábola; el motivo era que estaba cerca de Jerusalén, y se pensaban que el reino de Dios iba a despuntar de un momento a otro. Dijo, pues: «Un hombre noble se marchó a un país lejano para conseguirse el título de rey, y volver después. Llamó a diez empleados suyos y les repartió diez onzas de oro, diciéndoles: "Negociad mientras vuelvo". Sus conciudadanos, que lo aborrecían, enviaron tras él una embajada para informar: "No queremos que él sea nuestro rey". Cuando volvió con el título real, mandó llamar a los empleados a quienes había dado el dinero, para enterarse de lo que había ganado cada uno. El primero se presentó y dijo: "Señor, tu onza ha producido diez". Él le contestó: "Muy bien, eres un empleado cumplidor; como has sido fiel en una minucia, tendrás autoridad sobre diez ciudades". El segundo llegó y dijo: "Tu onza, señor, ha producido cinco". A ese le dijo también: "Pues toma tú el mando de cinco ciudades". El otro llegó y dijo: "Señor, aquí está tu onza; la he tenido guardada en el pañuelo; te tenía miedo, porque eres hombre exigente, que reclamas lo que no prestas y siegas lo que no siembras". Él le contestó: "Por tu boca te condeno, empleado holgazán. ¿Conque sabías que soy exigente, que reclamo lo que no presto y siego lo que no siembro? Pues, ¿por qué no pusiste mi dinero en el banco? Al volver yo, lo habría cobrado con los intereses". Entonces dijo a los presentes: "Quitadle a este la onza y dádsela al que tiene diez". Le replicaron: "Señor, si ya tiene diez onzas". "Os digo: Al que tiene se le dará, pero al que no tiene se le quitará hasta lo que tiene. Y a esos enemigos míos, que no me querían por rey, traedlos acá y degolladlos en mi presencia"». Dicho esto, echó a andar delante de ellos, subiendo hacia Jerusalén.

Dando es como se recibe

Dos actitudes explican la conducta del último empleado: el miedo al Señor y guardar el don de Dios en lugar de ponerlo en circulación para que llegue a todos. Dios reclama y merece toda nuestra confianza. Dando vida la hacemos crecer.

EVANGELIO

Jueves

Memoria: Blanco.

1Macabeos 2,15-29 / Salmo 49 / Lucas 19,41-44.

En aquel tiempo, al acercarse Jesús a Jerusalén y ver la ciudad, le dijo llorando: «¡Si al menos tú comprendieras en este día lo que conduce a la paz! Pero no: está escondido a tus ojos. Llegará un día en que tus enemigos te rodearán de trincheras, te sitiarán, apretarán el cerco, te arrasarán con tus hijos dentro, y no dejarán piedra sobre piedra. Porque no reconociste el momento de mi venida».

Reconocer el momento de la venida del Señor

En el último tramo de la subida a Jerusalén, aclamado como "el que viene en el nombre del Señor", Jesús, a la vista de la ciudad, se lamenta sobre la suerte que le aguarda y llora por ella. Ya lo habían hecho antes los profetas. Esta vez Jesús se queja de que ella, la ciudad que lleva inscrita en su nombre la palabra "paz", no haya acogido el mensaje de paz que Él le trae. ¿Cómo puede ser que Jesús, que ha realizado prodigios asombrosos, no pueda hacer otra cosa que llorar por la ciudad a la que tanto quiere, incapaz de cambiar su suerte? Su llanto encierra un doble misterio. Dios, que creo al hombre a su imagen, poniéndolo a su altura de sujeto, se impuso la limitación de sólo poder salvarlo contando con su libertad. Y Jerusalén no ha acogio a Jesús, como lo hicieron el ciego de Jericó, Zaqueo y los discípulos que lo acompañan. Lo va a rechazar abiertamente: "No tenemos, dirán en la pasión, otro rey que el César". El mensaje de paz de Jesús quedó escondido para ella, y las tropas de ese a quien ellos declararán tener por rey van a arrasarla, porque no ha conocido a quien venía a visitarla en nombre de Dios "para guiar sus pasos por los caminos de la paz". ¿ Jesús habrá llorado también sobre nosotros al llorar sobre Jerusalén? ¿Sabremos escuchar y acoger el mensaje de paz que Jesús trae a nuestra vida?

Señor, a cuyo nacimiento los ángeles anunciaron la paz a los hombres que ama el Señor, haz que acojamos la paz que nos traes, para que seamos en el mundo instrumentos de tu paz.

Viernes

Memoria: Rojo.

1Macabeos 4,36-37.52-59. / 1Crónicas 29 / Lucas 19,45-48.

EVANGELIO

En aquel tiempo, entró Jesús en el templo y se puso a echar a los vendedores, diciéndoles: «Escrito está: "Mi casa es casa de oración"; pero vosotros la habéis convertido en una "cueva de bandidos"». Todos los días enseñaba en el templo. Los sumos sacerdotes, los escribas y los notables del pueblo intentaban quitarlo de en medio; pero se dieron cuenta de que no podían hacer nada, porque el pueblo entero estaba pendiente de sus labios.

El templo, casa de Dios, casa de oración

La escena de la purificación del templo por Jesús, ya recordada anteriormente en la liturgia, es presentada por Lucas de la forma más escueta. Los comentaristas prestan especial atención al hecho mismo de la entrada de Jesús en el templo en la que descubren alusiones a textos proféticos. El Jesús niño a quien Lucas presentó respondiendo a sus padres: ¿no sabias que tengo que estar en la casa (o en las cosas) de mi Padre?, actúa ahora con autoridad, recordando su condición de "casa de oración", de lugar donde mora la presencia de Dios. El gesto profético de Jesús realiza promesas de los profetas para los tiempos mesiánicos: "No habrá aquel día más mercader en la casa de Yavé" (*Zac*). A un templo que una religión pervertida había convertido en "cueva de ladrones", en templo del dios Mammón, del dios del dinero, le devuelve Jesús su condición de casa del Dios verdadero. A la purificación del templo sigue la enseñanza de Jesús en él. De la atención que provoca su enseñanza da idea el hecho de que los sumos sacerdotes, los escribas y los principales del Pueblo que, irritados por la acción de Jesús y por su enseñanza, han tomado la decisión de acabar con Él, no puedan ponerla en práctica porque "todo el Pueblo estaba pendiente de sus labios".

¿Por qué, Señor, no encandilan como tus palabras las de los que predicamos en ellos?

EVANGELIO

Sábado

San Clemente I, Papa.

Mártir Rojo

1Macabeos 6,1-13 / Salmo 9 / Lucas 20,27-40.

En aquel tiempo, se acercaron a Jesús unos saduceos, que niegan la resurrección, y le preguntaron: «Maestro, Moisés nos dejó escrito: Si a uno se le muere su hermano, dejando mujer, pero sin hijos, cásese con la viuda y dé descendencia a su hermano. Pues bien, había siete hermanos: el primero se casó y murió sin hijos. Y el segundo y el tercero se casaron con ella y así los siete murieron sin dejar hijos. Por último murió la mujer. Cuando llegue la resurrección, ¿de cuál de ellos será la mujer? Porque los siete han estado casados con ella». Jesús les contestó: «En esta vida, hombres y mujeres se casan; pero los que sean juzgados dignos de la vida futura y de la resurrección de entre los muertos no se casarán. Pues ya no pueden morir, son como ángeles; son hijos de Dios, porque participan en la resurrección. Y que resucitan los muertos, el mismo Moisés lo indica en el episodio de la zarza, cuando llama al Señor "Dios de Abrahán, Dios de Isaac, Dios de Jacob". No es Dios de muertos, sino de vivos; porque para él todos están vivos». Intervinieron unos escribas: «Bien dicho, Maestro». Y no se atrevían a hacerle más preguntas.

Dios es nuestra felicidad

El texto, con la respuesta de Jesús a los saduceos y fariseos, contiene para nosotros un mensaje esencial. Dios es Dios de vivos; para Él todos, también los que han muerto, viven, y nosotros podemos esperar que como hijos de Dios viviremos para siempre. De la modalidad de esa vida sólo sabemos que viviremos en Dios y que en Él hallaremos el descanso y la paz verdadera, porque creados para Él, nuestro corazón alcanzará el descanso cuando vivamos en Él.

"Nos hiciste, Señor, para ti y nuestro corazón está inquieto hasta que descanse en ti" (san Agustín).

Domingo

Blanco.

Andrés Dung-Lac y compañeros.

2Samuel 5,1-3 / Salmo 121 / Colosenses 1,12-20 / Lucas 23,35-43.

EVANGELIO

En aquel tiempo, las autoridades hacían muecas a Jesús, diciendo: «A otros ha salvado; que se salve a sí mismo, si él es el Mesías de Dios, el Elegido». Se burlaban de él también los soldados, ofreciéndole vinagre y diciendo: «Si eres tú el rey de los judíos, sálvate a ti mismo». Había encima un letrero en escritura griega, latina y hebrea: «Este es el rey de los judíos». Uno de los malhechores crucificados lo insultaba, diciendo: «¿No eres tú el Mesías? Sálvate a ti mismo y a nosotros». Pero el otro lo increpaba: «¿Ni siquiera temes tú a Dios, estando en el mismo suplicio? Y lo nuestro es justo, porque recibimos el pago de lo que hicimos; en cambio, este no ha faltado en nada». Y decía: «Jesús, acuérdate de mi cuando llegues a tu reino». Jesús le respondió: «Te lo aseguro: hoy estarás conmigo en el paraíso».

Jesús reina desde la Cruz

Jesús pasó su vida pública anunciando el Reino de Dios. Pero cuando, admirado de su doctrina y de sus milagros, el Pueblo quiso hacerlo Rey, se retiró al monte solo, para orar. A la pregunta de Pilato: "¿Eres tú el Rey de los judíos?", Jesús responde: "Soy rey, como tú dices"; pero añade: "mi reino no es de este mundo". Sobre su Cruz, Pilato puso un letrero: "Jesús Nazareno, Rey de los judíos". Ahí, sobre el patíbulo más ignominioso, consta a la vez su condición de Rey y el significado enteramente peculiar de su realeza. No es Rey para que "legiones de ángeles lo defiendan", ni para "bajarse de la Cruz" como le pedían los testigos, sino para hacer de la Cruz el trono de la misericordia que experimenta el buen ladrón. Lo es porque, Resucitado por el Espíritu y glorificado a la derecha del Padre, abrio las puertas del paraíso para los que estábamos alejados de Dios, derramó sobre nosotros el Espíritu, dándonos la potestad de ser hijos de Dios.

"Acuérdate de nosotros, Señor, cuando estés en tu Reino".

EVANGELIO

Lunes

Sta. Catalina de Alejandría, virgen y mártir.

Memoria libre o feria: Blanco o Verde.

Daniel 1,1-6.8-20 / Daniel 3 / Lucas 21,1-4.

En aquel tiempo, alzando Jesús los ojos, vio unos ricos que echaban donativos en el arca de las ofrendas; vio también una viuda pobre que echaba dos reales, y dijo: «Sabed que esa pobre viuda ha echado más que nadie, porque todos los demás han echado de lo que les sobra, pero ella, que pasa necesidad, ha echado todo lo que tenía para vivir».

El gesto de una creyente

Entre los muchos que depositan su ofrenda al entrar en el templo la mirada de Jesús se fijó en una pobre viuda que depositó unos centavos, y destaca para sus discípulos el valor de su gesto. Los demás echaron lo que les sobra; ella, lo que necesitaba: "todo lo que tenía para vivir". La mirada de Jesús, reflejo de la mirada de Dios que ya en María había mirado "la humildad de su esclava", se complace en la triple sencillez de la mujer, viuda y pobre. El valor de su gesto está en que, al dar lo que tiene para vivir, ofrece al Señor su vida; se da a sí misma en un gesto de generosidad absoluta que manifiesta su confianza incondicional en Dios, su amor a Dios con todo el corazón. La ofrenda de la viuda tiene valor teologal, es una manifestación de su condición de creyente. La viuda pobre, con ese gesto silencioso en el que sólo Jesús se fijó, ha realizado de forma perfecta, seguramente sin conciencia expresa de ello, su condición de discípula de Jesús, porque el que no se entrega a sí mismo, no puede ser su discípulo. Con su ofrenda confía a Dios su vida; se ha confiado a sí misma al Padre: mostro que Dios es lo primero para ella y por Él entrego todo lo que tiene, con alegría.

Oremos con Carlos de Foucauld: "Padre, me pongo en tus manos. Haz de mí lo que quieras… Te confío mi alma… con todo amor de que soy capaz, porque te amo y necesito darme… con una infinita confianza, porque tú eres mi Padre. Amén".

Martes

Conrado.

Feria: Verde.

Daniel 2,31-45 / Daniel 3 / Lucas 21,5-11.

EVANGELIO

En aquel tiempo, algunos ponderaban la belleza del templo, por la calidad de la piedra y los exvotos. Jesús les dijo: «Esto que contempláis, llegará un día en que no quedará piedra sobre piedra: todo será destruido». Ellos le preguntaron: «Maestro, ¿cuándo va a ser eso?, ¿y cuál será la señal de que todo eso está para suceder?». Él contestó: «Cuidado con que nadie os engañe. Porque muchos vendrán usurpando mi nombre, diciendo: "Yo soy", o bien "El momento está cerca"; no vayáis tras ellos. Cuando oigáis noticias de guerras y de revoluciones, no tengáis pánico. Porque eso tiene que ocurrir primero, pero el final no vendrá en seguida». Luego les dijo: «Se alzará pueblo contra pueblo y reino contra reino, habrá grandes terremotos, y en diversos países epidemias y hambre. Habrá también espantos y grandes signos en el cielo».

Templos del Espíritu

El templo constituía para el judaísmo de tiempos de Jesús la institución fundamental. Era considerado el lugar por excelencia de la presencia de Dios donde se ofrecían los sacrificios, expresión del reconocimiento de esa presencia y medio de la reparación por los pecados del Pueblo. Su importancia explica la magnificencia del edificio y de su ornamentación. Su destrucción, de acuerdo con textos proféticos, era interpretada como la desaparición de la gloria de Dios de ese lugar, y el castigo del Pueblo por su infidelidad a la alianza. Jesús había anunciado en la conversación con la samaritana que con Él llegó el momento en que el verdadero culto al Padre no está ligado a ningún lugar sagrado, porque ha de hacerse "en Espíritu y en verdad". A la revelación de Dios como Padre, que tiene lugar en Jesús, el Hijo corresponde una nueva forma de adoración y culto en que todos sus miembros seamos "templos del Espíritu".

Querido Dios, me veo en el amor. Cuando me percato de que alguien me ama sin condiciones y que yo puedo aceptar ese amor, es porque amo y soy amado. No dejes que mi amor quede en el vacío, sino que todo se dé bien.

Miércoles

Virgilio.

Feria: Verde.

Daniel 5,1-6.13-14.16-17.23-28 / Daniel 3 / Lucas 21,12-19.

EVANGELIO

En aquel tiempo, dijo Jesús a sus discípulos: «Os echarán mano, os perseguirán, entregándoos a las sinagogas y a la cárcel, y os harán comparecer ante reyes y gobernadores, por causa mía. Así tendréis ocasión de dar testimonio. Haced propósito de no preparar vuestra defensa, porque yo os daré palabras y sabiduría a las que no podrá hacer frente ni contradecir ningún adversario vuestro. Y hasta vuestros padres, y parientes, y hermanos, y amigos os traicionarán, y matarán a algunos de vosotros, y todos os odiarán por causa mía. Pero ni un cabello de vuestra cabeza perecerá; con vuestra perseverancia salvaréis vuestras almas».

Persecución y vigilancia

En la etapa previa a la segunda venida del Señor discurre el tiempo de la Iglesia. Su historia confirma la presencia en ella de esas pruebas, odios y persecuciones a los discípulos que Jesús les anunció. La misma historia muestra la presencia constante de la asistencia y la ayuda del Señor a lo largo de los siglos. Paradójicamente, además, esta ayuda del Señor se ha manifestado de la forma más palpable en los tiempos de mayor persecución, que con frecuencia han sido a la vez los momentos de mayor autenticidad de las comunidades cristianas, y como consecuencia de ello, las de mayor extensión del cristianismo, gracias al testimonio de esas comunidades y de sus mártires. La sangre de los mártires es semilla de cristianos. Es posible que la espera en los primeros tiempos de una venida pronta del Señor mantuviese viva la vigilancia, y que la relajación de esa expectación en tiempos como el nuestro favorezca la acomodación de los cristianos al mundo y la pérdida de vigor de nuestra fe. Por eso es tan importante la llamada a la vigilancia, y la atención a los signos de los tiempos que Jesús recomienda a los discípulos en los textos de los evangelios de estos últimos días del año litúrgico.

Querido Dios, resguárdame en el tiempo de libertad que me has obsequiado, para planear y realizar nuevas actividades. Deja que todo lo que yo haga en ese tiempo, respire el espíritu en toda su extensión, y esté yo relajado, libre y contento. Lléname de tu alegría, para que ella pueda guiarme hacia los demás con los que vivo.

Jueves

Esteban
Daniel 6,12-28 / Daniel 3 ucas 21,20-28.

En E.U.A.: **Día de acción de gracias,**
Memoria libre ó feria: Blanco ó Verde; oraciones de la Misa para Dar Gracias a Dios.

Sirácide 50,22-24 / Salmo 145 / Lucas 17,11-19.

EVANGELIO

En aquel tiempo, dijo Jesús a sus discípulos: «Cuando veáis a Jerusalén sitiada por ejércitos, sabed que está cerca su destrucción. Entonces, los que estén en Judea, que huyan a la sierra; los que estén en la ciudad, que se alejen; los que estén en el campo, que no entren en la ciudad; porque serán días de venganza en que se cumplirá todo lo que está escrito. ¡Ay de las que estén encintas o criando en aquellos días! Porque habrá angustia tremenda en esta tierra y un castigo para este pueblo. Caerán a filo de espada, los llevarán cautivos a todas las naciones, Jerusalén será pisoteada por los gentiles, hasta que a los gentiles les llegue su hora. Habrá signos en el sol y la luna y las estrellas, y en la tierra angustia de las gentes, enloquecidas por el estruendo del mar y el oleaje. Los hombres quedarán sin aliento por el miedo y la ansiedad ante lo que se le viene encima al mundo, pues los astros se tambalearán. Entonces verán al Hijo del hombre venir en una nube, con gran poder y majestad. Cuando empiece a suceder esto, levantaos, alzad la cabeza: se acerca vuestra liberación».

La hora de la liberación

Las primeras líneas del Evangelio de hoy se refieren a la destrucción de Jerusalén por los romanos el año setenta. Pero la destrucción de Jerusalén no señala el principio del fin. Las señales que lo anuncian están expresadas en forma de cataclismos cósmicos que llenarán de angustia a los pueblos de la tierra. En ese escenario apocalípticamente descrito Jesús anuncia que se producirá la parusía, la segunda venida del Hijo del hombre en gloria y majestad para juzgar a vivos y muertos. La instrucción de Jesús a sus discípulos no pretende llenarlos de miedo y angustia. La segunda venida del Señor es para ellos la hora de la liberación definitiva que colmará sus esperanzas, y a la que podemos enfrentarnos en actitud confiada, con "la cabeza levantada".

Viernes

Saturnino.

Feria: Verde.

Daniel 7,2-14 / Daniel 3 / Lucas 21,29-33.

EVANGELIO

En aquel tiempo, expuso Jesús una parábola a sus discípulos: «Fijaos en la higuera o en cualquier árbol: cuando echan brotes, os basta verlos para saber que el verano está cerca. Pues, cuando veáis que suceden estas cosas, sabed que está cerca el reino de Dios. Os aseguro que antes que pase esta generación todo eso se cumplirá. El cielo y la tierra pasarán, mis palabras no pasarán».

Persecución y vigilancia

En la etapa previa a la segunda venida del Señor, discurre el tiempo de la Iglesia. Su historia confirma la presencia en ella de esas pruebas, odios y persecuciones a los discípulos que Jesús les anunció. La misma historia muestra la presencia constante de la asistencia y la ayuda del Señor a lo largo de los siglos. Paradójicamente, además, esta ayuda del Señor se ha manifestado de la forma más palpable en los tiempos de mayor persecución, que con frecuencia han sido a la vez los momentos de mayor autenticidad de las comunidades cristianas, y como consecuencia de ello, las de mayor extensión del cristianismo, gracias al testimonio de esas comunidades y de sus mártires. La sangre de los mártires es semilla de cristianos. Es posible que la espera en los primeros tiempos de una venida pronta del Señor mantuviese viva la vigilancia, y que la relajación de esa expectación en tiempos como el nuestro favorezca la acomodación de los cristianos al mundo y la pérdida de vigor de nuestra fe. Por eso es tan importante la llamada a la vigilancia, y la atención a los signos de los tiempos que Jesús recomienda a los discípulos en los textos de los evangelios de estos últimos días del año litúrgico.

Querido Dios, obséquiame el amor que me une a otros humanos.
Obséquiame uno de éstos que me ame, como yo amo,
con el que vaya por un camino común, con el que quiero participar de su vida.

Sábado

Fiesta: Rojo.

Romanos 10,9-18 / Salmo 18 / Mateo 4,18-22.

EVANGELIO

En aquel tiempo, pasando Jesús junto al lago de Galilea, vio a dos hermanos, a Simón, al que llaman Pedro, y a Andrés, su hermano, que estaban echando el copo en el lago, pues eran pescadores. Les dijo: «Venid y seguidme, y os haré pescadores de hombres». Inmediatamente dejaron las redes y lo siguieron. Y, pasando adelante, vio a otros dos hermanos, a Santiago, hijo de Zebedeo, y a Juan, que estaban en la barca repasando las redes con Zebedeo, su padre. Jesús los llamó también. Inmediatamente dejaron la barca y a su padre y lo siguieron.

Al instante

Celebramos la fiesta de san Andrés Apóstol. Uno de los primeros que siguieron a Jesús junto con Juan. Imaginemos cómo pudo ser el impacto que le produjo la llamada del Señor, que fue en busca de su hermano Pedro, a quien alegró el corazón con estas palabras: "¡Hemos encontrado al Mesías!" (*Jn* 1,41). Noticia buena donde las haya que empujó a Pedro a ir al encuentro de Jesús. Sabemos que anunció el Evangelio en diversas naciones y que selló su ministerio evangélico y su amor al Señor con el martirio. Fue crucificado en Acaya. La figura de Andrés, el impetuoso, el que no se sienta, calculadora en mano, para ver si vale o no la pena seguir al Hijo de Dios, es y será siempre actual. Lo deja todo en un instante bajo la fuerza de una llamada. ¿Irresponsabilidad? Sí, si ese instante quedara aislado en el tiempo y en el espacio; no, si aquel que le llamó se hace garante de ese instante y lo llena de amor y fidelidad a pesar de todas las caídas que se den en el tiempo.

Señor Jesús, te pido que, cuando los abismos de la tentación se abran ante mí, recuerde el instante en que me llamaste a ser discípulo, a fiarme de ti.

EVANGELIO

Domingo

Morado.

Isaías 2,1-5 / Salmo 121 / Romanos 13,11-14 / Mateo 24,37-44.

En aquel tiempo, dijo Jesús a sus discípulos: «Cuando venga el Hijo del hombre, pasará como en tiempo de Noé. Antes del diluvio, la gente comía y bebía y se casaba, hasta el día en que Noé entró en el arca; y cuando menos lo esperaban llegó el diluvio y se los llevó a todos; lo mismo sucederá cuando venga el Hijo del hombre: Dos hombres estarán en el campo: a uno se lo llevarán y a otro lo dejarán; dos mujeres estarán moliendo: a una se la llevarán y a otra la dejarán. Por tanto, estad en vela, porque no sabéis qué día vendrá vuestro Señor. Comprended que si supiera el dueño de casa a qué hora de la noche viene el ladrón, estaría en vela y no dejaría abrir un boquete en su casa. Por eso, estad también vosotros preparados, porque a la hora que menos penséis viene el Hijo del hombre».

Vigilen y oren

Con este domingo comienza el tiempo de Adviento. Tiempo de preparación para la triple venida del Señor: "en la debilidad de nuestra carne" celebrada en las fiestas de Navidad; "en gloria y majestad al final de los tiempos"; y esa "venida permanente del Señor" que supone su presencia en el corazón de los cristianos y que nos convierte en seres "a la espera de Dios". El texto de hoy se refiere a la segunda venida del Señor, a juzgar a todos los hombres, y exhorta a la vigilancia que les permita reconocerlo y ser reconocidos por él. Dos rasgos la caracterizan: la incertidumbre del momento y su proximidad. Los textos nos ofrecen modelos de vigilancia para la nuestra: vigila el encargado que atiende cuidadosamente a los criados que le han sido encomendados (*Mt* 24,45-51); el que pone en juego los talentos recibidos (*Mt* 25,15-23); las doncellas que han hecho provisión del aceite de las buenas obras en su espera del Esposo (25,31-46); y, especialmente, los que acogen al Señor acogiendo a sus hermanos más pequeños (25,31-46). No se trata de un estado de permanente tensión extrema, sino de hacer de manera creyente, ante la presencia de Dios, lo que en cada momento tenemos que hacer para cumplir lo que Dios quiere de nosotros.

Oremos dando voz a nuestra espera de Dios:
"Mi alma tiene sed de Dios, ¿cuándo llegaré a ver su rostro?"

Lunes

Feria: Morado.

Bibiana.

Isaías 4,2-6 / Salmo 121 / Mateo 8,5-11.

EVANGELIO

En aquel tiempo, al entrar Jesús en Cafarnaúm, un centurión se le acercó rogándole: «Señor, tengo en casa un criado que está en cama paralítico y sufre mucho». Jesús le contestó: «Voy yo a curarlo». Pero el centurión le replicó: «Señor, no soy quién para que entres bajo mi techo. Basta que lo digas de palabra, y mi criado quedará sano. Porque yo también vivo bajo disciplina y tengo soldados a mis órdenes; y le digo a uno: "Ve", y va; al otro: "Ven", y viene; a mi criado: "Haz esto", y lo hace». Al oírlo, Jesús quedó admirado y dijo a los que le seguían: «Os aseguro que en Israel no he encontrado en nadie tanta fe. Os digo que vendrán muchos de oriente y occidente y se sentarán con Abrahán, Isaac y Jacob en el reino de los cielos».

La oración de intercesión

Jesús cura al siervo de un centurión romano, al que Mateo presenta como hombre bueno, sensible al sufrimiento de un criado suyo y con una actitud ante Jesús en la que el Maestro descubre admirado una gran fe. La manifiesta acercándose a Jesús llevado por las noticias que circulan entre el Pueblo sobre su poder, y su atención a los ruegos de los que necesitan su ayuda; lo reconoce como a Señor, se contenta con exponerle la situación penosa del enfermo, no se considera digno de que entre en su casa, y confía que una palabra suya bastará para sanar a su criado. Jesús se admira de encontrar en un pagano una fe tan grande y aprovecha la ocasión para anunciar una vez más la llegada de muchas personas, de regiones alejadas de Israel, para compartir el banquete del Reino de los cielos con los grandes patriarcas, mientras los hijos de estos son excluidos de él por su falta de fe. El gesto de Jesús confirma una vez más el valor de la oración de intercesión: "Las primeras oraciones que el cielo escucha, dice la tradición judía, son las que hacemos en favor de los demás".

Oremos, una vez más con el centurión: "Señor, no soy digno de que entres en mi casa, pero una palabra tuya bastará para sanarme"

EVANGELIO

Martes

San Francisco Javier, presbítero.

Memoria: Blanco. Patrono de la Arq. de Hermosillo.

Isaías 11,1-10/ Salmo 71/ Lucas 10,21-24.

En aquel tiempo, lleno de la alegría del Espíritu Santo, exclamó Jesús: «Te doy gracias, Padre, Señor del cielo y de la tierra, porque has escondido estas cosas a los sabios y a los entendidos, y las has revelado a la gente sencilla. Sí, Padre, porque así te ha parecido bien. Todo me lo ha entregado mi Padre, y nadie conoce quién es el Hijo, sino el Padre; ni quién es el Padre, sino el Hijo, y aquel a quien el Hijo se lo quiere revelar». Y volviendo a sus discípulos, les dijo aparte: «¡Dichosos los ojos que ven lo que vosotros veis! Porque os digo que muchos profetas y reyes desearon ver lo que veis vosotros, y no lo vieron; y oír lo que oís, y no lo oyeron».

El Dios de Jesús

La oración de Jesús contenida en este texto revela al Dios de Jesús; quién es Dios para Él. "Yo te bendigo. . ." es el eco de la relación única que Jesús mantiene con Dios, invocado como Padre, con todas las resonancias del "abba" con que se dirige siempre a Él; y a la vez: "Señor de cielo y tierra", expresión de esa "Majestad" que caracteriza las mejores expresiones religiosas de la relación con Dios. El Dios a quien invoca Jesús es el Dios del Reino, el Dios que se revela en su designio de darse a conocer y darse a amar a los hombres, y que concede ese privilegio, no a los poderosos y los sabios, sino a la gente sencilla. Hay en el Evangelio momentos cumbre de la experiencia de Dios por Jesús. La oración de hoy es uno de ellos: "Todo me lo ha dado el Padre y nadie conoce al Hijo sino el Padre, ni al Padre sino el Hijo. . .". Donde "conocer" expresa esa relación, estrecha e íntima como ninguna, que los une. Todo el misterio de la nueva relación de los hombres con Dios que hace posible Jesús está expresada a continuación: "Y aquel a quien el Hijo se lo quiera revelar". De ello son testigos los discípulos y su alegría única porque ven y oyen, porque viven, "lo que muchos profetas y reyes quisieron ver y no vieron", hubieran deseado vivir y no vivieron.

Jesús, sé tú la puerta, para que yo tenga acceso a los demás con los que vivo y trabajo; para que los entienda y pueda ayudarlos a que se descubran a sí mismos.

Miércoles

Presbítero y doctor de la Iglesia.

Memoria libre o feria: Blanco o Morado.

Isaías 25,6-10 / Salmo 22 / Mateo 15,29-37.

EVANGELIO

En aquel tiempo, Jesús se marchó de allí y, bordeando el lago de Galilea, subió al monte y se sentó en él. Acudió a él mucha gente llevando tullidos, ciegos, lisiados, sordomudos y muchos otros; los echaban a sus pies y él los curaba. La gente se admiraba al ver hablar a los mudos, sanos a los lisiados, andar a los tullidos y con vista a los ciegos, y dieron gloria al Dios de Israel. Jesús llamó a sus discípulos y les dijo: "Me da lástima de la gente, porque llevan ya tres días conmigo y no tienen qué comer. Y no quiero despedirlos en ayunas, no sea que se desmayen en el camino". Los discípulos le preguntaron: "¿De dónde vamos a sacar en un despoblado panes suficientes para saciar a tanta gente?". Jesús les preguntó: "¿Cuántos panes tenéis?". Ellos contestaron: "Siete y unos pocos peces". Él mandó que la gente se sentara en el suelo. Tomó los siete panes y los peces, dijo la acción de gracias, los partió y los fue dando a los discípulos, y los discípulos a la gente. Comieron todos hasta saciarse y recogieron las sobras: siete cestas llenas. Los que comieron fueron cuatro mil hombres, sin contar mujeres y niños. Él despidió a la gente, montó en la barca y fue a la comarca de Magadán.

Dijo la acción de gracias

Se "da gracias" porque todo don viene de Dios. Jesús acoge plenamente las costumbres de su Pueblo que hace del "tomar alimento" un acto verdaderamente religioso. Y con esto, dice san Juan Crisóstomo, "nos enseña que nunca debemos tomar alimento sin antes dar gracias a Dios que nos lo procura". Como la primera vez, también aquí Jesús actúa con sus discípulos: el verbo "dar" tiene como sujeto también a los discípulos. Juntos comparten, juntos construyen, con el Pueblo que se ha reunido, la comunión. Cuando se sabe compartir, y no acumular para uno mismo, hay para todos: comieron todos y se saciaron.

Te damos gracias, Señor, por todos los bienes que nos das.
Que nunca dejemos de ser agradecidos contigo y con nuestros hermanos.

Jueves

Sabás.

Feria: Morado.

Isaías 26,1-6 / Salmo 117 / Mateo 7,24-27.

EVANGELIO

En aquel tiempo, dijo Jesús a sus discípulos: «No todo el que me dice: "¡Señor, Señor!" entrará en el reino de los cielos, sino el que cumple la voluntad de mi Padre que está en el cielo. El que escucha estas palabras mías y las pone en práctica se parece a aquel hombre prudente que edificó su casa sobre roca. Cayó la lluvia, se salieron los ríos, soplaron los vientos y descargaron contra la casa; pero no se hundió, porque estaba cimentada sobre roca. El que escucha estas palabras mías y no las pone en práctica se parece a aquel hombre necio que edificó su casa sobre arena. Cayó la lluvia, se salieron los ríos, soplaron los vientos y rompieron contra la casa, y se hundió totalmente».

"La piedra angular es Cristo"

El primer versículo del texto: "No todo el que dice, Señor. . .", forma parte de una advertencia de Jesús contra los falsos profetas. Solo invocar a Jesús como "Señor", título con que los cristianos comenzaron a confesarle como Mesías e Hijo de Dios, no asegura la pertenencia al Reino de Dios, ni que Él los reconozca como suyos en el juicio definitivo. Jesús solo reconocerá a aquellos que cumplan la voluntad del Padre. La parábola, transparentemente clara, de la edificación de la casa expone después cuál es la norma que sigue el cristiano para construir la casa de su vida de forma que resista la prueba final, la del juicio último, y sobreviva a ella. Porque para otros trances que nos depara la vida disponemos, bien que mal, de recursos; pero para aquella en la que se decide nuestro destino, nuestra salvación, no hay otro fundamento seguro que Jesucristo, nuestro único Salvador. "La piedra desechada por vosotros", predicará Pedro a los judíos, refiriéndose a Jesucristo después de su resurrección, "es la piedra angular". Fundada en la fe en Él y la escucha de sus palabras, tendrá la vida del cristiano fundamento sólido para superar la prueba que decide sobre la vida eterna.

Querido Dios, en la época de adviento esperamos la llegada de tu hijo. Esperamos su llegada a cada instante, para que toque la puerta de nuestro corazón, y nos traiga tu amor.

Viernes

San Nicolás, obispo.

Memoria libre o feria: Blanco o Morado

Isaías 29,17-24 / Salmo 26 / Mateo 9,27-31.

EVANGELIO

En aquel tiempo, dos ciegos seguían a Jesús, gritando: «Ten compasión de nosotros, Hijo de David». Al llegar a la casa se le acercaron los ciegos y Jesús les dijo: «¿Creéis que puedo hacerlo?». Contestaron: «Sí, Señor». Entonces les tocó los ojos diciendo: «Que os suceda conforme a vuestra fe». Y se les abrieron los ojos. Jesús les ordenó severamente: «¡Cuidado con que lo sepa alguien!». Pero ellos, al salir, hablaron de él por toda la comarca.

Ciegos que ven

Los beneficiarios del milagro que narra el Evangelio de hoy son, como otras muchas veces, ciegos; dos ciegos. Con frecuencia Jesús se ha quejado de la ceguera de los escribas, los fariseos y las autoridades del Pueblo. Aquí aparecen dos hombres sencillos, ciegos, a los que ha llegado la noticia de la resurrección de la hija de Jairo, que han sido capaces de ver en Jesús lo que los otros, a pesar de los muchos signos de Jesús, no habían querido ver: su condición de Mesías, Hijo de David. En ellos se produce como en tantos otros milagros que el beneficio externo del milagro es el indicio de la fe, que ya se había producido en el interior de los agraciados por Él. Los dos ciegos "siguen a Jesús" desde que saben de Él, le piden a gritos, sencillamente, compasión; se le acercan hasta la casa invocándole como Hijo de David, y cuando Jesús les pregunta si creen que tiene poder para hacer lo que le piden, le responden, en una hermosa y sencilla profesión de fe. "¡Sí, Señor!". De ellos puede decirse lo que el Resucitado dirá de los creyentes: ¡Bienaventurados los que sin ver creen! Y porque creyendo han visto, cuentan a todos lo que Jesús ha hecho con ellos. Una vez más, lo que se ha visto no se puede callar.

Querido Dios, la cruz es también para mí un signo de que tu Hijo abraza con su amor todo en mí, para que yo me abrace también, lleno de amor, en mi contraste: en mis fuerzas y en mis debilidades, en mi salud y en mi enfermedad, en mi angustia y en mi confianza.

Sábado

Obispo y doctor de la Iglesia.

Memoria: Blanco.

Isaías 30,19-21.23-26 / Salmo 146 / Mateo 9,35-10.1,6-8.

EVANGELIO

En aquel tiempo, Jesús recorría todas las ciudades y aldeas enseñando en sus sinagogas, anunciando el Evangelio del Reino y curando todas las enfermedades y todas las dolencias. Al ver a las gentes se compadecía de ellas, porque estaban extenuadas y abandonadas, como ovejas que no tienen pastor. Entonces dijo a sus discípulos: «La mies es abundante, pero los trabajadores son pocos, rogad, pues, al Señor de la mies que mande trabajadores a su mies». Y llamando a sus doce discípulos, les dio autoridad para expulsar espíritus inmundos y curar toda enfermedad y dolencia. A estos doce los envió con estas instrucciones: «Id a las ovejas descarriadas de Israel. Id y proclamad que el reino de los cielos está cerca. Curad enfermos, resucitad muertos, limpiad leprosos, echad demonios. Lo que habéis recibido gratis, dadlo gratis».

Dar gratuitamente lo que hemos recibido

El relato del envío de los discípulos comienza refiriéndose a la compasión de Jesús ante la gente "extenuada y abandonada como ovejas sin pastor". Como buen pastor Él las ha guiado con su enseñanza; ha cuidado de ellas curando sus dolencias, las ha alimentado dándoles de comer en el descampado. Y ahora asocia a los discípulos a su misión, enviándoles y dándoles poder para que sigan haciendo lo que Él ha hecho. "La mies es mucha"; la tarea es inmensa y urgente; son necesarios muchos obreros para realizarla, y Jesús exhorta a los discípulos a pedir al Señor de la mies que envíe trabajadores para recogerla. El Dios todopoderoso, creador de los hombres, que ha enviado a su Hijo para salvarlos, necesita de nuestra colaboración para hacerlo. ¿Qué tenemos que hacer los discípulos de Jesús a los que confía ahora continuar su misión? Sólo dejarnos guiar por Él y seguir su ejemplo: ser compasivos, anunciar la buena nueva que es Él para los hombres, curar dolencias, luchar contra el mal, fomentar la vida, y dar gratuitamente lo que recibimos gratuitamente.

Ayúdanos, Señor, a tus discípulos a realizar tu misión de tal manera que muchos se sientan animados a unirse a ella.

Domingo

Morado.

(La Inmaculada pasa al lunes).

Isaías 11,1-10 / Salmo 71 / Romanos 15,4-9 / Mateo 3,1-12.

EVANGELIO

Por aquel tiempo, Juan Bautista se presentó en el desierto de Judea, predicando: «Convertíos, porque está cerca el reino de los cielos». Este es el que anunció el profeta Isaías, diciendo: «Una voz grita en el desierto: «Preparad el camino del Señor, allanad sus senderos». Juan llevaba un vestido de piel de camello, con una correa de cuero a la cintura, y se alimentaba de saltamontes y miel silvestre. Y acudía a él toda la gente de Jerusalén, de Judea y del valle del Jordán; confesaban sus pecados; y él los bautizaba en el Jordán. Al ver que muchos fariseos y saduceos venían a que los bautizara, les dijo: «¡Camada de víboras!, ¿quién os ha enseñado a escapar del castigo inminente? Dad el fruto que pide la conversión. Y no os hagáis ilusiones, pensando: "Abrahán es nuestro padre", pues os digo que Dios es capaz de sacar hijos de Abrahán de estas piedras. Ya toca el hacha la base de los árboles, y el árbol que no da buen fruto será talado y echado al fuego. Yo os bautizo con agua para que os convirtáis; pero el que viene detrás de mí puede más que yo, y no merezco ni llevarle las sandalias. Él os bautizará con Espíritu Santo y fuego. Él tiene el bieldo en la mano: aventará su parva, reunirá su trigo en el granero y quemará la paja en una hoguera que no se apaga».

Conviértanse y crean en el Evangelio

Así de abruptamente aparece Juan Bautista en el Evangelio de Mateo. Su mensaje contiene una llamada urgente: "¡Conviértanse!"; y el anuncio de la buena nueva de la llegada del Reino de Dios. ¿Cómo escucharlo? Sólo si creemos la buena noticia del amor infinito de Dios a nosotros, tendremos fuerzas y razones para la conversión: el cambio radical de mente y de corazón que nos pide. Pero sólo si iniciamos el camino de la conversión, se hará realidad la buena noticia para nosotros.

EVANGELIO

Lunes

Solemnidad: Blanca.

E.U.A: Patrona del País.

Ntra. Sra. de Izamal, *patrona de la Arq. de Mérida.*

Génesis 3,9-15.20/ Salmo 97/ Efesios 1,3-6.11-12/ Lucas 1,26-38.

En el sexto mes, el ángel Gabriel fue enviado por Dios a una ciudad de Galilea, llamada Nazaret, a una Virgen, desposada con un hombre llamado José, de la estirpe de David; la Virgen se llamaba María. El ángel, entrando en su presencia, dijo: «Alégrate, llena de gracia, el Señor está contigo; bendita tú entre las mujeres». Ella se turbó ante estas palabras y se preguntaba qué saludo era aquél. El ángel le dijo: «No temas, María, porque has encontrado gracia ante Dios. Concebirás en tu vientre y darás a luz un hijo, y le pondrás por nombre Jesús. Será grande, se llamará Hijo del Altísimo, el Señor Dios le dará el trono de David, su padre, reinará sobre la casa de Jacob para siempre y su reino no tendrá fin». Y María dijo al ángel: «¿Cómo será eso, pues no conozco varón?». El ángel le contestó: «El Espíritu Santo vendrá sobre ti, y la fuerza del Altísimo te cubrirá con su sombra; por eso el santo que va a nacer se llamará Hijo de Dios. Ahí tienes a tu pariente Isabel, que, a pesar de su vejez, ha concebido un hijo, y ya está de seis meses la que llamaban estéril, porque para Dios nada hay imposible». María contestó: «Aquí está la esclava del Señor, hágase en mí según tu palabra». Y la dejó el ángel.

Aquí está la esclava del Señor

No es a una reina a quien Dios elige para realizar su maravilloso designio oculto desde todos los siglos, sino a una joven humilde, una virgen de la desconocida aldea de Nazaret. Le envía no un profeta, sino un ángel, para transmitirle el mensaje más extraordinario: "Concebirás en tu vientre y darás a luz un hijo, y le pondrás por nombre Jesús. Será grande, se llamará Hijo del Altísimo, el Señor Dios le dará el trono de David, su padre". Y María se limita a contestar: "Aquí está la esclava del Señor". El mayor de los misterios se realiza con la mayor sencillez. "¡A Dios, único sabio, por Jesucristo, la gloria por los siglos de los siglos!".

Martes

Eulalia.

Feria: Morado.

Isaías 40,1-11 / Salmo 95 / Mateo 18,12-14.

EVANGELIO

En aquel tiempo, dijo Jesús a sus discípulos: «¿Qué os parece? Suponed que un hombre tiene cien ovejas: si una se le pierde, ¿no deja las noventa y nueve en el monte y va en busca de la perdida? Y si la encuentra, os aseguro que se alegra más por ella que por las noventa y nueve que no se habían extraviado. Lo mismo vuestro Padre del cielo: no quiere que se pierda ni uno de estos pequeños».

El Padre no da a nadie por perdido

Tras la lectura del Evangelio, escuchemos la pregunta de Jesús: "¿Qué les parece?", como dirigida a nosotros. Si la escuchamos desde la lógica imperante en nuestra cultura, no es seguro que respondamos como Jesús responde. Son muchas las personas a las que nuestra cultura considera desechables: los marginados del sistema, los ancianos solos, los niños explotados; o esos otros a los que algunos en la Iglesia consideran irrecuperables. La parábola de Jesús nos enseña que para Él y para el Padre que Él nos revela nadie es desechable. Él cuida de todos y cada uno, pero con cuidado especial de los pequeños y los perdidos. Uno solo de ellos merece todos los cuidados de Dios. ¿Por la dignidad de que nos dota haber sido creados a imagen y semejanza de Dios? Sí, sin duda; y eso siempre deberíamos tenerlo en cuenta. Pero, sobre todo, porque a todos ha querido hacernos sus hijos y nos ama como tales. Sólo eso explica la alegría que llena el corazón infinito de Dios cuando encuentra a ese pobre hijo suyo que se le ha perdido, y que podemos ser cada uno de nosotros. Solo eso explica que nuestro Padre del cielo no quiera que se pierda ninguno. Hechos a su imagen, ¿cuándo nos pareceremos a Él, de verdad, en nuestras relaciones con los demás, especialmente con los que damos por perdidos, sobre todo si son los más pequeños?

Dios quiere nacer en mi pobreza, ahí donde estoy en mi propio vacío y desvalimiento, ahí donde abro mis manos y me entrego a Dios en mi pobreza. Ahí donde soy nada, quiere Dios aparecer en mí en su gloria. Pues así es como llegaré a ser humano.

EVANGELIO

Miércoles

San Dámaso I, Papa.

Memoria libre o feria: Blanco o Morado.

Isaías 40,25-31 / Salmo 102 / Mateo 11,28-30.

En aquel tiempo, exclamó Jesús: «Venid a mí todos los que estáis cansados y agobiados, y yo os aliviaré. Cargad con mi yugo y aprended de mí, que soy manso y humilde de corazón, y encontraréis vuestro descanso. Porque mi yugo es llevadero y mi carga ligera».

Venid a mí

Ayer el Padre aparecía cuidando amorosamente de cada uno de sus hijos; hoy Jesús está ejercitando su condición de Hijo, dando voz al cuidado y al amor del Padre hacia nosotros. Llama a todos los cansados y agobiados; nos llama a todos. El alivio que promete no nos evitará las limitaciones de nuestra condición, ni sus penosas consecuencias, pero las hará llevaderas con su presencia a nuestro lado, y las aligerará con la esperanza de sus promesas. Porque todos experimentamos que las penas compartidas y envueltas en el amor de los que están a nuestro lado son menos. Pero además de Jesús sabemos que cargó con nuestras penalidades y su causa más importante que es el pecado, para liberarnos de ellas. Jesús sabe que necesitamos de un yugo que nos ayude a someter la fuerza de gravedad de nuestra voluntad a convertirnos en centro y medida de todo; pero su yugo es ligero porque responde a la fuerza de atracción hacia sí que Dios ha impreso en nosotros; nos abre el camino que hemos de seguir: "aprendan de mí", y nos comunica su Espíritu que renueva nuestros corazones a imagen del suyo.

Escuchemos esta recomendación: "No te inquietes por las dificultades de la vida, por sus altibajos, por sus decepciones, por su porvenir más o menos sombrío. Quiere lo que Dios quiere… Piensa que estás en sus manos, tanto más fuertemente agarrado, cuanto más decaído te encuentres… Cuando te sientas apesadumbrado, triste, adora y confía" (P. Teilhard de Chardin).

Jueves

Solemnidad en la Arq. de México; fiesta en el resto del país y en E.U.A.

Blanca

Isaías 7,10-14 o Sirácide 24,23-31 / Salmo 66 / (donde es solemnidad) Gálatas 4,4-7 / Lucas 1,39-48.

EVANGELIO

En aquellos días, María se encaminó presurosa a un pueblo de las montañas de Judea, y entrando en la casa de Zacarías, saludó a Isabel. En cuanto ésta oyó el saludo de María, la creatura saltó en su seno.

Entonces Isabel quedó llena del Espíritu Santo, y levantando la voz exclamó: "¡Bendita tú entre las mujeres y bendito el fruto de tu vientre! ¿Quién soy yo para que la madre de mi Señor venga a verme? Apenas llegó tu saludo a mis oídos, el niño saltó de gozo en mi seno. Dichosa tú, que has creído, porque se cumplirá cuanto te fue anunciado de parte del Señor".

Entonces dijo María: "Mi alma glorifica al Señor y mi espíritu se llena de júbilo en Dios, mi salvador, porque puso sus ojos en la humildad de su esclava".

En camino de servicio

María, primera ciudadana del Reino de Dios, se pone en camino de servicio. El arca que lleva a Jesús no pide ni espera aplausos o reconocimientos, sabe que servir es el signo elocuente del que ama. Y María ama a Isabel y a la familia de ella, incluyendo ´al niño Juan Bautista, que está por nacer. Isabel representa a todos los pobres que esperaban el cumplimiento de las profecías y por eso bendice a María y ambas alaban a Dios porque Él nunca se olvida de sus promesas.

Que la Madre del Salvador interceda por nosotros ante su amado hijo y nos alcance salud, trabajo y paz. Por el mismo Cristo Nuestro Señor. Amén.

EVANGELIO

Viernes

Virgen y mártir.

Memoria: Rojo.

Isaías 48,17-19 / Salmo 1 / Mateo 11,16-19.

En aquel tiempo, dijo Jesús a la gente: «¿A quién se parece esta generación? Se parece a los niños sentados en la plaza que gritan a otros: "Hemos tocado la flauta y no habéis bailado, hemos cantado lamentaciones y no habéis llorado". Porque vino Juan, que ni comía ni bebía, y dicen: "Tiene un demonio". Vino el Hijo del hombre, que come y bebe, y dicen: "Ahí tenéis a un comilón y borracho, amigo de publicanos y pecadores". Pero los hechos dan razón a la sabiduría de Dios».

¿Indiferentes a Jesús y su mensaje?

Una parábola original: unos muchachos proponen a otros dos juegos diferentes y no consiguen interesarlos con ninguno de los dos. Los concernidos por ella son la generación de los oyentes de Jesús, que estimaron duro y exigente a Juan Bautista y su llamada a la conversión para el perdón de los pecados, y no lo acogieron; y a Jesús, que anuncia la buena noticia del Reino de Dios, que predica "la llegada del novio" y su consiguiente alegría, lo tachan de comilón y bebedor, se escandalizan de su acogida a publicanos y pecadores y lo rechazan hasta tramar su muerte. La sabiduría personificada de Dios a la que apela la conclusión se refiere a Dios mismo y su poder que guía la historia y que se ha manifestado en Juan, en Jesús y en sus obras. Una vez más Jesús reprocha la incapacidad de su generación para interpretar sus palabras, sus curaciones, sus signos, como llamadas de Dios a la aceptación de su persona y de su mensaje. ¿No tiene nuestra generación, indiferente a Jesús y su mensaje, bastante en común con la interpelada en esta parábola? ¿No nos distinguimos también muchos de los cristianos actuales por el contagio de la indiferencia ambiental y nuestra incapacidad de "reconocer la Sabiduría por sus obras"?

Ayúdanos, Señor, a responder a la indiferencia de nuestro tiempo con el entusiasmo gozoso de nuestra fe.

Sábado

San Juan de la Cruz, presbítero y doctor de la Iglesia.

Memoria: Blanco.

Sirácide 48,1-4.9-11 / Salmo 79 / Mateo 17,10-13.

EVANGELIO

Cuando bajaban de la montaña, los discípulos le preguntaron a Jesús: «¿Por qué dicen los escribas que primero tiene que venir Elías?». Él les contestó: «Elías vendrá y lo renovará todo. Pero os digo que Elías ya ha venido y no lo reconocieron, sino que lo trataron a su antojo. Así también el Hijo del hombre va a padecer a manos de ellos». Entonces entendieron los discípulos que se refería a Juan, el Bautista.

De la visión de la gloria de Jesús, a la aceptación de su Pasión

En lo alto del monte de la trasfiguración, Pedro, Santiago y Juan han vivido la experiencia de la participación de Jesús en la gloria divina. Jesús les entreabrio la puerta a su condición de Hijo de Dios. Pero ellos, que participan de las creencias judías de su tiempo, han oído que la venida del Mesías debe venir precedida por la vuelta de Elías. De ahí su pregunta y la perplejidad que refleja. La respuesta de Jesús les muestra, a la vez, que el profeta que había venia era Juan, a quien el Pueblo no reconoció; y que también Él, el Hijo del hombre, va a sufrir el mismo rechazo. El texto nos dice que entendieron lo relativo a Juan, pero no parece que entendieran lo relacionado a la muerte por la que pasará Jesús para llegar a su resurrección ¿Nosotros, lo acabamos de entender? ¿Aceptamos que como discípulos suyos también tenemos que pasar por la Cruz para llegar a su gloria?

Haz, Señor, brillar sobre nosotros el resplandor de tu rostro transfigurado; y ayúdanos a reconocerte en el rostro ensangrentado de tu pasión, en el que tenemos la manifestación de nuestros pecados y del amor hasta el extremo con que nos has redimido de ellos.

EVANGELIO

Domingo

Ma. Crucificada de la Rosa.

Morado.

Isaías 35,1-6.10 / Salmo 145 / Santiago 5,7-10 / Mateo 11,2-11.

En aquel tiempo, Juan, que había oído en la cárcel las obras del Mesías, le mandó a preguntar por medio de sus discípulos: «¿Eres tú el que ha de venir o tenemos que esperar a otro?». Jesús les respondió: «Id a anunciar a Juan lo que estáis viendo y oyendo: los ciegos ven, y los inválidos andan; los leprosos quedan limpios, y los sordos oyen; los muertos resucitan, y a los pobres se les anuncia el Evangelio. ¡Y dichoso el que no se escandalice de mí!». Al irse ellos, Jesús se puso a hablar a la gente sobre Juan: «¿Qué salisteis a contemplar en el desierto, una caña sacudida por el viento? ¿O qué fuisteis a ver, un hombre vestido con lujo? Los que visten con lujo habitan en los palacios. Entonces, ¿a qué salisteis?, ¿a ver a un profeta? Sí, os digo, y más que profeta; él es de quien está escrito: «Yo envío mi mensajero delante de ti, para que prepare el camino ante ti». Os aseguro que no ha nacido de mujer uno más grande que Juan, el Bautista; aunque el más pequeño en el reino de los cielos es más grande que él».

La noche de la fe

Todo es enseñanza y ayuda para nosotros hoy: la figura de Juan y la respuesta de Jesús a la pregunta de los discípulos enviados por Él. Juan bautizó a Jesús y vió "descender sobre Él al Espíritu como una paloma". Dijó señalando hacia Él: "Este es el cordero de Dios que quita el pecado del mundo". Pero ahora, lleva mucho tiempo encarcelado, teme lo peor, y su fe, antes tan firme, parece resquebrajarse. ¿Habrá llegado con Jesús la salvación también para él? El envío de sus discípulos a Jesús parece su último recurso. La respuesta de Jesús ofrece los criterios anunciados por los profetas para la identificación del Mesías. Eran los que Él mismo se había atribuido en el discurso de la sinagoga de Nazaret: "Los ciegos ven. . . , a los pobres se les anuncia la buena noticia". Y nadie más pobre, más desvalido, que Juan en la cárcel. Pero Jesús añade ahora una nueva señal: "Bienaventurado quien no se escandaliza de mí". Es decir, quien, cuando todo parece confundir la confianza puesta en Él, mantiene incondicionalmente esa confianza, como sin duda la mantuvo Juan.

Señor, cuando todo en nuestro entorno y en nuestro interior sea noche, silencio, ausencia, ayúdanos a mantener firme la confianza, aunque solo la podamos expresar con la pregunta: "¿Adónde te escondiste. . . ?"; *o con la queja:* "¿Por qué me has abandonado?".

Lunes

Adelaida.

Feria: Morado.

Números 24,2-7.15-17 / Salmo 24 / Mateo 21,23-27.

EVANGELIO

En aquel tiempo, Jesús llegó al templo y, mientras enseñaba, se le acercaron los sumos sacerdotes y los ancianos del pueblo para preguntarle: «¿Con qué autoridad haces todo esto? ¿Quién te ha dado semejante autoridad?». Jesús les replicó: «Os voy a hacer yo también una pregunta, si me la contestáis, os diré yo también con qué autoridad hago esto. El bautismo de Juan, ¿de dónde venía, del cielo o de los hombres?». Ellos se pusieron a deliberar: «Si decimos "del cielo", nos dirá: "¿Por qué no le habéis creído?". Si le decimos "de los hombres", tememos a la gente; porque todos tienen a Juan por profeta». Y respondieron a Jesús: «No sabemos». Él, por su parte, les dijo: «Pues tampoco yo os digo con qué autoridad hago esto».

Jesús habla con autoridad

Jesús, llegó a Jerusalén y enseña cada día en el templo. Lo hace con la misma autoridad que admiraba a la muchedumbre, y acaba de hacer otra demostración de autoridad ejecutando la acción profética de la purificación del templo. Los sumos sacerdotes y los ancianos del Pueblo no pueden tolerarlo sin ver socavarse el poder que ellos detentan. De ahí la comprometida pregunta que le dirigen. Cualquier respuesta podrá ser hábilmente utilizada contra Jesús rehúsa responder, porque sólo es capaz de acoger la verdad el que la busca sinceramente. Y les lanza a su vez una pregunta que los desconcierta y los calla. ¿Qué autoridad damos nosotros a Jesús y sus palabras? No basta, sin duda, que asintamos a lo que enseña. Él no es un Maestro de doctrinas; es un Maestro de vida; porque es un testigo que habla de Dios con su forma de ser y de vivir; y porque sus palabras "son espíritu y vida" (*Jn* 6,6). El Libro de la Sabiduría enseña las condiciones para buscar a Dios y acoger su revelación: Hay que buscarlo "con el corazón entero"; "sólo se revela a quienes no exigen pruebas y no desconfían".

Señor, ayúdanos a confiar en tu Palabra, a ponerla fielmente en práctica y a transmitirla con fidelidad.

Martes

Morado.
Por la mañana:

Juan de Mata.
Patrono del El Rincón, Cuba.

San Lázaro.

Génesis 49,2.8-10 / Salmo 71 / Mateo 1,1-17.

EVANGELIO

Genealogía de Jesucristo, hijo de David, hijo de Abrahán: Abrahán engendró a Isaac, Isaac a Jacob, Jacob a Judá y a sus hermanos. Judá engendró de Tamar a Farés y a Zará, Farés a Esrón, Esrón a Aram, Aram a Aminadab, Aminadab a Naasón, Naasón a Salmón, Salmón engendró, de Rahab, a Booz; Booz engendró, de Rut, a Obed; Obed a Jesé, Jesé engendró a David, el rey. David, de la mujer de Urías, engendró a Salomón, Salomón a Roboam, Roboam a Abías, Abías a Asaf, Asaf a Josafat, Josafat a Joram, Joram a Ozías, Ozías a Joatán, Joatán a Acaz, Acaz a Ezequías, Ezequías engendró a Manasés, Manasés a Amós, Amós a Josías, Josías engendró a Jeconías y a sus hermanos, cuando el destierro de Babilonia. Después del destierro de Babilonia, Jeconías engendró a Salatiel, Salatiel a Zorobabel, Zorobabel a Abiud, Abiud a Eliaquín, Eliaquín a Azor, Azor a Sadoc, Sadoc a Aquim, Aquim a Eliud, Eliud a Eleazar, Eleazar a Matán, Matán a Jacob, y Jacob engendró a José, el esposo de María, de la cual nació Jesús, llamado Cristo. Así, las generaciones de Abrahán a David fueron en total catorce; desde David hasta la deportación a Babilonia, catorce; y desde la deportación a Babilonia hasta el Mesías, catorce.

Jesús, Hijo de David

Probablemente la finalidad de Mateo al abrir su Evangelio con la genealogía, con el árbol genealógico de Jesús, era justificar su condición de Hijo de David, y por tanto, de Mesías. Para ello recurre a la ascendencia davídica de José, su padre según la ley. Pero la genealogía de Jesús pone de relieve más cosas. "Nacido de mujer", como dirá Pablo, Jesús se inscribe plenamente en la historia humana. Es verdadero hombre. Además, la prolongación de la ascendencia de Jesús hasta Abrahán, en quien "serán benditas todas las naciones de la tierra", adelanta la universalidad de su misión. Verdaderamente, "el Verbo se hizo hombre", con todas las de la ley, con todas sus consecuencias.

Miércoles

Morado.

Patrona principal de la Arq. de Antequera-Oaxaca.

En San Luis Potosí: Expectación del parto de la Sma. Virgen María.

Jeremías 23,5-8 / Salmo 71 / Mateo 1,18-24.

EVANGELIO

El nacimiento de Jesucristo fue de esta manera: María, su madre, estaba desposada con José y, antes de vivir juntos, resultó que ella esperaba un hijo por obra del Espíritu Santo. José, su esposo, que era justo y no quería denunciarla, decidió repudiarla en secreto. Pero, apenas había tomado esta resolución, se le apareció en sueños un ángel del Señor que le dijo: «José, hijo de David, no tengas reparo en llevarte a María, tu mujer, porque la criatura que hay en ella viene del Espíritu Santo. Dará a luz un hijo, y tú le pondrás por nombre Jesús, porque él salvará a su pueblo de los pecados». Todo esto sucedió para que se cumpliese lo que había dicho el Señor por el Profeta: «Mirad: la Virgen concebirá y dará a luz un hijo y le pondrá por nombre Enmanuel, que significa "Dios-con-nosotros"». Cuando José se despertó, hizo lo que le había mandado el ángel del Señor y se llevó a casa a su mujer.

José, varón justo, instrumento dócil en manos de Dios

El relato de la concepción y el nacimiento de Jesús está escrito por Mateo desde la perspectiva de José, de ascendencia davídica, pero subraya que su concepción virginal se realizó en cumplimiento del vaticinio del profeta. Mateo destaca la figura ejemplar de José, su condición de varón justo y su docilidad incondicional a lo que Dios quiere de Él. Como a padre legal le corresponde la imposición del nombre, pero la condición extraordinaria del hijo requiere que el nombre, resumen de su identidad y su misión, le sea transmitido a José por el mensajero de Dios. "Jesús" significa: "Dios salva". Porque Jesús salva "a su Pueblo de sus pecados", de esa raíz de todos los males de la que solo Dios puede salvar. El segundo nombre de Jesús: Enmanuel: "Dios con nosotros", revela el misterio que encierra su vida: "el Verbo de Dios", hecho hombre, "habitó entre nosotros". La vida de Jesús en el Evangelio de Mateo queda inscrita entre este "Dios con nosotros" del principio, y el "yo estoy con ustedes hasta el final de los tiempos" de Jesús con que concluye.

Jueves

Anastasio I.

Morado.

Jueces 13,2-7.24-25 / Salmo 70 / Lucas 1,5-25.

EVANGELIO

En tiempos de Herodes, rey de Judea, había un sacerdote llamado Zacarías, del turno de Abías, casado con una descendiente de Aarón llamada Isabel. Los dos eran justos ante Dios, y caminaban sin falta según los mandamientos y leyes del Señor. No tenían hijos, porque Isabel era estéril, y los dos eran de edad avanzada. Una vez que oficiaba delante de Dios con el grupo de su turno, según el ritual de los sacerdotes, le tocó a él entrar en el santuario del Señor a ofrecer el incienso; la muchedumbre del pueblo estaba fuera rezando durante la ofrenda del incienso. Y se le apareció el ángel del Señor, de pie a la derecha del altar del incienso. Al verlo, Zacarías se sobresaltó y quedó sobrecogido de temor. Pero el ángel le dijo: «No temas, Zacarías, porque tu ruego ha sido escuchado: tu mujer Isabel te dará un hijo y le pondrás por nombre Juan. Te llenarás de alegría y muchos se alegrarán de su nacimiento. Pues será grande a los ojos del Señor: no beberá vino ni licor; se llenará de Espíritu Santo ya en el vientre materno, y convertirá muchos israelitas al Señor, su Dios. Irá delante del Señor, con el espíritu y poder de Elías, para convertir los corazones de los padres hacia los hijos, y a los desobedientes, a la sensatez de los justos, preparando para el Señor un pueblo bien dispuesto». Zacarías replicó al ángel: «¿Cómo estaré seguro de eso? Porque yo soy viejo y mi mujer es de edad avanzada». El ángel le contestó: «Yo soy Gabriel, que sirvo en presencia de Dios; he sido enviado a hablarte para darte esta buena noticia. Pero mira: te quedarás mudo, sin poder hablar, hasta el día en que esto suceda, porque no has dado fe a mis palabras, que se cumplirán en su momento». El pueblo estaba aguardando a Zacarías, sorprendido de que tardase tanto en el santuario. Al salir no podía hablarles, y ellos comprendieron que había tenido una visión en el santuario. Él les hablaba por señas, porque seguía mudo. Al cumplirse los días de su servicio en el templo volvió a casa. Días después concibió Isabel, su mujer, y estuvo sin salir cinco meses, diciendo: «Así me ha tratado el Señor cuando se ha dignado quitar mi afrenta ante los hombres».

Viernes

Filogonio.

Morado.

Isaías 7,10-14 / Salmo 23 / Lucas 1,26-38.

EVANGELIO

A los seis meses, el ángel Gabriel fue enviado por Dios a una ciudad de Galilea llamada Nazaret, a una virgen desposada con un hombre llamado José, de la estirpe de David; la virgen se llamaba María. El ángel, entrando en su presencia, dijo: «Alégrate, llena de gracia, el Señor está contigo». Ella se turbó ante estas palabras y se preguntaba qué saludo era aquel. El ángel le dijo: «No temas, María, porque has encontrado gracia ante Dios. Concebirás en tu vientre y darás a luz un hijo, y le pondrás por nombre Jesús. Será grande, se llamará Hijo del Altísimo, el Señor Dios le dará el trono de David, su padre, reinará sobre la casa de Jacob para siempre, y su Reino no tendrá fin». Y María dijo al ángel: «¿Cómo será eso, pues no conozco a varón?». El ángel le contestó: «El Espíritu Santo vendrá sobre ti, y la fuerza del Altísimo te cubrirá con su sombra; por eso el Santo que va a nacer se llamará Hijo de Dios. Ahí tienes a tu pariente Isabel, que, a pesar de su vejez, ha concebido un hijo, y ya está de seis meses la que llamaban estéril, porque para Dios nada hay imposible». María contestó: «Aquí está la esclava del Señor; hágase en mí según tu palabra». Y la dejó el ángel.

Ave, María

Desde sus orígenes la humanidad está a la espera de una salvación que sólo puede venir "de lo alto". "Si los cielos se rasgasen…", venían suspirando los profetas. Y ese acontecimiento esperado desde siempre se produce de esta manera insospechada: la visita de Gabriel, de parte de Dios, a la Virgen María, desposada con José, en una aldea de Galilea llamada Nazaret. Es el "primer misterio gozoso de la vida del Señor", anterior a su propio nacimiento. Contemplemos la escena; escuchemos las palabras de Gabriel: su saludo; su anuncio: "concebirás y darás a luz un hijo"; y la revelación de su identidad: "Hijo del Altísimo, Hijo de Dios". Y las de María: su turbación, su pregunta, su insuperable confesión de fe: "Hágase en mí…".

EVANGELIO

Sábado

San Pedro Canisio, presbítero y doctor de la Iglesia.

Memoria libre o feria: Blanco o Morado.

Sofonías 3,14-18 / Salmo 32 / Lucas 1,39-45.

Unos días después, María se puso en camino y fue aprisa a la montaña, a un pueblo de Judá; entró en casa de Zacarías y saludó a Isabel. En cuanto Isabel oyó el saludo de María, saltó la criatura en su vientre. Se llenó Isabel del Espíritu Santo y dijo a voz en grito: «¡Bendita tú entre las mujeres, y bendito el fruto de tu vientre! ¿Quién soy yo para que me visite la madre de mi Señor? En cuanto tu saludo llegó a mis oídos, la criatura saltó de alegría en mi vientre. Dichosa tú, que has creído, porque lo que te ha dicho el Señor se cumplirá».

Segundo misterio gozoso

Tras la visita del ángel a María, la visita presurosa de María a su prima Isabel para ayudarla. Algunos se admiran del precioso estilo de Lucas en estas narraciones de la infancia. Lo verdaderamente admirable es el "estilo de Dios" que comienza a actuar, desde sus primeros pasos, en la vida de Jesús. De forma invisible, por su Espíritu, que se deja oír en la voz de Isabel que bendice a María, en quien reconoce a la madre de su Señor. Isabel, la primera portavoz del Evangelio, de la buena nueva que acaba de irrumpir en la historia humana y de la respuesta ejemplar de María a ella, que la convierte en destinataria de la primera bienaventuranza: "Bienaventurada tú, porque has creído". Y como consecuencia, la escena está envuelta en el clima de alegría que inunda las escenas del Evangelio del nacimiento y de la infancia del Señor. El precursor "salta de gozo en el seno de su madre".

Oremos con las palabras que acabamos de escuchar: Santa María, madre de Dios, "¡bendita tú entre las mujeres! ¡Bendito el fruto de tu vientre, Jesús!". Ruega por nosotros pecadores ahora y en la hora de nuestra muerte.

Domingo

Fca. Javiera Cabrini.

Morado.

Isaías 7,10-14 / Salmo 23 / Romanos 1,1-7 / Mateo 1,18-24.

EVANGELIO

El nacimiento de Jesucristo fue de esta manera: María, su madre, estaba desposada con José y, antes de vivir juntos, resultó que ella esperaba un hijo por obra del Espíritu Santo. José, su esposo, que era justo y no quería denunciarla, decidió repudiarla en secreto. Pero, apenas había tomado esta resolución, se le apareció en sueños un ángel del Señor que le dijo: «José, hijo de David, no tengas reparo en llevarte a María, tu mujer, porque la criatura que hay en ella viene del Espíritu Santo. Dará a luz un hijo, y tú le pondrás por nombre Jesús, porque él salvará a su pueblo de los pecados». Todo esto sucedió para que se cumpliese lo que había dicho el Señor por el Profeta: «Mirad: la Virgen concebirá y dará a luz un hijo y le pondrá por nombre Enmanuel, que significa "Dios-con-nosotros"». Cuando José se despertó, hizo lo que le había mandado el ángel del Señor y se llevó a casa a su mujer.

Explicaciones

Este Evangelio nos dice que José y María estaban ya desposados, y que antes de vivir juntos, ella mostró las señales de su embarazo. Angustia por parte de José. Profesa un amor entrañable a su mujer y no encuentra explicación alguna a lo que sucede. Sabe que tiene que tomar una decisión, y opta por la que ella no salga en absoluto perjudicada. Decide alejarse aun sabiendo que él lleva la peor parte, al quedar como un cobarde. No le importa, pues no quiere en absoluto infamar el nombre de la persona a la que ha entregado su corazón. María también ha tomado una decisión. Dado que no puede explicarse, que no puede arrojar luz alguna sobre lo que es inexplicable en sí, espera y espera "contra toda esperanza", como diría Pablo (*Rom* 4,18). Espera que el único que puede iluminar las tinieblas de José –Dios mismo– lo haga. Dios, que habló con ella, también lo hará con él. Esto es lo que María cree en su ingenuidad. En realidad, sólo "estos ingenuos, estos pequeños", traspasan el umbral que da acceso al Misterio de Dios (*Mt* 11,25ss). Por supuesto que Dios habló con José convirtiendo sus tinieblas en luz.

Dame, Señor y Dios mío, la suficiente confianza en ti como para dejar que seas tú quien dé las explicaciones de tu hacer en mí, como hiciste con María y José.

EVANGELIO

Juan es su nombre

Zacarías había quedado sin habla desde que el ángel le anunció que él y su mujer serían los padres del precursor del Mesías. Repito, se quedó mudo: ¿Castigo o, más bien, espacio de silencio ante el precursor de la Palabra? Sea como sea, ante el nacimiento del precursor Dios desató su lengua. Zacarías escribe el nombre de su hijo en una tablilla y bendice a Dios con todo su corazón y con toda su alma.

Lunes

San Juan de Kety, presbítero.

Memoria libre: Blanco o Morado.

CUBA:

Ntra. Sra. de Regla.

Malaquías 3,1-4.23-24 / Salmo 24 / Lucas 1,57-66.

Nacimiento de Juan el Bautista.

El maravilloso plan de salvación de parte de Dios comienza con el nacimiento de Juan el Bautista. La narración del Evangelio de hoy está centrada en el nombre del niño, pues el nombre indica el carácter de la persona, su misión, su valor único e irrepetible a los ojos de Dios. Juan significa "Dios es misericordioso". Aparece también el rito de la circuncisión para resaltar la vocación y la misión que realizará Juan. El Bautista fue llamado a mostrarse como prueba de que Dios cumple sus promesas en favor de los seres humanos. A Juan tocará, entre todos los profetas, presentar la misericordia de Dios encarnada: Jesús de Nazaret.

Señor Jesús, quizá nuestro corazón no sea muy recto, pero nuestra necesidad de ti es tan imperiosa que te pedimos que lo endereces en búsqueda de la verdad.

Martes

Morado.

Misa matutina:

2Samuel 7,1-5.8-12.14-16 / Salmo 88 Lucas 1,67-69.

Misa de medianoche:

Isaías 9,1-3.5-6 / Salmo 95 / Tito 2,11-14 / Lucas 2,1-14.

EVANGELIO

En aquel tiempo, Zacarías, padre de Juan, lleno del Espíritu Santo profetizó diciendo: «Bendito sea el Señor, Dios de Israel, porque ha visitado y redimido a su pueblo, suscitándonos una fuerza de salvación en la casa de David, su siervo; según lo había predicho desde antiguo por boca de sus santos profetas. Es la salvación que nos libra de nuestros enemigos y de la mano de todos los que nos odian; realizando la misericordia que tuvo con nuestros padres, recordando su santa alianza y el juramento que juró a nuestro padre Abrahán. Para concedernos que, libres de temor, arrancados de la mano de los enemigos, le sirvamos con santidad y justicia, en su presencia todos nuestros días. Y a ti, niño, te llamarán profeta del Altísimo, porque irás delante del Señor a preparar sus caminos, anunciando a su pueblo la salvación, el perdón de sus pecados. Por la entrañable misericordia de nuestro Dios, nos visitará el sol que nace de lo alto, para iluminar a los que viven en tinieblas y en sombra de muerte, para guiar nuestros pasos por el camino de la paz».

La visita de Dios

Juan Bautista nace con él se empieza a descorrer el velo del Antiguo Testamento. El Señor está cerca. Se abre también la boca de Zacarías, su padre. Exulta, proclama jubilosamente la fidelidad de Dios. Sí, ha sido fiel a sus palabras y promesas, las que había prometido desde antiguo por la boca de sus santos profetas. Este anciano no puede más, no cabe en sí de gozo. Su hijo es la prueba irrefutable de que Dios tiene entrañas de misericordia. Tan lleno de amor está Dios, que nos visitará desde lo alto con su luz, su Hijo, el Enmanuel.

Te alabo y te bendigo, Señor y Dios mío, porque me visitaste con tu luz de lo alto, tú mismo Hijo, el Enmanuel, el que abre mis ojos hacia ti.

Miércoles

Misa del día:

Blanco.

Isaías 52,7-10 / Salmo 97 / Hebreos 1,1-6 / Juan 1,1-18.

EVANGELIO

En el principio ya existía la Palabra, y la Palabra estaba junto a Dios, y la Palabra era Dios. La Palabra en el principio estaba junto a Dios. Por medio de la Palabra se hizo todo, y sin ella no se hizo nada de lo que se ha hecho. En la Palabra había vida, y la vida era la luz de los hombres. La luz brilla en la tiniebla, y la tiniebla no la recibió. Surgió un hombre enviado por Dios, que se llamaba Juan: este venía como testigo, para dar testimonio de la luz, para que por él todos vinieran a la fe. No era él la luz, sino testigo de la luz. La Palabra era la luz verdadera, que alumbra a todo hombre. Al mundo vino, y en el mundo estaba; el mundo se hizo por medio de ella, y el mundo no la conoció. Vino a su casa, y los suyos no la recibieron. Pero a cuantos la recibieron, les da poder para ser hijos de Dios, si creen en su nombre. Estos no han nacido de sangre, ni de amor carnal, ni de amor humano, sino de Dios. Y la Palabra se hizo carne y acampó entre nosotros, y hemos contemplado su gloria: gloria propia del Hijo único del Padre, lleno de gracia y de verdad. Juan da testimonio de él y grita diciendo: «Este es de quien dije: "El que viene detrás de mí pasa delante de mí, porque existía antes que yo"». Pues de su plenitud todos hemos recibido, gracia tras gracia. Porque la ley se dio por medio de Moisés, la gracia y la verdad vinieron por medio de Jesucristo. A Dios nadie lo ha visto jamás: Dios Hijo único, que está en el seno del Padre, es quien lo ha dado a conocer.

El Verbo se hizo hombre

En la celebración de la Navidad se nos proclama el comienzo del Evangelio de Juan, un grandioso himno, fruto de la contemplación creyente del Misterio del nacimiento, desde la perspectiva de su condición divina. Su primera frase: "En el principio", nos adentra en la profundidad, insondable para el hombre, del Misterio divino, comienzo absoluto, que los humanos no podemos situar, ni imaginar, ni comprender, porque nos precede absolutamente, precede nuestro mundo y nuestra historia y al mismo tiempo, lo envuelve y evita que sea para nosotros un hecho bruto carente de sentido. La existencia de la Palabra que "estaba junto a Dios", que "era Dios", nos permite presentir que el misterio divino no es opacidad impenetrable, sino luz cegadora para nuestros ojos, pero que ilumina a todo hombre; misterio de vida del que brotan los pequeños ríos de nuestras vidas: "En ti están las fuentes de la vida y tu luz nos hace ver la luz".

Jueves

Protomártir.

Fiesta: Rojo.

Hechos 6,8-10; 7,54-60 / Salmo 30 / Mateo 10,17-22.

EVANGELIO

En aquel tiempo, dijo Jesús a sus apóstoles: «No os fiéis de la gente, porque os entregarán en las sinagogas, os harán comparecer ante gobernantes y reyes, por mi causa; así daréis testimonio ante ellos y ante los gentiles. Cuando os arresten, no os preocupéis de lo que vais a decir o de cómo lo diréis: en su momento se os sugerirá lo que tenéis que decir; no seréis vosotros los que habléis, el Espíritu de vuestro Padre hablará por vosotros. Los hermanos entregarán a sus hermanos para que los maten, los padres a los hijos; se rebelarán los hijos contra sus padres, y los matarán. Todos os odiarán por mi nombre; el que persevere hasta el final se salvará».

Esteban, primer testigo de Jesús

Esteban es el primero en quien se cumple el anuncio de Jesús sobre la suerte de sus discípulos. "Protomártir" significa también primer testigo de Jesús. Lo fue, porque "lleno de gracia y de poder realizaba grandes prodigios y signos en medio del Pueblo". Y lo fue, porque su confesión de haber visto a Jesús a la derecha de Dios desató la furia de los que no habían podido hacer frente a la sabiduría y al Espíritu con que hablaba. El libro de los Hechos narra su martirio subrayando cómo la muerte de Esteban sigue los pasos de la de Jesús: pide perdón al Señor por los que lo están matando, y encomienda a Jesús su Espíritu, como Jesús se lo había encomendado al Padre. Habiendo perseverado hasta el final, sabemos, por la promesa de Jesús, que Esteban salvó su vida. La presencia del joven Saulo, a cuyos pies habían depositado sus capas los que le apedreaban, nos muestra que la entrega de su vida no fue en vano, y que produjo, como el grano de trigo que cae en tierra, fruto abundante.

Mártir Esteban, lleno de gracia y de poder, que seguiste a Jesús hasta en la entrega de tu vida; al que te dio la fuerza para hacerlo, ¡ruégale por nosotros!

EVANGELIO

Viernes

Fiesta: Rojo.

1Juan 1,1-4 / Salmo 96 / Juan 20,2-9.

El primer día de la semana, María Magdalena echó a correr y fue donde estaba Simón Pedro y el otro discípulo, a quien tanto quería Jesús, y les dijo: «Se han llevado del sepulcro al Señor y no sabemos dónde lo han puesto». Salieron Pedro y el otro discípulo camino del sepulcro. Los dos corrían juntos, pero el otro discípulo corría más que Pedro; se adelantó y llegó primero al sepulcro; y, asomándose, vio las vendas en el suelo; pero no entró. Llegó también Simón Pedro detrás de él y entró en el sepulcro: vio las vendas en el suelo y el sudario con que le habían cubierto la cabeza, no por el suelo con las vendas, sino enrollado en un sitio aparte. Entonces entró también el otro discípulo, el que había llegado primero al sepulcro; vio y creyó.

El discípulo que reposó la cabeza sobre el pecho de Jesús

El título dado por la liturgia a Juan cuya fiesta se celebra: "Apóstol y evangelista", y el texto elegido como Evangelio para la celebración, indican que la liturgia identifica al autor del Evangelio de san Juan con el discípulo Juan, hermano de Santiago, y con el "discípulo amado". La finalidad de su escrito es esta: "para que creas que Jesús es el Mesías, el Hijo de Dios y, para que creyendo tengas en Él vida eterna". El texto de hoy muestra un hecho importante. Los primeros en reconocer al Resucitado son los discípulos que se han distinguido por su amor a Jesús. Así María Magdalena. Así, el "discípulo a quien quería Jesús". Este "vio y creyó". Y en la aparición en el lago, exclama el primero: "es el Señor". El amor a Jesús ha mantenido encendidas las brasas de las que, al soplo del Espíritu ha brotado la llamarada de la fe en Jesucristo. Una fe que aparece en cada página del Evangelio de san Juan como condición para alcanzar esa "vida eterna" que todo el texto se propone despertar y alimentar.

Contemplemos el mensaje central del discípulo amado: "Tanto amó Dios al mundo que entregó a su Hijo único para que el que crea en Él tenga vida eterna". "¡Mira qué amor nos tiene el Padre: nos llamamos hijos de Dios, pues lo somos!".

Sábado

Mártires.

Fiesta: Rojo.

1Juan 1,5-2,2 / Salmo 123 / Mateo 2,13-18.

EVANGELIO

Cuando se marcharon los magos, el ángel del Señor se apareció en sueños a José y le dijo: «Levántate, coge al niño y a su madre y huye a Egipto; quédate allí hasta que yo te avise, porque Herodes va a buscar al niño para matarlo». José se levantó, cogió al niño y a su madre, de noche, se fue a Egipto y se quedó hasta la muerte de Herodes. Así se cumplió lo que dijo el Señor por el profeta: «Llamé a mi hijo, para que saliera de Egipto». Al verse burlado por los magos, Herodes montó en cólera y mandó matar a todos los niños de dos años para abajo, en Belén y sus alrededores, calculando el tiempo por lo que había averiguado de los magos. Entonces se cumplió el oráculo del profeta Jeremías: «Un grito se oye en Ramá, llanto y lamentos grandes; es Raquel que llora por sus hijos, y rehúsa el consuelo, porque ya no viven».

Los primeros testigos de Jesús

Los magos han burlado los planes del rey Herodes, volviendo a su país "por otro camino". José, entre tanto, avisado en sueños por el ángel, lleva a María con el niño a Egipto y así éste escapa de la muerte a la que lo condenaba el plan del rey. Pero con ello no han hecho más que aumentar el miedo del tirano a perder su reinado y exacerbar su ira para evitarlo a toda costa. Causa espanto imaginar el horror de la escena y el dolor de las madres. El evangelista tiene probablemente en su Memoria lo ocurrido en el Pueblo de Israel, cuando padecía la esclavitud en Egipto, y el faraón ordenó ejecutar, lanzándolos al río, a todos los varones recién nacidos. Mateo piensa también al construir su relato en Moisés, milagrosamente salvado como ha sido el niño. Y recuerda el lamento de Raquel que reviven ahora las madres de Belén. No es extraño que la atrocidad de Herodes y la trágica suerte de los inocentes hayan despertado desde antes la inspiración de pensadores y poetas cristianos.

Oremos con los versos de un himno de laudes: "... Santos Inocentes / que aumenten de los ángeles el coro, al que llamó a los niños a su lado, / rueguen por nosotros".

EVANGELIO

Domingo

Blanca

Sirácide 3,3-7.14-17 / Salmo 127 / Colosenses 3,12-21 / Mateo 2,13-15.19-23.

Cuando se marcharon los magos, el ángel del Señor se apareció en sueños a José y le dijo: «Levántate, coge al niño y a su madre y huye a Egipto; quédate allí hasta que yo te avise, porque Herodes va a buscar al niño para matarlo». José se levantó, cogió al niño y a su madre, de noche, se fue a Egipto y se quedó hasta la muerte de Herodes. Así se cumplió lo que dijo el Señor por el profeta: «Llamé a mi hijo, para que saliera de Egipto». Cuando murió Herodes, el ángel del Señor se apareció de nuevo en sueños a José en Egipto y le dijo: «Levántate, coge al niño y a su madre y vuélvete a Israel; ya han muerto los que atentaban contra la vida del niño». Se levantó, cogió al niño y a su madre y volvió a Israel. Pero, al enterarse de que Arquelao reinaba en Judea como sucesor de su padre Herodes, tuvo miedo de ir allá. Y, avisado en sueños, se retiró a Galilea y se estableció en un pueblo llamado Nazaret. Así se cumplió lo que dijeron los profetas, que se llamaría Nazareno.

La Sagrada Familia, emigrante

En este nuevo episodio de la vida de la "Sagrada Familia", Mateo teje con los hilos de la historia humana una trama que tiene a Dios por autor. Al anuncio en sueños, en plena noche, del ángel, José responde con la prontitud de la obediencia creyente: "tomó consigo al niño y a su madre" y, "de noche", "partió para Egipto", como habían hecho, movidos por la necesidad, los hijos de Jacob. A la muerte de Herodes, un nuevo anuncio del ángel, y, con la misma prontitud, la respuesta de José. También ahora anota Mateo que se cumplió la Escritura: "Cuando Israel era un niño yo lo amé y llamé de Egipto a mi hijo", escribió el profeta Oseas. Pero su destino no será Belén en Judea, sino Galilea, una región deprimida y de mala fama. Y allí, Nazaret, de la que se dirá después: ¿de Nazaret puede salir cosa buena? También en eso, Mateo ve cumplirse la Escritura: "será llamado nazareno". Leído de manera creyente el episodio en nuestro tiempo, ¿nos está invitando a acoger como nuevas "sagradas familias" a tantas personas a las que la necesidad obliga a llamar a las puertas de los países desarrollados de tradición cristiana?

Lunes

Félix I.

Feria: Blanco.

1Juan 2,12-17 / Salmo 95 / Lucas 2,36-40.

EVANGELIO

En aquel tiempo, había una profetisa, Ana, hija de Fanuel, de la tribu de Aser. Era una mujer muy anciana; de jovencita había vivido siete años casada, y luego viuda hasta los ochenta y cuatro; no se apartaba del templo día y noche, sirviendo a Dios con ayunos y oraciones. Acercándose en aquel momento, daba gracias a Dios y hablaba del niño a todos los que aguardaban la liberación de Jerusalén. Y cuando cumplieron todo lo que prescribía la ley del Señor, se volvieron a Galilea, a su ciudad de Nazaret. El niño iba creciendo y robusteciéndose, y se llenaba de sabiduría; y la gracia de Dios lo acompañaba.

En honor de su Nombre

Una mujer decide dedicarse por completo al servicio de Dios desde la muerte de su marido. La conocemos por el nombre de Ana, y Lucas nos señala que es profetisa. Asistió a la escena de Simeón, que proclama el mesianismo de un niño a quien sus padres acaban de presentar en el Templo: Jesús. También ella, impulsada por el Espíritu Santo, reconoce en Jesús al Salvador de Israel. Llena de emoción, eleva su corazón hacia el Dios de sus padres, suyo también, alabándole y bendiciendo su nombre porque no ha arrinconado sus promesas en el saco del olvido. Exulta porque Dios sigue acordándose de su Pueblo. Por supuesto que este no ha hecho méritos para ello, en absoluto. Mas sucede que Dios es Dios, no puede volverse atrás en sus promesas, pues está en juego el honor de su nombre. Ana sabía esto, pero ahora pasa del saber al ver; ahora sí puede testificar que es verdad, que Dios cumple sus palabras.

Señor, concédenos el don de la exultación del corazón por las maravillas que, por medio de tu Hijo, el Enmanuel, haces en nuestra vida.

Martes

Papa.

Memoria libre ó feria: Blanco.

1Juan 2,18-21 / Salmo 95 / Juan 1,1-18.

EVANGELIO

En el principio ya existía la Palabra, y la Palabra estaba junto a Dios, y la Palabra era Dios. La Palabra en el principio estaba junto a Dios. Por medio de la Palabra se hizo todo, y sin ella no se hizo nada de lo que se ha hecho. En la Palabra había vida, y la vida era la luz de los hombres. La luz brilla en la tiniebla, y la tiniebla no la recibió. Surgió un hombre enviado por Dios, que se llamaba Juan: este venía como testigo, para dar testimonio de la luz, para que por él todos vinieran a la fe. No era él la luz, sino testigo de la luz. La Palabra era la luz verdadera, que alumbra a todo hombre. Al mundo vino, y en el mundo estaba; el mundo se hizo por medio de ella, y el mundo no la conoció. Vino a su casa, y los suyos no la recibieron. Pero a cuantos la recibieron, les da poder para ser hijos de Dios, si creen en su nombre. Estos no han nacido de sangre, ni de amor carnal, ni de amor humano, sino de Dios. Y la Palabra se hizo carne y acampó entre nosotros, y hemos contemplado su gloria: gloria propia del Hijo único del Padre, lleno de gracia y de verdad. Juan da testimonio de él y grita diciendo: «Este es de quien dije: "El que viene detrás de mí pasa delante de mí, porque existía antes que yo"». Pues de su plenitud todos hemos recibido, gracia tras gracia. Porque la Ley se dio por medio de Moisés, la gracia y la verdad vinieron por medio de Jesucristo. A Dios nadie lo ha visto jamás: su Hijo único, que está en el seno del Padre, es quien lo ha dado a conocer.

Al concluir el año, nos volvemos hacia Dios para agradecerle la luz y la fuerza que nos ha procurado la Palabra de Jesús en el Evangelio de cada día y pedirle que siga regalándonos con esa presencia junto a nosotros que nos prometió hasta el final de los tiempos.

ORACIONES

1. Acto de proclamación del Sagrado Corazón de Jesús como rey de México y juramento de fidelidad y vasallaje

*** Se dice el 11 de enero, en la hora santa nacional.**

Sac. o Diác.: Corazón Sacratísimo del Rey pacífico: radiantes de júbilo como fieles vasallos, venimos hoy a postrarnos al pie de tu trono y gozosos te proclamamos a la faz del mundo rey inmortal de la nación mexicana, al acatar tu Soberanía sobre todos los pueblos. Queremos coronar tu frente ¡oh Cristo Rey!, con una diadema de corazones mexicanos, y poner en tu mano el cetro de un poder absoluto, para que rijas y gobiernes a tu pueblo amado. Eres Rey como afirmaste en tu pasión, ¡porque eres el Hijo de Dios! Por lo tanto, ¡oh Monarca amabilísimo!, este pueblo tuyo, que tiene hambre y sed de justicia se ampara en tu celestial Realeza, te promete entronizar tu Corazón en todos sus hogares, y rendirte el homenaje que mereces, reconociendo tus derechos santísimos sobre todo el orbe.

Conságralos a tu Corazón Sagrado, la Iglesia de México con todos sus pastores, ministros, comunidades religiosas; la patria querida con todos sus hogares, las familias con todos sus miembros; ancianos, jóvenes o niños; los amigos y los enemigos, y muy particularmente, a las madres, esposas y a las hijas, destinadas a modelar el corazón del futuro pueblo mexicano, para que triunfes y reines en todos los habitantes de esta nación.

Todos: ¡oh Cristo Rey!, con ardiente júbilo, te juramos fidelidad como nobles y generosos vasallos. Habla, pues, manda, reclama y exige con imperio: pídenos la sangre y la vida, que son tuyas, porque totalmente te pertenecemos; resueltos estamos a dártelas por defender tu bandera hasta que triunfe y sea exaltado, reverenciado y amado para siempre tu herido Corazón. Ya reina en México tu Corazón Divino, y desde la santa Montaña consagrada a Ti, enjugará las lágrimas, restañará, curará las heridas de esta república, conquistada por María de Guadalupe. Tú dominarás en ella con el cetro suavísimo de tu misericordia; y en la paz como en la guerra, en la agitación como en la tranquilidad, nos verás con benignos ojos y extenderás tus benditas y poderosas manos para bendecirnos. Y nosotros, con todas las generaciones futuras, te aclamaremos por nuestro Rey y Salvador. Allá volarán las muchedumbres a pedirte gracias y a ofrecerte, con alma y vida guardar tu santa Ley: y tú, Redentor amoroso de los hombres, atrae a tu Corazón adorable a los pecadores para convertirlos. Recobra tu dominio sobre tantas almas apóstatas, desorientadas y engañadas con falsas y perversas doctrinas; conserva la fe en nosotros y despréndenos de los miserables bienes del mundo; calma los oDios y une a los hermanos; ilumina a los ciegos; perdona a los ingratos; pero, sobre todo, concede a tu Iglesia la libertad y la paz por la que tanto suspiramos. Derrite con el fuego de tu divino pecho, misericorDioso Jesús, el hielo de las almas; establece tus reales en todos los pueblos de nuestro país, y penetre tu caridad a las cárceles, a los hospitales, a las escuelas, a los talleres; haz un trono para ti en cada corazón mexicano, porque los pastores y las ovejas, los padres y los hijos, nos gloriamos de ser tuyos. Danos, por fin, una santa muerte, sepultándonos en la herida preciosa de tu Corazón de amor, para resucitar en los esplendores del cielo, cantando eternamente: Corazón santo, tú reinas ya. México tuyo. Siempre será. ¡Viva Cristo Rey, en mi corazón, en mi casa y en mi patria! Amén.

2. Consagración del género humano al Sagrado Corazón de Jesús

Sac. o Diác.: Jesús, Redentor del género humano; míranos humildemente postrados ante tu altar. Tuyos somos y tuyos queremos ser, y, para que podamos hoy unirnos más íntimamente contigo, cada uno de nosotros se consagra espontáneamente a tu Sagrado Corazón. Es verdad que muchos jamás te conocieron, que muchos te abandonaron después de haber despreciado tus mandamientos; ten misericordia de unos y otros, benignísimo Jesús, y atráelos a todos a tu Santísimo Corazón. Reina, Señor, no solamente sobre los fieles que jamás se apartaron de ti, sino también sobre los hijos pródigos que te abandonaron, y haz que éstos prontamente regresen a la casa paterna, para que no perezcan de hambre y de miseria.

Todos: Reina sobre aquellos a quienes traen engañados las falsas doctrinas o se hallan divididos por la discordia y vuélvelos al puerto de la verdad y a la unidad de la fe, para que en breve no haya sino un solo redil y un solo Pastor. Concede, Señor, a tu Iglesia, segura y completa libertad, otorga la paz a las naciones y haz que del uno al otro polo de la tierra resuene esta sola voz: Alabado sea el Divino Corazón, por quien nos vino la salud: a él sea la gloria y el honor por los siglos de los siglos. Amén.

3. Entronización del Sagrado Corazón de Jesús en los hogares

* El día fijado, se reúne toda la familia en el lugar principal de la casa; el Sacerdote o el Diácono bendice la imagen del Sagrado Corazón y se procede a la formal entronización.
* Todos, de pie, recitan en voz clara el Credo, en testimonio explícito de la fe que profesa toda la familia y a continuación se dirá lo siguiente:

Sac. o Diác.: Dígnate visitar, Señor Jesús, en compañía de tu dulce Madre este hogar y colma a sus dichosos moradores de las gracias prometidas a las familias especialmente consagradas a tu Corazón Divino. Tú mismo, ¡oh Salvador del Mundo!, con fines de misericordia, solicitaste en revelación a tu sierva Margarita María, el solemne homenaje de universal amor a tu Corazón, "que tanto ha amado a los hombres, y de los cuales es tan mal correspondido". Por ello toda esta familia, acudiendo presurosa a tu llamada, y en desagravio del abandono y de la apostasía de tantas almas, te proclama, ¡oh Corazón Sagrado!, su amable Soberano y te consagra de una manera absoluta las alegrías, los trabajos y tristezas, el presente y el porvenir de este hogar, de hoy para siempre enteramente tuyo.

Todos: Bendice, pues, a los presentes, bendice a los que por voluntad del cielo, nos arrebató la muerte; bendice, Jesús, a los ausentes, establece en esta tu casa te lo suplicamos por el amor que tienes a la Virgen María establece aquí, ¡oh Corazón amante!, el dominio de tu caridad, infunde en todos sus miembros el espíritu de fe, de santidad y de pureza, arrebata para ti sólo estas almas, despegándolas del mundo y de sus locas vanidades; ábreles, Señor, la herida hermosa de tu Corazón piadoso, y, como en arca de salud, guarda en ella a todos éstos que son tuyos hasta la vida eterna. ¡Viva siempre amado, bendecido y glorificado en este hogar el corazón triunfante de Jesús! Amén.

*** En este momento se recuerda a los seres queridos ya fallecidos y a los ausentes, rezando por ellos un Padre nuestro y un Ave María.**

*** A continuación el jefe de la familia coloca la imagen del Sagrado Corazón en el lugar de honor que se le ha preparado y procede a la Consagración de la familia, recitando la siguiente fórmula:**

Jefe de la familia: Corazón Sacratísimo de Jesús, Tú revelaste a Margarita María el deseo de reinar sobre las familias cristianas: he aquí que, a fin de complacerte, nos presentamos hoy para proclamar tu absoluto imperio sobre nuestra familia. Deseamos vivir en adelante tu vida, deseamos que en el seno de nuestra familia florezcan las virtudes, por las cuales tú has prometido la paz en la tierra; deseamos apartar lejos de nosotros el espíritu del mundo, a quien tú condenaste.

Tú reinarás en nuestra inteligencia con la sinceridad de nuestra fe, en nuestro corazón con el amor exclusivamente tuyo, mediante el cual se inflamará para ti, y cuya ardiente llama fomentaremos con la recepción frecuente de la Divina Eucaristía. Dígnate, Corazón Divino, presidirnos, unidos en uno sólo, bendecir nuestros negocios espirituales y temporales, apartar de nosotros los contratiempos, santificar nuestros goces y mitigar nuestras penas. Y si alguno de nosotros tuviere la desgracia de ofenderte, recuérdale, oh Corazón de Jesús, que tú estás lleno de misericordia y de caridad para el pecador que se arrepiente.

Y cuando suene la hora de la separación, y la muerte introduzca el luto en el seno de nuestra familia, nosotros todos, así los que se ausenten como los que se queden, nos sometemos a tus eternos decretos. Nuestro consuelo será gustar en el fondo de nuestras almas el dulce pensamiento de que toda nuestra familia, reunida allá en el Cielo, podrá cantar por siempre tus glorias y tus bondades. Dígnese el Corazón Inmaculado de María, dígnese el glorioso Patriarca san José presentarte esta nuestra consagración y conservar viva su memoria en nuestras almas todos los días de nuestra vida. ¡Viva el Corazón de Jesús, nuestro rey y nuestro Padre!

*** Luego el Sacerdote o el Diácono, bendice a la familia.**

Sac. o Diác.: La bendición de Dios Todopoderoso, Padre, † Hijo † y Espíritu Santo †, descienda sobre esta familia y permanezca para siempre.

Todos: Amén.

4. Oración a la Virgen de Guadalupe

Sac. o Diác.: ¡Oh Virgen Inmaculada, Madre del verdadero Dios y Madre de la Iglesia! Tú, que desde este lugar manifiestas tu clemencia y compasión a todos los que solicitan tu amparo, escucha la oración que con filial confianza te dirigimos, y preséntala ante tu Hijo Jesús, único Redentor nuestro. Madre de misericordia, Maestra del sacrificio escondido y silencioso, a Ti, que sales al encuentro de nosotros, los pecadores, te consagramos en este día todo nuestro ser y todo nuestro amor.

Te consagramos también nuestra vida, nuestros trabajos, nuestras alegrías, nuestras enfermedades y nuestros dolores. Da la paz, la justicia y la prosperidad a nuestros pueblos; ya que todo lo que tenemos y somos lo ponemos bajo tu cuidado, Señora y Madre nuestra. Queremos ser totalmente tuyos y recorrer contigo el camino de una plena fidelidad a Jesucristo en su Iglesia: no nos sueltes de tu mano amorosa. Virgen de Guadalupe, Madre de las Américas, te pedimos por todos los obispos, para que conduzcan a los fieles por senderos de intensa vida cristiana, de amor y de humilde servicio a Dios y a las almas.

Todos: Contempla esta inmensa mies, e intercede para que el Señor infunda hambre de santidad en todo el Pueblo de Dios, y otorgue abundantes vocaciones de sacerdotes y religiosos, fuertes en la fe y celosos dispensadores de los misterios de Dios.

Concede a nuestros hogares la gracia de amar y de respetar la vida que comienza, con el mismo amor con el que concebiste en tu seno la vida del Hijo de Dios. Virgen Santa María, Madre del Amor Hermoso, protege a nuestras familias, para que estén siempre muy unidas, y bendice la educación de nuestros hijos. Esperanza nuestra, míranos con compasión, enséñanos a ir continuamente a Jesús y, si caemos, ayúdanos a levantarnos, a volver a Él, mediante la confesión de nuestras culpas y pecados en el Sacramento de la Penitencia, que trae sosiego al alma. Te suplicamos que nos concedas un amor muy grande a todos los santos Sacramentos, que son como las huellas que tu Hijo nos dejó en la tierra. Así, Madre Santísima, con la paz de Dios en la conciencia, con nuestros corazones libres de mal y de odios, podremos llevar a todos la verdadera alegría y la verdadera paz, que vienen de tu Hijo, nuestro Señor Jesucristo, que con Dios Padre y con el Espíritu Santo, vive y reina por los siglos de los siglos. Amén.

San Juan Pablo II, enero de 1979, México.

5. Entronización de nuestra Señora de Guadalupe en los hogares

* Reunidos a los pies de la imagen de la Santísima Virgen, ya bendita, el Sacerdote o el Diácono, dice las siguientes oraciones:

Sac. o Diác.: Dios Todopoderoso y Eterno, que impulsado por tu infinita misericordia te dignaste dirigir a México una mirada de amor y viéndolo lleno de sombras y miserias enviaste a la Inmaculada Virgen María, para que fuera Apóstol, Reina y Madre nuestra: te rogamos aceptes propicio la ofrenda que, por medio de Ella, te hacemos de nuestros hogares y de nuestros corazones, y haz por tu infinita bondad, que establezca aquí nuestra Santísima Madre de Guadalupe su trono de clemencia y dispensación, nos vea como cosa suya, nos mantenga lejos del pecado y de todo mal, y con su intercesión valiosísima, alcancemos el perdón y la paz. Por Jesucristo, nuestro Señor.

Todos: Amén.

* Enseguida se coloca la imagen en el lugar donde debe quedar y luego el Sacerdote o el Diácono dice:

Sac. o Diác.: ¡Salve, nuestra Reina de los mexicanos, Madre Santísima de Guadalupe, Salve! Ruega por tu nación para conseguir lo que tú, Madre nuestra, creas más conveniente pedir.

* En seguida, se reza una Salve y esta jaculatoria:

Todos: Virgen Santísima de Guadalupe, Reina de México, consérvanos la fe y salva nuestra patria. ¿Cómo te daremos gracias, dulcísima Madre nuestra, por los beneficios incontables que te debemos? Fijaste en esta nación esos tus ojos misericordiosos y ante el trono excelso del Dios de bondad, la pediste como herencia tuya. ¿Qué pudo moverte a descender desde los cielos hasta nuestro árido Tepeyac, sino el singular amor que nos tienes y la inmensa miseria nuestra? ¡Gracias, Señora! Que los ángeles te alaben por tan insigne favor, que las naciones todas te bendigan y que México, postrado a tus inmaculadas plantas, te ame con todos sus corazones y, como a Judit, te cante: "Tú eres la gloria de nuestro pueblo". Pediste un templo y te ofrecemos millares, que te consagremos cada uno de nuestros hogares y queremos reines en nuestros corazones. Nos llamas: "hijitos míos muy queridos" y aceptando tan dulce título, queremos llamarte nuestra Reina, nuestra Madre, y ser, no sólo tus vasallos fieles y tus hijos amantísimos, sino tus humildísimos siervos. Manda, Altísima Señora, que estamos prontos a obedecerte. Reina en nuestras casas y líbralas de todo mal; en nuestras almas y haz que sirvan siempre a Dios; en esta porción de la Iglesia mexicana y hazla gloriosa y libre; en nuestra nación, feliz a pesar de todo, porque la amas, y danos la paz. Perdona a los hijos ingratos y prevaricadores, robustece la fe de los que te aclaman e invocan, y concédenos, en fin, que formando tu corte aquí en la tierra, vayamos, dulcísima Madre, a cantar contigo las alabanzas eternas ante el trono de Dios. Amén.

*** Se termina con un canto, o el Himno Guadalupano u otro apropiado.**

6. Rosario por los difuntos

Guía: Dios Padre todopoderoso, apoyados en nuestra fe, que proclama la muerte y resurrección de tu Hijo Jesucristo, te ofrecemos este Santo Rosario por nuestro (a) hermano (a) N... y te pedimos que, así como ha participado ya de la muerte de Cristo, que también llegue a participar de la alegría de su gloriosa resurrección. Por Jesucristo, nuestro Señor.

Todos: Amén.

* El que guía, anuncia los MISTERIOS que se van a meditar, de gozo, de dolor, de luz o de gloria.

* Antes de cada decena, se enuncia el MISTERIO, luego se rezan un Padre nuestro, diez Ave Marías y un Gloria al Padre.

Guía: Padre nuestro que estás en el cielo, santificado sea tu nombre, venga a nosotros tu reino, hágase tu voluntad, en la tierra como en el cielo.

Todos: Danos hoy nuestro pan de cada día, perdona nuestras ofensas, como también nosotros perdonamos a los que nos ofenden, no nos dejes caer en la tentación y líbranos de todo mal. Amén.

Guía: Dios te salve María, llena eres de gracia, el Señor es contigo, bendita tú eres entre todas las mujeres y bendito es el fruto de tu vientre, Jesús.

Todos: Santa María, Madre de Dios, ruega por nosotros los pecadores, ahora y en la hora de nuestra muerte. Amén.

Guía: Gloria al Padre, al Hijo y al Espíritu Santo.

Todos: Como era en el principio, ahora y siempre por los siglos de los siglos. Amén.

* Al terminar cada misterio, se dicen las siguientes jaculatorias:

Guía: Dale, Señor, el descanso eterno.

Todos: Y luzca para él (ella) la luz eterna.

Guía: Que descanse en paz.

Todos: Así sea.

Guía: Si con tu sangre preciosa lo(a) has redimido.

Todos: Que lo(a) perdones, te lo pedimos, por tu pasión dolorosa.

Guía: María madre de gracia y madre de misericordia.

Todos: En la vida y en la muerte, ampáranos gran Señora.

Misterios Gozosos (Lunes y Sábado)

PRIMER MISTERIO: La anunciación a la Virgen María.
SEGUNDO MISTERIO: La visita de la Virgen María a santa Isabel.
TERCER MISTERIO: El nacimiento del Hijo de Dios.
CUARTO MISTERIO: La presentación del niño Jesús al templo.
QUINTO MISTERIO: El niño Jesús perdido y hallado en el templo.

Misterios Dolorosos (Martes y Viernes)

PRIMER MISTERIO: La oración de Jesús en el huerto.
SEGUNDO MISTERIO: La flagelación de nuestro señor Jesucristo.
TERCER MISTERIO: La coronación de espinas.
CUARTO MISTERIO: Jesús con la cruz a cuestas hacia el calvario.
QUINTO MISTERIO: La crucifixión y muerte de nuestro Señor Jesucristo.

Misterios Luminosos (Jueves)

PRIMER MISTERIO: El Bautismo de Jesús en el Jordán.
SEGUNDO MISTERIO: Jesús se da a conocer en las bodas de Caná.
TERCER MISTERIO: Jesús anuncia el reino de Dios, invitando a la conversión.
CUARTO MISTERIO: La Transfiguración de Jesús.
QUINTO MISTERIO: La institución de la Eucaristía.

Misterios Gloriosos (Miércoles y Domingo)

PRIMER MISTERIO: La resurrección del Hijo de Dios.
SEGUNDO MISTERIO: La ascensión del Hijo de Dios al cielo.
TERCER MISTERIO: La venida del Espíritu Santo sobre los apóstoles.
CUARTO MISTERIO: La asunción de la Virgen María al cielo.
QUINTO MISTERIO: La coronación de la Virgen María.

*** Al terminar los cinco misterios se reza lo siguiente:**

Guía: Padre nuestro que estás en el cielo, santificado sea tu nombre, venga a nosotros tu reino, hágase tu voluntad, en la tierra como en el cielo.

Todos: Danos hoy nuestro pan de cada día, perdona nuestras ofensas, como también nosotros perdonamos a los que nos ofenden, no nos dejes caer en la tentación y líbranos de todo mal. Amén.

Guía: Dios te salve, María Santísima, hija de Dios Padre, Virgen purísima, antes del parto, en tus manos encomendamos nuestra fe para que la ilumines, y el alma de tu siervo (a) N... para que lo (a) lleves al eterno descanso, llena eres de gracia, el Señor es contigo, bendita tú eres entre todas las mujeres y bendito es el fruto de tu vientre, Jesús.

Todos: Santa María, Madre de Dios, ruega por nosotros los pecadores, ahora y en la hora de nuestra muerte. Amén.

Guía: Dios te salve, María, Madre de Dios Hijo, Virgen purísima, en el parto, en tus manos encomendamos nuestra esperanza para que la alientes, y el alma de tu siervo (a) N... para que lo (a) lleves al eterno descanso, llena eres de gracia, el Señor es contigo, bendita tú eres entre todas las mujeres y bendito es el fruto de tu vientre, Jesús.

Todos: Santa María, Madre de Dios, ruega por nosotros los pecadores, ahora y en la hora de nuestra muerte. Amén.

Guía: Dios te salve, María, esposa del Espíritu Santo, Virgen purísima después del parto, en tus manos encomendamos nuestra caridad para que la inflames en el fuego de tu divino amor y el alma de tu siervo (a) N... para que lo (a) lleves al eterno descanso, llena eres de gracia, el Señor es contigo, bendita tú eres entre todas las mujeres y bendito es el fruto de tu vientre, Jesús.

Todos: Santa María, Madre de Dios, ruega por nosotros los pecadores, ahora y en la hora de nuestra muerte. Amén.

Guía: Dios te salve, María Santísima, templo, trono y sagrario de la Santísima Trinidad, Virgen concebida sin la culpa original. Amén.

Todos: Dios te salve, Reina y Madre de misericordia, vida, dulzura y esperanza nuestra, Dios te salve. A ti llamamos los desterrados hijos de Eva, a ti suspiramos gimiendo y llorando en este valle de lágrimas. Sé, pues, Señora, abogada nuestra, vuelve a nosotros esos tus ojos misericorDiosos y después de este destierro muéstranos a Jesús, fruto bendito de tu vientre, ¡Oh clemente! ¡Oh piadosa! ¡Oh dulce Virgen María! Ruega por nosotros, Santa Madre de Dios, para que seamos dignos de alcanzar las promesas de nuestro Señor Jesucristo. Amén.

LETANÍAS DE LA SANTÍSIMA VIRGEN

Señor, ten piedad de él (ella)	Señor, ten piedad de él (ella)
Cristo, ten piedad de él (ella)	Cristo, ten piedad de él (ella)
Señor, ten piedad de él (ella)	Señor, ten piedad de él (ella)
Cristo, óyenos.	Cristo, óyenos.
Cristo, escúchanos.	Cristo, escúchanos.
Dios, Padre celestial.	Ten piedad de él (ella)
Dios, Hijo redentor del mundo.	Ten piedad de él (ella)
Dios Espíritu Santo.	Ten piedad de él (ella)
Santísima Trinidad, que eres un solo Dios.	Ten piedad de él (ella)
Santa María.	Ruega por él (ella)
Santa Madre de Dios.	Ruega por él (ella)
Santa Virgen de las vírgenes.	Ruega por él (ella)
Madre de Jesucristo.	Ruega por él (ella)
Madre de la divina gracia.	Ruega por él (ella)
Madre purísima.	Ruega por él (ella)
Madre castísima.	Ruega por él (ella)
Madre intacta.	Ruega por él (ella)
Madre sin mancha.	Ruega por él (ella)
Madre virgen.	Ruega por él (ella)
Madre inmaculada.	Ruega por él (ella)
Madre amable.	Ruega por él (ella)
Madre admirable.	Ruega por él (ella)
Madre del buen consejo.	Ruega por él (ella)
Madre del Creador.	Ruega por él (ella)
Madre del Salvador.	Ruega por él (ella)
Madre de la Iglesia.	Ruega por él (ella)
Virgen prudentísima.	Ruega por él (ella)
Virgen venerable.	Ruega por él (ella)
Virgen digna de alabanza.	Ruega por él (ella)

Virgen poderosa.	Ruega por él (ella)
Virgen misericorDiosa.	Ruega por él (ella)
Virgen clemente.	Ruega por él (ella)
Virgen fiel.	Ruega por él (ella)
Espejo de justicia.	Ruega por él (ella)
Trono de la sabiduría.	Ruega por él (ella)
Causa de nuestra alegría.	Ruega por él (ella)
Vaso espiritual.	Ruega por él (ella)
Vaso digno de honor.	Ruega por él (ella)
Vaso insigne de devoción.	Ruega por él (ella)
Rosa mística.	Ruega por él (ella)
Torre de David.	Ruega por él (ella)
Torre de marfil.	Ruega por él (ella)
Casa de oro.	Ruega por él (ella)
Arca de la alianza.	Ruega por él (ella)
Puerta del cielo.	Ruega por él (ella)
Estrella de la mañana.	Ruega por él (ella)
Salud de los enfermos.	Ruega por él (ella)
Refugio de los pecadores.	Ruega por él (ella)
Consoladora de los afligidos.	Ruega por él (ella)
Auxilio de los cristianos.	Ruega por él (ella)
Reina de los ángeles.	Ruega por él (ella)
Reina de los patriarcas.	Ruega por él (ella)
Reina de los profetas.	Ruega por él (ella)
Reina de los apóstoles.	Ruega por él (ella)
Reina de los mártires.	Ruega por él (ella)
Reina de los confesores.	Ruega por él (ella)
Reina de las vírgenes.	Ruega por él (ella)
Reina de todos los santos.	Ruega por él (ella)
Reina concebida sin pecado original.	Ruega por él (ella)
Reina llevada al cielo.	Ruega por él (ella)
Reina del Santísimo Rosario.	Ruega por él (ella)

Reina de la familia. Ruega por él (ella)
Reina de la paz. Ruega por él (ella)

Guía: Cordero de Dios que quitas el pecado del mundo.
Todos: Perdónalo (a) Señor.
Guía: Cordero de Dios que quitas el pecado del mundo.
Todos: Escúchalo (a) Señor.
Guía: Cordero de Dios que quitas el pecado del mundo.
Todos: Ten piedad y misericordia de él (ella).
Guía: Bajo tu amparo nos acogemos, Santa Madre de Dios.
Todos: No desprecies las oraciones que te hacemos en nuestras necesidades; antes bien, líbranos de todos los peligros, oh Virgen gloriosa y bendita. Ruega por el (ella) y por nosotros Santa Madre de Dios, para que seamos dignos de alcanzar las promesas de nuestro Señor Jesucristo. Amén.

Guía: Oh Dios, cuyo Unigénito Hijo, con su vida, muerte y resurrección, nos alcanzó el premio de la vida eterna: concede el descanso eterno a tu hijo (a) N... Y a nosotros los que recordamos estos misterios del Santo Rosario, imitar lo que contienen y alcanzar lo que prometen. Por el mismo Jesucristo, nuestro Señor.

Todos: Amén.

Oración a la Virgen en las dificultades

Tú conoces el corazón de tus jóvenes, y cómo son asaltados por sus dificultades.

Hay que luchar para conservar inquebrantable nuestra fe, ahora que tantos a nuestros alrededores ya no creen.

Hay que luchar para conservar intacta nuestra pureza, ahora que el mundo es una gigantesca organización del mal.

Hay que luchar para conservar vibrante nuestro entusiasmo, ahora que los hombres están preocupados por bienes materiales.

Para que nuestra fe se mantenga inquebrantable, sé tú nuestra defensora, ¡oh Virgen María!

Para que el mal no tenga poder en nosotros y para que no siembre de ruinas e incertidumbres nuestras almas, sé tú nuestra defensa, ¡oh Virgen María!

Para que afectos prematuros no dispersen nuestras fuerzas y destruyan nuestro corazón, sé nuestra defensa; ¡oh Virgen María!

Para que conservemos jóvenes e intactos nuestros entusiasmos, Virgen María, ¡sé nuestra defensa!

(Lelotte)

Oración a la Virgen de Guadalupe

Virgen de Guadalupe, que a la tierra de México le has querido dar especiales muestras de benevolencia y has prometido consuelo y ayuda a los que te aman y siguen, mira benignamente a todos tus hijos: ellos te invocan con confianza. Conserva en nuestras almas el don precioso de la gracia divina.

Haz que seamos dóciles a la voluntad del Señor, de tal manera que cada vez más se extienda su reino en los corazones, en las familias y en nuestra nación.

Virgen Santísima, acompáñame en las fatigas del trabajo cotidiano, en las plegarias, en las penas y dificultades de la vida, de modo que nuestro espíritu inmortal pueda elevarse, libre y puro, a Dios, y servirlo gozosamente, con generosidad y fervor.

Defiéndenos de todo mal, Reina y Madre de México; y haz que seamos fieles imitadores de Jesús, que es Camino, Verdad y Vida, a fin de que un día podamos alcanzar en el cielo el premio de la visión beatífica. Amén.

(Juan XXIII)

Triduo a la Virgen de Guadalupe

Primer día

Por la señal † de la santa Cruz, de nuestros † enemigos, líbranos Señor, † Dios nuestro. En el nombre del Padre † y del Hijo y del Espíritu Santo. Amén.

Invocación para todos los días

Madre mía dulcísima de Guadalupe. Heme aquí en tu presencia e imploro humildemente tu protección poderosa, tu clemencia maternal y tu intercesión, siempre consoladora y eficaz. Pobre en este valle de dolor, de miseria y de lágrimas, ¿a quién si no a ti, he de acudir en mis necesidades y tristezas? Escucha, pues, mis ruegos e intercede por mí para que tu Hijo Divino Jesucristo, fruto bendito de tu vientre, por la pureza inmaculada de tu corazón, por la excelencia de tus méritos, y por la fidelidad de tu siervo Juan Diego, se digne concederme la gracia que pido en este Triduo, si ha de ser para gloria mayor de tu mismo Hijo Jesucristo y la salvación eterna de mi alma. Amén.

Oración para los tres días

Santísima Virgen de Guadalupe, Reina soberana y Madre tiernísima de los mexicanos: vengo a postrarme de hinojos a tus plantas, con el respeto y sumisión de un fiel vasallo hacia su Reina, pleno mi corazón, de amor y confianza, pues, eres también mi Madre amorosísima. Vengo a recordarte la dulcísima promesa hecha a tu fiel mensajero Juan Diego, de que "lo afamarías y sublimarías" en recompensa de lo que por ti hiciera, para que se cumpliera tu deseo de asentar aquí tu trono de misericordia, Madre mía, te ruego con todo el fervor de mi alma que te dignes realizar dicha promesa.

Con esta gracia que te pido, se habrá afianzado para nunca más romperse, el lazo de amor y gratitud que hacia ti nos liga.

Se habrá colmado el anhelo de tu Nación privilegiada y principiará para ella la era verdadera de ardiente Fe, de prosperidad material bajo tu égida, y de una inquebrantable unión de todos los nacidos en este suelo santificado por tus benditas plantas.

Te pido también, Santísima Madre mía, que te muevan a compasión mis pesares, que remedies mis necesidades, me acojas amorosa bajo tu manto, y bendigas mi hogar y a los que en él moramos. Te lo pido por los méritos de tu siervo Juan Diego, a quien nombro mi intercesor delante de ti. Amén.

Señal de la cruz

Por la señal de la santa cruz,
de nuestros enemigos líbranos,
Señor, Dios nuestro.

En el nombre del Padre, y del Hijo, y del Espíritu Santo. Amén.

Padre nuestro

Padre nuestro, que estás en el cielo,
santificado sea tu Nombre;
venga a nosotros tu reino;
hágase tu voluntad
en la tierra como en el cielo.
Danos hoy nuestro pan de cada día;
perdona nuestras ofensas,
como también nosotros perdonamos
a los que nos ofenden;
no nos dejes caer en la tentación,
y líbranos del mal. Amén.

Avemaría

Dios te salve, María,
llena eres de gracia; el Señor es contigo;
bendita tú eres entre todas las mujeres,
y bendito es el fruto de tu vientre, Jesús.
Santa María, madre de Dios,
ruega por nosotros, pecadores,
ahora y en la hora de nuestra muerte.
Amén.

Ángelus

El ángel del Señor anunció a María.
Y ella concibió por obra del Espíritu Santo.
Dios te salve, María...

Aquí está la esclava del Señor.
Hágase en mí según tu palabra.
Dios te salve, María...

Y la Palabra se hizo carne.
Y habitó entre nosotros.
Dios te salve, María...

V/. Ruega por nosotros, santa Madre de Dios.
R/. Para que seamos dignos de alcanzar las promesas de nuestro Señor Jesucristo.

Oremos: Derrama, Señor, tu gracia sobre nosotros, que, por el anuncio del ángel, hemos conocido la encarnación de tu Hijo, para que lleguemos, por su pasión y su cruz, a la gloria de su resurrección. Por el mismo Jesucristo, nuestro Señor. Amén.

Gloria al Padre...

Gloria al Padre

Gloria al Padre, y al Hijo,
y al Espíritu Santo.
Como era en el principio, ahora y siempre,
por los siglos de los siglos. Amén.

Yo confieso

Yo confieso ante Dios todopoderoso
y ante ustedes, hermanos,
que he pecado mucho
de pensamiento, palabra,
obra y omisión.
Por mi culpa, por mi culpa,
por mi gran culpa.
Por eso ruego a santa María,
siempre Virgen,
a los ángeles, a los santos
y a ustedes, hermanos,
que intercedan por mí ante Dios,
nuestro Señor.

Reina del cielo

Reina del cielo, alégrate, aleluya,
porque el Señor, a quien mereciste llevar,
aleluya,
ha resucitado, según su palabra, aleluya.
Ruega al Señor por nosotros, aleluya.

V/. Alégrate y goza, Virgen María, aleluya.
R/. Porque ha resucitado el Señor, aleluya.

Oremos: Oh Dios, que por la resurrección de tu Hijo, nuestro Señor Jesucristo, has llenado el mundo de alegría, concédenos, por intercesión de su madre, la Virgen María, llegar a alcanzar los gozos eternos. Por el mismo Jesucristo, nuestro Señor. Amén.

Salve

Dios te salve,
Reina y Madre de misericordia,
vida, dulzura y esperanza nuestra;
Dios te salve.
A ti llamamos los desterrados hijos de Eva;
a ti suspiramos, gimiendo y llorando,
en este valle de lágrimas.
Ea, pues, Señora, abogada nuestra,
vuelve a nosotros
esos tus ojos misericordiosos;
y después de este destierro
muéstranos a Jesús,
fruto bendito de tu vientre.
¡Oh clementísima, oh piadosa,
oh dulce Virgen María!
Ruega por nosotros, santa Madre de Dios,
para que seamos dignos
de las promesas de Cristo. Amén.

Oración de san Bernardo

Recuerda, bondadosa Virgen María,
que jamás se ha oído decir
que haya sido abandonado
ninguno de cuantos han acudido a ti,
implorando tu ayuda.
Animado con esta confianza,
acudo a ti, madre, Virgen por excelencia,
y, arrepentido de mis pecados,
me atrevo a presentarme ante ti.
No deseches mis súplicas,
Madre de la Palabra encarnada;
antes bien, escúchalas
y acógelas con bondad. Amén.

Gloria

Gloria a Dios en el cielo,
y en la tierra paz a los hombres
que ama el Señor.
Por tu inmensa gloria
te alabamos,
te bendecimos,
te adoramos,
te glorificamos,
te damos gracias,
Señor Dios, Rey celestial,
Dios Padre todopoderoso.
Señor, Hijo único, Jesucristo.
Señor Dios, Cordero de Dios,
Hijo del Padre;
tú que quitas el pecado del mundo,
ten piedad de nosotros;
tú que quitas el pecado del mundo,
atiende nuestra súplica;
tú que estás sentado
a la derecha del Padre,
ten piedad de nosotros;
porque sólo tú eres Santo,
sólo tú, Señor,
sólo tú Altísimo, Jesucristo,
con el Espíritu Santo
en la gloria de Dios Padre. Amén.

Credo

Creo en un solo Dios, Padre todopoderoso,
Creador del cielo y de la tierra,
de todo lo visible y lo invisible.
Creo en un solo Señor, Jesucristo,
Hijo único de Dios, nacido del Padre
antes de todos los siglos:
Dios de Dios, Luz de Luz,
Dios verdadero de Dios verdadero,
engendrado, no creado,
de la misma naturaleza del Padre,
por quien todo fue hecho;
que por nosotros los hombres
y por nuestra salvación bajó del cielo,
y por obra del Espíritu Santo
se encarnó de María, la Virgen,
y se hizo hombre;
y por nuestra causa fue crucificado
en tiempos de Poncio Pilato:
padeció y fue sepultado,
y resucitó al tercer día,
según las Escrituras, y subió al cielo,
y está sentado a la derecha del Padre;
y de nuevo vendrá con gloria
para juzgar a vivos y muertos,
y su reino no tendrá fin.
Creo en el Espíritu Santo,
Señor y dador de vida,
que procede del Padre y del Hijo,
que con el Padre y el Hijo
recibe una misma adoración y gloria,
y que habló por los profetas.
Creo en la Iglesia, que es una, santa,
católica y apostólica.
Confieso que hay un solo Bautismo
para el perdón de los pecados.
Espero la resurrección de los muertos
y la vida del mundo futuro. Amén.

Credo apostólico

Creo en Dios, Padre todopoderoso,
creador del cielo y de la tierra.
Creo en Jesucristo, su único Hijo,
nuestro Señor;
que fue concebido
por obra y gracia del Espíritu Santo,
nació de santa María Virgen;
padeció bajo el poder de Poncio Pilato,
fue crucificado, muerto y sepultado;
descendió a los infiernos,
al tercer día resucitó de entre los muertos;
subió a los cielos
y está sentado a la derecha de Dios,
Padre todopoderoso;
desde allí ha de venir
a juzgar a vivos y muertos.
Creo en el Espíritu Santo,
la santa Iglesia católica,
la comunión de los santos,
el perdón de los pecados,
la resurrección de la carne
y la vida eterna. Amén.

Acto de esperanza

Dios mío,
por tus promesas y por los méritos
de Jesucristo, nuestro Salvador,
espero de tu bondad la vida eterna
y las gracias necesarias
para merecerla con las buenas obras
que debo y quiero hacer.
Señor, que goce de ti eternamente.

Acto de contrición

Dios mío,
me pesa y me arrepiento de todo corazón
de mis pecados,
porque al pecar he merecido el castigo;
y más aún porque te he ofendido a ti,
infinitamente bueno y digno de ser
amado sobre todas las cosas.
Con tu ayuda, propongo no ofenderte más
y huir de las ocasiones de pecado.
Señor, misericordia, perdóname.

Los diez Mandamientos de la Ley de Dios

1º Amarás a Dios sobre todas las cosas.
2º No tomarás el nombre de Dios en vano.
3º Santificarás las fiestas.
4º Honrarás a tu padre y a tu madre.
5º No matarás.
6º No cometerás actos impuros.
7º No robarás.
8º No darás falso testimonio ni mentirás.
9º No consentirás pensamientos ni deseos impuros.
10º No codiciarás los bienes ajenos.

Se resumen en dos:

1º Amarás al Señor, tu Dios,
con todo tu corazón, con toda tu alma
y con todas tus fuerzas.

2º Amarás a tu prójimo como a ti mismo.

Acto de Contrición

Señor mío, Jesucristo,
Dios y hombre verdadero,
Creador, Padre y Redentor mío;
por ser quien eres, Bondad infinita,
y porque te amo sobre todas las cosas,
me pesa de todo corazón
haberte ofendido;
también me pesa porque puedes castigarme
con las penas del infierno.
Ayudado de nuestra divina gracia,
propongo firmemente nunca más pecar,
confesarme y cumplir la penitencia
que me fuere impuesta.
Amén.

Alma de Cristo

Alma de Cristo, santifícame.
Cuerpo de Cristo, sálvame.
Sangre de Cristo, embriágame.
Agua del costado de Cristo, lávame.
Pasión de Cristo, confórtame.
Oh buen Jesús, óyeme.
Dentro de tus llagas, escóndeme.
No permitas que me aparte de ti.
Del maligno enemigo, defiéndeme.
En la hora de mi muerte, llámame.
Y mándame ir a ti.
Para que con tus santos te alabe
por los siglos de los siglos. Amén.

Bendito sea Dios

Bendito sea Dios.
Bendito sea su santo nombre.
Bendito sea Jesucristo, verdadero Dios
y verdadero hombre.
Bendito sea el nombre de Jesús.
Bendito sea su sacratísimo Corazón.
Bendita sea su preciosísima Sangre.
Bendito sea Jesús en el Santísimo
Sacramento del altar.
Bendito sea el Espíritu Santo Paráclito.
Bendita sea la excelsa Madre de Dios,
María santísima.
Bendita sea su santa
e inmaculada Concepción.
Bendita sea su gloriosa Asunción.
Bendito sea el nombre de María,
virgen y madre.
Bendito sea san José, su castísimo esposo.
Bendito sea Dios en sus ángeles
y en sus santos.

Antes de las comidas

Bendícenos, Señor,
y bendice el alimento que vamos a tomar,
para perseverar en tu servicio.
Jesús, "pan partido" en la Eucaristía,
aliméntanos de tu misma vida
y haz que compartamos diariamente
en el amor el pan
que tu providencia nos regala.

Oración de san Francisco

Señor, haz de mí un instrumento de tu paz.
Donde haya odio, ponga yo amor;
donde haya ofensa, ponga yo perdón;
donde haya discordia, ponga yo armonía;
donde haya error, ponga yo verdad;
donde haya duda, ponga yo fe;
donde haya desesperación,
ponga yo esperanza;
donde haya tinieblas, ponga yo luz;
donde haya tristeza, ponga yo alegría.
Que no me empeñe tanto
en ser consolado como en consolar;
en ser comprendido
como en comprender;
en ser amado como en amar:
porque dando, se recibe;
olvidando, se encuentra;
perdonando, se es perdonado;
muriendo, se resucita a la Vida.

Acto de gratitud

Te damos gracias por todos tus beneficios,
Dios todopoderoso, que vives y reinas
por los siglos de los siglos. Amén.

Ángel de Dios

Ángel de Dios, que eres mi custodio:
ya que la bondad de Dios
me ha encomendado a ti,
ilumíname, guíame y protégeme. Amén.

Después de las comidas

Te damos gracias, Señor,
por el alimento que nos has dado.
Haz que nos sirva siempre para el bien.
Te damos gracias, Padre nuestro,
por esta comida fraternal,
signo de nuestra comunión
en la realización de la obra
que nos has encomendado.

V/. Dios mío, ven en mi auxilio.
R/. Señor, date prisa en socorrerme.

V/. Gloria al Padre, y al Hijo, y al Espíritu Santo.
R/. Como era en el principio, ahora y siempre, por los siglos de los siglos. Amén.

V/. Ruega por nosotros, santa Madre de Dios.
R/. Para que seamos dignos de alcanzar las promesas de nuestro Señor Jesucristo.

Vía Crucis

V/. Te saludamos, oh cruz santa, que llevaste al Redentor.
R/. Gloria, alabanza y honor canten lengua y corazón.

Primera estación: La agonía de Jesús en Getsemaní (Mt 26,36-46).
V/. Te adoramos, Cristo, y te bendecimos.
R/. Porque con tu santa Cruz redimiste al mundo.

Segunda estación: Jesús, traicionado por Judas, es arrestado (Mt 26,47-56a).
V/. Te adoramos, Cristo, y te bendecimos.
R/. Porque con tu santa Cruz redimiste al mundo.

Tercera estación: Jesús es abandonado por los suyos (Mt 26,31-35.56b).
V/. Te adoramos, Cristo, y te bendecimos.
R/. Porque con tu santa Cruz redimiste al mundo.

Cuarta estación: Jesús es condenado por el Sanedrín (Mt 26,59-67).
V/. Te adoramos, Cristo, y te bendecimos.
R/. Porque con tu santa Cruz redimiste al mundo.

Quinta estación: Jesús es negado por Pedro (Mt 26,69-75).
V/. Te adoramos, Cristo, y te bendecimos.
R/. Porque con tu santa Cruz redimiste al mundo.

Sexta estación: Jesús es juzgado por Pilato (Mt 27,11-21).
V/. Te adoramos, Cristo, y te bendecimos.
R/. Porque con tu santa Cruz redimiste al mundo.

Séptima estación: Jesús es condenado a muerte (Mt 27,22-26).
V/. Te adoramos, Cristo, y te bendecimos.
R/. Porque con tu santa Cruz redimiste al mundo.

Octava estación: Jesús es azotado y coronado de espinas (Mt 27,27-31).
V/. Te adoramos, Cristo, y te bendecimos.
R/. Porque con tu santa Cruz redimiste al mundo.

Novena estación: Jesús ayudado por el Cirineo a llevar la cruz (Lc 23,26-31).
V/. Te adoramos, Cristo, y te bendecimos.
R/. Porque con tu santa Cruz redimiste al mundo.

Décima estación: Jesús es crucificado (Mt 27,33-40).
V/. Te adoramos, Cristo, y te bendecimos.
R/. Porque con tu santa Cruz redimiste al mundo.

Undécima estación: Jesús promete su reino al buen ladrón (Lc 23,39-43).
V/. Te adoramos, Cristo, y te bendecimos.
R/. Porque con tu santa Cruz redimiste al mundo.

Duodécima estación: Jesús en la cruz, la Madre y el discípulo (Jn 19,25-27).
V/. Te adoramos, Cristo, y te bendecimos.
R/. Porque con tu santa Cruz redimiste al mundo.

Decimotercera estación: Jesús muere en la cruz (Mt 27,45-54).
V/. Te adoramos, Cristo, y te bendecimos.
R/. Porque con tu santa Cruz redimiste al mundo.

Decimocuarta estación: Jesús es bajado de la cruz y sepultado (Mt 27,57-60).
V/. Te adoramos, Cristo, y te bendecimos.
R/. Porque con tu santa Cruz redimiste al mundo.

Decimoquinta estación: La resurrección de Jesús (Mt 28,1-7).
V/. Verdaderamente ha resucitado el Señor. Aleluya.
R/. Tal y como lo anunciaron las Escrituras. Aleluya.

Conclusión (Flp 2,6-11).
V/. Oh, Señor, que has querido salvarnos con la muerte en cruz de tu Hijo Jesucristo, concédenos a quienes hemos conocido en la tierra su misterio de amor, gozar de los frutos de la redención en el cielo. Por Jesucristo, nuestro Señor.
R/. Amén.

Benedictus (Lc 1,68-79)

Bendito sea el Señor, Dios de Israel,
porque ha visitado y redimido a su pueblo,
suscitándonos una fuerza de salvación
en la casa de David, su siervo,
según lo había predicho desde antiguo
por boca de sus santos profetas.

Es la salvación que nos libra
de nuestros enemigos
y de la mano de todos los que nos odian;
realizando la misericordia
que tuvo con nuestros padres,
recordando su santa alianza
y el juramento que juró
a nuestro padre Abrahán.

Para concedernos que, libres de temor,
arrancados de la mano de los enemigos,
le sirvamos con santidad y justicia,
en su presencia, todos nuestros días.
Y a ti, niño, te llamarán profeta
del Altísimo,
porque irás delante del Señor
a preparar sus caminos,
anunciando a su pueblo la salvación,
el perdón de sus pecados.

Por la entrañable misericordia
de nuestro Dios,
nos visitará el sol que nace de lo alto,
para iluminar a los que viven en tinieblas
y en sombra de muerte,
para guiar nuestros pasos
por el camino de la paz.

Alegre la mañana

Alegre la mañana que nos habla de ti.
Alegre la mañana.

En nombre del Dios Padre, del Hijo
y del Espíritu,
salimos de la noche y estrenamos la aurora,
saludamos el gozo de la luz que nos llega
resucitada y resucitadora.

Tu mano acerca el fuego a la sombría tierra
y el rostro de las cosas se alegra
en tu presencia;
silabeas el alba igual que una palabra,
tú pronuncias el mar como sentencia.

Regresa desde el sueño,
el hombre a su memoria,
acude a su trabajo, madruga a sus dolores;
le confías la tierra, y a la tarde la encuentras
rica de pan y amarga de sudores.

Y tú te regocijas, oh Dios y tú prolongas
en sus pequeñas manos tus manos
poderosas;
y estáis de cuerpo entero
los dos así creando,
los dos así velando por las cosas.

¡Bendita la mañana que trae
la gran noticia
de tu presencia joven en gloria y poderío,
la serena certeza con que el día proclama
que el sepulcro de Cristo está vacío!
Amén.

Secuencia de Pascua

Ofrezcan los cristianos
ofrendas de alabanza
a gloria de la Víctima
propicia de la Pascua.

Cordero sin pecado
que a las ovejas salva,
a Dios y a los culpables
unió con nueva alianza.

Lucharon vida y muerte
en singular batalla,
y, muerto el que es la Vida,
triunfante se levanta.

«¿Qué has visto de camino,
María, en la mañana?».
«A mi Señor glorioso,
la tumba abandonada,

los ángeles testigos,
sudarios y mortaja.
¡Resucitó de veras
mi amor y mi esperanza!

Venid a Galilea,
allí el Señor aguarda;
allí veréis los suyos
la gloria de la Pascua».

Primicia de los muertos,
sabemos por tu gracia
que estás resucitado;
la muerte en ti no manda.

Rey vencedor, apiádate
de la miseria humana
y da a tus fieles
parte en tu victoria santa.

Magníficat (Lc 1,46-55)

Proclama mi alma la grandeza del Señor,
se alegra mi espíritu en Dios, mi salvador,
porque ha mirado la humillación
de su esclava.

Desde ahora me felicitarán
todas las generaciones
porque el Poderoso ha hecho obras
grandes por mí:
su nombre es santo,
y su misericordia llega a sus fieles
de generación en generación.
Él hace proezas con su brazo:
dispersa a los soberbios de corazón,
derriba del trono a los poderosos
y enaltece a los humildes;
a los hambrientos los colma de bienes
y a los ricos los despide vacíos.

Auxilia a Israel, su siervo,
acordándose de la misericordia
–como lo había prometido a nuestros
padres– en favor de Abrahán
y su descendencia por siempre.

Gloria al Padre...

Ven, Espíritu divino

Ven, Espíritu divino,
manda tu luz desde el cielo.
Padre amoroso del pobre;
don en tus dones espléndido;
luz que penetra las almas;
fuente del mayor consuelo.

Ven, dulce huésped del alma,
descanso de nuestro esfuerzo,
tregua en el duro trabajo,
brisa en las horas de fuego,
gozo que enjuga las lágrimas
y reconforta en los duelos.

Entra hasta el fondo del alma,
divina luz, y enriquécenos.
Mira el vacío del hombre,
si tú le faltas por dentro;
mira el poder del pecado,
cuando no envías tu aliento.

Riega la tierra en sequía,
sana el corazón enfermo,
lava las manchas, infunde
calor de vida en el hielo,
doma el espíritu indómito,
guía al que tuerce el sendero.

Reparte tus siete dones,
según la fe de tus siervos;
por tu bondad y tu gracia,
dale al esfuerzo su mérito;
salva al que busca salvarse
y danos tu gozo eterno. Amén.

Pange lingua

Que la lengua humana
cante este misterio:
la preciosa sangre
y el precioso cuerpo.
Quien nació de Virgen,
Rey del universo,
por salvar al mundo,
dio su sangre en precio.

Se entregó a nosotros,
se nos dio naciendo
de una casta Virgen;
y, acabado el tiempo,
tras haber sembrado
la palabra al pueblo
coronó su obra
con prodigio excelso.

Adorad postrados
este sacramento.
Cesa el viejo rito,
se establece el nuevo.
Dudan los sentidos
y el entendimiento:
que la fe lo supla
con asentimiento.

Himnos de alabanza,
bendición y obsequio;
por igual la gloria
y el poder y el reino;
al eterno Padre con el Hijo eterno
y el divino Espíritu
que procede de ellos. Amén.

Nunc dimittis (Lc 2,29-32)

Ahora, Señor, según tu promesa,
puedes dejar a tu siervo irse en paz.

Porque mis ojos han visto a tu Salvador,
a quien has presentado ante
todos los pueblos:

luz para alumbrar a las naciones
y gloria de tu pueblo Israel.

Gloria al Padre...

Te Deum

A ti, oh Dios, te alabamos,
a ti, Señor, te reconocemos.

A ti, eterno Padre,
te venera toda la creación.

Los ángeles todos, los cielos
y todas las potestades te honran.
Los querubines y serafines
te cantan sin cesar:

Santo, Santo, Santo es el Señor,
Dios del universo.

Los cielos y la tierra
están llenos de la majestad de tu gloria.

A ti te ensalza el glorioso coro

de los apóstoles,
la multitud admirable de los profetas,
el blanco ejército de los mártires.
A ti la Iglesia santa,
extendida por toda la tierra,
te proclama:

Padre de inmensa majestad,
Hijo único y verdadero,
digno de adoración,
Espíritu Santo, Defensor.
Tú eres el Rey de la gloria, Cristo.

Tú eres el Hijo único del Padre.

Tú, para liberar al hombre,
aceptaste la condición humana
sin desdeñar el seno de la Virgen.

Tú, rotas las cadenas de la muerte,
abriste a los creyentes el reino del cielo.
Tú te sientas a la derecha de Dios
en la gloria del Padre.

Creemos que un día
has de venir como juez.
Te rogamos, pues,
que vengas en ayuda de tus siervos,
a quienes redimiste con tu preciosa
sangre.
Haz que en la gloria eterna
nos asociemos a tus santos.

Salva a tu pueblo, Señor,
y bendice tu heredad.

Salmo 23

El Señor es mi pastor, nada me falta:
en verdes praderas me hace recostar,
me conduce hacia fuentes tranquilas
y repara mis fuerzas.

Me guía por el sendero justo,
por el honor de su nombre.
Aunque camine por cañadas oscuras,
nada temo, porque tú vas conmigo:
tu vara y tu cayado me sosiegan.

Preparas una mesa ante mí,
enfrente de mis enemigos;
me unges la cabeza con perfume,
y mi copa rebosa.
Tu bondad y tu misericordia
me acompañan
todos los días de mi vida,
y habitaré en la casa del Señor
por años sin término.

Gloria al Padre...

El examen de conciencia con el papa Francisco

El papa Francisco ha insistido una y otra vez en que tenemos la magnífica noticia de ser hijos de un Dios que no se cansa de perdonar, pero también insiste en la necesidad de reconocernos hombres y mujeres necesitados de perdón porque somos pecadores. De ahí que un ejercicio espiritualmente saludable sea el ponernos delante de Dios y desandar tramos del camino de nuestra vida sin cerrar los ojos en aquellos trechos en los que aparecen baches, es decir, fallos o pecados que a veces nos cuesta reconocer. Y para hacer este ejercicio de revisión de vida o examen de conciencia –un ejercicio aconsejable al final del día o antes de hacer una buena confesión–, el papa Francisco nos propone 30 preguntas a la luz de nuestra relación con Dios, con el prójimo y con nosotros mismos.

1. En relación con Dios

1. ¿Sólo me dirijo a Dios en caso de necesidad?
2. ¿Participo regularmente en la Misa los domingos y días de fiesta?
3. ¿Comienzo y termino mi jornada con la oración?
4. ¿Blasfemo en vano el nombre de Dios, de la Virgen, de los santos?
5. ¿Me he avergonzado de manifestarme como católico?
6. ¿Qué hago para crecer espiritualmente, cómo lo hago, cuándo lo hago?
7. ¿Me revelo contra los designios de Dios?
8. ¿Pretendo que Él haga mi voluntad?

2. En relación con el prójimo

9. ¿Sé perdonar, tengo comprensión, ayudo a mi prójimo?
10. ¿Juzgo sin piedad tanto de pensamiento como con palabras?
11. ¿He calumniado, robado, despreciado a los humildes y a los indefensos?
12. ¿Soy envidioso, colérico, o parcial?
13. ¿Me avergüenzo de mis hermanos, me preocupo de los pobres y de los enfermos?
14. ¿Soy honesto y justo con todos o alimento la cultura del descarte?
15. ¿Incito a otros a hacer el mal?
16. ¿Observo la moral conyugal y familiar enseñada por el Evangelio?
17. ¿Cómo cumplo mi responsabilidad en la educación de mis hijos?
18. ¿Honro a mis padres?
19. ¿He rechazado la vida recién concebida?
20. ¿He colaborado a hacerlo?
21. ¿Respeto el medio ambiente?

3. En relación con nosotros mismos

22. ¿Soy un poco mundano y un poco creyente?
23. ¿Como, bebo, fumo o me divierto en exceso?
24. ¿Me preocupo demasiado de mi salud física, de mis bienes?
25. ¿Cómo utilizo mi tiempo?
26. ¿Soy perezoso?
27. ¿Me gusta ser servido?
28. ¿Amo y cultivo la pureza de corazón, de pensamientos, de acciones?
29. ¿Nutro venganzas, alimento rencores?
30. ¿Soy misericordioso, humilde, y constructor de paz?

Oración a la Virgen en las dificultades

Tú conoces el corazón de tus jóvenes, y cómo son asaltados por sus dificultades.

Hay que luchar para conservar inquebrantable nuestra fe, ahora que tantos a nuestros alrededores ya no creen.

Hay que luchar para conservar intacta nuestra pureza, ahora que el mundo es una gigantesca organización del mal.

Hay que luchar para conservar vibrante nuestro entusiasmo, ahora que los hombres están preocupados por bienes materiales.

Para que nuestra fe se mantenga inquebrantable, sé tú nuestra defensora, ¡oh Virgen María!

Para que el mal no tenga poder en nosotros y para que no siembre de ruinas e incertidumbres nuestras almas, sé tú nuestra defensa, ¡oh Virgen María!

Para que afectos prematuros no dispersen nuestras fuerzas y destruyan nuestro corazón, sé nuestra defensa; ¡oh Virgen María!

Para que conservemos jóvenes e intactos nuestros entusiasmos, Virgen María, ¡sé nuestra defensa!

(Lelotte)

Oración a la Virgen de Guadalupe

Virgen de Guadalupe, que a la tierra de México le has querido dar especiales muestras de benevolencia y has prometido consuelo y ayuda a los que te aman y siguen, mira benignamente a todos tus hijos: ellos te invocan con confianza. Conserva en nuestras almas el don precioso de la gracia divina.

Haz que seamos dóciles a la voluntad del Señor, de tal manera que cada vez más se extienda su reino en los corazones, en las familias y en nuestra nación.

Virgen Santísima, acompáñame en las fatigas del trabajo cotidiano, en las plegarias, en las penas y dificultades de la vida, de modo que nuestro espíritu inmortal pueda elevarse, libre y puro, a Dios, y servirlo gozosamente, con generosidad y fervor.

Defiéndenos de todo mal, Reina y Madre de México; y haz que seamos fieles imitadores de Jesús, que es Camino, Verdad y Vida, a fin de que un día podamos alcanzar en el cielo el premio de la visión beatífica. Amén.

(Juan XXIII)

Triduo a la Virgen de Guadalupe

Primer día

Por la señal † de la santa Cruz, de nuestros † enemigos, líbranos Señor, † Dios nuestro.
En el nombre del Padre † y del Hijo y del Espíritu Santo. Amén.

Invocación para todos los días

Madre mía dulcísima de Guadalupe. Heme aquí en tu presencia e imploro humildemente tu protección poderosa, tu clemencia maternal y tu intercesión, siempre consoladora y eficaz. Pobre en este valle de dolor, de miseria y de lágrimas, ¿a quién si no a ti, he de acudir en mis necesidades y tristezas? Escucha, pues, mis ruegos e intercede por mí para que tu Hijo Divino Jesucristo, fruto bendito de tu vientre, por la pureza inmaculada de tu corazón, por la excelencia de tus méritos, y por la fidelidad de tu siervo Juan Diego, se digne concederme la gracia que pido en este Triduo, si ha de ser para gloria mayor de tu mismo Hijo Jesucristo y la salvación eterna de mi alma. Amén.

Oración para los tres días

Santísima Virgen de Guadalupe, Reina soberana y Madre tiernísima de los mexicanos: vengo a postrarme de hinojos a tus plantas, con el respeto y sumisión de un fiel vasallo hacia su Reina, pleno mi corazón, de amor y confianza, pues, eres también mi Madre amorosísima. Vengo a recordarte la dulcísima promesa hecha a tu fiel mensajero Juan Diego, de que “lo afamarías y sublimarías” en recompensa de lo que por ti hiciera, para que se cumpliera tu deseo de asentar aquí tu trono de misericordia, Madre mía, te ruego con todo el fervor de mi alma que te dignes realizar dicha promesa.

Con esta gracia que te pido, se habrá afianzado para nunca más romperse, el lazo de amor y gratitud que hacia ti nos liga.

Se habrá colmado el anhelo de tu Nación privilegiada y principiará para ella la era verdadera de ardiente Fe, de prosperidad material bajo tu égida, y de una inquebrantable unión de todos los nacidos en este suelo santificado por tus benditas plantas.

Te pido también, Santísima Madre mía, que te muevan a compasión mis pesares, que remedies mis necesidades, me acojas amorosa bajo tu manto, y bendigas mi hogar y a los que en él moramos. Te lo pido por los méritos de tu siervo Juan Diego, a quien nombro mi intercesor delante de ti. Amén.

Jaculatorias de las cuatro apariciones de Guadalupe:

Primer día

Hecha la señal de la Santa Cruz, se reza la siguiente invocación:

Madre nuestra, santa María de Guadalupe, sálvanos. Dios te salve María.

Reina nuestra, santa María de Guadalupe, sálvanos. Dios te salve María.

Abogada nuestra, santa María de Guadalupe, sálvanos. Dios te salve María, vida, dulzura y esperanza nuestra. Santa María de Guadalupe, sálvanos. Ave María.

Segundo día

Hecha la señal de la Santa Cruz, se reza la siguiente invocación:

Madre mía amantísima de Guadalupe; hacia ti dirijo mi humilde súplica en este día, pidiéndote por intercesión de tu "hijo pequeñito" Juan Diego, que terminen las penas y calamidades que sobre el mundo entero han llegado.

Madre mía, óyeme; Madre mía, escúchame; Madre mía, atiéndeme y concédeme la gracia y el bienestar para los míos y el perdón de nuestras culpas.

Te lo pido por el amor que demostraste a tu humilde siervo Juan Diego, al nombrarlo tu embajador. Amén.

Tercer día

Hecha la señal de la Santa Cruz, se dice la siguiente invocación:

Virgen Santísima de Guadalupe, Reina de México y Emperatriz de América: postrado de rodillas te pido con todo el fervor de mi alma, que te dignes alcanzarme de tu Divino Hijo Jesucristo, la glorificación de tu hijo predilecto Juan Diego aquí en la tierra, según tú misma te dignaste prometérselo, cuando lo constituiste tu mensajero ante el Obispo de la Santa Iglesia.

Muéstrate, una vez más, verdadera Madre compasiva para tus hijos, dignándote escuchar benigna mi petición. Te lo pido por esa predilección tan singular que demostraste a tu fiel siervo Juan Diego, a quien pongo por mi intercesor. Amén.

Oración a la Santísima Virgen por la Iglesia

Virgen María, Madre de la Iglesia, te recomendamos toda la Iglesia. Tú, "Auxilio de los Obispos", protégelos y asístelos en su misión apostólica, y a todos aquellos que colaboren en su arduo trabajo. Tú, que, por tu mismo divino Hijo, en el momento de su muerte redentora, fuiste presentada como Madre al discípulo predilecto, acuérdate del pueblo cristiano, que en ti confía.

Acuérdate de todos tus hijos; da valor a sus oraciones ante Dios; conserva sólida su fe; fortifica su esperanza; aumenta su caridad.

Acuérdate de aquellos que viven en la tribulación, en las necesidades, en los peligros, especialmente de aquellos que sufren persecución y se encuentren en la cárcel por la fe.

Para ellos, Virgen Santísima, solicita la fortaleza y acelera el ansiado día de su justa libertad.

Mira con ojos benignos a nuestros hermanos separados, y dígnate unirnos, tú que has engendrado a Cristo, puente de unión entre Dios y los hombres.

Templo de luz, sin sombra y sin mancha, intercede ante tu Hijo unigénito, Mediador de nuestra reconciliación con el Padre, para que sea misericordioso con nuestras faltas y aleje de nosotros las discordias, dando a nuestros ánimos la alegría de amar.

Finalmente, encomendamos a tu Corazón Inmaculado todo el género humano; condúcelo al conocimiento del único y verdadero Salvador, Cristo Jesús; aleja de él el castigo del pecado, concede a todo el mundo la paz en la verdad, en la justicia, en la libertad y en el amor.

Y haz que toda la Iglesia pueda elevar al Dios de las misericordias un himno de alabanza, de agradecimiento y de alegría, pues grandes cosas ha obrado el Señor por medio de ti, clemente, piadosa y dulce Virgen María. Amén.

(Paulo VI)

Jaculatorias a la Virgen

1. Dulce Corazón de María, sé mi salvación.
2. Madre Dolorosa, ruega por nosotros.
3. Madre mía, esperanza mía.
4. Ruega por nosotros, Santa Madre de Dios, para que seamos dignos de alcanzar las promesas de Jesucristo.
5. Reina concebida sin pecado original, ruega por nosotros.
6. Madre mía, líbrame del pecado mortal.
7. María, esperanza nuestra, ten piedad de nosotros.
8. Santa María, líbranos de las penas del infierno.
9. Virgen María, Madre de Jesús, haznos santos.
10. María, haz que viva en Dios, con Dios y por Dios.